Lucille Watters

LA FEMME QU'IL AIMAIT

Ralph G. Martin

LA FEMME QU'IL AIMAIT

Le roman d'amour du Duc et de la Duchesse de Windsor

Traduit de l'anglais par
Robert Latour

ALBIN MICHEL

L'auteur tient à remercier les personnalités ou organismes qui lui ont accordé l'autorisation de reproduire des documents dans ce livre. Toute omission involontaire sera réparée si elle est signalée aux éditeurs.

Atheneum Publishers, Inc., et Collins Publishers pour les extraits de *Harold Nicolson : Diaries & Letters 1930-1939*, édité par Nigel Nicolson, copyright 1966 par William Collins Sons & Company, Ltd. Lettres de V. Sackville-West copyright 1966 par sir Harold Nicolson. Introduction et notes à ce volume copyright 1966 par Nigel Nicolson.

Atheneum Publishers, Inc., et David Highham Associates Ltd. pour les extraits de *The Abdication of Edward VIII*, de Lord Beaverbrook, éd. par A. J. P. Taylor, copyright 1965, 1966 par Beaverbrook Newspapers, Ldt. Préface copyright 1966 par A. J. P. Taylor.

James Brown Associates, Inc., et Curtis Brown Ltd. pour les extraits de *Daughters and Rebels* (publié en Grande-Bretagne sous le titre *Hons and Rebels* par Jessica Mitford, copyright 1960 par Jessica Mitford.

Mrs. Norma Ellis pour « The First Fig », d'Edna St. Vincent Millay, extrait de *Collected Poems* publiés par Harper & Row, Publishers, copyright 1922-1950 par Edna St. Vincent Millay.

Harper & Row, Publishers, Inc., et Andre Deutsch Ltd. pour des extraits de *The Labyrinth* (publié en Grande-Bretagne sous le titre *The Schellenberg Memoirs*) de Walter Schellenberg, traduit par Lewis Hagen, copyright 1956 par Harper & Row, Publishers, Inc.

Rupert Hart-Davis pour des extraits de *The Light of Common Day*, de Lady Diana Cooper, copyright 1959 par Rupert Hart-Davis.

David Higham Associates Ltd. pour des extraits de *Geoffrey Dawson and Our Times*, de sir Evelyn Wrench, publié par Hutchinson & Company Ltd., copyright 1955 par sir Evelyn Wrench.

Little, Brown and Company and George Weidenfeld et Nicolson Ltd. pour des extraits de *The Wandering Years*, de Cecil Beaton, copyright 1961 par Cecil Beaton.

Macmillan Publishing Company, Inc., et Hodder and Stoughton Ltd. pour des extraits d'*Abdication*, de Brian Inglis, copyright 1966 par Brian Inglis.

Newbold Noyes pour des articles de Newbold Noyes, copyright 1936 par The Evening Star Newspaper Company.

George Weidenfeld et Nicolson Limited pour des extraits de *Walter Monckton : The Life of the Viscount of Brenchley*, de Frederick Winston Furneaux Smith, second comte de Birkenhead.

Édition originale : The Woman he loved
Simon et Schuster, New York

22, rue Huyghens, 75014 Paris
ISBN-0-7760-0691-6

Pour
Pearlie Bernier

Pour
Bill Williams

Pour
Al Weisman

Prologue

Debout la Duchesse paraissait très petite et d'une fragilité extrême. Sa fracture de la hanche lui avait fait perdre un peu de sa grâce légère. (« C'est parce qu'il n'y a qu'une partie en plastique; si tout était en plastique, ma démarche serait moins heurtée ».) Et cependant, malgré sa taille, elle donnait une impression de présence et de grandeur qui, pour peu que vous l'analysiez, vous renvoyait toujours à ses grands yeux d'un bleu violet lumineux, à la fois vifs et pénétrants; ils se braquaient sur vous pour percer et fouiller votre âme. Lorsqu'elle vous adressait la parole, elle s'intéressait à vous seul et vous le faisait bien voir. Vous vous rendiez compte alors que tout avait dû commencer ainsi, et que c'était par cette simplicité de moyens qu'elle avait totalement captivé le cœur d'un roi.

Les yeux mis à part, elle composait un tableau remarquable : l'élégance de la silhouette, une robe classique violet clair, un collier et des boucles d'oreilles d'une distinction spectaculaire. Coiffée à la perfection, elle se maquillait discrètement. Une raie partageait par le milieu sa haute couronne de cheveux. « Je reviens à la mode du temps de Mrs. Simpson », dit-elle en souriant.

Elle n'avait ni l'accent de Baltimore, ni l'accent anglais, mais plutôt un mélange des deux avec des intonations graves où l'on percevait parfois un très léger zézaiement.

L'extraordinaire chez cette femme presque octogénaire, c'était sa vitalité dynamique qui la rajeunissait de vingt ans.

Elle attendait ses invités avec son secrétaire John Utter. La villa Roserie est sise au haut d'une colline qui domine la mer à Saint-Jean-Cap-Ferrat. Entourée de murs, cette propriété avait une piscine immense, un gazon plein de sève, et le silence y était total.

Le déjeuner fut gai, la conversation sans contrainte; on parla de Watergate et des scandales sexuels en Angleterre. La Duchesse estimait que les scandales de Londres étaient de loin les plus intéressants; elle s'étonna que tant de personnalités gouvernementales britanniques fussent toujours en train d'entrer dans un lit ou d'en sortir. « Mais les Anglais se conduisent comme s'ils avaient inventé l'amour physique. » Elle déclara avoir vécu suffisamment longtemps chez eux pour les considérer comme le peuple le plus moral qu'elle connaissait. « Ils l'ont toujours fait, mais ils n'en parlent jamais. Alors maintenant, quand la presse met les points sur les i, tout le monde semble extrêmement surpris. »

Une petite pointe d'aigreur durcit sa voix. « Les Anglais ne font jamais rien quand il n'y a pas d'argent à gagner. » Lorsque la conversation s'orienta vers les amis communs qu'ils avaient à Londres, elle ajouta non sans tristesse : « J'ignorais qu'il me restait des amis en Angleterre. »

Elle était au courant de tout ce qui se passait dans le monde, et pas seulement par la lecture des manchettes des journaux; sa compréhension et son analyse des problèmes, très pertinentes, montraient qu'elle se tenait informée.

Le repas était simple, mais délicieux : un bon vin, une petite volaille, une salade verte, un poisson entier (« Prenez la chair près de la queue », dit-elle. « C'est là qu'elle est la plus savoureuse »). Elle avait l'esprit incisif. Quelqu'un ayant fait allusion à la mode du jus d'airelles pour la santé aux Etats-Unis, elle demanda : « Vous fait-il le même effet qu'au dindon? »

Deux carlins noirs avaient pris place sur un fauteuil de satin rouge et l'un d'eux émit un léger aboiement pour attirer l'attention. En les regardant avec tendresse, la Duchesse nous fit remarquer que le noir de leur poil ressortait admirablement sur le tissu rouge. Elle expliqua qu'un carlin avait appartenu au Duc, « et l'autre est à moi; j'en suis folle. Il est difficile de faire croire au chien du Duc que je l'aime autant que le mien. Quelquefois ils grimpent sur mon lit et ils se battent; il faut que j'aie un fouet à portée pour les séparer. Mais à mon âge, je suis flattée que deux mâles se disputent mon cœur ».

Elle était merveilleuse. Une hôtesse parfaite. Ses yeux étaient attentifs à chacun de ses convives, surveillaient comment ils se servaient, s'ils avaient envie ou manquaient de quelque chose. Quand une discussion menaçait de s'enliser, elle posait aussitôt une question qui la relançait. Elle ne paraissait absolument pas son âge.

A un moment donné, elle dit qu'elle comptait très peu d'amis français, et elle ajouta qu'à son avis les Français avaient déjà du mal à bien s'entendre entre eux. Utter protesta en lui rappelant les divers amis qu'ils s'étaient faits. Elle acquiesça, mais déclara qu'il avait plus d'amis français qu'elle et qu'en réalité elle ne connaissait pas beaucoup les Français parce qu'elle avait rarement eu l'occasion d'avoir affaire avec le public en général et que, dans la rue, elle ne leur parlait guère. En un certain sens, elle se sentait isolée.

Cette mention de sa solitude fit naître sur son visage une expression de regret. « Pourquoi n'irions-nous pas quelque part ce soir? Je ne suis pas encore sortie. Que diriez-vous de Monte-Carlo? » Puis elle ajouta en aparté : « J'adore le poker. Je trouve que c'est passionnant. Et j'aime aussi le chemin de fer, mais je ne mise pas gros. Je pense toujours à ce que je pourrais acheter avec l'argent que je perds. »

Après le déjeuner ce fut la Duchesse qui proposa : « Ne voulez-vous pas venir bavarder avec moi? »

Utter et les invités se dirigèrent vers la piscine, et elle me conduisit au salon.

A nos pieds, Saint-Jean-Cap-Ferrat baignait dans la brume et le silence; elle dit qu'il ne faisait pas aussi beau qu'elle l'avait espéré, puis elle se tourna brusquement vers moi. « Vous savez, c'est aujourd'hui le premier anniversaire de sa mort. »

Toute gaieté avait disparu de sa voix qui me parut déformée, presque blanche.

« Je ne le croyais pas quand j'ai regardé le calendrier. Toute une année. Nous avions eu des amis qui étaient morts, eux aussi, d'un cancer de la gorge. Je lui disais de fumer moins. Il s'était mis à fumer tout le temps parce qu'il était terriblement nerveux quand il devait prononcer tous ses discours au cours des voyages qu'il effectuait dans le monde entier en sa qualité de Prince de Galles.

« Il a diminué la dose. Il a commencé à fumer des demi-cigarettes. Mais c'était encore trop, sans doute.

« Moi, je n'ai jamais fumé. L'influence de ma grand-mère, peut-être. » Elle me cita d'autres influences. « Toutes mes amies étaient plus riches que moi, mais au moins nous avions un gouverneur dans notre famille, et nous étions de bonne race. J'ai eu une enfance heureuse, je vous assure. Ma mère était toujours très gaie; elle avait un sens extraordinaire de l'humour. Et mon beau-père a été très bon pour moi. »

En me racontant cela son visage s'était éclairé, libéré de la trace des ans. Puis sa bouche se pinça un peu.

« Ce qu'il y a dans le Maryland, c'est l'étroitesse d'esprit des gens. Le Maryland, mon Maryland... Ce sont les plus grands snobs du monde. Si vous n'allez pas au Cotillon, vous n'êtes rien. Et si vous y allez, vous vous ennuyez à périr! Ils ne sortent jamais du Maryland. Ils se marient entre eux; ils y vivent, ils y meurent. Ils ne pouvaient comprendre pourquoi je voulais sortir du Maryland, mais je l'ai fait... »

Elle rayonnait quand elle me parlait du Prince. Nul ne connaissait mieux que lui l'Empire britannique; il avait tenu à apprendre l'espagnol avant de se rendre en Amérique du Sud, et il avait si fortement impressionné les Sud-Américains par l'aisance avec laquelle il parlait leur langue qu'ils avaient retiré aux Etats-Unis une importante partie de leur commerce extérieur pour le confier à la Grande-Bretagne.

« Il a travaillé beaucoup plus que n'importe quel prince. Il était le commis-voyageur de l'Empire britannique. Il me disait tout, et je l'écoutais, je sympathisais avec ses opinions, je le comprenais; il en avait besoin, je crois. » Elle marqua un temps d'arrêt. « Il aurait pu être un grand roi; le peuple l'aimait. »

Et puis elle m'expliqua comment elle s'était rendue en France, et lui en Autriche après son abdication, en attendant que son divorce fût prononcé. « Tout le monde nous surveillait, à chaque instant, afin que nous ne fussions pas ensemble. »

Elle réfléchit. « Nous avons vécu beaucoup d'années de bonheur, alors que tant de gens croyaient que ce serait impossible. Et, voyez-vous, nous ne nous ressemblions guère par beaucoup de côtés. Il était de la campagne, et moi de la ville. Voilà pourquoi nous avions deux résidences à Paris : l'une dans le XVIe arrondissement, et le Moulin qu'il adorait. Il était passionné de jardinage. Il me disait : " C'est toujours moi qui fais pousser, et c'est toujours vous qui coupez. " Maintenant, je vais vendre le Moulin. C'était sa maison plus que la mienne, et je ne pourrais pas supporter d'y retourner. Je suis incapable d'habiter le Moulin sans lui. Tout ce qu'il a fait s'y trouve encore. »

Je la voyais creuser au plus profond d'elle-même; la vivacité de ses souvenirs était telle qu'une expression de souffrance passa dans son regard.

« Il était terriblement entêté », dit-elle. « Une fois qu'il avait décidé quelque chose, rien ne pouvait le faire changer d'avis. Je l'appelais " Tête de Mule ". La vérité, c'est qu'il était habitué à obtenir dans sa vie tout ce qu'il désirait. Il a connu beaucoup de femmes avant moi, je le sais, mais il m'a affirmé que j'ai été la seule qu'il ait voulu épouser. »

Elle sourit à un secret intérieur, puis reprit : « Je lui ai dit que c'était un fardeau trop lourd pour moi. Je lui ai dit que le peuple anglais avait tout à fait raison en ne voulant pas pour reine d'une divorcée. Toutes ces formalités, toutes ces responsabilités... Et je lui ai dit que, s'il abdiquait, toutes les femmes me haïraient, que tous les Anglais auraient le sentiment qu'il les abandonnait à leur sort. Je lui ai dit que, s'il restait sur le trône, ce ne serait pas la fin pour nous. Que je pourrais toujours aller le voir, et qu'il pourrait continuer à venir me voir. Nous avons eu des discussions terribles à ce sujet. Mais c'était une mule. Il me répliquait qu'il ne voulait pas être roi sans moi et que, si je le quittais, il me suivrait partout où j'irais.

« Que pouvais-je faire? Que pouvais-je faire, dites-moi? »

1

1

L'*Evening Sun* de Baltimore proclama en manchette :

MRS. SIMPSON A PLUS DE SANG ANGLAIS DANS LES VEINES QUE LE ROI [1]

C'était vrai, mais quelques autres inventions frisèrent l'extravagance. Un généalogiste soutint que Wallis était techniquement comtesse du défunt Saint-Empire et qu'elle comptait dans sa lignée six rois d'Angleterre, au moins deux barons de la *Magna Charta*, et plusieurs représentants des familles royales de France, d'Ecosse et d'Espagne. Le célèbre romancier Upton Sinclair, cousin de Wallis, écrivit qu'elle était incontestablement une parente de la princesse indienne Pocahontas, et il affirma que son grand-père maternel descendait directement du chef Powhatan, le père de Pocahontas.

Laissons de côté les généalogistes. Ce qui ne souffre pas de discussion, c'est que son arbre généalogique compte de nombreux rameaux fort distingués, notamment au Maryland et en Virginie. Le gouverneur du Maryland, Edwin Warfield, était l'un des aïeux de son père, et le gouverneur de Virginie, Andrew Jackson Montague, était l'un de ceux de sa mère. La *Maryland Historical Society* a qualifié les Warfield de « vieille, vieille famille de Baltimore », et les Montague passent pour « l'une des premières familles de Virginie ».

Guillaume le Conquérant avait ordonné en 1086 un inventaire général des ressources économiques de l'Angleterre en vue d'une taxation équitable. Ce document qui énumérait les détenteurs présents et passés de chaque lopin de terre mentionna à plusieurs reprises des Warfield. L'un d'entre eux, Pagan de Warfield, était venu de France avec Guillaume le Conquérant [2], et avait combattu pour lui à Hastings. Guillaume Ier le récompensa d'un fief de chevalier, c'est-à-dire d'un domaine qu'il appela « Warfield's Walk », l'un des seize « Walks » qui composaient la forêt de Windsor. Tout près de là se trouvait le château de Windsor qui devait être, bien plus tard, l'apanage d'un roi qui renonça à son trône pour une Warfield.

Le premier Warfield américain était originaire du comté anglais du Berkshire; il arriva dans le Maryland en 1662, et acheta des terres près de la Severn pour 8 000 livres de tabac. Ce Richard Warfield éleva six fils qui furent bientôt pourvus de domaines dans toute la région. A sa mort, il laissa dans ses legs des objets de luxe tels que des cuillers d'argent, des fauteuils recouverts de cuir et des lits de plume.

Les généalogistes de Virginie nous proposent pour les Montague une histoire non moins distinguée où apparaît un roi : sir Simon Montecute, chef de la maison de Montague au XIVe siècle, épousa en effet Aufrica, fille du roi de l'île de Man [3]. Cette île de la mer d'Irlande, au large des côtes de la Grande-Bretagne, est longue de 53 kilomètres et large de 20. A la mort du père d'Aufrica, Simon devint roi de l'île, sur laquelle sa famille régna pendant plus de cinquante ans.

Comme les Warfield, les Montague reçurent des terres de Charles II. Le premier qui débarqua en Amérique, en 1621, avait dix-huit ans : ce Peter Montague, de Bovency dans le Buckinghamshire, accompagnait le nouveau gouverneur de la colonie de Virginie dont il épousa la fille. Par la suite il représenta son comté à l'Assemblée coloniale, et il réussit admirablement comme planteur de tabac, de blé et d'orge [4].

Quelques convictions libérales incitèrent les Warfield et les Montague à servir dans la guerre d'Indépendance. Ce fut un Montague qui sauva la vie de George Washington en s'interposant entre lui et le coup de sabre d'un soldat anglais.

Les Warfield et les Montague figurèrent parmi les partisans résolus du Sud contre « les hommes de Mr. Lincoln ». Contrairement à la Virginie, le Maryland ne se retira pas de l'Union. Mais le grand-père de Wallis, Henry Mactier Warfield, fut l'un des premiers notables de Baltimore à réclamer la Sécession. A la déclaration de guerre, Warfield fut arrêté et déporté à Fort McHenry en même temps que son grand ami Severn Teackle Wallis. Plus tard, Warfield devint le candidat du parti réformateur démocrate à la mairie de Baltimore, le premier président de la Chambre de commerce de la ville et le directeur des chemins de fer de Baltimore et de l'Ohio; il fit fortune dans l'exportation des grains et de la farine. Severn Teackle Wallis, de son côté, acquit de la notoriété comme juriste et éducateur.

Dès la fin de la guerre de Sécession, Baltimore retrouva la prospérité. Fondé en 1729, ce port de mer naturel était devenu un centre maritime extrêmement important pour l'exportation du tabac et des céréales; il n'allait pas tarder à prendre rang parmi les grandes métropoles du commerce mondial. Le Sud ayant été ravagé, nombre des meilleures familles de Virginie émigrèrent à Baltimore, dont quelques Montague de Richmond.

Au cours des premières années de l'après-guerre, Severn Teackle Wallis produisit une impression si forte sur Baltimore que la ville lui éleva une statue. Son influence sur son ami Henry Warfield ne fut pas moins considérable, puisque Warfield prénomma Teackle Wallis l'un de ses enfants mâles.

Teackle Wallis Warfield fut le seul des quatre fils à ne pas hériter de l'aptitude de leur père à gagner beaucoup d'argent. A vingt-six ans, il était encore commis alors que ses frères étaient de riches notabilités de la ville. Mais sa famille n'en rejeta pas pour autant ce mouton noir. Au recensement de Baltimore (1889-1896), il est inscrit comme demeurant au 34 d'East Preston Street, maison de sa mère et de son frère aîné. Grâce à la fortune de son père et au renom familial, il jouissait d'un standing certain dans la société; ainsi il était membre du club très fermé du Cotillon des célibataires. Sa faible réussite fut attribuée à sa tuberculose précoce. C'était sans doute un jeune homme très séduisant. Sur des photos, on remarque ses grands yeux sensibles et pénétrants, la forme allongée de son visage, une moustache conquérante. Peut-être déçut-il ses frères, mais sa mère l'entoura d'affection.

Une tempête familiale se leva quand T. Wallis annonça qu'il avait l'intention d'épouser Alice Montague.

« Miss Alice » était ravissante, « l'une des deux jolies sœurs Montague », à en croire la presse de Baltimore. Cette jeune fille avait un visage éclatant et un rire contagieux qui faisait accourir les garçons. En dépit de la fougue de son tempérament et de sa langue pointue, personne dans la famille ne la croyait capable d'une mauvaise action. Sa cousine Lelia Barnett, femme du commandant des Marines, déclarait volontiers : « Une fille comme Alice, il n'y en a jamais eu[5]. »

La cour de ses soupirants commença à grossir sitôt après ses treize ans, et elle aurait pu choisir n'importe quel beau parti. Seulement elle tomba amoureuse de ce jeune homme dont la figure était déjà marquée du sceau de la mort.

Pourquoi? La maladie de T. Wallis n'était pas un mystère. Son frère aîné Solomon Warfield, qui avait brillamment réussi et qui était alors le plus jeune receveur des postes à Baltimore, se rendit chez les Montague pour leur expliquer la gravité de son mal. T. Wallis ne pouvant espérer une guérison complète, les deux familles se déclarèrent opposées à un mariage pareil.

Oui, pourquoi? T. Wallis n'était pas à proprement parler un Adonis. Il avait certes une tête de poète. Mais il y eut autre chose, de très particulier. Les Warfield murmurèrent plus tard, après plusieurs maris, que « Miss Alice » épousait toujours l'homme qu'il ne fallait pas. Elle dit à sa fille, sur son lit de mort, qu'elles se ressemblaient beaucoup parce qu'elles se laissaient gouverner par le cœur plus que par la tête.

Le cœur vainquit. Les deux amoureux se marièrent sans bruit le 19 novembre 1895 à l'église Saint-Michael-and-All-Angels de Baltimore « en présence de plusieurs amis [6] ».

Six mois plus tard exactement, le 19 juin, leur fille naquit dans une station estivale de Pennsylvanie, tout près de la frontière du Maryland. Leur médecin personnel n'étant pas là, ils firent appel au jeune Dr. Lewis Allen qui faisait partie du personnel de l'hôpital de l'Université du Maryland.

Les chroniqueurs mondains rapportèrent que la belle-mère d'Alice, Mrs. Henry Warfield, séjournait à cette époque au même Monterey Hotel [7], et que la sœur d'Alice, Bessie, était descendue avec son mari D. Buchanan Merryman dans un hôtel voisin [8]. Malgré la célébrité des deux familles, aucun journal ne mentionna la naissance du bébé. Le 5 juillet, un entrefilet annonça : « Mr. Wallis Warfield, qui a été très souffrant, va un peu mieux [9]. » Et, le 28 septembre : « Mr. et Mrs. Wallace (sic) Warfield sont rentrés à Baltimore après avoir passé l'été dans les Blue Ridge Mountains [10]. » Toujours rien sur l'enfant.

Ils avaient espéré avoir un garçon qu'ils auraient appelé Wallis. Quand ce fut une fille qui arriva, ils décidèrent de garder le prénom en le faisant précéder de Bessie — prénom de la sœur d'Alice, Mrs. D. Buchanan Merryman, et de sa marraine et cousine, Bessie Montague Brown.

Une proche cousine, Mrs. Elizabeth Gordon Biddle Gordon, répéta un dialogue entre « Miss Alice » et le Dr. Allen :

« Docteur, comment est ma petite fille? A-t-elle tous ses doigts et tous ses orteils? »

« Elle est parfaite », répondit le Dr. Allen, qui ajouta : « Vraiment, elle conviendrait à un roi [11]. »

T. Wallis, petit homme affaibli dans son fauteuil roulant [12], fit photographier le bébé peu de temps avant de mourir. En raison des progrès de sa tuberculose, il ne pouvait ni la tenir dans ses bras ni l'embrasser, ni même la voir. Après avoir contemplé la photo, il murmura : « Je crains, Alice, qu'elle ne ressemble physiquement aux Warfield. Espérons que moralement elle sera comme toi, une Montague [13]. »

Le 16 novembre 1896, les *News* de Baltimore annoncèrent le décès de T. Wallis Warfield avec ce commentaire : « Depuis un an, la santé de Mr. Warfield avait décliné, et sa mort ne surprendra personne. » Il avait vingt-sept ans.

2

Teackle Wallis mourut quatre jours avant le premier anniversaire de leur mariage en laissant à sa veuve le tendre souvenir d'un grand amour, mais pas d'argent. Il est possible que la mère de Teackle ait nourri un certain ressentiment à l'égard d'Alice, à la pensée que le mariage avait hâté l'échéance fatale; mais comme elle chérissait sa petite-fille, elle les invita toutes les deux à habiter la maison qu'elle partageait avec Solomon.

La belle-mère d'Alice, sexagénaire, portait encore le deuil de son mari dont le décès remontait à plusieurs années. Elle était remarquable par son allure aristocratique, son visage maigre et ses cheveux soigneusement tirés de chaque côté d'une raie médiane. Sa maison, sur l'élégante East Preston Street, proche de Charles Street, contenait de grandes pièces, des meubles en bois foncé et une bibliothèque bien approvisionnée. La chambre à coucher et la salle de bains de la belle-mère d'Alice se trouvaient au premier étage, la chambre et la salle de bains de Solomon au deuxième; Alice et sa fille occupèrent au troisième deux chambres sans salle de bains, ce qui les obligeait à descendre deux étages pour faire leur toilette.

Solomon devint un élément essentiel de leur existence. C'était un homme à deux visages. A trente ans, il faisait déjà figure de notable. Non content d'être receveur des postes, il organisa la Seaboard Air Line Railway dont il acquit la présidence; il fut également président de la Continental Trust Company, unifia les compagnies du gaz et de l'électricité de Baltimore, élabora un plan destiné à capter l'énergie de la Susquehanna au profit de la ville, et contribua enfin à la réalisation de la liaison ferroviaire entre les côtes est et ouest de la Floride. Comme son père, il avait rallié les démocrates indépendants, et il se présenta, sans succès, à la mairie de Baltimore.

Tel était son premier visage. L'autre représentait l'auteur d'un petit livre imprimé à ses frais qui contenait des poèmes [1], l'homme qui avait fait venir à Baltimore la troupe du Metropolitan Opera et qui était un membre écouté du conseil d'administration du Museum of Art. Il avait loué un appartement au Plaza Hotel de New York, et ses amis intimes le savaient grand amateur de femmes; sur ses murs il avait affiché une collection de photographies fort tendrement dédicacées; cependant il ne se maria jamais.

Bessie Wallis l'appelait « Oncle Sol ». Il se montrait avec elle très strict, froid, puritain; peut-être cherchait-il à se conduire en père (selon l'idée qu'il se faisait d'un père), peut-être s'efforçait-il de contrebalancer la grande tolérance de la mère. Son argent en tout cas fut le bienvenu; Wallis put faire ses études et, même plus tard, il les aida de ses deniers.

La situation ne tarda pas à devenir embarrassante. L'oncle Sol tomba éperdument amoureux d'Alice, mais cette passion resta à sens unique. Si Alice l'avait aimé, tous ses problèmes auraient été résolus; seulement, malgré tout son argent, il n'était pas l'homme de ses vœux. Elle le trouvait trop sombre, trop rigide. Lorsque Bessie Wallis eut cinq ans, sa mère et elle allèrent s'installer dans une paisible pension de famille du quartier. L'oncle Sol continua à alimenter leur compte en banque, mais par des versements irréguliers qui ne leur permettaient pas d'établir un budget.

De guerre lasse, Alice Warfield prit un emploi de confectionneuse de vêtements d'enfant; Bessie Wallis passa donc une bonne partie de son temps chez sa grand-mère dont l'empreinte, sur l'esprit hautement impressionnable d'une toute petite fille, se révéla très forte. Grand-mère Warfield avait grandi dans un Baltimore hanté par le spectre de l'esclavage, où les dames de qualité crachaient par terre quand elles croisaient un soldat nordiste. « N'épouse jamais un Yankee », lui répétait sa grand-mère, « ni un homme qui te baisera la main [2] ».

Bessie Wallis oublia cette mise en garde contre le baise-main et les Yankees, mais elle n'omit jamais de donner matin et soir cent coups de brosse à ses cheveux, et elle cultiva avec soin le goût de la perfection et des détails que lui avait légué sa grand-mère.

Tante Bessie ayant perdu son mari, elle demanda à sa sœur Alice et à Bessie Wallis de venir loger chez elle. Alice ne se fit pas prier. Sa fille bénéficierait d'un vrai foyer, et sa propre solitude s'en trouverait allégée. Tante Bessie était charmante et pleine d'entrain, aussi spirituelle et jolie que sa sœur; Bessie Wallis garda de sa maison le souvenir d'un palais de gaieté et de tendresse.

A six ans, Bessie Wallis dut aller en classe. C'était alors une petite maigrichonne qui avait de grands yeux et des nattes réunies dans un gros nœud de ruban noir. Sa maîtresse, Ada O'Donell, la dépeignit plus tard sous les traits « d'une enfant attirante, très vive, pleine de fougue et de drôlerie, aimée de tous [3] ». Bessie Wallis la présentera un jour à son mari comme « Miss Ada, la femme qui m'a appris tout ce que je sais [4] ». Miss Ada était la fondatrice et le professeur d'une institution privée destinée à une trentaine d'enfants du voisinage qui, presque tous, avaient l'âge de l'école maternelle. Miss Ada se rappelait aussi que « sa mère travaillait beaucoup car elle n'était pas riche, mais Wallis était toujours très bien habillée et donnait l'impression d'avoir tout ce qu'elle désirait [5] ».

Il se peut que la mère indulgente ait trop gâté sa fille. Pour sa première soirée, Alice Warfield avait choisi une robe blanche; Wallis la piétina et n'en voulut pas. « Il me faut la rouge pour que les garçons me remarquent [6] », déclara-t-elle. Mais si Alice Warfield cédait à sa fille sur certaines choses, elle se montrait inflexible pour d'autres. Bessie Wallis fut une enfant bien élevée qui avait de bonnes manières.

Elle apprit à faire la révérence aux grandes personnes, à se tenir droite pendant les repas, à ne parler que si l'on s'adressait à elle. Et elle se souvint longtemps des fessées — d'ailleurs rares — qu'elle reçut. Sa mère estimait qu'elle devait porter des vêtements légers en hiver afin de s'endurcir et être moins sujette aux rhumes.

A cette époque, les femmes bien nées n'étaient pas censées travailler, quelles que fussent leurs difficultés financières. Mais Alice Warfield était férue d'indépendance. Elles allèrent s'installer dans Preston Apartment House, et elle y fonda une sorte de pension de famille. Entendez par là qu'elle invitait d'autres locataires de l'immeuble à dîner chez elles en leur faisant payer le repas. L'un de ses admirateurs déclara : « Fauchée et intelligente comme elle l'était, elle aurait sans doute parfaitement réussi dans le monde des affaires [7]. »

C'était une absurdité. Alice Warfield n'avait rien d'une femme d'affaires. Elle aimait beaucoup faire la cuisine, ce pour quoi elle était très douée, mais de toute évidence elle mijotait des plats beaucoup plus pour son plaisir que pour gagner de l'argent.

Un jeune étudiant en médecine, Charles F. Bove, qui devint ultérieurement en France un chirurgien réputé, avait loué une chambre dans l'immeuble de Mrs. Warfield pendant sa première année d'hôpital à Johns Hopkins. « J'étais très emballé par la jeune fille qui aidait sa mère à servir les repas que je prenais avec elle », dit-il. « C'était une enfant de douze ans très exubérante, avec des nattes, de hautes pommettes et un nez prononcé qui faisait penser à une squaw indienne. Pour la taquiner, je l'appelais Minnehaha, et elle me répondait par de grands sourires [8]. »

Alice Warfield avait à peine dépassé la trentaine; elle était encore une très jolie femme qui menait une vie mondaine trépidante; toujours prête à rire, elle enchantait les hommes par d'irrésistibles accès d'hilarité contagieuse.

Bessiewallis (ainsi qu'on l'appelait alors) avait dix ans lorsqu'elle entra à l'Arundell School dans le centre de Baltimore. La discipline y était très stricte, mais Bessiewallis assura plus tard qu'elle ne s'y était pas ennuyée un seul jour.

Elle y trouva une héroïne, Miss Charlotte Noland qui devait fonder, quelques années plus tard, la célèbre Foxcroft School. Pour l'heure Miss Charlotte était professeur de sports; elle s'exprimait sur un ton tranchant et elle montait superbement à cheval. Bessiewallis avait toujours eu peur des chevaux depuis que l'une de ses cousines avait cravaché le flanc de sa monture qui, s'étant emballée, l'avait fait tomber. Et elle ne s'était guère intéressée aux sports. Mais elle en chercha un dans lequel elle pourrait exceller et impressionner Miss Charlotte; elle opta pour le basket-ball qui exigeait de la rapidité, de l'adresse et une certaine combativité; elle y réussit si bien qu'elle fut nommée capitaine de l'équipe.

Sa mère décida de déménager encore une fois. Elle dénicha une maison de trois étages en pierre brune au 212 d'East Biddle Street, à la bordure extérieure des quartiers chic. Bessiewallis fut très troublée quand elle découvrit le motif de ce nouveau changement de résidence : Alice voulait se remarier, et elle avait déjà choisi l'élu de son cœur.

Bessiewallis le connaissait et l'aimait bien. John Freeman Rasin était un personnage agréable qui avait le rire facile et bruyant, des manières douces. Tout le monde l'appelait « Young Free ». Son père, I. Freeman Rasin, avait dirigé la politique de l'Etat pendant plus de trente ans, et Young Free lui avait servi d'agent de liaison avec les ouvriers.

Il avait fait ses études au Loyola College et s'occupait d'assurances. Les amis de la famille Warfield le trouvèrent très ordinaire, avec un visage porcin et une lourde charpente. Pour la deuxième fois, soupirèrent-ils, Alice s'était trompée dans le choix d'un mari.

Pour Bessiewallis, la nouvelle prit les proportions d'une catastrophe. Elle voulait que sa mère lui appartînt à elle seule. Depuis des années, elles vivaient ensemble toutes les deux en partageant leurs secrets les plus intimes. Tout allait changer. Elle avait douze ans. Pour la décider à assister au mariage, il fallut lui promettre qu'elle serait la première à entamer le gâteau de noces et qu'elle y trouverait peut-être « une bague, un dé en argent et une pièce neuve de dix cents ». Pendant la cérémonie, raconta Wallis, « je m'éclipsai pour aller sonder le gâteau ». Pendant qu'elle s'y employait, le cortège nuptial survint et elle entendit « de grands éclats de rire [9] ».

Un compte rendu de presse décrivit « la belle jeune fille de la mariée » qui « portait une mignonne robe de batiste brodée garnie de rubans bleus ». Les *News* de Baltimore l'appelèrent « Miss Wallace Warfield ». Bien que son prénom eût été mal orthographié, elle fut ravie que le « Bessie » eût été omis. Elle détestait ce nom de « Bessie » qui, disait-elle, avait quelque chose de bovin.

« Mon beau-père a été très bon pour moi », déclara-t-elle bien des années après. « Il n'aurait pu être plus gentil ni plus affectueux [10]. » C'est qu'elle n'avait jamais eu de père auparavant. L'oncle Sol l'aimait, à sa manière, mais il était incapable de lui témoigner de la tendresse et il ne lui en offrit jamais. Rasin lui apporta la sienne. Son plus beau cadeau fut un bouledogue français, « Bully », qui fut son premier chien et éveilla chez elle une véritable passion pour ces animaux — passion de plus en plus forte au fil des années.

Alice (ou plutôt « Alys » selon l'orthographe qu'elle adopta alors) fit à Rasin un foyer heureux. Ils décidèrent d'un commun accord que Wallis irait pour la première fois en vacances quand elle aurait quatorze ans, et que son lieu de villégiature serait Burrlands. Wallis fut d'autant plus ravie que ce camp en plein air avait été établi par son idole Miss Charlotte Noland dans sa propriété de famille en Virginie, non loin de la station estivale où elle était née.

Les aînées vivaient dans des tentes en toile, et les plus jeunes logeaient dans des villas. Si elles voulaient se déplacer, un coche pittoresque qui s'appelait « Le Yankee volant » en emmenait une vingtaine. Elles allaient fréquemment jouer au tennis et prendre le thé dans un domaine voisin, *Glenora*, qui appartenait aux Tabb.

Lloyd Tabb, dix-sept ans, devint le premier « béguin » de Wallis. « Passionnés de romanesque et de poésie comme on l'est à cet âge », raconta Tabb, « nous nous échappions pour trouver un endroit isolé où nous pouvions " parler d'amour " et " nous boire des yeux " ». Tabb dit de Wallis qu'elle était « un peu pathétique avec une gentillesse où perçaient de vagues désirs ». Il reconnaissait cependant qu'elle lui paraissait plus expérimentée et plus en avance que les autres filles de quatorze ans. Leur rendez-vous de prédilection était un perchoir, c'est-à-dire une disposition de sièges dans les branches d'un grand chêne, auxquels on accédait par une échelle double. Tabb et Wallis y avaient grimpé un soir, quand ils entendirent soudain bruire le feuillage au-dessus d'eux. Tabb découvrit les indiscrets : c'étaient des gamines du camp. « J'étais furieux, mais Wallis trouva ça très drôle : elle voyait toujours le côté amusant des choses [11]. »

Mais Tabb n'était pas moins impressionné par son bon sens et sa simplicité. « Je ne connais personne qui, ayant bien connu Wallis, ait médit d'elle. » Elle ne se comportait jamais avec les garçons d'une façon « saugrenue ». Elle était « toujours très féminine mais habile, et parfois perspicace... Elle ne s'abandonnait pas à des impulsions; au contraire elle donnait l'impression d'avoir bien réfléchi avant de déterminer sa ligne de conduite.

« Nous nous réunissions souvent pour chanter en chœur sur le porche ou dans le jardin de notre maison. Wallis chantait rarement » (Tabb ignorait qu'elle n'avait pas l'oreille musicienne), « bien qu'elle appréciât visiblement l'effort des autres et qu'elle fût l'une des meilleures à imaginer de nouveaux accords. Après avoir fait ses suggestions, elle s'appuyait en arrière sur ses bras frêles, penchait la tête de côté et écoutait si sérieusement qu'à la voir nous nous prenions pour une chorale particulièrement douée ».

Tabb se rappelait que Wallis cependant chantait toujours à pleine poitrine le vieil hymne du camp : « Y aura-t-il des étoiles dans ma couronne [12]? »

Tabb conserva longtemps quelques lettres de Wallis; il l'avait invitée à revenir à *Glenora* un autre été lorsqu'elle séjournerait dans le Maine. Elle lui répondit qu'elle en « mourrait de joie si votre mère a réellement envie de me recevoir ». Elle lui dit aussi qu'elle trouvait le Maine « un paradis » [13], et qu'une soirée en son honneur s'était prolongée jusqu'à la fin de la matinée du lendemain.

A Burrlands, Wallis eut aussi son premier chagrin d'amour. Ce ne fut pas un gros chagrin et il ne dura pas longtemps, mais elle rêva d'une idylle avec le frère de Miss Charlotte, Philip Noland, qui avait trente-cinq ans. Cette idylle atteignit son point culminant quand il l'emmena toute seule sur sa charrette à deux roues. De retour chez sa mère, elle fut terriblement déçue qu'il ne lui écrivît point. Sa mère lui dit qu'il s'agissait d'une passade de jeunesse, mais elle ajouta : « Si un petit toutou se fait pincer la queue dans une porte, il a aussi mal qu'un gros chien [14]. »

Wallis considérait ces années-là comme des années heureuses. Libérée de soucis financiers, sa mère semblait extrêmement contente de son gentil mari. D'autre part, le cercle des amies de Wallis s'élargissait et elle avait « trois bons oncles » qui avaient supérieurement réussi dans l'existence et possédaient de vastes résidences d'été dans la région de Baltimore.

L'oncle Emery était l'oncle pieux. Chaque matin il rassemblait sa famille et ses domestiques pour la prière rituelle. A sa propriété de « Pot Spring », Wallis apprit à jouer au bridge et à porter un corset. « Je suis folle de corsets », écrivit-elle à tante Bessie [15].

L'oncle Harry était l'oncle gentil. Tout le monde l'appelait « général » parce qu'il avait été chef d'état-major du Maryland. Wallis n'oublia jamais cet homme très bon qui avait une ferme où abondaient les vaches, les prairies et les beaux paysages.

Et puis il y avait l'oncle Sol. Sa propriété, Manor Glen, avait été à l'origine une concession royale à sa famille, et la grand-mère de Wallis y passait ses étés. L'oncle Sol avait eu beaucoup de peine quand Alice Warfield l'avait éconduit. Sa déception avait été telle qu'il aurait voulu que Wallis vînt vivre chez lui. Il lui dit qu'elle aurait tout ce qu'elle voudrait et qu'elle hériterait de sa fortune, mais à une condition : que Wallis ne franchît plus jamais le seuil de la demeure maternelle.

Wallis refusa catégoriquement. Elle confia à une amie [16] : « Personne n'a le droit de me demander de ne plus voir ma mère. »

L'amie lui répliqua qu'elle était ridicule : pourquoi ne pas avoir accepté? Chaque fois qu'elle en aurait eu envie, elle aurait toujours pu se débrouiller pour visiter sa mère en cachette, et elle se serait trouvée un jour la femme la plus riche de Baltimore.

« Je n'ai jamais oublié cette conversation », dit l'amie beaucoup plus tard. « Et j'ai toujours admiré Wallis pour son attitude. Elle n'avait que seize ans, et il lui fallut du courage, des principes, et de la tendresse pour agir comme elle le fit. C'était tout à son honneur [17]. »

La même amie, toutefois, contesta l'opinion que Wallis avait sur une autre de ses qualités de l'époque. Evoquant sa jeunesse, Wallis avait déclaré : « J'étais une petite fille sérieuse, vraiment. On me rencontrait toujours avec des livres sous le bras. Et très disciplinée. Tous les jours je montais dans ma chambre à cinq heures et j'étudiais mes cours. J'avais une mémoire merveilleuse pour vingt-quatre heures, ce qui était parfait pour mes examens. Pas pour les maths : j'avais horreur des maths. Mais pour l'histoire : j'aimais l'histoire [18]. »

L'amie prit connaissance de ce commentaire avec un sourire amusé. « Wallis était très drôle, mais pouvait difficilement passer pour une élève sérieuse. Mettons qu'elle était aussi sérieuse que moi, et je ne savais même pas l'orthographe du mot " chat "[19]. »

D'autres anciennes camarades de Wallis sont d'accord : elle préférait les garçons aux livres.

« Wallis était amoureuse de l'un des enfants de chœur de mon père, qui s'appelait Slater et dont le père était pompier à Brooklyn », raconta Anne Kinsolving, fille d'un pasteur épiscopalien. « Il avait une très belle voix, et Wallis était folle de lui, au point qu'elle se rendait à St. Paul tous les dimanches après-midi pour les vêpres [20]. »

A seize ans, Wallis était mûre pour de plus grandes aventures; elle entra à Oldfields et, heureusement pour elle, l'oncle Sol continua son soutien financier en dépit de son ultimatum.

Oldfields est une particularité de Baltimore. Fondé en 1867, ce pensionnat de demoiselles compte parmi les plus chic du pays. Situé au-delà de Timonium, à une bonne vingtaine de kilomètres de la ville, il coiffe une colline à pentes douces, est entouré de pelouses veloutées et de vieux arbres et s'étale sur quelques centaines d'hectares protégés de toute indiscrétion.

« Nous attendons de nos jeunes filles une gentillesse et une politesse inlassables », lisait-on sur un écriteau apposé au-dessus des chambres du dortoir; effectivement, c'était le ton de l'endroit. Au lever matinal succédaient les prières, les cours, le déjeuner, les marches en plein air dans l'après-midi, des danses et de la musique. Les soirées se décomposaient en heures d'études, couture, lectures poétiques et divertissements impromptus — qui incluaient souvent l'utilisation de cuvettes à vaisselle pour descendre en glissant la colline glacée, et de traverses de lit qui tenaient lieu de skis.

Son amie Mary Kirk écrivit à ses parents que Wallis « trouvait la pension fantastique », qu'elle était « formidablement enthousiasmée », que les autres filles « l'aimaient à la folie », et que pour elles deux c'était merveilleux d'être ensemble « à rigoler comme toujours ». Mais Mary leur annonça bientôt qu'elle craignait à présent que Wallis ne se plût pas tellement à Oldfields, et qu'elle ne pensait pas y retourner après Noël. A juste titre, Mary diagnostiqua « une petite crise de mal du pays [21] ».

La vérité est qu'en hiver Oldfields était un site merveilleux et que Mary et Wallis adoraient marcher à travers bois dans la neige. Elles fabriquèrent aussi « le plus beau bonhomme de neige » du collège.

Comme elles avaient souscrit à un engagement sur l'honneur (chaque fille devait rendre compte de ses mauvaises actions) et que parler après « l'extinction des feux » était une mauvaise action, il ne leur était pas facile de respecter la tradition du réveillon. Tout un dortoir trouva cette année-là la solution : les filles se réunirent dans la salle de bains après avoir juré le secret; alors qu'elles étaient toutes ensemble, une clé tourna dans la serrure; par bonheur la cloison n'atteignait pas le plafond; elles purent donc s'échapper par l'intervalle, mais pas avant de s'être gavées de gâteaux et d'avoir manqué mourir de rire.

Le dimanche était un jour d'offices et de silence; les quarante demoiselles du pensionnat apprenaient la Collecte, l'Epître et l'Evangile. Celles qui ne pleuraient pas en chantant les cantiques étaient considérées comme « sans âme ». L'une d'elles se souvient encore que les répétitions de la chorale furent une fois ajournées de plusieurs semaines parce qu'une mouffette était morte sous le plancher du presbytère.

« Tout avait une importance terrible », a raconté l'une des condisciples de Wallis, « et nous nous prenions très au sérieux. Nous pensions être les femmes les plus idéalistes, les plus romanesques du pays. Nous pataugions vraiment dans une sentimentalité écœurante. Nous ne parlions de rien d'autre que de garçons, de robes et de nourriture [22]. »

Oldfields était soumis à de strictes règles traditionnelles, et la plus rigoureuse de toutes concernait les garçons. Non seulement il était interdit aux jeunes filles de les voir, mais d'entretenir la moindre correspondance avec eux.

Un vendredi matin, au cours des prières, Miss Nan annonça qu'elle avait découvert que certains élèves entretenaient des correspondances coupables.

« Oh, ce fut affreux, elle pleura presque [23]! », écrivit une pensionnaire. Miss Nan déclara qu'elle recevrait après dîner toutes les coupables dans sa chambre. L'après-midi et le soir, les jeunes filles firent queue pour se confesser. Sur l'effectif total de la pension, une demi-douzaine seulement ne se présentèrent pas devant sa porte. Les autres étaient atterrées, épouvantées.

Wallis ne le fut sans doute guère. Elle avait grandi aux côtés d'une grand-mère et d'un oncle qui ne badinaient pas avec les principes, et elle avait appris à s'en accommoder. De plus, elle avait ses idées personnelles sur les règlements et les garçons.

« J'empruntais la voiture de mon père et je descendais une route en cendrée », raconte Carter Osburn, fils d'un directeur de banque qui possédait l'une des rares Packard de Baltimore. « Mon père m'interdisait de la conduire, mais tant pis. A un certain endroit de la route, je m'arrêtais, et Wally voyait la voiture par la fenêtre de son dortoir. Dès qu'elle la reconnaissait, elle s'échappait pour me rejoindre. J'ignore comment elle se débrouillait mais, autant que je sache, elle ne s'est jamais fait prendre. Et non seulement elle sortait, mais elle rentrait incognito. Elle était très indépendante; elle adhérait aux règlements sans leur attribuer plus de valeur qu'ils n'en méritaient. Ces rendez-vous étaient d'autant plus excitants qu'ils étaient interdits. Quelque temps, je crois, nous avons été amoureux l'un de l'autre [24]. »

Carter Osburn n'était pas très joli garçon, mais il disposait d'une voiture et avait le courage de venir voir Wallis malgré la défense de ses parents. Un autre soupirant dont Wallis se souvient était un grand brun taciturne qui s'appelait Arthur Stump. Sa voiture n'était qu'une vieille Ford, mais il pouvait en disposer plus facilement.

Thomas Shryock, Jr., élève de la toute proche Country School pour garçons, était mieux doté par la nature. Il avait pour père un général, et il devint plus tard lui-même colonel de la Garde nationale. Il conserve de Wallis un souvenir précis et chaleureux. « Wallis a été l'une des filles les plus jolies, les plus gentilles, les plus charmantes que j'aie connues. A cette époque-là, je l'ai aimée à la folie, et nous nous sommes beaucoup vus [25]. »

Pour varier ses plaisirs, Wallis envoya une lettre d'invitation à son premier béguin, Lloyd Tabb; elle lui expliqua qu'elle était pensionnaire à Oldfields, mais qu'elle espérait aller en ville pendant quelques week-ends, et qu'elle aimerait beaucoup le rencontrer si cela se pouvait. Elle ajouta qu'elle ne lui promettait rien de bien sensationnel, quoiqu'elle fût allée dans deux cafés lors d'un précédent week-end.

Comment Wallis, tout intrépide qu'elle était, réussit-elle à avoir une vie intime aussi occupée dans un pensionnat comme Oldfields? Ses deux meilleures amies étaient Mary Kirk et Ellen Yuille. Ellen venait de Virginie où son père possédait une plantation de tabac; grande et gracieuse, elle appartenait à une famille assez austère, et elle enviait le naturel et la subtilité de Wallis, son savoir sur les garçons, sa soif des sensations fortes. Mary sortait d'une famille de célèbres orfèvres de Baltimore : jeune fille aux yeux bleus dans un visage marqué de taches de rousseur, elle avait un sourire mutin et une silhouette élégante; elle était la confidente préférée de Wallis. Des trois, c'était Wallis qui était la plus entreprenante, la plus prompte à relever un défi, la plus agile d'esprit. Elle était toujours prête pour quelque chose de nouveau. Si c'était drôle, elle voulait l'essayer; si c'était hardi, elle acceptait d'assumer les risques; si c'était émouvant, elle ne se laissait devancer par personne.

« Wallis et Mary étaient des filles qui débordaient d'énergie et d'entrain, et nous toutes les aimions », dit l'une de leurs anciennes compagnes, Mrs. Augustine Janeway. « Mais elles ne rêvaient l'une et l'autre qu'aux garçons [26]. » Une autre condisciple précise : « Mary était adorée de toute le monde et Wallis plaisait à tout le monde. Mary était plus franche, Wallis plus secrète. Maïs Wallis était toujours drôle, joyeuse, pleine d'idées, jamais chahuteuse ni dissipée ni vulgaire. Elle avait de la dignité, et nous respections cela chez elle [27].

Et puis, en avril 1913, Wallis apprit la mort de son beau-père. Atteint du mal de Bright, il avait été conduit par Alice à Atlantic City respirer l'air de la mer. Un jour, elle le trouva mort dans son lit. Ils étaient mariés depuis moins de cinq ans. Quand Wallis revit sa mère, celle-ci paraissait « si menue, perdue et touchante que mon cœur se brisa [28] ».

Miss Nan fut extrêmement gentille avec Wallis lorsqu'elle revint à Oldfields. Jamais Wallis ne lut autant de livres qu'à cette époque. Elle rejoua au basket-ball. Le collège avait deux équipes : « Gentillesse » et « Politesse ». Wallis fit partie de l'équipe Gentillesse, mais elle ne jouait pas très gentiment. C'était une façon comme une autre de se défouler d'émotions trop nombreuses.

Ellen Yuille invita Wallis à passer l'été dans sa résidence familiale de White Sulphur Springs. Un beau jeune homme de vingt et un ans vivait dans les environs. Il avait en outre deux attraits : il appartenait à une famille très riche et distinguée; et il possédait en propre l'une des deux voitures de la région. Wallis le rencontra beaucoup pendant cet été-là.

Un soir, Wallis annonça à son amie que le jeune homme lui avait offert le mariage. Que devait-elle répondre?

Elle n'avait que dix-sept ans. Son beau-père était mort. Sa mère et elle dépendaient à nouveau de la générosité de l'oncle Sol. Le jeune homme ne serait-il pas la solution?

Mais à Oldfields, les filles avaient un rêve et un programme. Le rêve, traduit dans l'un de leurs chants, était : « Des sommets pour qu'un cœur y aspire... » Et le programme des quatorze élèves de terminale était : « Débuter, voyager, se marier [29]. » Wallis n'était pas encore prête pour le mariage.

Pour cette classe de 1914, c'était encore une époque de douceur dans un monde de douceur. Sur le livre d'anniversaire d'une amie, Wallis recopia une citation de *Beaucoup de bruit pour rien* : « Je m'étonne beaucoup qu'un homme, voyant combien un autre est sot quand il se consacre à l'amour, puisse devenir, après s'être moqué de telles folies chez autrui, l'argument de son propre mépris en tombant amoureux [30]. »

Pour la fin des études, le collège célébrait la fête du Premier Mai. Les jeunes filles dansaient autour du mai, tandis que la reine, en robe blanche et couronnée de fleurs fraîches, était assise sur son trône. Chacune des quatorze élèves de terminale lui apportait un bouquet de fleurs sauvages qu'elle avait cueilli pour elle. Wallis avait choisi des rameaux « d'arbousier, le plus jeune enfant du printemps [31] ».

Après une dernière danse, les jeunes filles et leurs invitées signèrent un registre et écrivirent un commentaire sur la vie.

Celui de Wallis fut bref et simple :

« Tout est Amour [32]. »

3

En 1914, Wallis avait dix-huit ans; son univers se limitait à Baltimore et au Cotillon des célibataires.

Hors de Baltimore, tout était calme au début de cet été-là. Les Américains étaient en général bien nourris et prospères. Le président Wilson s'occupait activement d'appliquer son programme de « Nouvelle Liberté », préconisant un impôt progressif sur le revenu, la journée de huit heures et un abaissement des barrières douanières. Mais l'opinion publique aux Etats-Unis avait d'autres soucis :

DÉBAT ANIMÉ SUR LE CORSET [1]

D'après le *Register* de Des Moines, Iowa, la doctoresse Louise Eastman aurait déclaré que, s'épaississant, elle « trouvait que le bustier l'empêchait de paraître trop forte ». La doctoresse Flora Smith de Newark, Ohio, la désapprouva : elle « ne parvenait pas à comprendre pourquoi des femmes estimaient nécessaire de vouloir améliorer la nature; ni elle ni sa mère n'avaient jamais porté de corsets » [2].

Une nouvelle plus ennuyeuse pour les hommes de Baltimore fut que la Virginie Occidentale avait voté en faveur de la prohibition; elle serait donc le neuvième Etat « sec ». Les tenanciers des saloons avertirent leurs clients : « Un chameau peut passer neuf jours sans boire mais, après le 1er juillet, vous serez obligés de faire mieux que le chameau. » Et « Ne vous inquiétez pas si, après le 1er juillet, vous crachez de la poudre de talc » [3].

Le 28 juin, un étudiant serbe, Gavrilo Princip (à peine plus âgé que Wallis Warfield) tua de deux balles de revolver à Sarajevo l'archiduc François-Ferdinand et son épouse morganatique.

La victime était l'héritier du trône d'Autriche-Hongrie, et le meurtrier déclara qu'il avait vengé sa patrie annexée par les Habsbourg. Cette double déflagration alluma la Première Guerre mondiale, mais elle eut peu de retentissement immédiat aux Etats-Unis. Un membre du cabinet de Wilson, David Frankin Houston, rédigea une note :

> Il faisait chaud en juillet, et c'était l'époque des vacances annuelles. Quoi? Une nouvelle petite guerre dans les Balkans? La Serbie est bien dans les Balkans, n'est-ce pas? Beaucoup de bruit pour un archiduc. Il s'appelait François-Ferdinand. Sans doute ne valait-il pas grand-chose. Avec un nom pareil [4]...

Pendant l'été de 1914, Wallis rendit visite à ses cousins, les Barnett, dans leur jolie résidence de Front Royal en Virginie. Mrs. George Barnett déplora que ses deux filles timides ne fussent pas comme Wallis, « qui avait du maintien, des usages, du style et un goût parfait en toute chose ». Mais ce qui émerveillait bien davantage les deux sœurs, c'était que Wallis « eût autant de succès auprès des garçons [5] ».

« On aurait dit un pot de miel », explique l'un de ses cousins Basil Gordon. « Elle attirait les hommes à la façon dont la mélasse attire les mouches [6]. »

Gordon qui était à Princeton un génie pour les mathématiques lui fut très secourable. Wallis tenait beaucoup à assister au bal de l'Université, et son cousin Basil était la seule personne qu'elle y connaissait. Or il donnait des leçons particulières à plusieurs élèves qui, beaux garçons et athlétiquement bâtis, ne mordaient guère aux maths; il imposa à l'un d'eux ce dilemme : ou bien il conduirait au bal sa cousine Wallis, ou bien il serait obligé de chercher un autre répétiteur [7]. Wallis avait revêtu une robe bleu saphir, d'une coupe aussi simple que remarquable, garnie de rubans rose rouge qui silhouettaient le corsage. Elle fut l'une des reines du bal.

Pourquoi apparut-elle si belle? Parce que son esprit romanesque ne se détournait jamais complètement du pratique. Elle se connaissait à la perfection. Elle avait dressé son bilan et elle savait comment compenser son passif par son actif. Elle mesurait un mètre soixante-trois, mais elle était si élancée qu'elle semblait plus grande. Tant pis pour sa mâchoire trop carrée et ses sourcils broussailleux : ses hautes pommettes lui conféraient de la distinction, et elle avait un front d'une belle largeur. Elle séparait par une raie médiane ses cheveux d'un châtain chaud assez foncé, dégagés en de molles ondulations et terminés par deux rouleaux entrecroisées; elle ne les ornait pas, car ils n'en avaient nul besoin. Sa voix était naturellement grave; elle en accentuait le dramatique pour la rendre facilement reconnaissable. Ses yeux constituaient son meilleur atout : leur bleu violet se chargeait d'un pouvoir dynamique, magnétique.

« Elle n'a pas de vilains traits », commenta l'une de ses anciennes amies. « Et pourtant, l'ensemble ne compose pas une beauté. L'effet produit est plutôt celui d'une personnalité exceptionnelle, d'un tempérament qui saisit plus que la beauté [8]. »

Une de ses cousines précisa : « Son charme était si considérable qu'il captivait n'importe qui, les hommes en particulier. Evidemment la question était de savoir combien de temps persistait le charme après que l'on eut quitté Wallis mais, tant qu'un garçon restait auprès d'elle, l'enchantement jouait à plein [9]. »

Elle avait hérité de la gaieté, de l'esprit, du rire toujours facile de sa mère. Mais elle avait appris les bonnes manières enseignées par Alice, cultivées par sa grand-mère, perfectionnées par Oldfields.

« Lorsque nous allions au théâtre, elle se tournait vers l'ouvreuse, lui souriait et la remerciait de nous avoir conduits à nos fauteuils. Peu lui importait qui lui rendait service — un policier, un vendeur de journaux, etc. — elle se montrait aussitôt reconnaissante et polie », dit son ancien flirt Tom Shryock.

« Elle avait beaucoup d'admirateurs », confirme l'un de ses cavaliers Irvine Keyser. « Elle s'intéressait surtout aux garçons. Les filles étaient pour elle une compagnie que le hasard avait disposée dans le décor... et quelques jeunes personnes la critiquaient parce qu'elle chassait dans leurs réserves [10]. »

Keyser se rappelle aussi que Wallis avait son franc-parler. « A cette époque-là, le franc-parler était considéré comme une effronterie pour une jeune personne [11]. »

Cette « effronterie » cependant faisait d'elle une attraction unique dans une société de filles timides qui ne savaient qu'émettre des petits rires de gorge.

« Pour son temps, elle était très sophistiquée », déclare Carter Osburn. « Des histoires ont couru sur la façon dont elle insistait auprès des jeunes gens de Baltimore pour être conduite dans des boîtes si chères qu'ils avaient du mal à payer l'addition en partant. Tout ce que je peux dire, c'est que je ne me rappelle rien de pareil durant les trois années où je suis sorti avec elle [12]. »

A la fin de l'été, Wallis eut de graves préoccupations. Octobre était le mois où le facteur apportait ou n'apportait pas une invitation au Cotillon des célibataires, le plus grand événement mondain pour toutes les débutantes.

A Baltimore, la naissance et les relations commandaient alors presque tout. On racontait volontiers une histoire locale sur une Mrs. Rebecca Shippen, née Nicholson et descendant des Lloyd de Wye House — l'une des familles les plus aristocratiques du Maryland.

« Rebecca », s'enquit une amie devant une tasse de thé, « l'idée ne vous est-elle jamais venue que si Notre Seigneur était venu à Baltimore, nous ne l'aurions jamais invité puisque son père était un charpentier? »

« Mais, ma chère », répliqua Mrs. Shippen, « vous oubliez qu'il était fort bien apparenté du côté de sa mère » [13].

Baltimore avait reçu le nom d'un Lord et, même après le départ des Anglais, ses habitants conservèrent nombre de leurs traditions.

Dès son origine, la ville avait toujours eu une classe d'aristocrates qui habitaient des hôtels magnifiques et fréquentaient les bals mondains. Les historiens locaux font remonter le Cotillon à un bal donné en 1796, mais il ne reçut son nom qu'en 1870.

Et puis, peu à peu, la mode exigea qu'un petit nombre choisi de débutantes de dix-huit ans fissent leur apparition dans le monde le premier lundi de décembre au Cotillon des célibataires.

Le conseil des gouverneurs représentait invariablement les plus anciennes familles de Baltimore, et ils étaient rarement jeunes, rarement célibataires. Leurs décisions étaient sans appel. En 1914, ils ne sélectionnèrent que quarante-sept débutantes.

Wallis fut au nombre des élues. Et pourquoi pas? Son éducation était parfaite, son oncle figurait parmi les notables de la ville, et son père avait même été un membre du Cotillon des célibataires.

Mais un souci l'accablait encore : sa robe. Mr. Rasin n'avait pas laissé beaucoup d'argent à sa veuve, et elles ne pouvaient rien commander chez Fuechsl's où, de tradition, s'habillaient la plupart des débutantes. Finalement Wallis et sa mère créèrent elles-mêmes une robe.

Pour Wallis, la confection de sa propre robe n'était pas qu'une simple affaire d'économie; elle répondait à son désir impétueux d'être différente. Comme toutes les « debs », Wallis voulait paraître à son avantage, se faire remarquer, polariser l'attention générale. Si elle préparait elle-même sa robe, sa satisfaction n'en serait que plus complète. La robe fut faite en satin blanc et mousseline, délicatement garnie de perles blanches. Elle se sentit royale; elle l'était.

Son cavalier pour la soirée était son cousin de vingt-sept ans Henry Warfield, Jr., qui arriva dans la Pierce Arrow de l'oncle Sol avec un énorme bouquet de roses rouges. Il lui dédia un regard admiratif : « Ma petite, je puis te jurer que tu seras la femme la plus charmante, la plus ravissante, la plus exquise du Cotillon [14]. »

Il ne lui en fallut pas davantage : elle éclata de rire et monta dans la belle voiture.

L'ambiance au Lyric Theater avait quelque chose de magique. Tous les sièges avaient été retirés, et la bordure du parquet ressemblait à une guirlande ininterrompue de fleurs. Les marches conduisant de la salle du souper à la salle de bal étaient recouvertes de coussins de satin, ainsi que le voulait une tradition datant de l'avant-guerre de Sécession lorsque l'argent manquait pour décorer le Cotillon : les mères de famille de Baltimore avaient en effet déchiré leurs robes de bal afin d'en faire des coussins qui rehausseraient l'élégance de la scène.

Le point culminant de la soirée était prévu pour onze heures; l'orchestre s'arrêta et, dans le silence soudain, un coup de sifflet ordonna à la foule de dégager la piste. Le plus ancien gouverneur prit alors la tête des couples pour leur faire exécuter une figure de marche assez simple, « à l'allemande ». Pour cette marche, Wallis eut comme partenaire le major général George Barnett en grande tenue. Elle pouvait être contente : elle ne risquait pas de passer inaperçue.

Ensuite l'orchestre joua un one-step, quelques fox-trot, et surtout des valses, pour terminer par un air intitulé « Parfum d'Amour ».

Un chroniqueur mondain essaya de justifier le sens de cette manifestation réservée à la haute société en disant qu'elle servait à lancer des jeunes filles qui en avaient besoin parce que la plupart n'étaient pas préparées à autre chose qu'au mariage et plusieurs même n'y étaient pas préparées du tout. Ce bal leur donnait une plus grande confiance en soi, presque une consistance sociale.

Mais pour Wallis il fut une déception. Si c'était un début, où était la fin? Où était son Prince charmant? Où était son Jérôme Bonaparte?

Car il n'y avait pas à Baltimore d'histoire d'amour plus romanesque que celle qui eut pour héros Betsy Patterson, dix-huit ans, et le capitaine Jérôme Bonaparte, dix-neuf ans, frère cadet de Napoléon.

Le fringant et jovial capitaine Bonaparte s'était arrêté à Baltimore au cours de son voyage de retour vers la France; allant aux courses avec un ami, il vit Betsy, réclama de lui être présenté immédiatement, lui parla d'amour et la conquit. William Patterson, l'un des hommes les plus riches de la ville, ne fut pas spécialement enchanté par cette idylle, et il éloigna sa fille pour qu'elle oubliât son Bonaparte. Mais la romantique Betsy jura qu'elle « préférerait être l'épouse de Jérôme pendant une heure plutôt que la femme d'un autre pour l'éternité ».

Son obstination prévalut et le mariage fut célébré le 24 décembre 1803.

Furieux, Napoléon Bonaparte refusa de reconnaître le mariage, commanda au consul de France de couper les vivres à son frère, et exigea que Jérôme rentrât seul — ordre auquel il se plia un peu plus tard.

Interdiction lui étant faite de se rendre en France, Betsy alla en Angleterre où elle mit au monde un fils qu'elle nomma Jérôme Napoléon Bonaparte. Le pape Pie VII refusa à Napoléon l'annulation du mariage, mais les tribunaux français obéirent à leur maître. Jérôme se remaria et devint roi de Westphalie; Betsy et son fils regagnèrent Baltimore en 1834. A la demande de la famille, l'Assemblée générale du Maryland annula le mariage. Mais Betsy ne se remaria pas, ne renonça jamais au rêve que ses descendants occuperaient un jour le trône de France; elle mourut dans une chambre meublée de la Cathedral Street à l'âge de quatre-vingt-quatorze ans.

Toutes les jeunes filles de Baltimore connaissaient par cœur cette histoire. Quelques-unes seulement apprirent l'une des dernières phrases de Betsy : « Mes passions dominantes ont été l'amour, l'ambition, l'avarice. L'amour s'est enfui, l'ambition m'a déçue, mais l'avarice est restée [15]. »

Wallis savait la valeur de l'argent, et elle en désirait. Sa mère et elle avaient trop souffert de l'insécurité financière qui avait aliéné leur indépendance. Wallis était aussi aiguillonnée par l'ambition : elle voulait être plus que ce qu'elle était, et elle le voulait de toutes ses forces.

Betsy Bonaparte avait surtout reproché à Napoléon de « l'avoir renvoyée à ce qu'elle détestait le plus sur la terre, son obscurité de Baltimore » [16].

Mais plus encore que l'argent et l'ambition, Wallis Warfield voulait maintenant l'amour. N'avait-elle pas écrit sur le registre d'Oldfields : « Tout est amour »? Soit. Mais qui serait l'amour?

Le rêve d'amour de nombreuses jeunes Américaines de 1914 prit les traits du Prince de Galles : il avait alors vingt ans et un visage d'enfant, et il servait en France comme lieutenant dans les grenadiers de la Garde. En décembre, un journaliste écrivit qu'il « paraissait en bonne santé malgré l'énorme somme de travail dont il bourrait son emploi du temps depuis l'aube jusqu'à, parfois, l'aube suivante. L'une de ses habitudes de prédilection consistait à disparaître pendant des heures jusqu'à ce qu'on le retrouve en train d'interroger des blessés tombés en des lieux écartés ».

Les jeunes Américaines suivaient avec passion les faits et gestes de leur héros de roman, et Wallis ne fit pas exception à la règle. Avec Virginia Page, elle tint quelque temps un journal rempli de remarques admiratives sur le Prince de Galles dont elles glissèrent même la photo dans leur carnet.

La saison mondaine à Baltimore se prolongea fort tard pour les débutantes : la chasse au mari était ouverte. Les « parties » au Country Club, où l'ambiance était plus détendue et la musique plus gaie, duraient parfois jusqu'à l'heure du petit déjeuner. Les scandales étaient rares. Il y en eut un toutefois lors d'un bal costumé au sous-sol d'une maison qui appartenait à la très respectable Mrs. William Munnikhuysen : les jeunes avaient transformé les lieux en « Enfer », et ils s'étaient déguisés en démons vêtus de collants noirs; le champagne coula à flots; bientôt un petit poème circula dans la ville :

Il était une fois une jeune demoiselle du nom de Nance
Qui alla au bal Munnikhuysen.
Elle descendit dans la cave
Avec un beau jeune homme
Et maintenant toutes ses sœurs sont tantes [17].

« Carter Osburn était toujours là pour reconduire Wallis, l'emmener à un thé ou à n'importe quel endroit où elle avait envie d'aller », dit Banny Ner, débutante elle aussi, qui plus tard participa à la direction de l'*Evening Sun* de Baltimore. « Il obéissait à toutes ses volontés. Il était follement amoureux d'elle et tout le monde pensait qu'il ne déplaisait pas à Wallis. Dans nos petites têtes de jeunes filles, nous croyions que c'était marché conclu [18]. »

Carter le croyait aussi. « Nous nous disions fiancés », déclara-t-il plus tard. « Nous envisagions très sérieusement de nous marier [19]. »

Peut-être Carter était-il prêt à l'épouser, mais Wallis continuait de chercher ailleurs. La future comtesse de Niezychowska estimait que Wallis « avait plus de prétendants que toute autre fille de la ville » [20].

En tout cas, Wallis souhaitait ardemment une consécration mondaine qui fût retentissante. L'oncle Sol avait organisé une fête impressionnante pour sa cousine Anita, et Wallis espérait bien qu'elle serait à son tour l'héroïne d'un bal aussi sensationnel. Certes elle avait signé avec trente-trois autres débutantes une déclaration aux termes de laquelle elles s'engageaient à renoncer à toute fête d'une élégance extravagante à cause de la guerre. Mais elle souhaitait de tout son cœur que l'oncle Sol ne prît pas cette promesse trop au sérieux. Malheureusement l'oncle Sol avait pris la guerre très au sérieux. C'était son second visage, celui de l'homme sensible qui aimait la musique, la poésie et les jolies filles. Il considérait la guerre comme la pire des horreurs; or cette guerre devenait mondiale. Le président Wilson était résolu à maintenir les Etats-Unis à l'écart des hostilités, mais les Américains choisissaient déjà leur camp. Les femmes de Baltimore confectionnaient des pansements pour la Belgique.

En ce temps de souffrances et d'atrocités, l'oncle Sol prit délibérément parti contre la gaieté, l'ostentation, les exhibitions mondaines. Il consacra beaucoup de temps à des organismes chargés de secourir les victimes de la guerre et, finalement, envoya une note à la presse pour déclarer sans fondement la nouvelle « qu'il donnerait un grand bal pour sa nièce débutante, Miss Wallis Warfield » [21].

Wallis fut indignée, désespérée, écrasée par ce coup du sort. Baltimore était son monde, le plaisir sa règle, le mariage son avenir. La guerre se déroulait trop loin. Quand on a dix-huit ans et quand on va danser dans des clubs, qui se soucie de penser à des cadavres en bouillie?

En avril 1915, sa cousine Lelia Barnett dénoua la crise mondaine. Comme son mari commandait les Marines, elle organisa un bal dans une salle de la caserne des Marines à Washington avec le concours d'un orchestre composé de soixante soldats; elle invita tous les officiers non mariés du secteur, et de nombreuses amies de Wallis effectuèrent la migration nécessaire.

Et puis survint la tragédie. Grand-mère Warfield mourut. C'était pour Wallis son premier grand deuil familial. Il ne s'agissait plus de la mort de milliers de soldats inconnus, mais d'une personne qui l'aimait, qui lui était proche et chère. Sa grand-mère lui avait fait une recommandation qu'elle n'oublia jamais. Elle lui avait dit que la conscience était un « miroir » dans lequel un seul être pouvait se voir, et elle avait demandé à Wallis de se pencher sur ce miroir « au moins une fois par jour » [22].

En se regardant dans ce miroir-conscience, Wallis aurait vu une jeune fille intelligente — plus intelligente que la moyenne — qui ne se souciait guère du monde parce qu'elle le connaissait mal. Sa conscience était pure parce que Wallis ignorait les principes qu'elle enfreignait. Elle ne se sentait pas disposée à secourir autrui parce que, à son avis, elle ne s'était pas encore suffisamment aidée elle-même. Avant tout, il lui fallait se façonner pour devenir plus forte, plus importante. Elle ne savait pas exactement comment elle y parviendrait. Elle connaissait seulement ses exigences fondamentales : plus d'argent, plus de puissance, plus de tendresse, plus de plaisirs.

C'était aussi vague, romanesque et irréel que la photo du Prince de Galles qu'elle avait rangée dans son carnet.

4

Pour Wallis et pour toutes les filles de son âge, le Prince de Galles était le Prince Charmant de ce monde, tout auréolé de l'éclat du mystère royal *.

Si elle avait pu faire sa connaissance à cette époque, elle aurait été consternée par le manque d'affection dont il souffrait et par sa solitude. Le Prince n'avait personne.

Son père avait consigné dans son journal la naissance de ce fils

* Non seulement il était selon l'étiquette le Prince de Galles, mais il devait honorer tous ses autres titres, que ce fût la chancellerie de l'Université du Cap ou son grade de général dans l'armée japonaise. Il était comte de Chester, duc de Cornouailles, duc de Rothesay, duc de Saxe (tombé en désuétude), comte de Carrick, baron de Renfrew, Lord des Iles, prince et grand intendant d'Ecosse, grand intendant de Windsor, chevalier du très noble Ordre de la Jarretière, conseiller privé, chevalier du très noble Ordre du Chardon, grand maître du très distingué Ordre de Saint-Michel et de Saint-Georges, chevalier grand commandeur du très éminent Ordre de l'empire des Indes, chevalier grand commandeur du très haut Ordre de l'Etoile des Indes, chevalier du très illustre Ordre de Saint-Patrick, grand-maître du très excellent Ordre de l'Empire britannique, et grand-croix de la Légion d'honneur. Dans sa garde-robe étaient suspendus les uniformes qui lui permettaient de paraître comme le chef suprême des Volontaires du Prince de Galles, de la cavalerie personnelle du Prince de Galles, des fusiliers Gurkha du quatrième Prince de Galles et des dragons canadiens du troisième Prince de Galles. Il était vice-amiral de la Marine royale, lieutenant-général de l'Armée de terre, colonel de la Garde galloise, maréchal de l'Air de la Royal Air Force, colonel en chef du 12ᵉ lanciers, colonel du 5ᵉ bataillon du régiment du Devonshire, commandant de la police montée royale du Canada, chef des Boys-scouts du pays de Galles; il appartenait aussi aux fusiliers royaux d'Ecosse, à l'infanterie légère du duc de Cornouailles, aux Highlanders de Seaforth, au régiment du Middlesex, aux gardes-frontières de la Galles du Sud, à la cavalerie du Wiltshire, au 8ᵉ régiment du Punjab, au 6ᵉ fusiliers de Rajputana, au 12ᵉ régiment des gardes-frontières, au 17ᵉ régiment Dogra, au régiment de l'Afrique occidentale, au régiment de Toronto, aux grenadiers de la Garde canadienne, aux Highlanders canadiens de Seaforth, aux 1ᵉʳ et 2ᵉ fusiliers montés d'Afrique du Sud, au 15ᵉ bataillon du régiment de Londres, à l'infanterie légère de Ceylan, et au corps de fusiliers des planteurs de Ceylan. Dans les tiroirs du bureau royal, il y avait les breloques qui accompagnent toujours une vie de représentation et d'honneurs : la Toison d'or d'Espagne, l'Eléphant du Danemark, Saint-Olaf de Norvège (avec une chaîne), l'Ordre italien de l'Annonciade, l'Ordre russe de Saint-Georges, l'Ordre militaire de Savoie, l'Ordre du Service impérial, la Military Cross, l'Ordre siamois de la Maison Chalkri, l'Ordre roumain de Michel le Brave, l'Ordre égyptien de Mohamet Ali, le collier de l'Ordre roumain de Carol, l'Ordre chilien du Mérite (1ʳᵉ classe). Il était diplômé d'Oxford, d'Edimbourg, de Toronto, de l'Université de la Reine, de Melbourne, de Cambridge, de Calcutta, de Hong-Kong, de St. Andrew's et du Cap.

le 23 juin 1894 : « White Lodge, Richmond Park. A 10.00 est né un gentil petit garçon; il pesait 7 livres [1]. » Ce fut sans doute le maximum de tendresse qu'il éprouva pour son fils aîné.

Sa mère, « froide et rigide » [2], très peu maternelle, « n'avait aucune compréhension automatique ou spontanée de l'esprit et des manières d'un enfant ». Elle estima qu'elle avait accompli son devoir en donnant un héritier à son mari, mais elle fut d'accord avec la reine Victoria pour dire que « c'était vraiment *trop terrible* de gâcher le bonheur d'une première année de vie conjugale par des *malaises et des souffrances*... J'étais furieuse de me trouver dans cet état » [3].

Cependant la reine Victoria fut ravie de son premier arrière-petit-fils, « un très beau garçon robuste, un joli enfant » [4]; elle lui pinça les joues, fondit en larmes et demanda qu'il portât le prénom de son défunt mari.

Baptisé Edouard Albert Christian André Patrick David, il fut bientôt appelé David tout court. Son grand-père le prince de Galles, qui régna dans la suite sous le nom d'Edouard VII, fit ce commentaire : « Il a des poumons vigoureux, le bougre [5]. »

Six semaines après sa naissance, sa mère le quitta pour aller se reposer un mois en Suisse. Tout le reste de son enfance, la reine et le roi ne virent leurs enfants qu'à l'heure du coucher pour leur souhaiter bonne nuit. Le biographe officiel de la reine nota avec regret que, « à eux deux, le roi George et la reine Mary ne réussissaient guère à se montrer des parents compréhensifs » [6].

L'amie la plus intime de la reine, la comtesse d'Airlie, ne mâche pas ses mots : « ... Elle n'aimait pas du tout la routine des grossesses, et ne s'intéressait absolument plus à ses enfants une fois qu'elle les avait mis au monde [7]... »

Dans une lettre à son mari sur ce sujet, la reine déclara : « Evidemment c'est une corvée pour moi, et il me faut une bonne dose de patience pour la supporter, mais c'est le désavantage d'être une femme. »

De son côté, le roi « effrayait et déprimait ses enfants. Lorsqu'ils étaient très jeunes, il les embarrassait par ses railleries et, quand ils eurent grandi, il se les aliéna par des critiques perpétuelles et par des accès de colère ».

Son grand ami, le dix-septième comte de Derby, ayant déploré la manière dont il intimidait ses enfants, le roi lui répondit : « Mon père a été terrorisé par sa mère, j'ai été terrorisé par mon père, et je saurai veiller à ce que mes enfants soient terrorisés par moi [8]. »

David le fut. Ce qu'il redoutait le plus était l'annonce que son père le convoquait dans sa bibliothèque. Le roi s'était endommagé le tympan en mer et souvent il criait plus qu'il ne parlait. Les enfants étaient des êtres qu'il fallait voir et non entendre; ils n'occupaient dans sa vie que « de petites niches fixes ». Cet homme barbu au visage austère pouvait se donner une figure de père à l'égard de son peuple, mais pour son fils cette figure répandait l'épouvante.

« Comment se fit-il qu'un homme qui était par tempérament si attaché à sa famille, si prévenant envers ses domestiques et les membres de sa maison, si rassurant pour les petits enfants et pour les humbles, inspirât à ses fils des sentiments d'effroi qui allaient parfois jusqu'à des tremblements nerveux [9]? »

Sa nounou, Mrs. Lala, se rappelle les reproches du père de David : « Ne pouvez-vous pas empêcher cet enfant de pleurer [10]? » Et ce propos de la mère : « Les nurseries ne semblent plus être d'une grande utilité. De nos jours, les enfants envahissent toute la maison [11]. »

Non seulement David fut complètement privé d'affection par ses parents, mais il eut pour première nurse une névrosée qui lui tordait le bras et le faisait pleurer avant qu'il entrât dans une pièce voir son père et sa mère; aussi ceux-ci s'empressaient-ils de le renvoyer. Elle croyait également que les cahots d'une voiture étaient mauvais pour les bébés, et elle le porta dans ses bras pendant les trois premiers mois de son existence. Trois ans plus tard, cette nurse qui n'avait pas eu un seul jour de congé fut victime d'une dépression.

Il n'est donc pas étonnant que David, en grandissant, soit devenu un enfant extrêmement nerveux qui avait la larme facile. En outre il était timide, hésitant, instable. Elevé dans une discipline faite d'interdictions, il ne se sentait heureux qu'à la fin de l'été où son père partait pour des parties de chasse, et où ses trois frères, sa sœur et lui restaient seuls avec leur mère au château de Windsor.

Sa mère avait été la princesse Victoria Mary de Teck, que sa famille appelait « May »; elle avait un père allemand, et sa mère était la princesse Mary Adelaide de Cambridge. Grande, avec de jolies jambes, la reine Mary ne portait jamais de robes courtes pour ne pas déplaire à son époux. Elle était la moins autoritaire des femmes et elle donnait rarement tort à son mari, bien qu'elle eût un esprit plus original que le sien.

Le roi était un homme à principes, désintéressé, très pieux, qui se consacrait entièrement à sa fonction. Il professait pour la monarchie une sorte de dévotion. Il écrivit un jour que la monarchie devait être pleine de dignité, rendre le gouvernement des affaires compréhensible et intéressant pour les masses, renforcer le pouvoir par une tradition religieuse et être un facteur moral pour le bien. Pardessus tout, il avait un sens aigu du devoir, et il obligea ses fils à apprendre par cœur un précepte des Quakers qu'il conservait, écrit, sur son bureau :

> Je ne passerai qu'une fois dans ce monde. Par conséquent, il faut que j'accomplisse dès maintenant toutes les bonnes choses qui sont en mon pouvoir, et que dès maintenant je manifeste toute la bienveillance possible à mon prochain. Il ne faut pas que j'attende ou que j'oublie, car je ne repasserai jamais ici [12].

Le roi était un excellent chasseur, il aimait la voile, il s'amusait à collectionner les timbres, et il organisait son existence avec la ponctualité d'un indicateur de chemins de fer. Il n'aimait pas les cocktails, ni les femmes à cheveux courts, aux ongles peints ou aux chapeaux voyants. Mais il n'en était pas spartiate pour autant. Il profitait de tous les conforts d'un monarque : bonne chère, fusils de prix, étuis à cigarettes constellés de joyaux, vêtements bien coupés. Pour la mode, il était très conservateur, et il traitait de « goujats » ceux qui ne partageaient pas ses goûts.

Venu pour lui le temps de se marier, la reine Victoria lui proposa d'épouser la fiancée de son frère, le duc de Clarence, qui venait de mourir : il accepta sans discuter.

Toute la tendresse que David reçut de personnes adultes lui vint de ses grands-parents, le prince de Galles de l'époque et la princesse Alexandra. Il séjournait chez eux avec ses trois frères et sa sœur quand ses parents s'absentaient pendant des mois pour des voyages aux Indes ou ailleurs. Ces grands-parents croyaient à la vertu éducative des jeux, de la gaieté et de l'affection. Les enfants avaient à leur disposition tout le château d'où étaient exclus les précepteurs et les nurses trop sévères. Ils confectionnaient une boisson à base de sel et de poivre, et riaient aux larmes quand leur grand-mère faisait semblant de l'ingurgiter. Elle tenait aussi à les baigner chaque fois qu'elle le jugeait utile, et leur grand-père, un homme tout rond et toujours joyeux, saluait de grands éclats de rire tout ce qu'ils faisaient.

Un jour, quelqu'un frappa à la porte de David. « Entrez! » cria le futur Prince de Galles. « Il n'y a personne; enfin, presque personne : tout juste grand-papa [13]. »

La reine Victoria aussi s'occupa de son arrière-petit-fils. A son baptême, elle avait voulu que tous les accessoires de la cérémonie fussent de fabrication anglaise. David et les enfants l'appelaient « Gangan », et ils admiraient beaucoup les serviteurs indiens enturbannés qui la suivaient partout. A sa naissance, elle avait soixante-quinze ans et était dans la cinquante-septième année de son règne; habillée de robes en satin noir, elle ressemblait à une boulette de pommes de terre. Son Empire britannique recouvrait un quart de la surface du globe et abritait près du quart de la population mondiale. Les Anglais étaient les maîtres des mers. En ce temps-là, quand un écolier anglais voulait donner la définition d'une île, il disait : « C'est une parcelle de terre entièrement entourée de navires britanniques. »

Les neuf enfants et les quarante petits-enfants de la reine Victoria régnaient sur les cours d'Europe. Sa mort, en 1901, sonna le glas d'une époque. David, qui avait sept ans, était au lit avec la rougeole. Son grand-père étant devenu Edouard VII, il entrevit une vie mondaine plus animée à Sandringham. Il se rappela toujours que son grand-père fut le seul homme qui, lorsqu'il pénétrait dans la nursery, n'essayât point de lui enseigner quelque chose.

Il avait à présent deux hommes pour le surveiller et l'instruire : Frederick Finch, qui devint plus tard son valet de chambre, et son précepteur Henry Hansell. Ce dernier demanda en vain au nouveau prince de Galles d'envoyer David dans une école préparatoire afin qu'il pût avoir des camarades de son âge et se mesurer avec eux, mais le père répondit qu'il n'avait jamais fréquenté lui-même de telles écoles et que son fils ferait comme lui. « La Marine lui apprendra tout ce qu'il a besoin de savoir [14]. » Souvent David découvrait Hansell planté sur une colline, en train de fumer sa pipe et de contempler le paysage. Lorsqu'il lui demanda ce qui pouvait tant l'intéresser dans ce morne décor, Hansell soupira : « Pour moi, c'est la liberté [15]. » Plus tard, David comprit ce qu'il voulait dire.

La monarchie avait perdu beaucoup de sa signification dans l'évolution des temps. Le despotisme des Tudor au XVIe siècle avait rétabli l'ordre en Grande-Bretagne après les guerres baronniales, et donné aux nouvelles classes moyennes la stabilité dont elles avaient besoin. La monarchie constitutionnelle aux XVIIe et XVIIIe siècles hâta la fin des luttes religieuses en Angleterre et préserva la structure industrielle de la société. Au XIXe siècle, la royauté ne survivait qu'en tant que symbole et foyer du loyalisme national, puisque le pouvoir politique reposait pleinement sur les chefs élus du peuple.

La monarchie apportait au peuple anglais une couleur et une splendeur qui lui faisaient trop souvent défaut dans son existence quotidienne. Les femmes voyaient en la reine Victoria « une personnalité compensatrice »; en Edouard VII, « le roi gai que les Anglais voudraient être »; en George V, « notre père à tous ».

Mais surtout, l'essence de la monarchie était son mystère. « Il ne faut pas introduire la lumière du jour dans la magie », écrivit l'historien Walter Bagehot.

Pour un jeune garçon qui grandissait dans cette lourde atmosphère chargée d'histoire en sachant qu'il serait roi lui aussi, c'était une pression exceptionnelle, irrésistible. A son septième anniversaire il reçut une bicyclette; lorsqu'il fut grondé parce qu'il avait pédalé sur les géraniums rouges, il répondit : « A quoi bon être Prince de Galles si je ne peux pas agir à ma guise [16]? » Il n'était pas encore Prince de Galles, mais savait qu'il le serait.

Il le savait lorsqu'il tira du lit son frère Bertie et l'entraîna dans une salle de bains où ils remplirent d'eau des éponges, afin de les jeter du haut d'une galerie sur des invités qui dansaient dans la salle de bal. Un autre jour, ils attachèrent à une ficelle un poisson qui ne sentait pas très bon, et ils le balancèrent au-dessus d'alcôves pleines de visiteurs que l'odeur inquiéta.

David le savait quand il disait à son précepteur d'un ton royal :

« Peut-être vous sentez-vous fatigué maintenant et aimeriez-vous vous reposer [17]? »

Hansell, sur le plan humain, était sympathique mais il se montra un précepteur dépourvu de toute inspiration. David trouvait ses heures d'études aussi difficiles à supporter que le col amidonné d'Eton qu'il était obligé d'arborer, et les promenades dans la nature l'intéressaient beaucoup plus que le cricket.

Même enfant, il avait un regard empreint de tristesse et de regrets confus. Un courtisan qui appartenait à la maison royale déclara plus tard : « Cet air mélancolique est quelque chose que je ne retrouve chez aucun de ces ancêtres de la maison de Hanovre [18]. »

Dans une biographie de son aïeul le duc de Marlborough, Winston Churchill a écrit : « On dit parfois que les hommes célèbres sont en général le produit d'une enfance malheureuse. Il ne faut pas négliger la force contraignante des circonstances, les atteintes de l'adversité, le stimulant des affronts et des sarcasmes au cours des premières années lorsque l'on cherche à analyser cette impitoyable détermination et ce bon sens tenace sans lesquels de grandes actions s'accomplissent rarement [19]. »

De sa propre enfance, le Prince a dit : « Quand j'étais gosse, c'était terrible [20]! »

Il n'avait pas d'amis de son âge. Plus tard, sa mère institua une heure de conversation avec ses enfants dans son boudoir avant le dîner. C'était une femme cultivée; d'une voix douce, elle leur faisait la lecture, leur parlait, leur apprenait à tricoter des cache-nez de laine. C'était une heure plus propice à l'éducation qu'à l'émotion.

Longtemps après, quelqu'un s'étonna auprès du prince de Galles que sa mère, puisqu'il était l'aîné et son fils préféré, ne lui eût pas témoigné plus d'affection au cours des années.

La réponse fut brève : « Trop allemande » * [21].

David entra dans le monde des enfants quand, à douze ans, il alla au centre d'instruction navale d'Osborne, dans l'île de Wight. Il avait le dos rond, était trop petit pour son âge, et semblait si maigrichon que ses condisciples le baptisèrent : « La sardine. » Ils décidèrent aussi qu'il aurait l'air plus intéressant avec des cheveux rouges et ils l'arrosèrent d'encre rouge. Quelques-uns ne se gênèrent pas non plus pour lui pousser la tête sous une fenêtre relevée qu'ils firent retomber sur son cou afin de lui rappeler comment un peuple anglais mécontent de son roi avait supprimé Charles Ier.

* George Ier, qui ne savait même pas l'anglais, arriva d'une petite principauté allemande de Hanovre pour devenir roi d'Angleterre. Trois autres George lui succédèrent : son fils, son petit-fils et son arrière-petit-fils. Ils épousèrent tous des Allemandes et installèrent ainsi sur le trône des reines de sang allemand. Un frère du quatrième George, marié lui aussi avec une Allemande, fut le père de la reine Victoria qui épousa encore un Allemand, le prince Albert de Saxe-Cobourg-Gotha. Edouard VII était donc d'une pure lignée allemande. Mais il se maria avec Alexandra, fille du roi du Danemark. En revanche, son fils George V choisit la fille d'un Allemand.

Mais ce qui le chagrina le plus, ce fut que son précepteur ne lui avait pas garni l'esprit des connaissances indispensables, si bien que ses études se transformèrent en un combat formidable. Il restait dans la catégorie des « fruits secs ». Il redoutait tellement de rapporter ses notes chez lui qu'il éclata en sanglots, un jour, devant son père.

Au bout de deux ans, il fut muté au Royal Naval College de Dartmouth. Les brimades reprirent de plus belle. Un capitaine des cadets l'informa que le délai accordé pour se mettre au lit — se dévêtir et enfiler un pyjama — serait ramené d'une minute à trente secondes. Ce fut une période affreuse, dont il ne put jamais parler à ses parents.

David reçut une lettre de sa mère : « Je vous prie de me dire si vous avez le temps de vous laver les dents le soir. Je désire le savoir [22]. »

Il n'oublia pas ses deux premières années à Osborne où il s'était senti « comme un chien perdu [23] ». Mais il estima que son temps à Dartmouth avait été « relativement convenable [24] ». De sa part, c'était un gros compliment. Jusque-là, il avait si peu connu la chaleur de la vie, la camaraderie, le sentiment de faire quelque chose.

Edouard VII mourut en 1910; neuf rois, tous apparentés par le sang, chevauchèrent derrière le cortège funèbre. Pendant les vingt-cinq années que George V passa sur le trône, cinq empereurs, huit rois et dix-huit dynasties mineures disparurent. C'est Farouk, alors roi d'Egypte, qui dit à lord Boyd-Orr : « Bientôt il ne restera plus que cinq rois : les rois d'Angleterre, de carreau, de cœur, de pique et de trèfle [25]. »

Son père étant maintenant George V, David allait devenir Prince de Galles. Cette distinction lui donnait droit au revenu du duché de Cornouailles, des milliers d'hectares comprenant aussi d'importantes propriétés immobilières à Londres. Le Prince fut satisfait de la manière dont il accomplit sa première apparition officielle en sa qualité de duc de Cornouailles (il restitua à la ville un aviron d'argent symbolique). Mais il fut beaucoup plus impressionné par la cérémonie du couronnement de son père; vêtu d'un costume de drap d'argent, armé d'une épée dans un fourreau de velours rouge, il s'agenouilla aux pieds de son père à l'abbaye de Westminster pour prononcer le serment suivant : « Moi, Edouard, Prince de Galles, deviens votre homme lige par ma vie et mes membres, et par mon adoration sur cette terre; je vous serai fidèle et loyal, à la vie à la mort, contre n'importe quelles personnes. Que Dieu m'aide! »

Puis il embrassa son père, et celui-ci l'embrassa sur les deux joues. « J'étais très énervé », écrivit-il dans ses carnets [26].

Dans son propre journal, le roi George nota : « Ce fut grandiose, et cependant simple et très digne; la cérémonie se déroula sans le moindre accroc. J'ai failli fondre en larmes quand ce cher David est venu me rendre hommage, parce qu'il le fit si bien que je me suis rappelé le jour où je l'avais fait moi-même devant mon papa bien-aimé [27]. »

L'intronisation de David comme Prince de Galles eut lieu au château de Carnarvon, et David Lloyd George lui enseigna quelques mots de gallois : « *Mor o gan yw Cymru i gyd* », c'est-à-dire : « Tout le Pays de Galles est une mer de chants. » Mais David se révolta quand il vit le costume qu'il lui faudrait porter : une culotte de satin blanc et un manteau de velours violet bordé d'hermine. Il se représentait déjà ce que diraient ses camarades de la marine. Sa mère réussit finalement à l'apaiser, en lui disant que ses amis comprendraient que le devoir l'obligeait à faire des choses qui semblaient « un peu absurdes [28] ».

Puis son père le combla de joie en lui permettant d'entreprendre un voyage en mer de trois mois comme aspirant sur le cuirassé *Hindustan.* A peine avait-il appris à jurer convenablement que George V l'envoya à Paris pour l'initier à la société française; il y séjourna chez le marquis de Breteuil, apprit un peu de français et découvrit surtout les brillantes facettes de la capitale.

Il avait maintenant dix-huit ans, et la permission royale de fumer en public. Il fut dirigé sur l'Université d'Oxford — perspective qui lui faisait horreur.

Mais sa liberté nouvelle lui plut beaucoup.

Il ne fut pas considéré comme un étudiant ordinaire. Son appartement au Magdalen College comprenait la première salle de bains particulière pour un élève qui n'avait pas encore pris de grades; elle était équipée d'un tub. Son précepteur, son écuyer et son valet de chambre logeaient dans une pièce voisine. Et il y avait toujours des photographes à l'affût.

Oxford était la capitale du sérieux, des études mais, de l'avis général, le Prince « ne serait jamais un passionné de lecture [29] ». L'histoire et l'allemand lui plaisaient; toutefois il préférait de beaucoup les activités de plein air.

« A coup sûr, votre emploi du temps a été très chargé », lui écrivit son père. « Deux jours de chasse, deux sorties avec les briquets, le golf et le tir un autre jour, cela en sus de votre travail; c'est beaucoup pour une seule semaine [30]... »

Après avoir rassuré son père sur d'autres points, le Prince ajouta dans une lettre : « Je ne fume jamais plus de dix cigarettes par jour [31]. »

Au cours d'un séjour chez ses parents, il déchira le tapis vert d'un billard d'un coup de queue maladroit. Son père lui interdit le billard pendant un an. De même, George V refusa de lui permettre d'utiliser le parcours de golf sous le prétexte qu'il « serait capable de le massacrer ». Mais peu à peu le roi accepta de mêler le Prince de Galles à son style de vie; il l'emmena à quelques-unes de ses chasses.

Un jour, le groupe des invités royaux tua quatre mille faisans; George V en inscrivit plus d'un millier à son tableau, et le Prince trois cents environ. Ce carnage terminé, le roi eut un remords de conscience et il murmura : « Nous avons peut-être un peu exagéré aujourd'hui, David [32]. » Ce fut l'une des rares fois où le roi parla à son fils d'homme à homme.

Il eut son propre chéquier, soigna ses poneys de polo, apprit à jouer du banjo et de la cornemuse et fit partie de l'équipe de football de deuxième série. Son journal atteste qu'il était devenu un bon danseur : « Dans les dernières 72 heures, je n'en ai dormi que 8!!! [33]. »

Ses camarades de Magdalen le traitèrent courtoisement au début, puis ils firent montre d'une plus grande cordialité. Mais il était le Prince de Galles et, lorsqu'il pénétrait dans une pièce, il y avait toujours quelqu'un pour se lever précipitamment. « Asseyez-vous, bon Dieu! » maugréait David. Si en revanche certains se montraient trop familiers, il lui arrivait de crier d'une voix sans réplique : « Appelez-moi " Sir ", s'il vous plaît! [34]. »

Il ne comptait pas un seul ami. Il y avait ceux qui le suivaient, qui l'adoraient, qui ne juraient que par lui, mais ils étaient constamment retenus par la sorte de magie et de mystère qui entouraient la monarchie. Ce mur-là, il ne le démolit jamais de son vivant. Voilà pourquoi il demeura un peu sauvage, triste et renfermé; pourquoi, aussi, il se mit à boire : l'alcool le libérait plus ou moins de ces inhibitions, permettait à son exubérance et à son impétuosité de reprendre le dessus.

Il ne fut pas un brillant élève à Oxford. Plus tard, il déclara avoir appris davantage par les contacts humains que par les livres, ce que le commentaire final du collège explicita fort poliment : « Il ne sera jamais un Salomon anglais [35]. »

Pendant les vacances de Pâques et d'été de 1913, le Prince de Galles effectua deux séjours en Allemagne. Il appréciait ce pays beaucoup plus que la France parce qu'il parlait sa langue plus couramment et comptait de nombreux parents un peu partout. Il aimait entonner des chants allemands, boire de la bière allemande, et ses jeunes cousins l'initièrent à la vie nocturne de Berlin.

Il fut surpris par le nombre de gens qui portaient des uniformes « et qui se disputaient avec des sabres, des éperons, des casques et Dieu sait quoi [36] ». Mais ce qui l'étonna davantage, ce fut sa visite à son cousin le Kaiser Guillaume II. Au lieu d'être assis sur un fauteuil de bureau, l'empereur d'Allemagne avait pris place sur un bloc de bois taillé en corps de cheval et sanglé d'une selle à étriers.

Invité à présent à remplir des devoirs de famille et à s'occuper d'affaires de l'Etat, il sentit s'éveiller en lui quelque chose de nouveau : le début d'une conscience sociale. Il écrivit dans son journal : « Toutes ces visites officielles, quelles bêtises et quelle perte de temps, d'argent et d'énergie! [37]. »

Il assista à l'une de ces cérémonies en l'honneur de l'archiduc François-Ferdinand, héritier présomptif de l'Empire austro-hongrois, et de sa femme. Sept mois plus tard, les balles d'un assassin les tuaient tous les deux à Sarajevo.

A Oxford, il fut particulièrement fier de s'être engagé dans le peloton d'élèves-officiers et d'avoir mérité les galons de soldat de première classe. Avec une taille d'un mètre soixante-huit il avait encore l'air incroyablement enfantin, frêle et délicat. Dès l'entrée de l'Angleterre dans la guerre en 1914, il demanda à servir dans la Marine, mais il n'y fut pas autorisé parce que sa présence sur un navire risquait de faire de celui-ci une cible de premier choix. Il rallia alors les grenadiers de la Garde, où il se sentit un « pygmée » dans cette unité de géants. Quand son régiment se rendit en France, le prince demeura en Angleterre, « dans une vitrine ». « Ce fut un coup terrible pour mon orgueil, le pire de toute ma vie [38]. »

Alors le Prince entreprit une ardente campagne personnelle pour participer à l'action. Il alla voir le formidable lord Kitchener, secrétaire d'Etat à la Guerre, et il lui déclara qu'il aurait trois frères pour lui succéder s'il était tué. Kitchener lui répondit qu'il ne l'empêcherait pas de partir s'il était certain qu'il serait tué, mais « je ne peux pas courir le risque que l'ennemi vous fasse prisonnier [39] ».

Le Prince écrivit ensuite à son père : « J'ai tellement honte de porter des décorations qui ne sont dues qu'à mon rang... puisque je n'ai jamais participé à aucun combat et que j'ai toujours été tenu à l'abri du danger! [40]. »

Il réussit cependant à être affecté à un quartier général en France, d'où il s'échappa souvent en voiture ou à bicyclette pour bavarder avec des blessés et se rendre au front. « Un méchant bombardement attire toujours le Prince de Galles », déclara un officier [41].

Après avoir visité des tranchées, un jour, il découvrit que sa voiture avait été touchée de plein fouet par un obus et que son chauffeur était mort. Une autre fois, il dut s'accroupir dans un abri pendant une heure, encadré par des tirs d'artillerie. Il assista aux massacres sur la Somme, où tombèrent 57 000 soldats le premier jour.

Un photographe officiel l'avait suivi, mais le prince lui avait donné l'ordre de ne prendre aucune photo. L'homme avait l'air si découragé que le prince alla vers lui, ramassa une partie de son matériel et lui dit que cela pesait au moins « une tonne ». Puis il lui demanda depuis quand il le suivait avec cette charge.

« Depuis six kilomètres, sir. »

« Dans ces conditions, vous avez bien mérité une photo. Prenez toutes celles que vous voudrez. Vous n'aurez qu'à me dire comment je dois poser [42]. »

Visitant un hôpital de campagne, le Prince s'étonna qu'un paravent eût été disposé devant un lit. Le major hésita, puis il répondit que le soldat avait été trop horriblement blessé pour que le Prince le vît. Le Prince insista. Alors il se trouva en face d'un homme dont le visage avait été fracassé au point qu'il ne ressemblait plus à un être humain. Pendant quelques instants, le Prince resta debout à son chevet sans dire un mot. Puis il le salua militairement et se pencha pour déposer un baiser sur ce qui avait pu être son front.

5

La guerre mondiale se déroulait bien loin de Wallis, mais elle n'allait pas tarder à la concerner personnellement. Au printemps de 1916, peu après la mort de sa grand-mère, un conseil de famille décida que Wallis était trop jeune pour pleurer longtemps. Des dispositions furent prises pour qu'elle allât passer quelques semaines chez la sœur cadette de Lelia Barnett, Corinne Mustin, en Floride. Le mari de Corinne commandait à Pensacola la nouvelle base de l'aéronautique navale.

Dans sa première lettre à sa mère, Wallis écrivit qu'elle venait de rencontrer « le plus séduisant aviateur du monde [1] ».

Le lieutenant Earl Winfield Spencer, Jr., n'était pas qu'un bel homme : il était persuasif, dominateur, viril — et il le savait. L'une des amies de Wallis trouva que ce « beau garçon n'était peut-être pas très loquace, mais terriblement flirteur avec les femmes ».

Il avait vingt-sept ans. A cette époque-là, un pilote de la Marine américaine passait — comme les astronautes cinquante ans plus tard — pour un personnage fantastique, un héros chargé de gloire. « Win » Spencer fit l'effet d'une charge d'électricité sur Wallis Warfield qui, à dix-neuf ans, n'avait connu que des blancs-becs.

Le lendemain de son arrivée, sa cousine Corinne avait invité à déjeuner chez elle Spencer et deux autres jeunes officiers. Corinne était une Montague jolie et spirituelle; naturellement blonde, elle aimait rire et avait épousé un homme paisible qui était de dix ans son aîné. Elle comprit exactement ce que désirait Wallis et ce qu'il lui fallait.

L'apparition sur une base navale d'un nouveau visage de femme sans attaches est toujours une attraction qui provoque toutes sortes de défis et d'émulation. Spencer eut tôt fait de jalonner sa concession. Sans trop de mal : Wallis était déjà conquise.

Corinne, qui appelait sa cousine « Maigriote », n'avait nullement l'intention de jouer les chaperons. Win en profita pour donner à Wallis des leçons particulières de golf, lui faire visiter l'aéroport, passer avec elle de longues soirées au Country club où il lui décrivait tout ce qu'il y avait de passionnant dans le pilotage d'un avion.

Wallis l'écoutait comme si sa propre vie dépendait des paroles de l'aviateur. Elle avait une manière à elle de regarder un visage d'homme : elle ne le quittait jamais des yeux. L'intérêt qu'elle manifestait était avide, profond, flatteur. Wallis pouvait se lancer dans des bavardages mondains aussi facilement que n'importe quelle fille, mais elle possédait un sens inné pour deviner ce qui plaisait aux hommes, et elle savait se taire quand ils avaient envie de se faire écouter.

Elle savait aussi quand elle devait se montrer enjouée, et « participer ».

« Elle sue le charme par tous les pores comme un vieux fourneau dégage de la chaleur », déclara l'un de ses amis [2].

Une partie de son charme — une grande partie — était son naturel. Elle était ce qu'elle était. Elle n'essayait pas de se déguiser. Et elle ne se prétendait pas plus savante qu'elle n'était. Elle avait aussi le don très rare de faire rire les hommes, de les détendre et de les mettre à l'aise.

Win n'avait jamais rencontré une jeune fille comme Wallis. Il avait connu, certainement, des femmes plus belles, mais aucune qui fût aussi prête à l'écouter, aussi intelligente, aussi drôle.

Et Win fut, à son tour, conquis.

Tenue au courant des événements, Corinne n'en contraria pas le cours. Elle n'avait jamais vu sa « Maigriote » aussi déboussolée. Quand elles jouaient ensemble au gin rummy, Wallis ne savait même plus à quel moment la partie était terminée.

Pour Wallis, la partie ne faisait que commencer.

Si Win était prêt, Wallis était mûre. Pour la première fois elle aimait, et elle aimait totalement. Cette passion la transforma : elle rêvassait, perdait patience. Son séjour chez Corinne devait en principe durer un mois : elle le prolongea d'autant. Un soir, Win l'emmena au cinéma puis, assis sur le porche du Country Club, il lui demanda sa main.

Win était assez bien fait de sa personne pour prétendre à de plus jolies filles. Il avait discerné beaucoup de qualités positives en Wallis, mais il avait aussi découvert une profondeur qu'il n'avait décelée en aucune autre femme. Plus tard, il devait définir cette profondeur comme « une force de caractère ». Or c'était justement de cette vertu qu'il avait le plus besoin. Tout en étant un mâle dominateur, il la sentait plus forte que lui, et voilà pourquoi il la voulut.

Spencer était l'enfant d'une nombreuse famille qui habitait la banlieue de Chicago. Son père était agent de change. Jamais auparavant, Win n'avait dû se débattre avec des contraintes. L'argent, les femmes, l'aviation ne lui avaient posé aucun problème. Maintenant tout laissait supposer que les Etats-Unis seraient bientôt entraînés dans la guerre, et Win voulait à tout prix se battre. Ce serait la grande affaire de sa vie.

Mais en même temps il prit conscience de ses premières exigences intérieures. Avant de faire la guerre et peut-être d'y trouver la mort, il éprouva l'ardent désir d'appartenir à quelqu'un. Sa mère avait d'autres fils. Win eut envie que quelqu'un s'inquiétât de lui, et de lui seul. Il lui fallait un être qui s'occuperait uniquement de lui, qui l'écouterait, avec lequel il pourrait tout mettre en commun.

Win avait un point faible, qu'il connaissait : il buvait trop. Et l'alcool intensifiait toutes ses exigences, tous ses besoins.

Wallis possédait la force et la tendresse nécessaires.

Elle lui répondit qu'elle l'aimait, qu'elle ne demandait pas mieux que de devenir sa femme. Qu'elle avait été élevée dans un monde de conventions familiales et qu'elle devait en respecter les règles. Donc, qu'elle parlerait d'abord à sa mère et à l'oncle Sol.

Alice Warfield Rasin regarda sa fille et retrouva en elle le portrait de sa jeunesse. Beaucoup plus tard, sur son lit de mort, elle dirait à Wallis combien elles se ressemblaient : plus de cœur que de tête. Mais après l'avoir écoutée, elle lui opposa toutes sortes d'arguments. Leur idylle avait été si courte! Les femmes de marins étaient obligées de se conformer à tant de règlements! Wallis était si vive, si impulsive : saurait-elle s'y plier? Pourrrait-elle grapiller quelque menue monnaie sur la maigre solde d'un officier de marine? Nous serions bientôt en guerre, et Win y participerait sans doute; peut-être même serait-il tué. Elle avait été veuve de bonne heure, et elle savait à quel point un veuvage prématuré était douloureux, atroce : Wallis avait-elle envie de subir cette épreuve à son tour?

Wallis ne dit mot pendant ce long discours. Elle se contenta de secouer négativement la tête. Elle aimait.

L'oncle Sol avait espéré que Wallis épouserait un habitant de Baltimore à la fois riche et distingué. Il réserva son jugement en attendant de connaître Win. Et Win arriva à Baltimore; il conquit tout le monde, à commencer par les femmes. Alors Wallis se rendit avec lui à Chicago; la famille Spencer approuva le projet de mariage, mais fit comprendre au jeune couple qu'il ne pourrait compter sur aucune aide financière. L'argent n'était pas la préoccupation principale des deux tourtereaux.

Il n'est pas sans intérêt de noter que Wallis jugea nécessaire à cette époque (septembre 1916) d'écrire une lettre à Carter Osburn qui était parti pour le Mexique, avec la cavalerie des Etats-Unis, à la poursuite de Pancho Villa. Osburn était assis à l'ombre d'un mesquite lorsque le vaguemestre lui remit la missive dans laquelle Wallis lui annonçait qu'elle épousait un autre homme. « La température était de 47° à l'ombre, et nous n'avions plus d'eau depuis vingt-quatre heures », raconta-t-il [3]. La lettre de Wallis n'améliora sûrement pas l'atmosphère. Plus tard, Wallis plaisanta sur ses relations avec Osburn en disant qu'elle avait surtout songé aux commodités de sa voiture. S'il en avait été ainsi, elle n'aurait certainement pas pris la peine de rédiger cette lettre de rupture ou de congédiement. Pour Carter Osburn en tout cas, ç'avait été un roman d'amour qui comportait de nombreux engagements tacites.

Les journaux de Baltimore annoncèrent les fiançailles comme un événement « d'intérêt exceptionnel pour la haute société du Maryland et de Virginie »; ils soulignèrent aussi que Wallis était « l'une des jeunes filles les plus lancées de la haute société », et « une véritable beauté depuis ses débuts dans le monde [4] ».

L'un des multiples coups de téléphone que reçut la mère de Wallis quand la nouvelle fut connue émana de sa cousine Mrs. Elizabeth Gordon : « A présent que Wallis se marie dans la Marine, nous n'allons pas tarder à apprendre que vous épousez un amiral. »

Alice Warfield Rasin éclata de rire et répondit : « Un trésorier ferait mieux mon affaire! [5]. »

Les traditions n'étaient pas le fort de Wallis, et elle ne s'en encombra point pour ses noces. Mais comme elle avait reçu la confirmation à l'église épiscopalienne, elle décida de s'y marier. La date fut fixée au 8 novembre 1916.

Wallis avait des idées très personnelles sur la façon de s'habiller pour un mariage. Elle créa des robes en faille couleur d'orchidée et velours bleu pour les demoiselles d'honneur. Ellen Yuille (devenue Mrs. William Sturgis) se souvint longtemps du grand chapeau en satin bleu avec aigrette d'orchidées que Wallis lui fit porter. Pour elle-même, Walllis aidée de sa mère et de Maggie O'Connor choisit une robe de panne blanche (le velours n'était pas traditionnel) brodée de perles, et un voile de tulle de famille. Elle se coiffa d'un bandeau de fleurs d'oranger, et elle tint dans sa main un bouquet d'orchidées blanches et de muguet.

La cérémonie eut lieu le soir, au milieu de cierges allumés, ce qui ajouta au romantique de l'ambiance. Mais la mariée était très nerveuse, et elle ne trouva aucun secours affectif dans le visage austère de l'oncle Sol qui lui donnait le bras pour descendre la nef. Heureusement, elle fut rassurée par l'amour qu'elle lut sur le visage de Win.

6

Bien des années plus tard, Lelia Barnett dit à sa cousine Wallis qu'elle avait épousé Spencer « par curiosité [1] ». Elle le lui dit en plaisantant, mais elle n'avait pas tout à fait tort. Quelle jeune femme n'est pas curieuse d'apprendre ce que signifie l'expression : vivre avec un homme? Ce n'est pas simplement une question physique; c'est aussi la curiosité de quantité de découvertes.

Le premier pressentiment de difficultés futures assaillit Wallis pendant leur lune de miel à White Sulphur Springs, en Virginie Occidentale. C'était là, dans la résidence d'été de son amie Ellen Yuille Sturgis, qu'un autre garçon l'avait courtisée et demandée en mariage. A présent elle séjournait au Greenbriar Hotel, à la fois luxueux et sérieux. Peu après leur arrivée, alors qu'ils défaisaient leurs valises, Wallis s'aperçut que son beau mari était malheureux. Il avait vu dans la chambre un écriteau indiquant que l'hôtel ne servait pas d'alcool parce que l'Etat était « sec ». Elle devina alors l'importance qu'il attachait à l'alcool. Mais c'était sa lune de miel, et Win s'employa au mieux à accaparer ses pensées d'une autre manière.

A la base de l'aéronautique navale de Pensacola, les officiers avaient pour logements des bungalows de modèle courant, composés et meublés de la même façon. Seules particularités : le décor du bord de mer et le parfum des lauriers-roses.

Wallis savait coudre depuis longtemps. Elle apprit non seulement à cuisiner, mais à boire, et elle aima l'un et l'autre.

« Wallis avait une autorité extraordinaire », déclara une femme qui la connaissait alors. « Elle commandait à tout le monde. Et elle était formidable avec les hommes. Elle tenait à ce que les autres maris fissent attention à elle. Autre chose dont je me souviens : elle avait l'air de ne pas aimer les enfants. »

D'autres de ses amies firent la même remarque. S'il est exact que Wallis n'aimait pas les enfants, alors pourquoi? Elle était fille unique, élevée par une mère qui ne jouait pas souvent le rôle maternel traditionnel. Pendant qu'Alice travaillait ou s'occupait ailleurs, Wallis vivait avec sa grand-mère, qui lui offrit un mélange de sévérité et de bonté plutôt qu'une affection véritable. N'ayant pas eu de frères ou de sœurs plus jeunes, elle s'était trouvée privée de la possibilité de comprendre les enfants. Et elle n'avait pas eu non plus beaucoup de compagnes de jeu de son âge. A force de rester dans la compagnie des adultes, elle mûrit plus vite et devint indépendante, ce qui déforma sa conception d'une enfance normale. L'idée d'avoir des enfants contrariait peut-être ses envies de liberté.

Et puis il y avait la question argent. Wallis et sa mère étaient pauvres. Elles avaient été obligées de compter sur la générosité d'autrui. Wallis ne voulait plus dépendre des gens, comme cela lui était arrivé. En admettant qu'elle pût avoir des enfants, sans doute n'en désirait-elle pas avant de pouvoir s'offrir ce luxe.

Mais pouvait-elle avoir des enfants? A la mort d'Alice, l'infirmière qui la soignait révéla qu'elle lui avait confié que Wallis ne pourrait jamais être mère.

Il existe pour tout le monde le phénomène psychologique bien connu que l'on n'aime pas ce que l'on ne peut pas avoir...

A Pensacola, Wallis découvrit que la vie d'une femme de marin était très limitée, solitaire, jalonnée de frayeurs. Ce qu'elle apprit à redouter c'était le timbre avertisseur d'un accident. S'il sonnait, c'est qu'un avion avait sombré. Une fois, il sonna pour Win qui avait été obligé de se poser dans la baie, mais Win s'en tira sans une égratignure et fut sauvé à temps. Wallis se mit à détester les avions, et sa peur de voler l'accompagna toute son existence.

La seule question qui se posait au sujet de la guerre se résumait en un mot : quand? L'attente intensifia la frénésie de leurs soirées du samedi en ville. C'était à qui se déchaînerait le plus. Après avoir ingurgité une certaine quantité d'alcool, Win allait faire des imitations sur la piste de danse. Le samedi soir ressemblait à un manège de chevaux de bois qui tournait, qui tournait...

Il s'arrêta pile le 6 avril 1917, lorsque les Etats-Unis entrèrent en guerre. Win comptait bien être affecté à un poste de combat et, soudain, Wallis se rendit compte de l'exacte signification du mot « guerre ». Il ne s'agissait plus d'un soldat inconnu mourant dans une tranchée; il s'agissait de son mari; du timbre des accidents.

Mais Win avait été un remarquable instructeur de pilotage, et la Marine décida de lui confier le commandement de la base de l'aéronautique navale de Squantum, près de Boston. Il fut non seulement très déçu, mais furieux. Wallis se déclara ravie.

Ce qui la sauvait de la solitude, c'était sa curiosité, son inlassable besoin d'activité. Le travail de Win fut si absorbant qu'il rentrait rarement avant neuf heures du soir, et il était si fatigué qu'il se couchait aussitôt. Ils habitaient alors un appartement dans un hôtel de Boston.

Reginald Thomas, en garnison à Squantum, se rappela avoir vu Wallis conduisant son mari à son travail le matin et allant le chercher le soir pour le ramener. Elle avait une petite voiture qui lui servait aussi pour faire ses courses, et on la remarquait régulièrement sur la plage où elle prenait ses bains de soleil.

Que faire à Boston quand on y est une étrangère, et seule? Elle avait épuisé tous les agréments des commérages et du bridge avec les autres femmes de marins. Elle découvrit les trésors d'histoire que renfermait la ville, et elle visita les musées et les antiquaires. Ce n'était pas le genre d'existence qu'elle avait imaginée à Biddle Street, à Oldfields ou à l'église épiscopalienne. Elle menait une vie paisible de réflexion, mais elle jouissait du sentiment de liberté qu'elle y trouvait. Elle façonnait son emploi du temps tout en se formant elle-même. Sa mère lui avait dit un jour de n'avoir jamais peur de la solitude, que la solitude avait ses avantages dont le principal était d'apprendre à penser.

Si elle se mettait à penser à elle, Wallis n'avait pas grand-chose à regretter. Elle aimait son mari, et Win l'aimait. La guerre donnait à sa vie un caractère d'incertitude, mais aussi plus de sens et de plaisir aux heures qu'ils passaient ensemble. Certes il y avait les déplacements qui, en quelque sorte, les déracinaient; mais c'était tellement amusant de déménager pour s'installer dans un endroit nouveau!

Win réussit si bien que la Marine le désigna pour prendre le commandement d'une base de l'aéronautique navale près de San Diego. En raison de cette promotion, Wallis disposa d'un bungalow à haut plafond pourvu d'une vaste salle de séjour et d'un grand patio.

Elle se trouva alors dans un nouvel élément, et son style de vie changea. Les officiers supérieurs affluèrent chez elle; les dîners succédaient aux réceptions. Elle fut enchantée d'être l'épouse du commandant d'un poste important; elle n'aimait rien tant que d'être une excellente hôtesse, de mettre de l'animation dans les conversations, de créer une ambiance agréable.

« En réalité, elle prononçait rarement des phrases brillantes », commenta une femme qui la connaissait bien. « Mais elle n'était jamais avare de cette franchise qui ressemble tant à l'esprit sur le moment, surtout lorsqu'on a bu trois ou quatre whiskies et que les commérages vont bon train. Wallis provoquait de formidables éclats de rire en disant des choses que la plupart des autres gens auraient tues et, au lieu de les dire, elle les criait — et continuait de les crier non seulement à minuit, mais à une, deux, ou trois heures du matin, avec autant d'entrain qu'au début de la soirée. Vers quatre heures, elle suggérait presque toujours la même blague, à savoir que tout le monde aille voler la camionnette du laitier pour une petite balade d'agrément. »

Wallis était très heureuse. Elle aimait le monde, elle aimait les gens, et la vie était belle. Elle élargit le cadre de ses relations, s'introduisit dans le cercle plus prestigieux du Coronado tout proche. Elle avait maintenant pour amis des filles d'amiraux, des propriétaires de poneys de polo; elle se fit même photographier avec Charlie Chaplin.

L'un des événements mondains inattendus à l'Hotel del Coronado fut un bal donné en l'honneur du jeune et fringant Prince de Galles qui arriva en avril 1920 à bord du *Renown.* « Nous assistions au bal », raconta Win, « et le Prince nous fut signalé au début de la soirée; mais le seul commentaire que nous fîmes, Wallis et moi, fut un murmure d'étonnement [2] ».

C'était le mode de vie que Wallis avait toujours désiré : une grâce désinvolte, un goût parfait, pas de précipitation, le grand train de maison, une cohorte d'amis passionnants toujours prêts à explorer le neuf et le différent.

Si Wallis s'épanouissait, Win semblait se désagréger. La guerre était terminée et il n'avait jamais participé aux combats comme il l'avait tant souhaité. Ce qui n'arrangeait rien, c'est qu'il avait perdu un frère à la guerre. Il se mit à boire de plus en plus. Wallis avait toujours beaucoup aimé flirter et elle l'admettait ouvertement. Win vit dans ces flirts des aventures plus sérieuses. De jaloux, il devint violent. Wallis avait son caractère, et ils eurent des disputes fort bruyantes; il lui arriva de la battre; Wallis se défendait en lui lançant des objets à la tête.

Win avait même changé physiquement. Son corps d'athlète s'était épaissi, alourdi. Il n'était plus l'homme qu'elle avait épousé, ni le rêve qu'elle s'était inventé. Il s'était marié avec Wallis à cause d'une force intérieure dont elle ignorait même l'existence. A présent que leur union tournait à l'aigre, elle avait découvert cette force dans son amertume mais elle se refusait à la partager.

A deux reprises, Win fut muté à des postes temporaires, mais Wallis ne le suivit pas. Sa mère vint la voir et resta quelque temps avec elle. Mais il n'y avait plus entre elles cette facilité de communication qui avait existé autrefois. Wallis était devenue une personne plus secrète. Elle pouvait se laisser entraîner dans toutes sortes d'affaires, mais sans donner beaucoup d'elle-même.

Il en allait de même avec ses amis. Ce n'était pas vraiment de l'amitié qu'elle offrait, mais plutôt de la camaraderie : un air détendu de bonne volonté, une disposition à l'encouragement ou à la consolation, de la sympathie — de l'amitié, point. Elle ne faisait jamais de confidences importantes, elle gardait pour elle les mystères de sa vie privée. L'échec de son mariage était son propre échec qu'elle n'avait pas intérêt à divulguer.

Il est difficile de comprendre ce qui se passa avec sa mère. Elles se ressemblaient trop. Si le mariage de Wallis avait été plus heureux, l'ambiance entre elles aurait peut-être été différente. Sa mère l'avait prévenue, et ses avertissements s'étaient révélés exacts. Alice ne demandait qu'à compatir; Wallis refusa toute pitié.

Elle ne se sentait pas tout à fait libre avec ses relations du Coronado. Après tout, elle était une femme mariée sans mari, qui vivait seule chez elle. Ses plaisirs s'en trouvaient émoussés. L'avenir semblait plus incertain, plus solitaire.

Et puis une bonne nouvelle survint l'été de 1920. Win avait été affecté à un poste permanent à Washington pour participer à l'organisation du nouveau Bureau de l'Aéronautique. C'était un travail important, prometteur, que Win déclara passionnant. Tout allait-il recommencer?

Oui, pendant quelques mois.

La capitale des Etats-Unis baignait dans une atmosphère nouvelle en 1920. Les républicains avaient désigné comme candidat à la Présidence Warren G. Harding, et le peuple américain le porta à la Maison-Blanche pour remettre le pays « dans un état normal ». La guerre avait laissé le monde « sur des béquilles, les bras en écharpe ». Et très traumatisé aussi. Les Etats-Unis s'étaient lourdement endettés; l'inflation avait presque réduit de moitié la valeur du dollar.

C'était le genre de choses que le peuple américain, et les jeunes en particulier, voulait oublier. Wallis avait alors vingt-quatre ans, et elle ne réagit pas autrement. Selon le nouveau credo de la jeunesse au début de la troisième décennie du siècle, le but de la vie consistait à s'exprimer, à réaliser toute sa personnalité; le corps n'avait rien de malsain ni d'impur puisqu'il était un temple qui devait être embelli pour les rites de l'amour; il était stupide d'entasser des trésors pour en jouir seulement dans sa vieillesse quand on ne pouvait plus en profiter pleinement; il fallait capter chaque moment de l'existence pour l'utiliser au maximum; le puritanisme était l'ennemi nº 1; toute convention de nature à empêcher ou diminuer le plaisir du moment devait être abolie; les femmes seraient les égales des hommes, économiquement et moralement parlant; tout le monde devait se débarrasser de ses inhibitions personnelles et être heureux.

Edna St. Vincent Millay écrivit une strophe qui devint le cri de guerre de la génération :

> *Ma chandelle brûle par les deux bouts;*
> *Elle ne durera pas toute la nuit;*
> *Mais, ah, mes ennemis, et oh, mes amis —*
> *Que sa lumière est belle* [3]*!*

L'expression « jeunesse ardente » fit le tour du pays. Un historien décrivit ainsi cette disposition d'esprit : « Ils croyaient en un plus grand degré de liberté sexuelle que ne l'avait toléré le code rigide des Américains; et en ce qui concernait la discussion des choses du sexe, non seulement ils crurent qu'elle devait être libre, mais plusieurs parurent persuadés qu'elle devait être continue. » Conceptions qui se résumeraient peut-être mieux dans la phrase : « J'ai le droit de faire tout ce qui ne nuit pas à mon voisin. »

Tel était le monde où Wallis Warfield vivait à présent; telle était l'époque, et telle était l'humeur. Si nous le comprenons, nous comprendrons mieux pourquoi elle en arriva à prendre une grande décision.

Elle avait décidé que son mariage était trop avilissant. Ils habitaient dans un appartement d'hôtel dont les cloisons étaient minces, et elle avait honte de penser que leurs violentes querelles étaient du domaine public, que l'alcoolisme de son mari n'était plus un vice dont elle avait jalousement gardé le secret, qu'elle avait épousé un homme capable de brutalités physiques. Elle ne voulut plus vivre avec lui.

Sa mère lui dit qu'un divorce était impensable. L'amour pouvait se muer en dégoût, mais le mariage était un serment sacré. Une séparation, oui; mais le divorce, jamais. Une divorcée était une femme déshonorée, perdue. Et ce serait une honte pour la famille, qui ne s'effacerait jamais.

Wallis s'arma de courage pour affronter l'oncle Sol. A ses yeux, il représentait plus une image qu'une émotion. Il était l'aîné de la famille, la source de son revenu, le frère de son père, mais il n'avait pas su remplacer son père.

L'émotion ne fit pas défaut. Il n'était pas que sécheresse. Il avait vécu, aimé, et réussi. Pourquoi ne lui montrerait-il que son côté puritain? Ses amis le connaissaient sous les dehors d'un compagnon charmant... Et cependant à sa nièce — sa nièce préférée — il n'avait jamais pu témoigner un sentiment, une tendresse quelconque. Il ne lui montra qu'une âme raide comme du carton. Il écouta ses explications, son plaidoyer. Sa réponse fut péremptoire et définitive. Pas de divorce. Elle n'avait qu'à essayer de sauver son ménage.

La crainte respectueuse que cet homme inspirait à Wallis et la certitude que son avenir financier dépendait de lui étaient si fortes qu'elle essaya. Win essaya, lui aussi. Mais son travail s'était enlisé dans la bureaucratie et la paperasserie, et il buvait encore plus pour se défouler. Plus d'alcool, autrement dit plus de scènes de jalousie, plus de violences.

Win voulait davantage qu'elle ne pouvait donner, et elle ne put rien lui donner.

Sa mère s'était installée à Washington en 1921 dans l'espoir de refaire sa vie. Elle travaillait comme hôtesse au Chevy Chase Country

Club. Un jour Wallis survint, avec une requête : pouvait-elle apporter ses bagages?

Répondant à une interview, beaucoup plus tard, Wallis déclara : « Le côté physique de l'amour est un élément essentiel, mais bon nombre d'hommes et de femmes ont appris à leurs dépens que l'attraction physique ne peut pas à elle seule faire vivre un mariage [4]. »

7

Peut-être fut-ce la désapprobation sans nuances de l'oncle Sol, ou l'inertie, ou le manque d'argent, ou la peur latente du dernier pas qui trancherait le lien, mais Wallis n'entama aucune procédure de divorce. En revanche, elle se comporta comme si le jugement avait été prononcé.

En 1921, Washington était en mutation; les républicains avaient succédé aux démocrates à la tête des affaires, ce qui pimentait les propos aux cocktails. L'opinion se demandait ce qu'allait faire le nouveau président Harding. Il était si bel homme avec son visage qui respirait la franchise, et il avait tant d'allure! Le véritable « chic type » américain qui aimait le poker, le golf et, à l'occasion un petit verre...

« La vérité est qu'il était trop courtois, trop gentil, trop généreux et trop amateur de bon temps pour son propre bien... Je le dis carrément : mon cher vieil ami détestait travailler », avoua le sénateur de l'Indiana, James E. Watson. Cette analyse, qui fit le tour du pays, visait l'homme en même temps qu'elle réduisait les espoirs mis dans son administration.

Win fut de nouveau muté au début de 1922, cette fois pour commander une canonnière en Extrême-Orient. Wallis élargit le cercle de ses activités mondaines grâce à des cousins et cousines, puis à des amis. Ce qui donnait à la société de Washington sa coloration et son attraction particulières, son code et sa distinction, c'était sa situation de capitale de la nation. Le mot important qui régissait tout était « préséance ». Les fonctionnaires du gouvernement comme les ambassades étrangères se soumettaient au protocole du rang. Il imposait l'ordre dans lequel les maîtresses de maison de Washington plaçaient leurs convives à table et elles en vinrent vite à le considérer comme sacré.

Cette loi inflexible de la préséance reléguait la femme d'un lieutenant à un niveau très inférieur, mais Wallis n'en était pas moins enchantée de figurer sur la scène.

Elle écouta les propos politiques, et elle apprit la politique tout comme elle avait appris à faire la cuisine. « J'aime beaucoup savoir ce que les autres pensent », avoua-t-elle plus tard, « mais je n'ai jamais exprimé une opinion politique [1] ».

Ce fut sans doute la seule réserve qu'elle observa à l'époque du flacon de cognac dans le sac ou la poche-revolver, du sex-appeal, de toutes les audaces dans le vêtement et le langage, de l'essor des boîtes de nuit, du « puisque c'est nouveau, goûtons-y ». Wallis avait vingt-six ans; elle se trouvait suffisamment « vieille » pour faire tout ce dont elle avait envie.

Elle alla s'installer dans la maison de Georgetown de Dorothy McNamee, fille d'un amiral et épouse d'un officier de marine qui opérait lui aussi en Extrême-Orient. Des amis communs remarquèrent que c'était tout à l'honneur de Wallis que Dorothy McNamee l'eût invitée chez elle. Dorothy était une femme tranquille, timide, sensible, très estimée pour son talent d'artiste. Elle avait les mêmes qualités d'humour, d'amour-propre et de sincérité naturelle que Wallis.

Toutefois, Wallis ambitionnait davantage, et elle le trouva bientôt.

Elle reçut un coup de téléphone de l'une de ses demoiselles d'honneur de Baltimore, qui venait d'être invitée par un gentil diplomate de l'ambassade des Pays-Bas à un petit dîner à Washington et qui avait été priée d'amener une amie : Wallis voulait-elle l'accompagner?

Wallis fut enchantée. Les ambassades étrangères présentaient un attrait particulier pour les jeunes femmes de Washington, et vice-versa. Les diplomates étrangers, et surtout les jeunes, faisaient battre plus vite les cœurs féminins tant ils savaient se montrer attentifs, ardents, insistants.

Le célibataire le plus à la mode à Washington assista au dîner. A trente-cinq ans, Don Felipe A. Espil, premier secrétaire à l'ambassade d'Argentine, méritait d'être qualifié par l'une des amies de Wallis d' « être exquis » et de « magnifique morceau [2] ». Les chroniqueurs mondains le trouvaient « irrésistible »; il était toujours impeccablement habillé.

Ce qui singularisait la position d'Espil à Washington, c'est qu'il était une sorte d'homme de la Renaissance : il possédait des capacités étendues et s'intéressait à tout. Depuis qu'il était arrivé aux Etats-Unis en 1916 comme avoué, il était tombé amoureux de ce pays et il l'avait appris par cœur. Il pouvait parler avec autant de compétence que de passion du championnat de baseball, des dernières tendances de la musique moderne ou d'économie. Il était excellent golfeur, remarquable joueur de bridge, merveilleux cavalier, et grand amateur de vins, de femmes et de chansons. Il se définissait comme « diplomate par accident [3] », mais rares étaient les diplomates à Washington qui travaillaient davantage ou savaient plus de choses. Il se levait de bonne heure, lisait énormément — au moins sept journaux et les comptes rendus du Congrès. Tout le monde le prenait pour un bon vivant, et il l'était, mais d'ordinaire il quittait le premier une soirée afin d'être en forme pour ses tâches du lendemain matin.

Lorsque Espil donnait une réception, ses invités pouvaient être sûrs qu'elle serait parfaite et que la qualité de la conversation ne le céderait en rien à celle des vins. Il menait une vie mondaine étourdissante, ce qui ne l'empêchait pas d'assister à toutes les auditions importantes devant les commissions du Congrès. Mais plus encore que son magnétisme, sa belle allure et son intelligence, c'étaient sa cordialité et sa franchise qui lui gagnaient les cœurs.

Espil produisit naturellement une forte impression sur Wallis. Elle s'arrangea pour capter et retenir son attention ce soir-là. Jamais elle ne fut plus débordante de vie et de gaieté. Avant de partir, Wallis invita tous les convives à un cocktail chez elle dans la semaine. Elle savait maintenant ce qu'elle voulait.

Un peu plus tard, Wallis accompagna son amie à la gare pour la mettre dans le train de Baltimore. Elles allèrent toutes les deux au lavabo pour se « refaire une beauté », et Wallis se regarda longtemps dans la glace comme si elle inventoriait ses points faibles. « Avec des têtes pareilles », dit-elle à haute voix, « comment arriver jamais où il faudrait? [4] ».

C'était apparemment sans espoir. En sus des imperfections qu'elle voyait sur son visage, elle savait que son corps de garçonnet avait plus d'angles que d'arrondis, que ses jambes étaient un peu trop maigres. Or Espil était un vrai homme qui possédait tout, y compris les plus jolies femmes de Washington. Pourquoi la désirerait-il un jour?

Mais au cours du premier dîner, Espil avait discerné en Wallis des choses intéressantes. Il vint à son cocktail, puis il l'invita à un déjeuner à l'hôtel Hamilton. Ce déjeuner était en fait l'occasion choisie par une soixantaine de jeunes diplomates pour se réunir une fois par semaine. Ils avaient baptisé leur association « Les Soixante Gourmets ».

Wallis eut de la chance. Elle connaissait l'un des soixante, Wilmott Lewis, qui s'était fait accompagner par sa cousine Ethel. Lewis ne tarit pas d'éloges sur les vertus des femmes Montague, et il déclara que tous ses collègues devraient épouser une Montague. Puis, entendant une réflexion spirituelle de Wallis, il s'exclama : « Oh, voilà bien une Montague typique! [5] »

Espil conduisit Wallis à plusieurs autres des ces déjeuners hebdomadaires; il l'emmena dîner; il l'entraîna dans des réceptions; le bruit ne tarda pas à se répandre qu'ils étaient amants et qu'il fallait les inviter ensemble. Du coup, Wallis monta brusquement de plusieurs rangs dans la société des préséances de Washington.

Lorsque ses amis rentraient à Baltimore, ils décrivaient Wallis sous les traits d'une « femme du monde accomplie ». Mais à Washington Wallis découvrit vite qu'elle avait encore un grand chemin à parcourir. Pour être à la hauteur d'Espil, elle devait se tenir au courant des nouvelles, être constamment à la page, toujours garder affûtée son intelligence brillante pour lancer de vives reparties. Wallis avait beaucoup à apprendre, Espil beaucoup à lui enseigner. Ainsi qu'elle le déclara plus tard : « Il fut pour moi un maître et un modèle dans l'art de vivre... à bien des égards l'homme le plus séduisant que j'aie jamais connu, avec des principes d'acier et un esprit pétillant comme du champagne [6]. »

Espil l'émut, l'excita, la conquit.

« Wallis était folle de lui », affirma une amie [7].

Espil donna à Wallis la touche finale du grand chic. Il réussit à lui faire extérioriser un maximum de ses possibilités, et il enrichit tout ce qu'il y avait déjà de valable en elle. Il lui révéla la banalité des petites manifestations mondaines, il ouvrit son esprit aux idées nouvelles. Il ne le fit pas simplement parce qu'elle lui plaisait et qu'il appréciait sa compagnie : il le fit parce qu'il s'était mis à l'aimer.

Il voyait en elle une femme dont l'énergie et l'intelligence rivalisaient avec les siennes. Ils partageaient la même fureur de vivre. La beauté seule ne piquait plus sa curiosité. Il avait fait son plein de beautés vides. Bien sûr, il existait d'autres jolies femmes qui avaient de l'esprit, mais Wallis était capable de le faire rire, elle disait tout ce qui lui passait par la tête, elle ne simulait jamais. Une sincérité aussi directe avait quelque chose de rafraîchissant qui le captivait.

Il se peut qu'un autre attrait de Wallis ait séduit le bel Espil : elle était mariée. Des amis qui les connurent tous deux à l'époque soutiennent que Wallis se montrait beaucoup plus amoureuse de lui que lui d'elle. Ils prétendent également qu'elle était manifestement jalouse : car si Espil l'accompagnait partout et souvent, il lui arrivait aussi de sortir avec d'autres femmes. C'était la première fois que Wallis éprouvait de la jalousie; elle l'avait ignorée jusqu'ici parce qu'aucun homme ne l'avait autant intéressée. Cette réaction nouvelle, douloureuse, permet de mesurer la profondeur de ses sentiments. Wallis n'avait plus qu'une grande ambition dans la vie : épouser Espil.

« Elle serait allée de bon cœur en Argentine ou ailleurs s'il avait voulu l'emmener. Il était catholique, mais je pense qu'elle se serait convertie s'il le lui avait demandé. Elle aurait fait n'importe quoi. Je n'ai jamais vu de femme plus amoureuse », affirma l'une de ses amies d'alors [8].

L'ambition de Wallis était donc de garder Espil pour toujours, mais l'ambition d'Espil n'était pas de se marier avec Wallis Warfield Spencer. Il était son aîné de neuf ans, et il avait des idées précises sur son avenir. Il voulait devenir ambassadeur d'Argentine aux Etats-

Unis, et il le serait. Pour être le meilleur candidat à ce poste, il lui fallait de l'argent et il n'en avait pas. Wallis non plus. En outre, il compromettrait sa carrière en épousant une protestante, qui était aussi une divorcée dont le mari vivait encore. L'Argentine étant un pays fermement catholique, un tel mariage risquerait de ruiner ses espérances diplomatiques. L'épouse qu'il voulait et dont il avait besoin serait une riche héritière qui aurait le plus possible d'attraits complémentaires. Ce ne pouvait être Wallis. Elle était certes une compagne merveilleuse mais pas la femme qu'il souhaitait épouser.

Elle lui facilita les choses en donnant de plus en plus libre cours à sa jalousie et à son esprit de possession. De Wallis, ses amies avaient toujours dit qu'elle possédait un bon sens pratique, qu'elle était avant tout une réaliste, qu'elle logeait son cœur et sa tête dans des compartiments séparés, qu'elle perdait rarement son sang-froid.

Ce ne fut plus vrai en 1923. Ayant peut-être le sentiment qu'elle ne rencontrerait jamais plus un autre homme comme Espil, elle ne pouvait pas, ne voulait pas le perdre. Elle avait vingt-sept ans : n'incarnait-il pas sa dernière chance d'un grand amour? Avant lui, elle avait toujours su façonner son destin, atteindre son but, conquérir l'homme qu'elle avait choisi. Cet échec serait pour elle quelque chose de nouveau, comme était nouvelle son incapacité à se dominer. Elle avait toujours mis un point d'honneur à conserver le contrôle de ses nerfs; mais jamais elle n'avait connu un amour aussi enrichissant. Elle avait aimé Win Spencer pour des raisons physiques et romanesques, tandis qu'avec Espil c'était un amour total, l'amour ardent d'une adulte pour un homme qui pouvait tout lui apprendre parce qu'il savait tout. Elle ne voulait pas le perdre!... Seulement, plus elle devenait jalouse, plus il passait de temps avec d'autres femmes; et plus elle cherchait à être possessive, moins il la voyait.

Et puis, un jour, il lui fit comprendre que tout était fini.

Jamais elle n'avait été aussi anéantie, aussi vide, aussi abandonnée qu'en cet été de 1923 qui lui parut la fin de son univers. Mais une évasion se présenta sous la forme d'une invitation imprévue de Corinne Mustin, la cousine chez qui elle avait connu Win. Le mari de Corinne venait de mourir, et elle avait besoin d'un changement d'atmosphère. Elle allait partir pour Paris. Pourquoi Wallis ne la suivrait-elle pas?

Wallis sauta sur l'occasion. Démunie d'argent, elle retourna voir l'oncle Sol. Il lui opposa une nouvelle fois son visage puritain de serviteur de l'Etat, de citoyen rigide, collet monté, froid, sévère. Deux jeunes femmes seules à Paris? Mais c'était immoral, cela ne s'était jamais vu! Avant qu'elle repartît, il lui glissa néanmoins dans la main une petite liasse de billets pour qu'elle pût payer sa part.

Plusieurs femmes proches de Wallis lui ont volontiers reconnu beaucoup de qualités qu'elles lui enviaient franchement. « Mais elle manque de chaleur humaine, elle n'a pas de cœur », ajoutaient-elles [9].

Ces amies-là ne la connurent point à Washington. Celles qui la fréquentèrent dans la capitale des USA la trouvèrent chaleureuse, tendre et sensible. Espil avait sûrement fait vibrer son esprit, mais il était aussi parvenu à faire chanter son âme.

D'autres critiques prétendirent que Wallis était une femme froide qui n'avait pas été éveillée. En réalité, c'était une femme ardente qui s'était glacée. Elle avait été blessée très douloureusement, très profondément : frustrée du plus grand amour de sa vie. La froideur en résulta et elle enferma son cœur derrière une cloison calorifuge. Espil lui avait fait escalader les sommets de la passion, puis il l'avait précipitée dans un abîme. Personne, si elle pouvait l'empêcher, ne l'entraînerait désormais dans une aventure pareille. La dureté lui était venue.

Peut-être espérait-elle qu'Espil la rejoindrait à Paris; il ne se dérangea pas.

A Paris, les hommes étaient jeunes, beaux garçons, agréables. Elle ne les repoussa pas. Ils lui faisaient passer le temps. Ils comblaient un vide. Mais elle ne se mit sur un pied d'intimité avec aucun. Elle les trouvait trop inférieurs à Espil.

Elle resta seule en France quand Corinne rentra aux Etats-Unis. Que faire d'autre? Et où aller? Des amis la soupçonnèrent de boire un peu trop. Elle était déracinée et délaissée. Soudain un abondant courrier de Chine lui parvint. Son mari se sentait aussi déraciné et délaissé. Il lui écrivait qu'il l'aimait encore beaucoup, qu'il mourait d'envie de la revoir. Ne pourraient-ils essayer encore une fois? La Marine se chargerait de son transport en Chine.

Elle hésita. Un nouvel essai valait-il la peine d'être tenté? Win avait été son premier conte bleu, et ils s'étaient aimés. Le temps semblait avoir effacé quelques-unes de leurs vilaines choses. Elle était passée elle-même par son propre enfer de souffrances. Elle voyait à présent la vie dans une nouvelle perspective, avec de nouvelles dimensions. Son chagrin lui avait apporté une plus grande maturité. Et, bien entendu, elle avait de nouveaux embarras financiers.

Elle déclara à une amie : « Ma foi, c'est le seul moyen pour que je connaisse l'Orient; donc, autant partir [10]. »

Commentaire ultérieur de cette amie : « Wallis a toujours été une femme très consciente. Elle ne cessait de répéter qu'elle ne permettrait jamais au lendemain de ressembler à aujourd'hui [11]. »

Wallis répondit à Win qu'elle allait regagner Washington, qu'elle réfléchirait à ce qu'il lui avait écrit, et qu'elle prendrait une décision ensuite. Etait-il possible que la « consciente » Wallis eût différé sa décision parce qu'elle espérait encore reconquérir Espil?

8

Washington ressemblait plus que jamais à un manège de chevaux de bois quand Wallis y revint au cours de l'été de 1924. Le président Harding, décédé pendant son mandat, avait été remplacé par son vice-président Calvin Coolidge. La Maison-Blanche s'était compromise dans un grand scandale : un ministre de la Justice et un secrétaire à l'Intérieur avaient concédé sans adjucation des gisements de pétrole de valeur à des compagnies pétrolifères qui leur avaient graissé la patte. L'innocence du président Harding fut démontrée, mais de hauts personnages de son entourage furent jetés en prison, et l'un d'eux se suicida.

La corruption à Washington était symptomatique de l'époque. Le Ku Klux Klan proposait un nouveau programme de haine. Tout le monde fermait les yeux sur les violations de la loi sur la prohibition, et des individus transformaient de l'alcool pur en gin en y ajoutant de l'eau et des gouttes de genièvre. Les cocktail-parties de Washington commençaient à cinq heures de l'après-midi et se prolongeaient souvent jusqu'à trois ou quatre heures du matin. Les magazines publièrent des articles sur le mariage à l'essai, et les nymphomanes devinrent les héroïnes de la littérature à la mode.

Quant à Wallis, elle aurait bien voulu renouer avec Espil, mais le beau diplomate se déroba. Il avait trouvé une femme dont il avait davantage besoin pour son avenir. Wallis n'eut plus envie de flâner dans la capitale. Elle écrivit à Win pour lui annoncer son arrivée.

Un voyage en Chine durait plus de six semaines, et Wallis eut tout loisir de se regarder en face. Sur le plan affectif, elle avait touché le fond, et elle avait besoin de se cramponner à un anneau de cuivre pour remonter et retrouver sa respiration. Elle espérait que son retour auprès de Win serait un succès et que leur ménage redeviendrait normal. Elle le souhaitait de tout son cœur.

Win l'accueillit à Hong-Kong; il lui annonça que, du jour où il avait appris son arrivée, il avait cessé de boire.

Elle n'aurait rien pu rêver de mieux pour leurs premières journées. Win fut parfait; elle aussi. Elle voulait avant tout que leur nouvelle lune de miel se terminât dans le bonheur; elle avait trop envie d'appartenir à quelqu'un, d'être une partie de ce quelqu'un.

Et puis, un soir, Win rentra très tard et complètement ivre.

Elle était à présent plus forte, plus structurée. Elle voulait plus, mais s'attendait toujours à moins. Ses larmes étaient le plus souvent intérieures et cependant il lui arrivait encore, même maintenant, de se sentir au bord des sanglots.

« Si je la voyais pleurer, j'en mourrais », dit l'une de ses amies intimes. « Je ne l'ai jamais vue pleurer; je ne l'ai même jamais vue sur le point de pleurer. Elle a toujours su se dominer si complètement [1]! » Non. Pas toujours. Mais les témoins de ses défaillances furent rares.

Win tenta un nouvel essai quand Wallis fut atteinte d'une sérieuse infection rénale. Il ne quitta pas son chevet et lui manifesta une dévotion touchante. Mais, après une accalmie, la tempête recommença à souffler. Win se remit à boire de l'alcool avant le petit déjeuner, puis il voulut l'humilier en l'obligeant à l'accompagner dans certaines maisons où il avait recruté ses maîtresses.

Soudain, Wallis en eut assez. Leurs adieux furent plus tristes qu'amers. Il accepta de continuer à lui verser une délégation de solde, et elle partit pour Shanghaï où, lui avait-on dit, elle pourrait obtenir sans difficulté le divorce devant un tribunal américain.

Shanghaï était alors l'une des villes les plus cosmopolites, les plus corrompues du monde. N'importe quoi pouvait s'y produire — et s'y produisait en effet. Wallis descendit au Palace Hotel, asile d'autres femmes de marins; elle ne tarda pas à s'y faire des amies. Sa voisine, fille d'un pasteur, lui expliqua que toutes les femmes respectables devaient boire du gin parce qu'il avait la même couleur que l'eau. Wallis eut aussi un cavalier, un Anglais prénommé « Robbie » qui l'introduisit rapidement dans le tourbillon des plaisirs et des dîners au clair de lune. Wallis apprécia la nourriture exotique, la vie peu coûteuse, les sensations fortes d'un monde différent. Elle découvrit aussi qu'un divorce à Shanghaï était une opération plus compliquée qu'elle ne l'avait cru. Mais il ne lui déplaisait pas de vivre en quelque sorte dans les limbes.

L'un des attraits de Shanghaï était l'ambiance de spontanéité qui y régnait, et elle ne trouva pas incongru d'accepter l'invitation d'une autre femme de marin pour aller faire du shopping à Pékin, à seize cents kilomètres de là. Mais sa future compagne renonça à son projet dès qu'elle apprit que les trains étaient souvent arrêtés par des bandits chinois.

En revanche, la curiosité de Wallis fut piquée au vif, et elle persista dans son projet. Elle s'embarqua à bord d'un caboteur en piteux état, puis prit place dans un train poussif.

« Et effectivement les bandits ont arrêté le train », raconta-t-elle plus tard. « Mais c'étaient des bandits très polis, et ils nous ont laissés poursuivre notre voyage. Quelle aventure sensationnelle [2]! »

Pékin était un monde qui surpassait tout ce que Wallis avait imaginé.

« Ce fut l'une des meilleures et des plus passionnantes époques de mon existence », disait-elle cinquante ans plus tard, les yeux brillants comme s'il s'agissait de souvenirs de la veille. « Pensez donc! Une ville où il y a dix hommes pour une femme... Dix hommes pour une femme! » répétait-elle en hochant la tête [3].

Le grand Koubilaï Khan avait conçu Pékin de telle sorte que la ville englobait la Cité Tartare au nord, grand carré dont les murailles étaient longues de 25 kilomètres, et la Cité Chinoise au sud, d'une égale longueur. A l'intérieur de la Cité Tartare, il y avait un autre carré qui s'appelait la Cité Impériale et dont les murailles en plâtre rouge mesuraient 10 kilomètres de long. Mais la Cité Impériale abritait un troisième carré, la Cité Interdite, qu'entouraient des murailles violettes sur trois kilomètres et demi.

Pékin était donc une ville de carrés dans des carrés, de murailles à l'intérieur d'autres murs. Les murs tenaient en respect le monde, et les bandits : ils étaient non seulement physiques, mais psychologiques — exactement le genre de murs dont Wallis avait besoin. Le monde extérieur lui avait fait trop de mal. Où pourrait-elle jamais trouver un pays aussi isolé et aussi magique? Les dynasties impériales appartenaient à l'histoire et la république était encore en maillot, mais Pékin était un site privé, où ses monumentales portes de bois se refermaient hermétiquement chaque soir.

Wallis descendit au Grand Hôtel de Pékin, mais elle n'y resta pas longtemps. Ses cousins Barnett lui avaient parlé d'un ami intime à la légation des Etats-Unis, et elle rencontra aussi Gerry Green qui lui avait été présenté à Paris. Ensuite elle découvrit Katherine Moore Bigelow, qu'elle avait connue jeune veuve à Coronado, en Californie. A présent, Katherine avait un beau mari, une maison magnifique, et ils insistèrent pour qu'elle s'installât chez eux.

Le mari s'appelait Herman Rogers; Wallis lui trouva « un charme exceptionnel ». De plus il était riche, séduisant, intelligent, athlétique. Diplômé de Yale, major d'artillerie pendant la Première Guerre mondiale, champion de polo, amateur d'histoire et s'intéressant particulièrement à la Chine, Rogers possédait tout l'argent qu'il lui fallait pour se promener partout dans le monde; c'est ce qu'il faisait.

Les Rogers habitaient dans la Cité Tartare, près de la porte Hatamen, une maison superbement décorée qui avait été construite autour d'une grande cour.

Rien n'aurait pu mieux convenir à Wallis. Lorsqu'elle évoqua « l'une des meilleures, des plus passionnantes époques » de sa vie, elle était sincère. « Nous étions jeunes, nous étions gais », essaya-t-elle d'expliquer [4].

Le fait — qu'elle n'ignorait pas — qu'elle était arrivée au terme de ses années de jeunesse puisqu'elle allait avoir trente ans imposa certainement plus d'intensité et de gaieté débridée à sa quête du plaisir. Avec tant d'hommes disponibles, son unique problème quotidien était : lequel? Elle mentionna elle-même « le fougueux officier anglais [5] » et le « galant » officier de marine italien [6] qui lui écrivait de si jolis vers.

Elle voulait à la fois des hommes et de la poésie.

Les Rogers veillèrent à ce qu'elle se sentît tout à fait chez elle. Ils lui procurèrent même sa propre servante, une *amah,* et son boy personnel qui conduisait un pousse-pousse à pneus caoutchoutés.

Le cycle du plaisir ne s'interrompait jamais. Il y avait toujours quelqu'un pour donner un dîner, et les restaurants étaient si nombreux! On commençait à danser vers onze heures du soir, et personne ne s'arrêtait avant trois heures du matin.

Herman Rogers filma quelques-unes de ces soirées folâtres : les femmes portaient des robes courtes, des bonnets de boudoir ou des bandeaux sur le front; les hommes, des pantalons collants et des cols hauts. Une séquence montra Wallis embrassant Rogers, puis éclatant de rire devant la camera avant de l'embrasser encore une fois. D'autres scènes, prises aux courses, révélèrent certains aspects intimes de la colonie britannique « avec Wallis qui, comme toujours, était la vie et l'âme de ces réunions ». Cecil Beaton, qui vit le film, émit ce commentaire : « Elle a perdu de sa personnalité : des cheveux plus épais, une tête plus grasse, un embonpoint nouveau [7]. »

Wallis adorait faire du shopping. Les marchands s'accordèrent bientôt pour lui reconnaître un goût parfait. Elle devint experte en jade; elle apprit à juger de la couleur, de la taille et de la qualité des pierres, et les marchands lui adressaient, même le dimanche, des plateaux de jade pour qu'elle les examinât. Une spécialité de Pékin était l'arbre de jade qui avait une trentaine de centimètres de hauteur et qui portait des baies de cornaline, ou de quartz, ou de topaze, ou d'améthyste, des feuilles de jade et des fleurs de cristal rose, ou limpide, ou mauve, ou fumé.

La délégation de solde que lui envoyait Win ne suffisant pas à payer ses achats, Wallis chercha des ressources supplémentaires. En réalité elle recevait un petit revenu provenant d'un placement que lui avait légué sa grand-mère. Mais elle trouva un nouveau moyen pour gagner de l'argent en utilisant sa maîtrise de soi et son sang-froid. Elle se mit à jouer au poker, et elle gagna presque régulièrement. Au début, Herman Rogers l'avait financée, mais il s'aperçut bientôt qu'elle se débrouillait parfaitement toute seule.

Wallis vécut chez les Rogers plus d'un an, et ils devinrent ses amis les plus intimes. Herman Rogers lui enseigna aussi la plupart des choses qu'elle apprit sur la Chine; il l'emmenait faire de longues promenades sur les murailles de la ville, lui parlait de son livre sur la mythologie, lui meublait l'esprit comme Espil avait commencé à le faire; il la persuada même de s'initier au chinois.

« J'ai bel et bien essayé », avoua-t-elle longtemps après. « Mais il n'y avait rien à faire : je n'ai pas du tout l'oreille musicienne, et le chinois comporte des tons différents plus ou moins hauts qui ont chacun une signification particulière [8]. »

Wallis ne connut pas non plus de Chinois. Les intellectuels chinois se tenaient à l'écart de la foule étrangère. Elle voyait simplement les gens du peuple dans la rue : des vieillards à barbichette et au visage heureux parce que le troisième âge bénéficiait d'un grand respect; une jeune fille avec une fleur de jade dans la chevelure; une vieille femme vêtue d'un pantalon de soie noire et d'une courte veste bleue; des hommes qui portaient des robes ouatées, des cols de fourrure et des chapeaux fourrés triangulaires; le barbier qui faisait vibrer son diapason; le vendeur de « fleurs de cheval en sucre » — bonbons en sucre, huile et farine qui ressemblaient à une queue de cheval. Elle connaissait leur visage, leur sonnette, leurs bruits, mais elle n'en connut réellement aucun. Sauf son boy qui était né à Pékin. Il eut un jour avec son pousse-pousse un accident qui lui coûta la vie.

« Je suis allée à son enterrement », raconte-t-elle, « et j'ai été la seule de toute l'assistance à pleurer. J'ai demandé à Herman Rogers pourquoi les Chinois ne pleuraient pas, et je n'oublierai jamais ce qu'il m'a dit. Il m'a répondu que c'était parce qu'ils considéraient la mort comme une fin désirable [9]. »

Les week-ends étaient peut-être les jours que Wallis trouva les plus merveilleux. Pékin est sise sur une plaine dorée et sépia à l'ombre des Montagnes de l'Ouest, toutes bleues. A vingt-cinq kilomètres de la ville, leurs contreforts étaient couverts de temples. Herman Rogers en avait loué un. Le Bouddha géant perdait bien de sa dorure, mais il y avait partout des petites clochettes qui tintaient à la moindre brise.

Leur temple était même pourvu d'un immense lit d'apparat surélevé à la mode orientale, le long du mur du fond; les hommes et les femmes se partageaient deux chambres adjacentes, munies de petits lits.

Wallis, Herman et Katherine effectuaient en voiture une partie du trajet. Des serviteurs dépêchés en avant-garde les attendaient avec des ânes en un lieu convenu, pendant que d'autres préparaient déjà le dîner au temple. C'était un safari chinois avec tout le confort.

Dans la paix de ce site, Wallis pouvait réfléchir, et elle ne manquait pas de thèmes de méditation. Herman Rogers était un compagnon idéal, extrêmement prévenant, attentif, affectueux — tout à fait le type d'homme qu'elle aurait pu facilement aimer. Mais il était le mari de sa meilleure amie, et la propre vie de Wallis avait été trop démolie pour qu'elle songeât à en démolir d'autres.

Elle était restée à Pékin plus d'une année. Une année incroyable dont, aussi longtemps qu'elle vivrait, elle n'oublierait pas l'agrément. Sans cette année-là, elle aurait pu être une femme déchirée, ébranlée, marquée du sceau de l'échec. Or elle sentait maintenant que sa confiance en soi était revenue, que sa volonté s'était raffermie, et qu'elle attendait avec impatience de nouveaux commencements.

Le moment était donc venu de réunir les bouts pendants de son existence, d'obtenir son divorce et de rentrer dans son pays.

9

Le miracle, pour une femme, c'est que les hommes qu'elle a eus dans sa vie disent du bien d'elle longtemps après qu'elles les a quittés. Il s'est accompli en faveur de Wallis Warfield, et il constitue évidemment un test de qualité. Sa rupture avec Spencer avait été nette et définitive. Son voyage de retour fut long et morne à bord d'un paquebot allant du Japon à Seattle. A son arrivée, elle tomba sérieusement malade et dut subir une intervention chirurgicale. Elle reprit ensuite le train vers l'est mais, à Chicago, elle eut la surprise d'avoir un visiteur qui l'accompagna jusqu'à New York : Win Spencer. Ayant appris qu'elle venait d'être opérée et qu'elle était encore faible, il jugea de son devoir d'être auprès d'elle pour les dernières étapes de son voyage.

Ce fut sa façon de se séparer de Wallis, la conclusion tendre et sensible qu'il apporta à un mariage doux-amer.

New York City n'était pas un endroit où elle désirait s'attarder. Sa grande amie Ellen Yuille essaya bien de la convaincre d'y rester quelque temps, car elle allait épouser Wolcott Blair et elle aurait voulu que Wallis assistât à sa noce. Mais Wallis se sentait incapable de supporter le choc d'un mariage. En outre, elle avait déjà pris des dispositions pour son divorce et elle tenait à hâter les formalités. Ellen comprit. Le moment n'était pas propice à une confession, que Wallis la souhaitât ou non.

Wallis avait appris que c'était en Virginie (où elle avait passé tant d'étés dans sa jeunesse) que le divorce serait le moins onéreux et le plus simple. Ses cousins Barnett possédaient un magnifique château avec des chambres spacieuses au sommet d'une colline, non loin de la ville pittoresque de Front Royal. Lelia Barnett recommanda à Wallis un jeune et brillant avocat qui était un ami de la famille, Aubrey Weaver. Celui-ci s'était taillé sa réputation dans la région en sauvant un homme pour lequel il avait plaidé la légitime défense alors qu'il avait tué dans le dos l'un de ses partenaires de poker.

Weaver suggéra que Wallis allât loger au Warren Green Hotel de Warrenton, situé en face du palais de justice du comté de Fauquier. Ce bâtiment public, que Wallis pouvait voir tous les matins, datait du milieu du XIXe siècle et manquait d'élégance. La loi en Virginie exigeait que Wallis résidât toute une année à Warrenton, situé dans les contreforts des Montagnes Bleues, près de son lieu de naissance et de la résidence des Barnett.

Le Warren Green Hotel avait d'abord été une taverne, puis une école privée, avant de devenir une hôtellerie. Sa double véranda sauvait de la laideur absolue cet immeuble en briques rouges à trois étages. A cela près, c'était un petit hôtel commercial typique fréquenté par des commis-voyageurs et quelques retraités qui avaient accaparé les meilleures chambres avec salles de bains.

Les commis-voyageurs étaient grossiers, se racontaient les dernières histoires « drôles », se tapaient dans le dos, avaient le rire gras et étaient toujours disposés à courir leurs chances avec les femmes : aujourd'hui ici, parti demain. Wallis en connut beaucoup au cours de l'année. Mais son cavalier plus permanent fut quelqu'un qu'elle connaissait depuis leur enfance à Baltimore, Hugh A. Spilman. Toujours célibataire, Spilman était banquier à Warrenton. C'était un beau blond à cheveux frisés. Il veilla à ce que Wallis fût présentée aux personnes les plus intéressantes, et invitée aux meilleures réceptions. Celles-ci étaient souvent organisées par des gens de Washington qui venaient passer le week-end à Warrenton. Wallis apprit bientôt qu'Espil filait le parfait amour avec sa future épouse Courtney Letts, fille jolie et riche d'un sénateur. Peut-être se rappela-t-elle le dicton : « Si vous portez une torche assez longtemps, elle brûle jusqu'au bout. »

Elle redécouvrit une autre ancienne idylle quand elle alla voir Lloyd Tabb qui vivait dans les environs. Après Burrlands, Tabb lui avait rendu visite à Baltimore l'hiver de 1911; il y était resté quelques mois, la voyait trois fois par semaine, et ils avaient réveillonné ensemble pour le Nouvel An. Quinze ans après, il la trouva toujours aussi séduisante, mais la flamme s'était éteinte.

Wallis essaya de donner à sa chambre du Warren Green Hotel une atmosphère personnelle et intime. Elle sortit de ses malles des paravents chinois, des coffrets laqués, des brocarts et sa collection d'éléphants porte-bonheur — de minuscules éléphants taillés dans du jade, de l'ivoire, de l'ambre, de la turquoise et dans une douzaine d'autres pierres. Elle adopta même un chien qu'elle appela Sandy. De sa fenêtre, elle pouvait regarder les scènes de la vie quotidienne dans les deux rues principales. Elle apercevait au loin la belle campagne de Virginie qu'elle avait si bien connue.

Pendant la saison de la chasse, les grandes maisons des environs étaient pleines de monde. Les femmes portaient des robes conventionnelles, et les hommes leurs tuniques écarlates.

La saison terminée, lorsque le calme de Warrenton devenait trop accablant, Wallis se rendait à New York. Elle séjournait chez sa plus vieille amie et confidente, Mary Kirk Raffray. Mary avait épousé un Français, et ils habitaient sur la place Washington.

Mary était très gaie, très jolie, avec une petite silhouette de pigeon boulant. « Elle adorait rire, et elle s'entendait admirablement avec Wallis », dit une amie commune [1].

Il n'y avait sans doute personne d'autre avec qui Wallis pouvait être plus franche et plus intime. Et personne d'autre qui lui témoignait plus de sympathie et de compréhension. Si jamais Wallis eut besoin d'une amitié semblable, c'était bien à cette époque.

Le premier soir, Mary eut deux autres invités à dîner : Mr. et Mrs. Ernest Simpson.

Ernest Aldrich Simpson était un homme difficile à cerner tant il avait une personnalité complexe. Grand et bien bâti avec des yeux bleus, des cheveux châtains et une moustache, Simpson fut décrit par un ami de Wallis comme « un type très, très gentil, sans rien de vraiment exceptionnel, et, je pense, fort ordinaire. Néanmoins il plaît à tout le monde » [2].

Cette description était fallacieuse car, sous la façade paisible et aimable, se dissimulaient plusieurs autres Simpson. Il y avait l'intellectuel Simpson, diplômé de Harvard, sensible et voyageur infatigable; il s'intéressait spécialement à Dickens dont il possédait quelques manuscrits originaux, et il savait tout de lui; un jour il sidéra Wallis en conversant en latin avec un ami; il parlait couramment le français, était un expert en vins, en histoire et en beaux-arts. Il y avait l'homme d'affaires Simpson, et peu de spécialistes étaient capables de lui en remontrer sur la marine marchande, ou travaillaient davantage que lui; son père était propriétaire d'une compagnie anglaise de navigation, et Ernest en dirigeait les bureaux américains. Il y avait le Simpson à violon d'Ingres : non seulement il faisait autorité en meubles anciens, mais il savait lire les poinçons sur du vieil argent comme d'autres lisent leur journal. Il y avait Simpson le bel esprit — esprit sec, peu communicatif, mais drôle. Il y avait Simpson l'anglophile; son père était anglais, sa mère américaine, et il avait effectué des migrations de l'un à l'autre quand ils s'étaient séparés; mais il s'était engagé dans les Coldstream Guards pendant la Première Guerre mondiale, parce qu'il préférait manifestement les attitudes, les vêtements et les manières des Anglais, et il devint sujet britannique « plus anglais que les Anglais ».

Simpson avait une femme et une fille, mais Mary expliqua à Wallis que les deux époux ne s'entendaient plus très bien. Mrs. Simpson était une femme grande, élancée, à cheveux argentés, et son arrière-grand-père avait été président de la cour suprême du Massachusetts. Interviewée quelques années après, Mrs. Simpson déclara que Wallis lui avait plu, et qu'elle « était beaucoup plus intelligente que moi [3] ».

Ce ne fut pas seulement l'intelligence de Wallis qui séduisit Ernest Simpson, mais les qualités qui attiraient tous les hommes : son esprit et son art de faire rire.

Wallis revit Ernest Simpson plusieurs fois après ce dîner, d'abord à titre d'invitée chez les Simpson, puis lorsqu'il fut convié tout seul à des bridges chez Mary.

Elle éprouvait une vive admiration pour Mary qui s'était créé une situation personnelle en ouvrant une boutique. Son propre avenir immédiat lui apparaissait un problème attristant. Elle était trop remuante pour diriger un magasin ou être vendeuse. Elle avait le sentiment d'être assez douée pour les créations de mode, et elle décida de participer à un concours dont le premier prix était un emploi dans une revue féminine; il s'agissait d'écrire des articles d'essai. Wallis en rédigea un sur les chapeaux de printemps. Les éditeurs le refusèrent.

Et puis voici qu'on lui fit une offre. L'une de ses anciennes amies, Elizabeth Key Lloyd, avait épousé Morgan Schiller qui était un important fabricant de tubes d'acier à Pittsburgh. Lorsque Wallis leur exposa la nécessité où elle était de travailler, il la regarda et se dit : pourquoi pas? De toute évidence, Wallis ne connaissait rien à l'acier, au commerce, aux mathématiques ou à l'engineering, mais Schiller estima que Wallis « serait capable d'hypnotiser n'importe qui pour lui faire acheter n'importe quoi ».

Elle se rendit donc à Pittsburgh, se plongea dans l'acier, et apprit finalement que « ça ne marcherait pas » parce qu'elle ne savait pas totaliser une commande. Elle prolongea cependant son séjour à Pittsburgh de plusieurs semaines car son amie Elizabeth avait arrangé toute une série de soirées et d'invitations pour qu'elle pût rencontrer les meilleurs partis de la ville. Son inaptitude à vendre n'avait pas diminué ses autres talents.

Voulant à toute force essayer de voir clair dans son avenir, Wallis dépensa dix dollars chez un astrologue qui lui annonça qu'elle se remarierait deux fois et qu'elle deviendrait un personnage célèbre après avoir franchi le cap de ses quarante ans.

Bien improbable! Elle allait divorcer, soit. Mais ensuite? Sa mère le lui avait bien dit : une femme divorcée était une femme perdue.

Wallis voyait souvent sa mère. Alice avait refusé de mourir d'ennui dans un appartement de Baltimore. En sa qualité d'hôtesse au Chevy Chase Country Club, elle conservait sa personnalité bien vivante et n'avait rien perdu de la chaleur qu'elle mettait dans ses contacts humains. A cinquante-six ans elle avait trouvé un autre mari, Charles Gordon Allen. Enfin elle avait épousé l'homme qu'il lui fallait! Et lorsqu'on la photographia assise sur les genoux de son mari, elle écrivit sur la photo : « Alice sur son dernier fauteuil [4]. »

Wallis fréquentait toujours sa tante Bessie à Washington. Elles s'aimaient beaucoup. Tante Bessie n'avait pas imité sa sœur et ne s'était jamais remariée. Cela ne lui rendait pas l'esprit étroit ni le cœur sec. Elle adorait plaisanter, elle accrochait des images « polissonnes » dans sa salle de bains, et elle disait très exactement ce qu'elle pensait. En cet été de 1927, tante Bessie décida d'aller en Europe et elle invita Wallis à l'accompagner. Wallis ne se fit pas prier. A différentes étapes de leur tour de la Méditerranée, divers jeunes hommes s'attachèrent à leurs pas, notamment un avocat de Philadelphie et un étudiant irlandais. Tante Bessie fut un parfait chaperon car depuis longtemps elle estimait que Wallis avait l'âge de savoir ce qu'elle faisait.

Wallis avait l'âge de préférer Paris à Warrenton, et elle y demeura après le départ de tante Bessie. Lisant un jour le *Herald,* elle sursauta en apprenant la mort de son oncle Sol. Très étonnée que personne n'eût tenté de la joindre, elle prit le premier bateau pour les Etats-Unis.

Lorsque mourut l'oncle Sol, tous les trains de la Seabord Air Line Railroad s'immobilisèrent cinq minutes. Nicholas Murray Butler, président de l'université de Columbia, fut l'un de ceux qui portèrent les cordons du poêle. Et son testament révéla une fortune approximative de cinq millions de dollars.

Wallis était la nièce préférée de l'oncle Sol. Tout le monde, à Baltimore, croyait qu'elle hériterait de la plus grande partie de cette fortune. C'était sans doute ce qu'il avait décidé dès l'abord. Mais Wallis, malgré les avertissements formels de l'oncle Sol, avait voulu divorcer; cette décision lui coûta cher. Deux mois avant son décès, il refit son testament, et presque tout son argent alla à la construction d'un monument à sa mère, c'est-à-dire d'un foyer pour dames bien nées, âgées et sans ressources. Une disposition spécifiait qu'une chambre dans ce foyer serait réservée à sa nièce, si jamais elle exprimait le désir d'y loger.

« Si ma nièce Bessiewallis Spencer, épouse de Winfield Spencer, me survit, je fais don à la Continental Trust Company de la somme de 15 000 dollars en dépôt, à charge pour elle de recouvrer le revenu en provenant, et de verser à ma nièce le revenu en payements trimestriels, aussi longtemps qu'elle vivra et ne se remariera pas [5]. »

L'homme d'affaires puritain avait pris le pas, à la fin, sur le sensible amoureux de la vie.

Wallis n'éprouva aucun scrupule à se joindre à d'autres membres de la famille pour attaquer le testament.

Mais elle reçut un autre avertissement, cette fois de son jeune avocat Aubrey Weaver, de Warrenton : si elle voulait obtenir son divorce, elle serait bien inspirée de regagner au plus tôt le Warren Green Hotel et de satisfaire à son obligation de résidence. Wallis rentra en toute hâte à Warrenton.

La fille de Weaver, Mrs. Helen Livingston, se souvient encore d'une confidence de son père; il avait dit au juge local : « Laissez-moi enlever cette affaire, Juge, et je vous promets que je ne vous embêterai plus pendant longtemps [6]. »

Weaver avait préparé de très simples questions au sujet du divorce. La plainte était fondée sur un abandon du domicile conjugal. Wallis témoigna : « Nous avons vécu ensemble jusqu'au début de 1920; à cette époque, mon mari est parti pour la Floride. Il existait certains différends entre nous mais, au début de 1921, nous les avons aplanis et nous avons repris nos relations conjugales; nous avons vécu ensemble jusqu'en juin 1922. »

Elle indiqua qu'il était alors allé s'installer à l'Army and Navy Club. Priée de préciser si elle avait essayé d'obtenir une réconciliation, elle répondit qu'elle lui avait écrit plusieurs lettres. Elle ajouta qu'il lui avait adressé celle-ci :

« J'en suis venu à la conclusion définitive que je ne pourrai jamais vivre de nouveau avec vous. Au cours des deux dernières années que j'ai passées loin de vous, je n'ai jamais été plus heureux. »

La lettre se terminait par : « Ayez l'obligeance, je vous prie, de ne plus m'ennuyer avec d'autres lettres. Bien à vous, Win. »

Cette lettre avait été soigneusement calculée pour contenir tous les motifs exigés par la loi, mais sans doute s'était-il oublié à la fin en signant : « Bien à vous, Win [7]. »

Naturellement, cette pièce pour la forme n'abusa personne, mais le juge accorda à Wallis son divorce pour faire plaisir à Weaver.

« C'était un simple cas d'incompatibilité d'humeur », commenta Weaver ultérieurement. Il ajouta que Spencer était venu au palais de justice juste avant l'octroi du divorce. « Nous nous sommes assis ensemble pour bavarder très cordialement. Wallis et lui se sont serré la main et se sont séparés bons amis [8]. »

C'était le 10 décembre 1927.

Wallis avait alors trente et un ans. Elle n'avait nulle envie de vivre chez sa mère qui venait de se remarier. Elle avait beaucoup trop abusé de l'hospitalité de son amie Mary. Elle ne tenait pas à partager sa détresse ou ses souvenirs avec des parentes ou des amies. Elle ne voulait la pitié de personne.

Elle prit la décision de rester au Warren Green Hotel. Elle avait épuisé ses possibilités de choix.

10

Wallis n'aimait ni le cheval ni la chasse, mais elle aimait les cavaliers et les chasseurs. Elle passa beaucoup de temps chez ses cousins Barnett qui habitaient à moins d'une heure de route.

Les réceptions, chez les Barnett, étaient toutes dans le style qui convenait au grand château, aux pièces immenses, au long porche couvert, au parc magnifique. Les personnalités les plus intéressantes de la région leur apportaient l'éclat de leur présence. Les filles de Mrs. Barnett remarquèrent que Wallis était toujours entourée de nombreux hommes.

« Je suppose qu'elle a reçu au moins trente propositions de mariage pendant son séjour », déclara son compagnon préféré de Warrenton, Hugh Spilman. « Moi-même, je me proposais à elle une fois par jour [1]. »

Wallis avait l'impression qu'elle piétinait sur place à Warrenton, et c'était vrai. Elle reçut une lettre de ses amis Katherine et Herman Rogers qui, « rentrés de Chine, avaient atterri sur la Riviera, dans une villa appelée « Lou Viei », près de Cannes. Ils ne demandaient qu'à l'accueillir.

Ernest Simpson s'était établi à Londres, après avoir divorcé, pour prendre la direction des bureaux anglais de Simpson & Simpson. Pendant qu'il était encore à New York, il avait beaucoup vu Wallis. Il lui avait fait sa cour avec des fleurs, des invitations au théâtre, des attentions constantes. Il lui avait exposé quel serait son avenir, et il lui avait demandé de le partager.

Après son divorce avec Spencer, un remariage était pour Wallis la solution la plus facile et la plus indiquée. Elle était lasse de courir, de chercher, d'être ballottée. Elle avait eu des voyages, la liberté, un amour enfiévré qui s'était mal terminé. Et la crainte de manquer d'argent la tourmentait sans cesse.

Simpson lui offrait une sécurité. Sans être riche, il jouissait d'une confortable aisance, et il était sûr de se trouver un jour à la tête d'une véritable fortune : puisqu'il était le fils aîné, la compagnie de navigation lui reviendrait forcément tôt ou tard. Il lui offrait aussi la stabilité. Peut-être imprécis dans certaines choses, il était raisonnable et pratique, il avait des manières distinguées et des goûts conservateurs. La stabilité était la seule qualité qui n'avait pas brillé dans la vie de Wallis.

Il n'était pas jusqu'à son allure qui n'inspirât confiance, avec ses épaules bien carrées, son teint rose et blanc. Et puis c'était si flatteur d'avoir un mari qui avait plus besoin de vous que vous de lui!

Simpson voulut Wallis parce qu'il pensait qu'elle pourrait lui apporter plus que ce qu'il lui apporterait : il possédait toutes les vertus solides, et il lui fallait une femme qui illuminât son existence. Wallis voulut Ernest Simpson, non seulement pour des motifs de sécurité et de stabilité, mais parce qu'elle croyait sincèrement l'aimer. C'était un sentiment plus paisible qu'irrésistible, mais enfin c'était de l'amour. Elle accepta sa proposition, puis elle emménagea dans un petit appartement de Londres.

Ils se marièrent le 28 juillet 1928. « Une bagatelle sans chaleur [2] », commenta Simpson après la cérémonie civile.

La lune de miel fut meilleure. Simpson avait organisé un voyage de noces dans sa Lagonda jaune toute neuve à travers la France et l'Espagne. Pour un homme posé, ce n'était pas un mauvais début.

De retour à Londres, ils louèrent pour un an la maison de Lady Chesham au 12 de Upper Berkeley Street, près de Marble Arch. Elle n'était pas grande mais agréablement meublée : des murs lambrissés de pin, une argenterie ancienne qui étincelait, du chintz clair. Wallis exposa les trésors rapportés de ses voyages, y compris sa collection d'éléphants porte-bonheur.

Ernest prit ses dispositions pour que sa femme bénéficiât de tous les concours nécessaires : un maître d'hôtel, une femme de chambre, une cuisinière et un chauffeur. Mais Wallis préférait encore faire elle-même ses courses. Elle était excellente acheteuse et ne trichait jamais. Elle savait ce qui était frais, elle connaissait les proportions et les qualités des bons morceaux de viande, et elle ne laissait rien au hasard. Elle disposait d'un budget généreux, mais tint à se cantonner dans les limites qu'elle s'était fixées, et elle y réussit.

Sa vie conjugale ne tarda pas à prendre un rythme agréable. Les tâches de la maison le matin, de temps à autre un déjeuner avec une amie, emplettes ou visites l'après-midi, une soirée mondaine (dîner et bridge). Pendant les week-ends, Ernest la conduisait dans le Londres qu'il aimait, lui montrait les demeures où de grands hommes anglais avaient travaillé et vécu, lui expliquait le caractère des petites rues où des jardins minuscules semblaient surgir de nulle part, ainsi que la beauté intrinsèque des bâtiments. Le respect de Wallis pour son mari s'accrut et, des années plus tard, elle dit de lui, non sans fierté, qu'il était « un intellectuel ».

C'était, pour Wallis, une « existence sereine ». Son agitation avait disparu pour être remplacée par une sécurité qu'elle n'avait jamais connue.

Mais elle se sentait seule. Elle ne connaissait pratiquement personne à Londres. La plupart de leurs amis étaient ceux de son mari, et presque tous des Anglais. La franchise américaine de Wallis étonna certains, en glaça d'autres.

Tante Bessie vint effectuer un bref séjour, de même que Lelia Barnett qui devait être présentée à la cour. Wallis choisit les plumes et la traîne. La mère de Wallis ne put faire le voyage parce qu'elle était trop malade; Wallis et Ernest se rendirent à Washington. Elle avait insisté pour qu'ils ne se dérangeassent pas parce que sa fille l'avait toujours connue souriante et qu'elle ne pouvait plus sourire. Elle était maigre, clouée au lit, partiellement aveugle et elle avait un visage émacié. « Oh, Wallis... es-tu venue me voir mourir [3]? »

L'état d'Alice était grave, mais personne ne pouvait dire combien de temps elle survivrait à son mal. A contrecœur, Wallis décida de rentrer en Angleterre avec son mari.

Stanley Baldwin était encore Premier ministre en 1928. Il avait accédé au pouvoir deux ans plus tôt avec le slogan : « Nous ne pouvons pas battre les travaillistes par des insultes; il faut offrir au pays un programme meilleur. » Comme de nombreux autres pays, l'Angleterre avait commencé à sombrer dans la dépression mondiale, et le « gouvernement de médiocres » dirigé par Baldwin ne sembla pas de taille à proposer quelque chose de meilleur; les « médiocres » furent donc chassés du pouvoir l'année suivante. Pendant l'hiver, George V fut victime d'une sérieuse maladie pulmonaire qui affaiblit son cœur. Le Prince de Galles rentra précipitamment à Londres. Wallis était en route pour aller chercher son mari lorsqu'une voiture noire descendit la rue à toute vitesse avant d'entrer dans St. James' Palace; les sentinelles présentèrent les armes. Elle entrevit « un visage enfantin, délicat, grave et méditatif » [4].

Ernest étendit ses promenades du week-end à la campagne anglaise, tout étant méticuleusement prévu jusque dans les détails les plus infimes. Au début, Wallis trouva passionnant d'explorer tant d'anciens châteaux et de cathédrales; puis ces excursions la lassèrent, l'ennuyèrent. Elle se rendit compte que son mari était plus intéressé par les sites que par les êtres, alors qu'elle préférait les êtres. Elle découvrit également qu'Ernest avait un faible pour le silence profond des bars d'hôtel discrets, tandis qu'elle aimait le bruit et les rires des pubs.

Wallis apprit en octobre 1929 que sa mère agonisait. Lorsqu'elle arriva à son chevet, Alice était dans le coma. Trois jours plus tard, elle mourut.

Elles se ressemblaient tant! L'esprit, le cœur, la gaieté... Toutes deux se préoccupaient du jour présent plus que du lendemain; toutes deux préféraient les hommes aux femmes; toutes deux savaient comment profiter de l'existence. Elles avaient mené séparément leurs vies, mais Wallis était sûre que personne ne la comprenait mieux que sa mère et ne l'aimait davantage.

Rentrée à Londres, Wallis rechercha un appartement à acheter, et elle le trouva dans un immeuble situé au 5 de Bryanston Court. Ernest était plus expert qu'elle en objets d'art anciens, et ils fouillèrent toute la ville pour dénicher les meubles dont ils avaient besoin. Wallis choisit des canapés et des fauteulls confortables, et elle s'arrangea pour que son mari eût tout un mur pour ses rayonnages de livres. Digne sans être prétentieux, l'appartement était vraiment fait pour eux.

Dans la salle à manger trônait une table à dessus de glace, assez grande pour quatorze couverts. La femme de Somerset Maugham, Syrie, suggéra une douzaine de chaises à haut dossier tapissées de cuir blanc, et de grands vases en cristal remplis de fleurs couleur de feu. La salle de séjour était chartreuse pâle, avec des meubles beiges et crème.

Enfin Wallis avait un logement bien à elle! Elle eut aussi de nouveaux amis avec lesquels elle pouvait se sentir à l'aise. La plupart appartenaient à la colonie américaine de Londres. Benjamin Thaw était premier secrétaire à l'ambassade des Etats-Unis, et Wallis avait connu son frère en Californie. La femme de Thaw, Consuelo, était l'aînée des célèbres sœurs Morgan. Les cadettes étaient deux jumelles, Thelma et Gloria. Gloria avait épousé Reginald Vanderbilt et vivait aux Etats-Unis; Thelma était la vicomtesse Furness et sa réputation internationale n'était plus à faire puisqu'elle passait pour avoir capturé le cœur du Prince de Galles.

Les trois sœurs Morgan se vantaient de descendre de grands d'Espagne. En réalité leur père Harry Morgan avait été consul américain à Lucerne, et leur grand-père, le général Judson Kilpatrick, ministre des Etats-Unis à Santiago du Chili. Ce grand-père avait épousé une beauté locale, Louisa Valdivieso, et Thelma et Gloria tout spécialement avaient hérité de sa peau brune de Chilienne. Sveltes et élégantes, les jumelles portaient souvent le même ensemble en contrastant les couleurs : Thelma pouvait arborer une robe blanche et des gants noirs tandis que Gloria mettait une robe noire et des gants blancs. Thelma, mariée de bonne heure, n'avait pas été heureuse; son second mari, Lord Marmaduke Furness (qu'elle appelait « Duke »), était un magnat de la construction navale, plusieurs fois millionnaire et grand coureur de jupons. Des amis disaient de leur union qu'elle était un « mariage de convenance » — qui convenait parfaitement en tout cas au Prince de Galles.

Lady Furness se rappela qu'elle se trouvait chez elle au 21 de

Grosvenor Square, à la fin de 1930 ou au début de 1931, lorsque sa sœur Consuelo téléphona pour lui demander si elle pouvait amener une amie à ses cocktails. « Mrs. Simpson est très amusante », lui dit-elle. « Je suis sûre qu'elle te plaira [5]. »

« Wallis Simpson était très amusante et elle m'a plu », commenta plus tard Lady Furness. « En ce temps-là, elle n'avait pas encore le chic qu'elle a cultivé depuis. Ce n'était pas une beauté; en réalité, elle n'était même pas jolie. Mais elle possédait un charme spécial et un sens aigu de l'humour. Une raie séparait par le milieu ses cheveux noirs. Ses yeux, vifs et éloquents, étaient ce qu'elle avait de mieux. Elle n'était pas aussi maigre qu'elle l'est devenue, mais on n'aurait su dire qu'elle était grosse; simplement elle avait l'air moins anguleuse. Elle avait de grandes mains; elle ne les déployait pas avec grâce, et je trouvais qu'elle les utilisait trop souvent quand elle voulait insister sur quelque chose [6]. »

Selon Lady Furness, lorsque le Prince de Galles était arrivé, il s'attendait à passer une soirée tranquille en sa seule compagnie, et il fut fort déçu par la perspective d'une réunion mondaine. « Non, chéri, rien que quelques amis », rectifia Lady Furness. « D'ailleurs vous les connaissez presque tous. » Ce fut alors qu'elle lui parla de Wallis Simpson : « Elle me paraît amusante [7]. » Puis elle fit les présentations.

Wallis a gardé un souvenir différent de sa première rencontre avec le Prince de Galles, qui aurait eu lieu au mois de novembre 1930. Son amie Connie Thaw lui avait demandé si Ernest et elle ne pourraient pas pendant le week-end, à la place des Thaw, tenir l'emploi de chaperons à la soirée que donnait sa sœur Thelma à Melton Mowbray. Oh, à propos, le Prince de Galles sera là.

Wallis, qui ne se démontait pas facilement, s'affola : elle ne savait même pas faire la révérence. Ernest, en revanche, fut ravi et honoré. La société anglaise ressemblait plus à des cercles concentriques qu'à des strates superposées. On glissait rarement d'un cercle à l'autre, et presque personne n'approchait du centre, la famille royale. Le Prince de Galles serait un jour Sa Majesté britannique.

Wallis prit des leçons de révérences : placer la jambe gauche bien derrière la droite et la ployer lentement. Détail piquant : son professeur fut un homme.

Wallis et Ernest arrivèrent en fin d'après-midi par un épais brouillard; extrêmement fébrile, Wallis aurait préféré être dans son lit. Lorsque Thelma les présenta au Prince de Galles, Wallis vit le « regard triste », les « cheveux dorés », le « nez retroussé », la « totale absence d'affectation [8] ».

Mais le Prince de Galles donna une troisième version de l'événement. Leur rencontre se serait produite l'année d'après, et aussi à Mowbray. Il se souvenait du brouillard à couper au couteau et du rhume de Wallis. Avec sa mémoire redoutable, il se rappelait aussi leurs propos après la présentation. Il lui avait dit qu'elle devait regretter le chauffage central américain.

« Une lueur d'ironie passa dans ses yeux. " Je suis désolée, Sir ", répondit-elle, " mais vous m'avez déçue ".

« " En quoi? "

« " C'est toujours la même question que l'on pose à chaque Américaine qui débarque dans votre pays. J'avais espéré quelque chose de plus original de la part du Prince de Galles [9]. " »

Le Prince sourit, se dirigea vers d'autres invités, mais ces propos n'allaient pas être sans écho.

Thelma (Lady Furness) soutint qu'il n'y avait jamais eu la moindre allusion au chauffage central et que, dans le cas contraire, la réponse de Walllis aurait témoigné « non seulement de mauvais goût, mais d'un manque de savoir-vivre » [10]. De même qu'il n'y eut aucune tension électrique, aucune étincelle immédiate entre eux. « C'est complètement absurde », déclara Lady Furness. « Wallis et moi sommes devenues de grandes amies; en fait je l'ai considérée comme l'une de mes meilleures amies en Angleterre, et le Prince et moi invitions souvent Wallis et son mari à nos soirées [11]. »

« Wallis Simpson était aussi nerveuse et impressionnée que l'aurait été n'importe quelle autre femme en rencontrant pour la première fois le Prince de Galles [12]. »

11

Le jour où naquit le Prince de Galles, un membre radical de la Chambre des Communes, James Keir Hardie, monta à la tribune : « Il est vraisemblable que ce nouveau-né sera un jour appelé à régner sur notre grand Empire. Le moment venu, il ira faire le tour du monde et, ensuite, le bruit d'un mariage morganatique se répandra. Pour finir, ce sera le peuple anglais qui sera invité à payer la note [1]. »

Quelle étrange exactitude dans cette prophétie!

A la fin de la Première Guerre mondiale, le Prince avait vingt-cinq ans et il était célibataire. Son père l'informa qu'il avait le droit de fréquenter d'autres personnes à condition de ne pas leur ressembler. « Rappelez-vous toujours votre position et qui vous êtes [2]. »

Alors il se posa la question : qui suis-je?

Le Prince apprit vite les limites à imposer à son courage et à son intrépidité croissante. Il aimait beaucoup le steeple-chase, il gagna sa bonne part de courses, et il ne tomba pas plus souvent que d'autres; seulement ses chutes bénéficièrent d'une publicité mondiale. Le Premier Ministre et ses parents lui demandèrent de renoncer aux courses d'obstacles; il obéit.

L'automobile était encore une nouveauté; il acheta une Daimler et trouva très amusant d'appuyer à fond sur le champignon, jusqu'à ce que son père lui écrivît : « Je dois vous prier de rouler moins vite et de faire très attention quand vous conduisez; votre maman et moi serons moins inquiets [3]... »

Il jouait souvent au polo; il reçut un mauvais coup dans l'œil et tout de suite après, un petit mot de son père : « J'espère que vous n'exagérez pas en faisant du sport [4]. »

Mais surtout, quelques années plus tard, il apprit à piloter son avion personnel; le sentiment de liberté qu'il éprouva l'électrisa... jusqu'à ce que, de nouveau, son père intervînt.

Il intervint pour lui rappeler que la devise du Prince de Galles était *Ich Dien* (« Je sers »). Et que ce service consistait à faire toutes les choses que le roi n'avait pas le temps ou l'envie de faire : prononcer des discours, planter des arbres, lancer des navires, poser des premières pierres et se montrer partout. Il avait été élevé pour cela.

La guerre avait mis au jour ses ressources considérables d'énergie, sa turbulence et sa curiosité.

Le Prince était allé rendre visite, en mars 1919, à Lady Airlie à Ashley Gardens. Il la connaissait depuis toujours, et il pouvait se confier à elle plus facilement qu'à sa propre mère.

« Il est resté plus d'une heure sur un tabouret devant la cheminée à fumer cigarette sur cigarette en vidant son cœur. »

« Je ne veux pas me marier avant longtemps », lui dit-il. « Mais à vingt-cinq ans je ne peux plus vivre sous le même toit que mes parents. Il faut que je sois libre pour mener ma vie personnelle [5]. »

Sur le conseil de Lloyd George, le roi décida que ce fils si remuant entreprendrait une série de voyages dans l'Empire britannique pour renforcer les liens avec les peuples du Commonwealth.

Plus il voyagea, plus sa popularité s'accrut. Le monde voyait sa sincérité scrupuleuse, son absence d'affectation, son sourire timide, son sens de l'humour, sa jeunesse et son élégance. Il impressionnait surtout les gens parce qu'il avait vraiment l'air de s'intéresser à eux. Lorsqu'il serrait des mains, il regardait chaque visage; lorsqu'il posait des questions, il écoutait attentivement les réponses. Et sa vitalité était incroyable :

« Il peut danser jusqu'à quatre heures du matin, sauter dans un train ou dans un avion immédiatement après, arriver quelque part avant le petit déjeuner, passer les troupes en revue (dans l'uniforme approprié à la circonstance), serrer deux mille mains, prononcer une allocution, faire deux parcours de golf, assister à un déjeuner officiel, conduire dans la rue, inaugurer quelque chose, serrer encore mille mains, prononcer un autre discours, passer en revue d'autres soldats (dans un autre uniforme), se livrer à une heure de balle au mur, enfiler un costume fantaisie et redanser jusqu'à quatre heures du matin. Je vous jure que je n'exagère pas [6]. »

Au Canada, il serra tellement de mains que sa main droite enfla et devint aussi noire que douloureuse; sans se plaindre, il porta le bras en écharpe et se servit de la main gauche. Dans la foule, quelqu'un disait : « Venez là, Ed [7] », et un autre criait : « Je l'ai touché! »

Avant ses tournées, il avait été prévenu : « Ne manquez jamais une occasion de vous soulager; ni de vous asseoir pour reposer vos pieds [8]. »

« Mon père se coiffait toujours d'un haut-de-forme, et il s'étonnait que je ne suivisse pas sa tradition. Mais il ne faisait pas, comme moi, le tour des grosses usines[9]. »

Et le roi George ne faisait pas non plus, comme son fils, le tour des taudis. Pour l'une de ces « promenades », on fit venir une Rolls

Royce : le Prince refusa d'y monter. « Désolé, je ne circulerai pas là-dedans [10]. » Il y eut des fonctionnaires pour ne pas comprendre cette réaction. Dans bien des cas, le Prince se trouva en conflit avec l' « Establishment » alors qu'il ne cherchait qu'à lui redonner une âme.

Le roi lui faisait toujours savoir quand il le désapprouvait, et il le désapprouvait souvent.

« Mon père ne m'aime pas », confia le Prince à un ami. Et il ajouta, encore plus tristement : « Et je ne suis pas du tout sûr de l'aimer follement moi-même [11]. »

Lorsqu'un membre du Parlement fit allusion à la monarchie en la présentant comme « une bande de parasites paresseux et oisifs, vivant de la richesse créée par d'autres », le Prince aurait soupiré : « Des parasites, peut-être. Mais des oisifs, jamais! [12]. »

Pendant les six années où il accomplit le tour du monde comme premier commis-voyageur de l'Empire britannique, le Prince visita quarante-cinq pays ou colonies et couvrit plus de 200 000 kilomètres. Il avait planté assez d'arbres commératifs pour remplir une forêt, posé assez de premières pierres pour bâtir toute une ville. « J'aurais pu servir d'encyclopédie sur les écartements des voies ferrées, les hymnes nationaux, les statistiques, les coutumes et les plats régionaux, les affiliations politiques d'une centaine de maires. Je connaissais la production d'or de l'Afrique du Sud, la capacité d'entreposage des silos de grain du Winnipeg, le chiffre des exportations de la laine d'Australie; j'ai même exposé mes opinions en Argentine sur le commerce du bœuf congelé [13]. »

En tout cela, il ne suivit pas les avis du Garde de la Cassette du roi, sir Frederick Ponsonby *, qui l'avait prévenu contre le risque de se rendre trop accessible au peuple. Faisant écho à Bagehot, Ponsonby avait déclaré : « La monarchie doit toujours conserver un élément de mystère [14]. »

Le roi et le Prince étaient en désaccord là-dessus, comme sur bien d'autres sujets. Félicitant son deuxième fils, le duc d'York, à l'occasion de son mariage en 1923, le roi George V lui écrivit : « Vous avez toujours été si raisonnable, mon travail avec vous a été si facile, et vous avez toujours été si prêt à écouter mes avis ainsi qu'à approuver mes opinions sur les gens et les choses, qu'il me semble que nous nous sommes toujours très bien entendus tous les deux. Je n'en dirai pas autant du cher David [15]. »

C'est ce même duc d'York qui nota plus tard à quel point il était difficile d'avoir avec leur père des conversations sérieuses parce que George V traitait ses quatre fils comme s'ils étaient tous pareils, alors qu'ils avaient des tempéraments très différents.

*** Ponsonby avait servi de premier secrétaire particulier à la reine Victoria, et George V disait de lui : « Il m'a appris à être roi. »**

« C'était très pénible pour David », poursuivait son frère. « Mon père lui cherchait noise constamment. J'ai toujours pensé qu'il était dommage qu'il trouvât à redire contre lui à propos de choses sans importance — sa façon de s'habiller par exemple. Cela ne faisait qu'exaspérer David. Mais il était aussi dommage que lui fît sciemment tout ce qui pouvait contrarier mon père. Le résultat c'est qu'ils ne discutaient pas calmement des affaires importantes. Voilà pourquoi, à mon avis, David ne lui a pas parlé, avant qu'il mourût, de son intention de se marier [16]. »

Le mariage était l'un de leurs sujets de conflit. Le journal du roi contient cette phrase : « A présent les voici tous mariés, sauf David. »

Au cours de sa tournée en Amérique, le Prince put lire cette manchette d'un journal :

LE VOICI, JEUNES FILLES : LE CÉLIBATAIRE QUI EST LE MEILLEUR PARTI DU MONDE ET QUE, POURTANT NULLE N'A ENCORE ATTRAPÉ [17]

Une journaliste chargée de l'interviewer sur sa vie amoureuse rentra à son journal et déclara à son rédacteur en chef médusé qu'elle avait passé plusieurs heures à dîner et danser avec lui, puis elle fondit en larmes : « Tout cela est trop sacré; je ne pourrai jamais écrire un article là-dessus [18]. »

Avant son départ, une autre journaliste lui demanda s'il envisageait un jour d'épouser une Américaine.

Il répondit que oui.

Il fit clairement comprendre qu'il ne voulait pas d'un mariage sans amour, d'un mariage combiné par et pour la politique. La Première Guerre mondiale avait considérablement réduit le marché des mariages royaux, et le Premier Ministre avait avisé le roi en 1920 que le pays ne tolérerait pas pour le Prince de Galles une alliance avec une étrangère. Il restait encore quelques princesses acceptables en Grèce, aux Pays-Bas et au Danemark, mais le gouvernement préférait à présent que le prince épousât une jeune fille appartenant à la noblesse anglaise ou écossaise.

Le Prince, cependant, était rentré en Angleterre très intéressé par les Américains. Il sifflait constamment des airs de musique américains, ce qui mettait son père hors de lui. (Il apprit aussi les paroles de « *Yes, We Have No Bananas* » à Lady Airlie qui, à son tour, les apprit à la reine Mary, et elles le chantèrent toutes deux à tue-tête.)

Il avait conscience de toutes les pressions exercées par sa famille pour le pousser au mariage. Gene Tunney, champion du monde de boxe toutes catégories et homme cultivé, alla le voir. Le Prince lui dit : « Ainsi vous prenez votre retraite parce que vous allez vous marier? Moi, je pense parfois que je serai obligé de prendre la mienne parce que je ne me marie pas [19]. »

Il travaillait beaucoup et s'amusait autant. Il se levait tôt, allait au Bath Club pour une partie de squash, rentrait à neuf heures, se rasait, prenait un bain chaud, se faisait servir son petit déjeuner et était prêt à dix heures pour travailler. Le soir, il aimait se rendre au théâtre pour voir de préférence une revue ou une comédie musicale — il adorait Ethel Merman et donna des rendez-vous à Beatrice Lillie. Puis il allait souper et danser dans des night clubs privés comme le Kit Kat qui comptait trente pairs parmi ses membres, et le Night Light qui avait quatre princesses et deux ducs dans son conseil d'administration. Celui qu'il préférait était l'Embassy Club de Bond Street, que gérait un restaurateur italien d'une grande discrétion.

Tout simplement, le Prince n'était pas mûr pour le mariage. Nulle part dans le monde, il n'avait à souffrir d'une pénurie de femmes disponibles. Mais il s'était toujours montré extrêmement peu communicatif avec elles. C'étaient des rencontres de hasard dont certaines duraient plus longtemps que d'autres, mais pas beaucoup. A l'une d'elles, il offrit un nécessaire incrusté de pierreries avec l'inscription : A Pinna pour toujours, pour toujours, POUR TOUJOURS [20]. » En vérité, il se sentait incapable de se donner pour toujours à quelqu'un; il ne pouvait rien « donner » du tout. Il lui fallut du temps pour trouver une femme « pour toujours » qu'il aima totalement.

Par une étrange coïncidence, la sœur d'Ernest Simpson, Maud Kerr-Smiley, affirma avoir donné vers la fin de la guerre le bal où le Prince de Galles rencontra son premier véritable amour. Le nom de jeune fille de cette dame était Winifred Birkin, et elle était alors la femme du Très Honorable Dudley Ward, député libéral de vingt ans son aîné.

« Frieda », comme l'appelaient ses amis, n'était pas le genre de femme qu'un prince play-boy aurait sans doute désirée comme partenaire. Par exemple, les habitués des cocktails ne l'intéressaient guère; elle préférait des intellectuels, et la politique la passionnait. « Elle a été l'une des femmes les plus brillantes que j'aie jamais connues », dit un ami du Prince. « Pleine d'esprit, très sûre d'elle, et elle n'avait peur de personne, même pas de lui [21]. »

Cette absence de timidité fut peut-être un attrait initial. On peut admettre aussi que le Prince ait été psychologiquement fatigué de passer pour un play-boy, et qu'elle ait incarné à ses yeux un défi intellectuel, une image nouvelle pour l'opinion, un changement revigorant en même temps qu'une défense. Plus probablement, elle représentait un besoin désespéré : il voulait être enfin considéré comme un être humain.

Frieda était non seulement brillante, mais jolie, très jolie, et petite, plus petite que lui, ce qui plaisait au Prince. Un charmant visage couronnait sa silhouette élégante. Elle savait admirablement raconter des histoires, et elle n'avait pas sa pareille pour narrer en détail ce qui lui était arrivé pendant la journée en la grossissant de petits incidents afin de tenir son public en haleine. Tout le monde raffolait de son bavardage car elle se moquait autant d'elle-même que des autres. Sa voix d'oiseau, qu'elle cultivait à la manière de nos Marie-Chantal d'aujourd'hui, était inimitable.

Le Prince accompagnait Frieda partout où elle l'invitait. Il était grand amateur de musique populaire et fervent du jazz, tandis qu'elle aimait davantage la musique plus sérieuse. Un journaliste raconta comment, à un concert, Mrs. Dudley Ward avait expliqué au Prince avec quelle perfection la composition de Mendelssohn s'harmonisait avec le livret de Tennyson.

Longtemps après, une amie révéla que Frieda disposait au Touquet d'une villa où le prince pouvait aller chercher calme et réconfort. Elle lui fit aussi cadeau d'un chien en souvenir de son affection. Lorsqu'il se déplaçait, il lui télégraphiait pour lui dire à quel point elle leur manquait — à lui et au chien.

On les vit jouer au golf ensemble un peu partout en Angleterre et danser souvent jusqu'à l'aube. Pendant tout ce temps-là, le Prince demeura l'ami du Très Honorable Dudley Ward, et de temps à autre ils assistaient côte à côte à des championnats de boxe.

Leur liaison dura plus de dix ans.

« Si je sais qu'il l'aimait, c'est parce qu'il me l'a dit », déclara Lord Brownlow, l'un de ses plus proches confidents *. « Il lui écrivait toujours, mais elle lui répondait rarement. Il était constamment en voyage, voyez-vous. Bien sûr, elle était mariée, mais je sais qu'il lui proposa de l'épouser si elle divorçait, et qu'elle refusa. C'était une Anglaise, et elle n'ignorait pas les règles royales au sujet du divorce; elle savait que le roi n'approuverait jamais le mariage de son fils avec une divorcée.

« Il m'a raconté qu'il était un jour dans un train en route vers Calcutta, après une longue semaine passée à Delhi, et que soudain il s'était mis à penser à elle; il se sentait si seul sans elle qu'il avait éclaté en sanglots incoercibles. Incontestablement, il l'adorait [22]. »

Voilà qui en dit long sur la solitude de l'homme. Sans doute se rendait-il compte, comme Frieda, que leur mariage était irréalisable. Il est même possible, au début, que le fait que Frieda était mariée, donc « sans danger », ait constitué un attrait supplémentaire. Mais ses déplacements continuels, pratiquement privés de contacts humains et au cours desquels il ne pouvait demeurer assez longtemps au même endroit pour réussir à connaître véritablement quelqu'un, ne firent

* Le titre de Lord Brownlow date de 1776, et ses propriétés couvrent plus de 10 000 hectares en Angleterre. Il est Lord Lieutenant du Lincolnshire, où il a son siège à Belton House, Grantham. Son fils et héritier était un filleul du roi et s'appelait Edouard.

que grossir l'importance de la seule femme qui le traitait en être sensible.

Frieda cependant avait commencé à s'intéresser sérieusement à un autre homme, le beau célibataire Michael Herbert. Elle s'y intéressa suffisamment pour divorcer en 1930. Et Herbert s'intéressa suffisamment à Frieda pour lui laisser 80 000 livres lorsqu'il mourut trois ans plus tard.

Entre-temps, le Prince avait trouvé un autre « amour vrai » en la personne de Thelma Furness. Elle était exactement le contrepoint de Frieda Ward : elle possédait la beauté sans l'esprit.

Il fit sa connaissance lors d'un week-end à la campagne, et il l'invita à danser au cours d'une soirée.

« Mes genoux n'arrêtaient pas de trembler », raconta Lady Furness. « Je bénissais ma robe longue [23]. »

« Elle était très belle », admit Elsa Schiaparelli, « mais pénible pour la conversation. Elle jacassait, gaiement et sur un ton amical, mais enfin elle jacassait toujours. Elle n'avait pas de finesse, ni le don de repartie. Elle était ce que les Français appellent floue [24] ».

Nous avons dit que Lord Marmaduke Furness était le deuxième mari de Thelma, mais le nom de Lady Furness avait été aussi accouplé à celui de plusieurs acteurs célèbres. Elle était catholique; jamais le Prince et elle n'abordèrent le sujet de la religion ou du mariage.

« Je me rappelle que nous nous trouvions ensemble à cette soirée », déclara une amie du Prince. « Thelma était arrivée en courant et elle me prit par la main pour m'entraîner dans un petit salon en m'expliquant, toute haletante, qu'elle avait quelque chose à me dire. A ce que je compris, elle était allée à la campagne pendant le week-end, elle y avait rencontré le Prince, et le hasard voulut qu'ils prissent place dans le même train pour rentrer à Londres. Imaginez sa surprise lorsque l'écuyer du Prince frappa à la porte de son compartiment et lui demanda de bien vouloir rejoindre le Prince dans son compartiment personnel parce que le voyage serait long et qu'il s'ennuyait tout seul [25]. »

Plus tard, racontant le cours de leur idylle, Thelma évoqua la coïncidence de leur rencontre au Kenya, chacun prenant part à un safari différent. Elle renonça au sien pour celui du Prince, qui comportait des baignoires portatives ainsi que des réfrigérateurs pour le vin. « Ce fut notre Eden, et nous y étions seuls... Ses bras qui m'enlaçaient étaient la seule réalité, ses paroles d'amour le seul pont qui me reliait à la vie. Entraînée par la marée montante de sa passion, je me sentais inexorablement arrachée aux amarres ordinaires de la prudence... Chaque nuit, je me laissais plus complètement posséder par notre amour, emporter toujours plus vite sur des océans inconnus de tendresse, et je me contentais d'abandonner au Prince le soin de fixer notre cap, sans me demander où le voyage s'achèverait [26]. »

Elle détaillait ensuite quelques autres attraits du Prince :

« J'ai trouvé en lui à cette époque ce dont j'avais le plus besoin. Non seulement sa propre personnalité avait de quoi me fasciner, mais il fut le compagnon idéal pour ma sentimentalité blessée. Il était le contraire de Duke (Lord Furness); il était l'antidote de Duke. Duke était bourru, il tonitruait, il ne se refusait rien, il ne faisait pas attention à moi; le Prince était timide, indulgent, et il multipliait les attentions les plus délicates [27]. »

Et il était aussi le Prince de Galles.

Si le Prince fut un antidote à Duke, Thelma fut l'antidote de Frieda.

« Nous parlions beaucoup, mais le plus souvent de banalités », avoua Thelma. « Le Prince n'était pas un homme à idées abstraites ou à pensées pesantes; et il ne s'intéressait nullement au théâtre, aux livres ou aux beaux-arts. Nous parlions surtout des gens que nous connaissions ou avions connus, et d'endroits que nous aimions. Cela nous suffisait [28]. »

A coup sûr le Prince de Galles n'en demandait pas davantage à cette époque. Thelma lui offrait sa chaleur et son amour. Il pouvait se détendre avec elle. Ils avaient en commun beaucoup d'amis, de sites, d'intérêts. Elle l'aida même à perfectionner son espagnol avant sa tournée en Amérique du Sud. Intellectuellement parlant, elle ne le stimulait pas autant que Frieda, mais elle lui offrait d'autres compensations.

Elle était une issue de secours. L'univers royal l'avait investi sur trop de côtés. Il avait aimé le défi et le danger de la course d'obstacles, le pilotage de son avion personnel, et ses parents lui avaient fait renoncer à ces deux plaisirs. Il avait un petit groupe d'amis qu'intéressaient les boîtes de nuit, le poker et les soirées en privé; il se consolait de plus en plus dans le whisky.

L'amour qu'accorda le Prince de Galles à Thelma Furness était presque superficiel. Il continuait à se prendre pour un être froid, isolé. Il avait aimé Frieda Ward, mais elle n'avait jamais répondu pleinement à son attente. Thelma Furness pourvut à un besoin, mais ce n'était pas son besoin essentiel.

Et puis il rencontra Wallis Simpson.

12

« Je me rappelle bien le jubilé de la reine Victoria », déclara Winston Churchill en 1931 à ses électeurs de Peckham, au sud de Londres. « Neuf monarques chevauchaient autour de notre reine ce jour-là; des princes et des potentats étaient venus des quatre coins du monde pour lui rendre hommage. A cette époque, l'Angleterre était le maître de forges du monde, le premier constructeur de navires du monde, le banquier du monde, l'atelier du genre humain. Il ne tient qu'à vous, électeurs, de ressusciter cette époque [1]. »

Ce n'était plus au pouvoir de personne. Au début des années 30, la Grande-Bretagne était « optimiste, flegmatique, pleine d'assurance », mais elle sortait à peine d'une grève générale qui l'avait paralysée, et elle subissait une crise économique encore plus paralysante. L' « Establishment » préférait toujours son petit monde fermé d'amateurs héréditaires à des professionnels arrivés par eux-mêmes : à quoi bon des hommes dynamiques puisqu'on s'entendait si bien entre anciens élèves?

L'industrie britannique avait cent ans de retard dans ses méthodes d'équipement et de production. A la Foire des industries britanniques, le Prince de Galles rappela aux intéressés que leurs procédés de vente et de marketing étaient périmés, et que le bon vieux temps victorien où l'Angleterre vendait automatiquement ses produits ne reviendrait plus jamais. Le peuple anglais avait porté au pouvoir le deuxième gouvernement travailliste, et Ramsay MacDonald remplaçait Stanley Baldwin comme Premier Ministre. MacDonald était affligé d'une vanité colossale; il confia à un ami américain : « Oh, je suis si fatigué! Je serais heureux de me retirer de la politique maintenant, mais qui serait capable de continuer ma tâche [2]? »

Reconstruction, restauration, redressement : autant de slogans qui n'étaient pas encore réalisés dans les faits. L'ordre international issu du traité de Versailles après la Première Guerre mondiale se désagrégeait visiblement. Le fascisme de Hitler et de Mussolini prenait de l'essor. La France et l'Italie n'étaient plus amies. Les troupes japonaises envahissaient la Mandchourie. Et cependant Lord Robert Cecil, porte-parole du gouvernement anglais, déclarait à l'Assemblée de la Société des Nations : « On a rarement vu dans l'histoire du monde une période où la guerre paraisse moins probable qu'aujourd'hui [3]. »

Le krach de la Bourse aux Etats-Unis en 1929 nuisit énormément à l'achat des produits anglais et à l'emploi de navires anglais. Le nombre des chômeurs en Grande-Bretagne dépassa largement les 2 millions. Le Premier Ministre Mac-Donald s'empressa d'esquiver les reproches. « Ce n'est pas notre procès qu'il faut faire; c'est celui du système sous lequel nous vivons... Il s'est effondré partout, parce que son effondrement était inévitable [4]. »

J. B. Priestley parla de deux Angleterre : l'Angleterre traditionnelle de Shakespeare, des livres d'histoire, de la chasse au renard, des clubs de West End, et l'Angleterre sinistre des cités industrielles sans âme, des rues aux maisons noircies, des ouvriers d'usine travaillant avant l'aube. Londres vit apparaître ses premiers et pathétiques « marcheurs de la faim ».

Visitant quelques années plus tôt une soupe populaire dans une ville de province, le Prince de Galles découvrit la pauvreté des hommes qui n'avaient pas une chemise sous leur veste; il entra dans des maisons au hasard, serra la main d'une femme en couches et affamée, écouta l'histoire d'un mineur qui n'avait pas travaillé depuis cinq ans. Un journaliste du *New York Tribune* le trouva en train de faire les cent pas dans la rue en pressant ses mains l'une contre l'autre : « Que puis-je faire? Qu'est-il possible de faire? » murmurait-il [5].

Dans un discours antérieur, il avait demandé que « chaque homme et chaque femme puissent jouir du juste produit de leur travail, et que tout enfant né dans ce pays puisse avoir une chance qui vaille la peine de vivre ».

La publicité accordée par la presse à ses voyages et à ses réactions provoqua suffisamment de commentaires politiques pour que son père le convoquât et critiquât son comportement. Sur des questions controversées la monarchie, comme les enfants, pouvait se montrer mais non intervenir. George V ne dit pas à son fils que, lorsque les mineurs s'étaient mis en grève et que Lord Durham les avait traités de « révolutionnaires maudits », Sa Majesté avait explosé : « Essayez donc de vivre avec leurs salaires avant de les juger! [6]. »

Ainsi se déroulèrent quelques années de l'histoire anglaise d'avant-guerre, mais Wallis et Ernest Simpson ne les voyaient qu'à travers les gros titres de la presse. Un sujet dont on débattait à l'heure du cocktail, mais par des biais et sans grande chaleur. Si les Simpson n'étaient pas très au courant, qui l'aurait été? Winston Churchill lui-même écrivait des phrases aimables sur Hitler et Mussolini.

Wallis et Ernest étaient plus aptes à discuter de l'art du bien vivre, de la qualité du goût officiel, du manque de nouveautés dans les beaux-arts, la musique et la poésie depuis plus d'une génération. Il est vraisemblable aussi qu'ils échangèrent leurs impressions sur le dernier ouvrage de D. H. Lawrence, *L'Amant de Lady Chatterley.*

Lawrence avait lancé une croisade contre le conformisme, contre « les attitudes sociales qui enchaînaient l'esprit de l'homme ». « L'homme est un, corps et âme; et ses composants ne se font pas la guerre », écrivait-il. L'amour sexuel, selon lui, était humainement bon et nécessaire, mais l'acte physique devait être une rencontre totale de l'esprit, du cœur et du corps.

On peut se demander jusqu'à quel point cette rencontre était réelle dans l'amour et le mariage de Wallis et d'Ernest Simpson. Il l'adorait, cela est hors de doute; il tenta vainement de l'enrichir intellectuellement avec l'histoire de l'Angleterre et des voyages; ses affaires le conduisaient dans de nombreux pays, et elle l'accompagna souvent. Ils avaient la passion du théâtre, et ils allaient voir presque toutes les nouvelles pièces. Il sut émouvoir son esprit et son imagination. Fière de l'intelligence de son mari, elle s'en enorgueillissait. Elle le considérait comme un homme d'envergure et elle lui vouait une estime profonde. Certes, ils passaient ensemble plus de soirées qu'elle ne l'aurait souhaité à lire des livres au coin du feu. Néanmoins, il n'était pas pédant au point de dédaigner les réceptions et la danse. Bel homme, il possédait un charme tranquille qui se révélait très efficace auprès des femmes, et elle n'en était pas mécontente, loin de là.

Elle découvrit en lui des qualités qu'elle n'avait jamais connues. Au cours d'un petit voyage en Hollande avec tante Bessie, ils furent réveillés à minuit par un cri : « Au feu! » Les gens se précipitèrent hors de leurs chambres, plus ou moins vêtus. Ernest ordonna à Wallis de conduire tante Bessie dans le hall : il les rejoindrait bientôt. Puis elle le vit en train de faire consciencieusement sa valise, et elle lui cria de ne pas s'occuper de leurs affaires pendant qu'ils disposaient encore d'un peu de temps.

Elle commença à se tourmenter quand il tarda à apparaître au rez-de-chaussée. Les pompiers ne voulurent pas la laisser remonter pour le chercher. La fumée était terriblement dense et suffocante. Soudain elle aperçut Ernest en haut de l'escalier : il était impeccablement habillé, coiffé de son chapeau melon, portant sa valise et son parapluie [7].

Il avait ce sens de la décence, cette sorte de courage.

Elle le savait, et elle l'aimait pour cela. Mais il s'agissait d'un amour tranquille où la passion n'avait rien à voir.

Ernest ne souhaitait rien de plus. Elle illuminait sa vie comme il l'avait espéré. Il était fier du fait qu'elle savait admirablement recevoir, mettre les invités à l'aise, parler de tout avec brio. Il était content qu'elle eût développé leur vie mondaine et qu'elle se fût adaptée à son monde particulier. Il était heureux de voir son esprit à l'œuvre et de l'entendre rire. Elle avait réchauffé son foyer et son cœur, et il lui en était reconnaissant. Un jour il serait le propriétaire de sa compagnie de navigation, et il serait alors en mesure de lui offrir davantage de choses qu'elle aimait; il connaissait sa prédilection pour ce qu'il y avait de mieux en matière de robes, bijoux et meubles anciens. Il ne demandait qu'à la gâter. C'était un bon mariage : il aurait pu durer jusqu'à la fin de leurs jours.

Lorsqu'elle promenait son regard à travers leur appartement de Bryanston Court, sur ses poissons en porcelaine, ses coffrets laqués, ses paravents et ses éléphants porte-bonheur, Wallis aurait pu songer avec nostalgie à ses aventures plus romanesques de Pékin; sans doute sut-elle peser dans sa tête le déracinement perdu et sa sécurité nouvelle.

Ce fut cette Wallis-là que Mary Kirk Raffray découvrit à la fin de mai 1931. Elle n'était jamais allée à Londres, et Wallis l'emmena aussitôt déjeuner chez Connie Thaw; elle mit Mary en transes quand elle lui expliqua que le Prince de Galles y venait souvent pour rencontrer la sœur de Connie, Thelma Furness.

Elles avaient depuis longtemps dépassé le stade de leurs « rigolades » de jeunesse, mais pour leur première soirée elles bavardèrent jusqu'à une heure avancée de la nuit. Wallis étonna Mary en lui disant qu'Ernest et elle voyaient surtout des Américains parce qu'elle trouvait les Anglais ennuyeux et peu intéressants.

Tout l'appartement de Bryanston Court enchanta Mary, sauf le lit de Wallis en peluche rose. Elle admira la barre chauffante pour les serviettes dans la salle de bains, mais regretta la séparation de la salle de bains et des toilettes. La coutume de servir plusieurs vins au déjeuner et au dîner lui plut. Ernest l'impressionna en portant toujours l'habit avec cravate blanche chaque fois qu'ils dînaient dehors. Le patriotisme naïf des Anglais lui parut à la fois puéril et émouvant.

Wallis bourra les semaines suivantes de déjeuners au Ritz, de soupers chic et de soirées. A une réception offerte par deux Argentins à leur ambassade, elle bavarda avec le beau-fils de l'ancien Premier ministre Stanley Baldwin.

Ernest prit un jour de congé pour montrer à Mary l'abbaye de Westminster; elle la trouva si passionnante qu'elle en oublia de chercher son aïeul. Ernest conduisit aussi Mary et Wallis dans les petites rues proches du Shepherd's Market où elles purent lécher les vitrines à leur convenance, puis à Kensington pour assister à un tournoi militaire traditionnel avec l'escrime de cape et d'épée telle qu'on la pratiquait au XVIIIe siècle.

Des fenêtres de l'Amirauté, ils virent également la parade du drapeau. Mary fut émerveillée par le pas lent des soldats, les cornemuses écossaises, les cuirasses dont l'argent scintillait, les plumets rouges sur les casques. Elle était aux premières loges pour voir le roi et le Prince de Galles à cheval passer devant eux, et elle demanda si elle aurait la chance de faire la connaissance du Prince de Galles. Wallis lui répondit que c'était peu probable parce que leur agenda ne prévoyait pas de soirées où il pourrait survenir, mais qu'elle y réfléchirait. Elle fit si bien que Mary rencontra effectivement le Prince à une réception et le salua d'une « superbe révérence [8] ».

Mary nota soigneusement dans sa mémoire un dîner typique de Wallis : cocktails avec des saucisses (pas en brochettes), caviar avec de la vodka, potage, poisson, vin blanc, champagne puis cognac, le tout se terminant vers trois heures du matin dans l'épuisement général, « mais les soirées de Wallis ont tellement d'ambiance que personne ne veut jamais les quitter [9] ».

Wallis eut du chagrin quand Mary dut finalement rentrer en Amérique. Elles avaient tellement bavardé toutes deux qu'elle avait retrouvé sa gaieté.

Mais elle fut vite ragaillardie quand plusieurs amis suggérèrent qu'elle fût présentée à la cour.

« D'accord », aurait répondu Wallis, « à condition que cela ne me coûte rien [10] ».

Des problèmes surgirent. Il fallait être présenté par quelqu'un qui avait déjà été à la cour, et avoir la citoyenneté anglaise. Obstacle supplémentaire — et de taille : les services du Lord chambellan rayaient les indésirables sur la longue liste des candidates et, en premier lieu, les divorcés. Peu importait qui avait été déclaré coupable dans le divorce : leurs Majestés maintenaient inflexiblement cette règle, non seulement parce qu'ils considéraient comme sacré le serment nuptial, mais parce qu'ils « connaissaient très bien le sentiment de la masse des Anglais sur ce sujet ».

La divorcée Wallis Warfield Simpson fut néanmoins acceptée à la cour. On chuchota que Thelma Furness, déjà grande amie de Wallis, avait demandé au Prince de Galles d'actionner le piston indispensable.

Thelma prêta à Wallis les plumes et la traîne qu'elle avait portées à sa propre présentation à la cour. La robe sortit de chez Consuelo, la sœur de Thelma. « Elle n'aurait pu mettre la mienne », expliqua Thelma, « parce que nous n'avions pas la même taille. Je suis plus grande [11] ». Wallis acheta un bandeau d'aigues-marines pour maintenir les plumes en place puis, cédant à une impulsion incontrôlée, une croix d'aigues-marines de dix centimètres de long et elle la porta suspendue à un cordon autour de son cou.

Une présentation à la cour lui offrait le genre de spectacles qui faisait battre son cœur.

C'était une scène d'une autre époque : les gens d'armes revêtus d'uniformes cramoisi et or, coiffés de leur chapeau à panache blanc; le roi et la reine assis sur leurs trônes sous le large dais qu'ils avaient ramené des Indes; la salle de réception rouge et or du palais de Buckingham, bordée de tous côtés par des hortensias et des roses; un orchestre dissimulé qui jouait de la musique en vogue. Et l'assemblée se composait de diplomates et de leurs épouses venus de toutes les parties de l'Empire.

Les présentées et leurs parrains s'avançaient en file indienne vers le trône, leurs noms étant proclamés lorsqu'elles exécutaient leurs profondes révérences devant les souverains, puis elles se dirigeaient vers un salon attenant pour prendre le thé. Ce jour-là, une autre présentée fut la sœur d'Adlai Stevenson, Mrs. Ernest L. « Buffie » Ives.

Lorsque la famille royale se retira, Wallis entendit le Prince de Galles dire à son oncle que les femmes étaient horribles sous cette lumière. Lors de la réception qui suivit chez Thelma, le Prince complimenta Wallis sur sa robe, mais elle lui rappela sa remarque sur les « horribles [12] ». Il sourit et répondit qu'il ne s'était pas rendu compte que sa voix « avait porté aussi loin [13] ».

Conclusion à cette soirée, qui transporta d'aise Wallis : le Prince proposa aux Simpson de les raccompagner dans sa voiture. Ce fut le mince début de leurs relations sans cérémonie. Il refusa courtoisement de monter pour boire un dernier verre, mais il réclama la faveur d'une invitation ultérieure. Près d'un an s'écoula avant qu'il prît ce verre.

Ce fut une bonne année pour les Simpson : petit voyage en Ecosse, ablation d'amygdales douloureuses pour Wallis, vacances dans le midi de la France, vie mondaine de plus en plus trépidante.

Wallis découvrit que l'une des forces de gravitation de la société londonienne était la solidarité des Américaines mariées à des Anglais. Elle avait commencé à se manifester lors de la génération précédente, à l'époque de Lady Randolph Churchill, mère américaine de Winston Churchill et ancienne Jennie Jerome de Brooklyn, qui avait conclu l'un des premiers mariages internationaux et beaucoup aidé d'autres épouses américaines. Bryanston Court était situé tout près de la maison de Lady Randolph.

L'une des plus célèbres épouses américaines du temps de Wallis fut Lady Sackville, mieux connue autrefois sur la scène sous le nom de Meredith Bigelow. Elle habitait dans l'une des magnifiques demeures historiques de l'Angleterre, qui s'appelait Knole. Wallis trouva amusant de danser sur des disques de musique américaine sous un lustre spectaculaire datant de la reine Anne.

Thelma et Wallis se virent beaucoup cette année-là. Elles aimaient beaucoup causer toutes les deux, mais Wallis était plus disposée à écouter. La surprise ne fut donc pas considérable lorsque le Prince de Galles invita les Simpson à passer un week-end à Fort Belvedere.

« Le Fort » était la résidence privée du Prince. Situé à une quarantaine de kilomètres seulement de Londres, tout près de la lisière de la forêt de Windsor, il ressemblait à un vieux château. La chaude couleur crème de ses pierres atténue son aspect rébarbatif pour lui conférer une sorte de sérénité. Une pelouse verte descend en pente douce vers un rempart en demi-cercle, où trente anciens canons belges sont pointés sur Londres.

« La résidence est une charmante folie », écrivit Lady Diana Cooper. « Il suffirait de cinquante soldats rouges entre les parapets pour en faire une symphonie colorée à la Walt Disney... Le Fort a pour centre la piscine minutieusement équipée : des chaises-longues, des matelas, des dessertes surchargées d'accessoires pour fumer et boire. Elle est un peu loin de la maison, si bien que les averses imposent de redoutables corvées quand il faut tout rentrer, puis tout ressortir au prochain rayon de soleil... Le confort ne pourrait être plus grand, ni le désir du maître de maison que ses hôtes soient heureux, libres et à leur aise. Une atmosphère certainement nouvelle pour les cours royales... Le Prince me rappelle moi-même à Bognor : s'agitant toujours, allant chercher des petites choses nullement indispensables, bondissant pour apporter des chips ou de l'eau gazeuse [14]... »

Le Prince en personne accueillit Wallis et Ernest et les conduisit à leur chambre. Wallis ne savait peut-être pas alors que ses ancêtres Warfield avaient jadis vécu dans la toute proche forêt de Windsor.

Lorsqu'ils descendirent pour les cocktails, ils trouvèrent le Prince penché au-dessus d'un large écran plat; il brodait. Il leur expliqua timidement que c'était sa mère qui lui avait appris cet art. Après le dîner, tout le monde dansa au son d'un phonographe. Avant minuit, le Prince déclara qu'il allait se coucher; ce fut le signal pour les autres invités. Le reste du week-end fut agréable et paisible. Le Prince impressionna beaucoup Ernest, même lorsqu'il l'enrôla pour l'aider à tailler des lauriers. Wallis repartit avec le sentiment que l'idée qu'elle s'était faite du Prince de Galles était idéalisée et romantique. En réalité, c'était un homme au corps frêle qui, dans un pull-over à col roulé, aimait bricoler dans son jardin.

En 1932, les Simpson voyagèrent davantage, et Wallis compléta son éducation au Baedeker, cette fois en Tunisie, en France et en Autriche. Elle eut aussi un réveil de son ulcère à l'estomac.

« J'ai toujours refoulé les tensions de la vie quotidienne au-dedans de moi [15]. »

Non seulement elle refoulait les tensions quotidiennes, mais elle guettait toujours les sourcils désapprobateurs des Anglais qui composaient la famille et le cercle d'amis de son mari. Elle participait à un monde où l'on montrait rarement de l'irritation, où l'on ne buvait pas trop, où l'on ne riait pas trop fort. Elle vivait avec l'impression d'être toujours en représentation. Elle cachait au fond d'elle-même ses compartiments secrets : les hommes et les amours de son existence, ses frustrations et ses rêves.

Cet automne, il y eut d'autres week-ends au Fort. Un jour, chez son coiffeur, Wallis reconnut une ancienne amie de Baltimore sous un casque à côté d'elle; aussitôt elle souleva son propre casque et dit d'une voix frémissante : « Vous ne savez pas? Je fais partie du groupe du Prince de Galles! [16]. »

Elle l'annonça comme s'il lui était arrivé quelque chose de merveilleux, et, pour elle, c'était vrai. A ses yeux, cette promotion signifiait une réussite, *sa* réussite. Sur le manège de chevaux de bois mondain, elle avait attrapé l'anneau de cuivre si longtemps attendu. Elle n'aurait plus besoin d'observer les amis de son mari; à eux de la regarder, désormais.

Au printemps de 1933, Wallis retourna pour deux mois aux Etats-Unis où elle rendit visite à tante Bessie et à des amis. Après l'étiquette si rigide de Londres, c'était bien agréable de s'entendre interpeller : « Alors, Oualli, qu'est-ce que tu fabriquais? »

Wallis passa aussi quelque temps à Baltimore; elle assista aux courses de Pimlico, alla voir de vieilles connaissances. Tout le monde était au courant de sa présentation à la cour et de son entrée dans le groupe du Prince de Galles; elle reçut un accueil beaucoup plus chaleureux qu'il l'aurait été autrement. Derrière son dos, les gens disaient avec admiration qu'elle avait peut-être été « miteuse » dans sa jeunesse, mais que, ma foi, elle avait acquis un chic extraordinaire; et puis, elle avait tant d'allure!

Les riches de Baltimore avaient modifié une partie de leurs jardins, mais à l'intérieur les meubles n'avaient pas changé; tout au plus avaient-ils été recouverts. Les habitants de Baltimore étaient trop amoureux des traditions pour vouloir changer leurs goûts en matière de décoration.

Mais Wallis aimait le changement. Elle fut ravie quand son amitié avec Thelma et le Prince sembla s'épanouir sur de nouvelles bases. Le Prince (et Thelma) firent à Wallis la surprise d'une petite fête pour son trente-septième anniversaire dans un restaurant de Jermyn Street. Le Prince lui offrit un cadeau : un plant d'orchidées qui, lui promit-il, refleurirait l'année prochaine. Et, effectivement, il refleurit.

Ernest Simpson et le Prince se plaisaient ensemble. Ils étaient l'un et l'autre de grands amateurs d'histoire, et ils conversaient longuement en discutant de dates et de détails. « Ils parlaient de toutes sortes de choses qui m'assommaient », raconta Wallis plus tard, « et je me demandais souvent quand ils se décideraient à se taire [17] ». Le Prince fut même, paraît-il, parrain de Simpson quand celui-ci s'affilia à la franc-maçonnerie anglaise.

Thelma Furness annonça une nouvelle au Prince et à Wallis en janvier 1934 : elle allait passer six semaines aux Etats-Unis avec sa sœur jumelle Gloria. « Trois ou quatre jours avant mon départ, j'ai déjeuné au Ritz avec Wallis », déclara Thelma. « Je lui ai fait part de mes projets et, dans mon exubérance, je me suis proposée pour toutes les commissions dont elle voudrait me charger. Que pourrais-je faire pour elle en Amérique? Avait-elle des messages à adresser là-bas? Désirait-elle que je lui rapporte quelque chose? Elle me remercia et, soudain, s'exclama : " Oh, Thelma, le petit homme va être si seul! " »

« Eh bien, ma chère », lui répondit Thelma. « Vous prendrez soin de lui en mon absence. Veillez à ce qu'il ne fasse pas de bêtises. »

« Plus tard il apparut avec évidence », soupira Thelma mélancoliquement, « que Wallis avait suivi mon conseil un peu trop au pied de la lettre [18] ».

Interviewée bien après par un journaliste sur sa vie, Lady Furness s'entendit demander si elle la recommencerait exactement de la même façon.

« Je referais les mêmes choses », répondit-elle. « La seule que je ne referais pas serait de présenter Wallis Simpson au Prince de Galles [19]. »

La presse américaine s'en donna à cœur joie lorsque le Prince téléphona à Thelma pendant qu'elle visitait un studio de cinéma à Hollywood. Thelma reçut aussi de longs câbles du Prince, tous soigneusement codés « pour masquer leur caractère intime [20] ».

L'une des plaisanteries qui circulèrent à cette époque fut : « Si le Seigneur a sauvé Daniel de la fosse aux lions, qui sauvera David (le Prince) de la bouillante Furness? [21]. »

Peu avant de rentrer en Angleterre, Thelma Furness fit la connaissance d'Ali Khan. Thelma allait avoir trente ans, Ali n'en avait que vingt-trois. Le père d'Ali était l'Aga Khan, que des musulmans considéraient comme le descendant divin du Prophète. Il n'en fallait pas plus pour qu'Ali, l'un des hommes les plus riches du monde, atteignît à la célébrité internationale. C'était un beau jeune homme brun et doucereux qui aimait piloter des voitures de course et courtiser les femmes. Il croyait dans la supériorité inhérente et inaliénable du mâle, et il ne se faisait aucun souci puisqu'il n'avait pas à en avoir : les femmes se laissaient tenter par ses prévenances, sa gaieté, son impétuosité et son empressement à faire n'importe quoi, n'importe où, n'importe quand. Il se prenait sincèrement pour le meilleur cavalier, le meilleur danseur, et l'homme le plus séduisant du monde.

Il savait naturellement que Thelma appartenait au Prince de Galles. Sa curiosité s'en trouva d'autant plus piquée quand il la rencontra à un dîner. Les quelques jours suivants, il la combla de telles attentions que les journaux anglais en firent de gros titres. Dans les cocktails londoniens, on chuchotait que Thelma avait à présent le Prince Blanc et le Prince Noir.

Thelma s'embarqua sur le paquebot, épuisée mais heureuse. Elle trouva sa cabine pleine de roses, chaque bouquet portant un petit billet tendre d'Ali. Sur l'un d'eux il y avait : « Vous êtes partie trop tôt. » Alors que le paquebot quittait le port, son téléphone sonna :

« Hello, chérie. Ici, Ali. Acceptez-vous de déjeuner aujourd'hui avec moi? »

Flattée par cet appel terre-mer, elle répondit gaiement : « Où, Ali? Palm Beach ou New York? »

Ali éclata de rire. « Ici même. Je suis à bord [22]. »

Leur voisinage sur le bateau ne fit que grossir les manchettes.

Pendant ce temps, Wallis n'était pas restée inactive à Londres. Ernest et elle avaient invité le Prince à un petit dîner à Bryanston Court. Elle prépara un repas composé de spécialités de Baltimore, et il se déclara enchanté.

Mais ce qui à Bryanston Court plaisait plus au Prince que la bonne chère, c'était l'absence de toute cérémonie. Il avait cru trouver un havre au Fort, mais même là il n'était pas libre. Il y avait toujours le protocole nécessaire, les serviteurs aux aguets, la certitude que le monde pourrait toujours l'y rattraper. A Bryanston Court, chez Wallis, il se sentait heureux d'être dans un foyer confortable, et de s'y détendre complètement.

Les Simpson passèrent peu après un nouveau week-end au Fort. Un soir, Wallis se trouva seule avec le Prince, et il lui parla comme jamais il ne l'avait fait jusqu'ici. Il lui exposa les problèmes qu'entraînait le fait d'être Prince de Galles, les frustrations et les satisfactions qui étaient les conséquences de son rang. Il lui confia ses espoirs personnels quant à ce que la monarchie pourrait devenir et à la manière dont elle serait capable d'apporter une contribution remarquable au monde et à l'époque.

« Il me disait tout, et je l'écoutais, je sympathisais avec ses opinions, je comprenais; il en avait besoin, je pense [23]. »

Il énuméra ses projets d'amélioration sociale pour les chômeurs, et elle fut bien contente d'avoir lu des articles sur le Conseil institué dans ce but. Elle voulut en savoir plus. Elle voulut aussi qu'il lui décrivît l'une de ses journées de travail typique. Tout en l'écoutant, elle percevait la solitude de l'homme. Il s'interrompit soudain.

« Mais je vous ennuie! » s'excusa-t-il.

Elle se récria, le pria de continuer. Il l'enveloppa d'un regard inquisiteur, puis il murmura avec lenteur : « Wallis, vous êtes la seule femme qui se soit jamais intéressée à ma tâche [24]. »

De cette heure-là découla tout le reste.

13

Peu de temps après, le Prince invita Wallis et ses amis Ellen et Wolcott Blair (lequel avait donné un grand bal en son honneur lors de sa première visite à Chicago) à dîner au Fort. Ernest Simpson était en voyage d'affaires en province.

La surprise se produisit au départ de Wallis et des Blair : au lieu de leur souhaiter bonne nuit, le Prince monta dans leur voiture. Ils lui demandèrent où il désirait être conduit, et il répondit simplement : « Je vais à Londres avec vous. » Avant qu'Ellen Blair eût eu le temps de poser une autre question, elle reçut de Wallis un petit coup de pied qui la fit taire. Les Blair raccompagnèrent Wallis à Bryanston Court; le Prince descendit avec elle.

Le lendemain matin, Wallis téléphona à Ellen : « Savez-vous à quelle heure il m'a quittée? A une heure et demie du matin! [1]. »

Après cette soirée, le Prince sembla décidé à ne plus s'éloigner de Bryanston Court. Il avait trouvé un lieu où il pouvait se défouler plus librement que partout ailleurs. Et il avait trouvé une femme qui répondait à ses besoins essentiels.

« Une fois, il est resté si tard que j'ai dû lui dire que nous allions dîner mais que, s'il consentait à partager notre repas, nous mettrions un troisième couvert. Et il a consenti », se rappelait-elle bien des années plus tard en souriant à ce souvenir. « J'ai prévenu notre cuisinière, Mrs. Rolph, et la nouvelle l'a tellement excitée qu'elle est allée chercher son plus beau tablier pour " mon Prince ", comme elle l'appelait [2]. »

Ernest Simpson fut au début flatté, puis amusé par les visites fréquentes et souvent imprévues du Prince, mais il ne tarda pas à en être agacé. Il aimait sa femme, il aimait l'intimité de leur ménage, et il n'entendait pas partager l'une ou l'autre — ou les deux — avec un tiers, fût-ce le Prince de Galles.

« Les choses en arrivèrent à un point où Ernest me dit : " Le petit homme va-t-il revenir dîner ce soir? Quand pourrons-nous dîner tout seuls en paix? " Je lui répondis que je n'en savais rien, et je lui demandai si je devais téléphoner au Prince pour lui dire de ne pas venir. Il se radoucit et me dit : " Non. Non, si cela lui fait tant de plaisir [3] ". »

Lorsque Thelma Furness rentra en Angleterre en mars 1934, elle trouva l'atmosphère changée. Il est difficile de savoir à quoi elle s'attendait. Pensait-elle que le Prince tenait tellement à elle que son aventure avec Ali Khan, entourée d'une énorme publicité, échaufferait les sentiments qu'il lui portait au lieu de les refroidir? Ou, plus vraisemblablement, avait-elle été si comblée par son nouvel amant qu'elle ne s'inquiéta de rien dans l'idée qu'elle saurait toujours se débrouiller avec le Prince à son retour? Dans ce cas, c'était bien mal le connaître. Le Prince n'était pas homme à tolérer un concurrent. Quel que fût le jeu, il voulait toujours gagner.

Selon Thelma, le Prince aurait dîné chez elle au lendemain de son arrivée et, plus raide que d'habitude, il lui aurait lancé : « J'ai appris qu'Ali Khan s'est montré très empressé auprès de vous [4]. »

Thelma serait allée ensuite demander conseil à Wallis. « Evidemment, j'avais commis une grosse erreur en faisant d'elle mon amie », déclara-t-elle plus tard avec mélancolie. Elle soutint que Wallis lui aurait dit : « Chérie, vous savez que le petit homme vous aime beaucoup. Alors le petit homme, sans vous, s'est senti tout perdu. » La femme de chambre de Wallis les interrompit pour annoncer que le Prince de Galles était en ligne et demandait Wallis. Par la porte ouverte, elle entendit Wallis annoncer : « Thelma est ici. » Elle pensait que Wallis l'appellerait pour lui passer le Prince [5], mais Wallis revint sans souffler mot de sa conversation téléphonique.

Wallis se rappela différemment cette visite. Thelma serait venue la voir et lui aurait demandé de but en blanc si, oui ou non, le Prince était « mordu » pour elle. Wallis aurait répondu qu'elle sentait bien qu'elle ne déplaisait pas au Prince, mais que, tout bien considéré, il n'était pas amoureux d'elle.

Ils se retrouvèrent tous ensemble au Fort pour le week-end.

« J'ai remarqué que le Prince et Wallis semblaient échanger de petites facéties particulières », dit Thelma. « A un moment donné, il a pris une feuille de salade avec ses doigts et, gaiement, Wallis lui a tapé sur la main. Alors je l'ai regardée en hochant la tête [6]. » Le Prince détestait qu'on le touchât, quel que fût le degré de familiarité dont un ami pût se vanter.

« Wallis a planté ses yeux dans les miens. Et j'ai compris aussitôt que " la raison " s'appelait Wallis. Wallis, entre toutes les femmes!... Ce regard froid, de défi, m'a révélé toute l'histoire. J'ai su alors comment elle avait pris soin de lui [7]. »

Un autre invité à cette soirée du Fort donna une autre version. Il s'agissait d'un petit dîner, et Thelma n'était pas là. Soudain un coup violent secoua la porte comme si quelqu'un essayait de la forcer. C'était elle. Thelma entra en ouragan, passa dans la bibliothèque; le Prince et Wallis la suivirent. La seule voix perceptible fut celle de Thelma. Quelques instants plus tard, elle ressortit aussi brusquement qu'elle était entrée. Le Prince, avec une politesse de glace, et Wallis, guère moins froide, reprirent leur place à table.

Le lendemain, Lady Furness et Ali Khan faisaient route vers l'Espagne à bord d'une voiture de course. L'une des chansons populaires de l'époque s'intitulait : « J'ai dansé avec l'homme qui a dansé avec la fille qui a dansé avec le Prince de Galles. » Assuré d'avoir gagné le match et la femme, Ali Khan aurait pu être beaucoup plus direct...

Alors débuta la période où le Prince parut être un élément inévitable du foyer des Simpson, et où Ernest Simpson s'absenta de plus en plus pour ses affaires.

Ce que Wallis avait commencé comme « un flirt » avait pris des proportions qui allaient sous peu ébranler un Empire. Prévoyant une aventure amoureuse décisive pour le Prince de Galles, le comte Louis Hamon avait écrit dans le numéro de septembre 1933 du *National Astrological Journal :* « S'il s'y engage, je prédis que le Prince renoncera à tout, même à la chance d'être couronné, plutôt que de perdre l'objet de sa tendresse. »

Or le Prince de Galles était sous le charme et éperdument amoureux de Wallis Simpson.

Pourquoi?

Le Prince répondit lui-même : il fut attiré vers Wallis, tout au début, en raison du sincère intérêt qu'elle portait à son travail. C'est probablement vrai. Et point n'est besoin de s'interroger sur la sincérité de l'intérêt de Wallis. Chez elle, c'était un trait naturel : elle donnait toujours à son interlocuteur l'impression qu'il était l'homme le plus important et le plus passionnant du monde.

Il convient d'ajouter que, sans aucun doute, Wallis avait « pioché son sujet » plus que d'habitude, afin de connaître les sympathies et les antipathies du Prince, ainsi que les questions qui l'intéressaient spécialement; de la sorte, elle pouvait soutenir la conversation avec intelligence. Il n'est pas moins certain que l'aura royale le lui rendit encore plus séduisant. Mais son « naturel » et sa « franchise » — deux qualités qui impressionnèrent vivement le Prince — n'en furent jamais altérés. Il se déclara ravi quand il l'entendit défendre vigoureusement son point de vue dans une soirée; les femmes de son groupe ne l'avaient pas accoutumé à tant de droiture et de liberté. Cherchant à analyser sa propre personne et son pouvoir d'attraction sur le Prince, Wallis estima que ce furent peut-être son indépendance d'esprit et sa franchise qui « l'étonnèrent, l'émerveillèrent et l'amusèrent ».

Le gros et gentil Lord Castlerosse, qui connaissait bien le Prince, affirma : « Il avait un complexe d'infériorité dont Mrs. Simpson l'a guéri en bâtissant l'homme. » Un jour, Wallis aurait dit au Prince : « Mon ami, vous avez bien tort de vous prendre pour un imbécile : vous êtes un type formidable! » Du coup, selon Castlerosse, le Prince « bomba le torse ».

« Ce n'est pas la sensualité qui les attire l'un vers l'autre », soutenait Castelrosse [8].

Un ami d'enfance et beaucoup plus intime du Prince émit une opinion contraire : « L'emprise qu'elle a exercée sur lui ne peut s'expliquer que par le sexe. Elle lui donnait sûrement au lit quelque chose que nulle autre femme ne lui avait jamais donné. Sans doute a-t-elle su le persuader qu'il était plein de vie et de force, très viril, extrêmement satisfaisant pour une femme [9]. »

Commentant le manque de beauté physique de Wallis, l'une de ses amies d'Oldfields ajoutait aussitôt : « Mais elle possédait un sex-appeal extraordinaire [10]. » De son côté, Bernarr MacFadden, directeur de *Liberty,* chercha à déterminer la cause secrète de l'attachement du Prince et il écrivit : « La technique raffinée qui permet de séduire et de retenir un mâle s'apprend difficilement sans le concours de l'expérience... Ce n'est pas uniquement dans les instituts de beauté qu'une femme acquiert de tels sortilèges. » Et quand il s'agit d'un Prince, « laquelle hésiterait à s'abaisser pour le conquérir [11]? »

Wallis s'était mariée deux fois. Et elle avait connu de nombreux hommes. Pendant son année en Chine, elle s'était initiée aux idées locales sur la vie et l'amour. Elle savait comment combler un homme.

Le Prince n'avait jamais été comblé. Il avait été amoureux de Frieda Ward, sans que la réciprocité fût complète. Peut-être aima-t-il Thelma Furness, mais seulement sur le plan physique. Après leur rupture, Thelma confia à plusieurs amies que le Prince de Galles était loin d'être le partenaire sexuel idéal parce qu'il avait un problème : il éjaculait toujours trop tôt.

Quelqu'un qui l'avait bien connu et qui avait souvent nagé avec lui déclara — est-ce un début d'explication? — que, nu, le Prince n'était vraiment pas un mâle engageant : « Pour être franc », dit-il, « il avait le plus petit pénis que j'eusse jamais vu. Vous rendez-vous compte de ce que cela lui faisait? Représentez-vous toutes ces jolies femmes de par le monde, pareillement empressées à coucher avec le Prince Charmant de cette terre, s'attendant toutes à passer la plus sensationnelle nuit d'amour de leur existence. Et imaginez la déception de celles qui partagèrent son lit! Imaginez aussi ce qu'il pouvait éprouver [12]! »

Voilà qui pourrait expliquer pourquoi le mariage le faisait reculer, pourquoi il n'eut de liaisons qu'avec des femmes mariées fort expérimentées, pourquoi il était timide, farouche, et jamais sûr de lui. Pourquoi, aussi, se répandirent des bruits non fondés sur sa prétendue homosexualité, à cause de son air juvénile, de ses travaux d'aiguille, de son déguisement en femme lors d'une fête costumée à bord d'un navire, de sa voix de fausset quand il se mettait en colère.

Ce qui se passait dans leur chambre à coucher ne peut être que matière à conjectures. Ni le Prince ni Wallis n'étaient gens à mettre un tiers dans la confidence. Et puisqu'ils se turent sur ce sujet, qui pourrait le traiter valablement?

Pour le Prince de Galles, il existait d'autres choses presque aussi importantes que le sexe. Wallis était l'une des rares personnes qui le faisaient rire, et rire aux éclats. Des amis racontèrent qu'ils le virent à table pendant un dîner, penché en avant dans l'attente d'une phrase capable de déclencher son hilarité. Il avait mené une existence confite dans le protocole et la bienséance, où il était aussi peu convenable de rire fort que de trop boire. Avec Wallis, il se détendait et il trouvait cela merveilleux.

Autre chose : Wallis l'entourait de soins presque maternels. Or il n'avait jamais vraiment connu sa mère pendant son enfance, sauf pour la saluer l'après-midi et l'embrasser avant d'aller au lit. Wallis avait une façon délicieuse de le régenter. « Ne mangez pas cela, sir », lui disait-elle en souriant et en lui retirant des mains un canapé de caviar. « Prenez plutôt ceci [13]. » Et elle lui donnait un toast au fromage.

Elle s'assurait qu'il était assez chaudement habillé lorsqu'il faisait froid; elle le convainquit de réduire sa consommation de cigarettes; et elle allait même jusqu'à l'empêcher de boire un verre de plus quand elle estimait qu'il avait déjà trop bu. Il adorait cela. Personne auparavant ne s'était autant occupé de lui.

« Au début, nul d'entre nous ne pensa qu'elle serait plus qu'une nouvelle petite amie », dit l'un de ses confidents. « Mais quand il commença à l'afficher, à l'exhiber effrontément partout, à lui attribuer une importance sociale et mondaine, nous réfléchîmes. Et puis, il y avait un autre petit fait : les deux précédentes l'appelaient toujours " sir " en public. Moi qui le connaissais depuis des années, je ne l'aurais jamais appelé autrement que " sir ". Mais celle-là l'appelait " David " [14]. »

Les choses évoluèrent progressivement. Elle se montra d'abord très prudente. Après tout, elle était encore Mrs. Simpson.

Bien entendu, Ernest Simpson ne s'illusionnait pas. Ils avaient beau s'intéresser tous deux aux affaires, au gouvernement, aux traditions et à l'histoire, ce n'était pas pour sa conversation que le Prince de Galles venait le soir à Bryanston Court. Et le nombre croissant des appels téléphoniques de Son Altesse Royale pendant la journée ne lui était pas davantage destiné. Il aurait fallu être aveugle pour ne pas voir les yeux brillants du Prince suivre tous les mouvements de Wallis.

Que pouvait-il faire? Il était paisible, gentil, sensible. et Wallis se situait au-delà du stade des explications. Il savait qu'elle se voyait dans un décor romantique qu'elle n'aurait jamais imaginé et qui était la flatteuse adoration de son Prince Charmant. Le prestige royal était irrésistible. Ernest connaissait aussi l'insouciance de Wallis, son inclination à écarter les problèmes, à ne s'occuper de leurs conséquences que lorsqu'elle devait les affronter.

Une explication avec Wallis n'aurait fait que précipiter la crise. Or il ne voulait ni la perdre, ni la faire souffrir. De même, il ne pouvait pas avoir une explication avec son Altesse Royale : c'était impensable!

Quelle solution lui restait-il? Attendre et espérer. Peut-être quelque événement surviendrait-il qui romprait tout; alors s'envolerait le rêve de Wallis, et sa femme lui serait rendue.

Ernest trouva de plus en plus de prétextes pour laisser seuls Wallis et le Prince. « Il ressemblait à un mannequin dans la vitrine d'un tailleur, et il se comportait souvent comme tel », déclara une amie de Wallis [15]. Oui, il pouvait parfois avoir l'air d'un mannequin dans son complet de Saville Row, mais il ne se conduisit jamais tout à fait comme tel. Il estimait ne pouvoir mieux faire que de se retirer de leurs existences. Il extériorisait rarement ses émotions. De longs silences s'établissaient quand il était seul avec sa femme. Que pouvaient-ils se dire? Il ne manifesta qu'une fois son indignation : il claqua la porte quand elle refusa de l'accompagner en voyage parce qu'elle devait sortir avec le Prince.

George, le frère préféré du Prince, épousa la princesse Marina de Grèce en novembre 1934. Wallis n'avait nulle envie d'assister au mariage, mais le Prince insista. Le prince Christopher qui était l'oncle de Marina se rappela la surexcitation avec laquelle le Prince lui dit : « Christo, je tiens à ce que vous fassiez la connaissance de Mrs. Simpson. »

« Qui est-ce? » s'enquit-il.

« Une Américaine... Elle est merveilleuse. »

Le prince Christopher remarqua la hâte que mit le Prince de Galles à la rejoindre sans se soucier des autres personnalités qui assistaient à la réception. Le souvenir que Christopher garda de Wallis fut celui « d'une femme agréable mais pas jolie et qui parlait sans arrêt » [16].

Le Prince présenta aussi Wallis à son père et à sa mère; ce fut la seule fois où Wallis s'approcha du roi et de la reine. La reine Mary se rappela plus tard que son fils lui avait dit : « Je voudrais vous présenter une grande amie à moi. » Elle lui serra la main sans y attacher d'importance [17].

« Si seulement j'avais deviné alors ce qui se passerait », dit la reine, « peut-être aurais-je pu faire quelque chose » [18].

Tante Bessie était revenue à Londres. Wallis lui demanda de les accompagner à Biarritz. Tante Bessie était un chaperon idéal. Elle comprenait la nouvelle moralité de l'époque et ne s'en formalisait pas. Elle était tellement discrète à propos de toutes les confidences de

Wallis qu'elle n'accorda jamais une interview sur sa nièce bien qu'elle eût la matière d'une centaine de conférences de presse. Sans Wallis, le monde de tante Bessie aurait été limité à un petit périmètre de Washington. Wallis lui avait ouvert des horizons, et elle en était reconnaissante à sa « petite Wally ». Chaque fois que Wallis avait besoin d'elle, tante Bessie accourait.

Le Prince avait loué une belle villa, presque inacessible, à Biarritz; elle s'appelait Mer et Mont. Il s'était également fait réserver une table isolée au bar Basque où il prenait l'apéritif avec Wallis, et la piscine de Biarritz était pourvue d'une entrée particulière pour leur usage personnel.

Lady Furness passa par Biarritz pendant leur séjour. La comtesse de Villeneuve (une Française) fut la seule à la voir sous un chapeau à voilette, et elle ironisa : « Lady Furness a-t-elle décidé de prendre le voile, à présent qu'elle ne voit plus le Prince [19]? »

Le yacht sur lequel ils embarquèrent pour leur croisière appartenait à Lord Moyne, l'un des chefs du parti conservateur. Ils firent donc le tour des côtes d'Espagne; ils pique-niquèrent dans des anses paisibles, ils dînèrent incognito dans de petits bistrots, ils se promenèrent sur les plages désertes de Majorque. Wallis croit que ce fut au cours de ce voyage que leur grande passion se déclara.

Le Prince savait depuis longtemps qu'il était amoureux, mais peut-être Wallis, en disant cela, songeait-elle à ses propres sentiments. Jusque-là, il est possible qu'elle se soit sentie entraînée, de scène en scène, dans une pièce de théâtre romantique qui aurait un jour ou l'autre son dénouement. Mais toute seule avec lui, dans ces décors, elle comprit à quel point l'amour du Prince était sérieux, et combien il avait besoin d'elle.

Certains ont dit de Wallis Simpson qu'elle possédait une énergie virile et que son corps même manquait de féminité : pas de rondeurs, mais des angles saillants et durs. Elle pouvait être aussi une femme de décision et de détermination. Comme Win Spencer, le Prince était allé à elle pour la force qu'elle détenait.

Deux danseuses de New York, Jane Dickson et Lora Lane, étant venues exécuter leur numéro dans un night-club de Cannes, le Prince les invita à sa table. Il les prévint : « Je ne danserai pas. » Wallis expliqua : « Trop d'exercices physiques ne sont pas bons pour lui. » Le Prince leur versa du champagne, puis déclara : « Je ne bois pas. » Et Wallis ajouta : « Nous ne buvons plus beaucoup. »

Wallis fit un geste pour se lever et partir peu après minuit, mais le Prince protesta : « Restons jusqu'à une heure. »

« Très bien », dit-elle. « Mais pas plus tard. »

A l'heure dite, exactement, ils s'en allèrent [20].

Un journaliste écrivit : « Le Prince de Galles se plaît certainement à Cannes, car il a décidé aujourd'hui de prolonger de trois jours son séjour. Il a renvoyé à Marseille l'avion qui devait le reconduire à Paris [21]. »

Un autre journaliste avait déjà décrit le spectacle incroyable du Prince de Galles — l'un des hommes les plus remuants du monde — attendant patiemment deux heures que la séance de Wallis chez un coiffeur soit terminée.

Aucun de ces articles ne fut reproduit dans la presse anglaise qui observait, comme toujours, un silence discret sur les idylles princières. Et personne ne sut à Cannes que le Prince avait offert à Wallis un petit étui de velours qui contenait une breloque de diamants et d'émeraude pour son bracelet. Wallis Simpson pouvait avoir un corps anguleux et des manières parfois très énergiques, mais elle adorait toutes les parures féminines : bijoux, vêtements, parfums.

Ils n'avaient envie, ni l'un ni l'autre, que cette fugue s'achevât. Herman et Katherine Rogers se joignirent à eux pour une escapade en Italie. Pendant une semaine ils séjournèrent dans une villa sise sur une petite île du lac Majeur. Mais le Prince dut partir pour assister avec ses parents au lancement du *Queen Mary*.

Wallis accompagna au Havre tante Bessie qui regagnait les Etats-Unis. Tante Bessie comprenait et approuvait beaucoup de choses, mais elle trouva déplacé le cadeau de la breloque. Wallis n'était-elle pas encore une femme mariée? Avant de s'embarquer, tante Bessie qui avait son franc-parler avertit sa nièce qu'elle s'aventurait sur un terrain dangereux. « Je sais ce que je fais [22] », répliqua Wallis.

Non, elle ne savait pas. Elle savait seulement que tout était romanesque, irréel, enchanteur. Le Prince et elle détestaient les chats et adoraient les chiens; il lui donna un petit terrier à poil dur baptisé Slipper. Il la pria de prendre place dans l'enceinte réservée au roi pendant la semaine d'Ascot. En février 1935, elle partit avec lui pour faire du ski en Autriche, elle valsa avec lui à Vienne puis, impulsivement, elle l'entraîna à Budapest écouter les violons des tziganes. L'un des nombreux reporters et photographes qui les suivaient partout se rappela à quel point le Prince s'était assagi — lui qui, l'année précédente, avait passé quelques soirées à tirer sur les réverbères de Budapest. Ils ne cherchaient plus à se cacher ou à tisser autour d'eux un voile secret. La Grande-Bretagne exceptée, le monde entier savait tout à présent sur Mrs. Wallis Simpson.

L'opinion publique anglaise n'était pas au courant, mais le gratin de la haute société l'était. Wallis reçut bientôt une invitation émanant de Lady Maud Cunard, qui aimait se faire appeler « Emerald ». Américaine, petite, débordant de vie et mariée au plus grand magnat de la construction navale britannique, Emerald raccolait les personnalités les plus importantes et intéressantes de Londres pour ses réceptions.

Rien ne plaisait tant à Emerald que de les mélanger, de les exciter et de s'amuser allègrement du résultat. L'un de ses amis trouvait qu'elle ressemblait « à une momie de la troisième dynastie peinte en rose par des amateurs ». Mais elle aurait pu aussi bien être peinte en rouge, signal de danger, car personne ne savait d'avance ce qu'elle allait dire. Elle connaissait admirablement la politique, et intimement les politiciens. Wallis avait l'impression d'être une écolière quand elle écoutait Emerald. Mais celle-ci donna à Wallis un conseil précieux : ne jamais émettre d'opinions politiques parce que les gens supposeraient automatiquement qu'elle exprimait celles du Prince. Wallis ne l'oublia jamais.

Elle avait eu raison de la mettre en garde. A l'une des soirées d'Emerald Cunard, Wallis se trouva assise à côté de Joachim von Ribbentrop, envoyé spécial d'Adolf Hitler. Elle rencontra une deuxième fois Ribbentrop à un souper, la même semaine, chez l'ambassadeur d'Allemagne en Grande-Bretagne, le Dr. Leopold von Hoesch, qui était un bon ami du Prince et occupait son poste à Londres depuis 1932. Le Prince aimait beaucoup ces réunions parce qu'elles lui fournissaient l'occasion de parler un excellent allemand. Et il rappelait souvent que sa mère et son grand-père étaient allemands, ce qui faisait de lui un trois-quarts d'Allemand.

Wallis Simpson produisit une vive impression sur Ribbentrop, qui lui envoya des roses et, à Hitler, une note indiquant que le Prince de Galles et Mrs. Wallis Simpson semblaient très favorablement disposés envers la cause allemande.

Le Prince n'allait pas tarder à en administrer une certaine preuve. En juin 1935, il s'adressa à une assemblée de la British Legion et incita les anciens combattants à se rendre en Allemagne afin de serrer la main aux hommes qui avaient été leurs ennemis. Ce discours provoqua des remous dans le monde. Dans un mémorandum envoyé au département d'Etat américain, l'ambassadeur William E. Dodd écrivit : « On concevrait difficilement une déclaration mieux calculée que celle du Prince de Galles pour étayer la politique allemande d'aujourd'hui... A peine l'information avait-elle été publiée à Berlin que Göring, Hess et Ribbentrop lui firent écho pour l'approuver. Toute la presse du 12 juin s'empara de la déclaration du Prince de Galles avec une avidité extrême [23]. »

George V ne fut pas content *. Il répéta à son fils qu'il ne devait jamais débattre de sujets politiquement délicats avant d'en avoir prévenu le gouvernement.

Le roi George n'aborda pas ensuite une affaire qui le mécontentait

* Il ne trouva rien à redire, cependant, aux sentiments pacifistes du Prince car il les partageait : « George V s'emporta et s'écria avec véhémence : " Et je ne veux pas d'une autre guerre. Je n'ai été pour rien dans la dernière et, s'il en éclate une autre et que nous soyons menacés d'y être entraînés, je me rendrai à Trafalgar Square et je brandirai moi-même un drapeau rouge plutôt que de permettre que ce pays s'y engage... " » (Frances Stevenson : *Lloyd George*, p. 309.)

encore plus. Il avait reçu des rapports détaillés sur la dernière liaison de son fils. Il fit part de ses soucis à l'archevêque de Canterbury, Cosmo Lang. L'archevêque essaya de le calmer en lui disant que le Prince n'en était pas à sa première amitié féminine. Mais le roi George, tout raide et flegmatique qu'il était, ne manquait pas de flair quand il s'agissait de son fils le plus entêté. Il déclara à l'archevêque que cette aventure-là était plus grave que les autres.

Le roi et la reine fêtèrent le jubilé d'argent de leur règne par un bal officiel au palais de Buckingham. Wallis y fut invitée, ce qui n'échappa à personne.

Quand le Prince et Wallis dansèrent non loin du roi, elle crut se sentir fouillée par les yeux du roi, pleins « d'une menace glacée »[24].

Elle n'avait sans doute pas tort.

Quelques mois plus tard, le roi dit à Blanche Lennox, épouse de Lord Algernon Gordon-Lennox : « Je demande à Dieu que mon fils ne se marie jamais et n'ait pas d'enfants, afin que rien ne s'interpose entre Bertie et Lilibet et le Trône[25]. »

Le sens de ce propos est évident. Il entrevoyait l'avenir. En tant que père, il avait eu peu de relations avec son fils David mais, en tant que roi, il le connaissait bien. D'après tous les rapports qu'il avait lus et entendus, d'après ce qu'il avait vu de ses propres yeux au bal officiel, il savait que cet amour serait plus fort que son fils. Il savait que le peuple anglais n'approuverait pas une reine divorcée et qu'un problème de ce genre déchirerait le pays. Il avait consacré toute sa vie à la monarchie britannique, et il haïssait qui ou quoi lui ferait tort. Ce soir-là, il détesta sûrement Mrs. Simpson mais il n'est pas impossible qu'il ait aussi éprouvé de la haine pour son fils.

Wallis et le Prince ignoraient la haine. Et leurs esprits ne galopaient point dans l'avenir : le présent leur suffisait amplement. Ceux qui n'avaient pas encore entendu parler de Wallis Simpson, dans les sphères mondaines de Londres, apprirent vite son existence, car le Prince la mêla intimement à sa vie. Par téléphone, il l'interrogeait sur quantité de choses : des invitations à une soirée, des menus, une nouvelle disposition de meubles, et même les fleurs à commander.

Le Prince laissa toute liberté à Wallis pour redécorer le Fort; elle fit venir sa nouvelle amie Lady Mendl, l'ex-Elsie de Wolfe. Comme elle était l'une des grandes créatrices mondiales de la mode, Lady Mendl compléta l'éducation de Wallis en ce domaine. « A cette époque-là, Wallis ne s'habillait pas bien du tout », dit une amie. « Je la revois encore coiffée d'un grand chapeau trop large qui, sur elle, était une vraie catastrophe. Lady Mendl enseigna à Wallis non seulement comment s'habiller, mais où acheter[26]. »

Wallis possédait en propre un goût parfait. Mais le style, c'était autre chose, et elle voulut l'apprendre. Dotée d'une excellente mémoire visuelle, elle ne se contenta pas des leçons de Lady Mendl, et dans les réceptions et les dîners elle regarda avec attention les toilettes des femmes le mieux habillées. Son nouveau statut social lui avait ouvert toutes les portes. Après avoir beaucoup cherché et discuté, Wallis se rendit chez Schiaparelli (« Scap », ainsi que l'appelaient ses amis). Elles s'entendirent tout de suite très bien, et Scap fut priée de lui confectionner la plupart de ses robes « Elle a le goût bon et simple », déclara la célèbre couturière, « et elle a constamment payé ses factures, à ce moment-là et après ».

Wallis avait toujours raffolé des bijoux, et notamment des rubis, des saphirs, des aigues-marines, des émeraudes et des diamants. Les hommes qui passèrent dans sa vie ne l'ignoraient point et ils se montrèrent généreux. Nul ne le fut davantage que le Prince de Galles. Sir Samuel Hoare se déclara très impressionné, chaque fois qu'il rencontrait Wallis, « non seulement par sa conversation étincelante, mais aussi par l'étincellement de ses bijoux ». Il ajouta cependant : « Elle est très Américaine et ne sait pas grand-chose de la vie anglaise [27]. » Wallis admit que ce jugement était juste.

Ils avaient beau être très souvent ensemble et se téléphoner longtemps, Wallis n'en était pas moins obligée de mener sa vie propre, et le Prince de satisfaire à tout un programme de devoirs royaux. Ces devoirs consistaient surtout en cérémonies de représentation, en visiteurs à recevoir, en réunions à présider, en rapides déplacements à travers le pays. Quant à Wallis, elle avait encore à s'occuper de son foyer et d'un mari. La tension entre les deux époux s'était aggravée et les silences se prolongeaient. Quelques commentaires sur Ernest Simpson se transformèrent en plaisanteries aussi cruelles que de mauvais goût. On se chuchotait par exemple que Simpson allait écrire une pièce de théâtre intitulée « De l'insignifiance d'être Ernest * » où le héros s'écrierait : « Mon seul regret est de n'avoir qu'une femme à sacrifier pour mon roi [28]. »

Parlant à un ami de son dilemme personnel [29], Simpson lui confia qu'il avait l'impression de vivre dans une trêve armée, « comme si je m'immisçais dans l'histoire d'Angleterre ».

Ernest n'allait plus que rarement au Fort pour le week-end. Tous ceux qui s'y rendaient, cependant, considéraient automatiquement Wallis comme la maîtresse de maison. Le maître d'hôtel lui soumettait les menus, et les bonnes faisaient attention à la poussière. Wallis régentait maintenant deux maisons.

Son cercle mondain, du fait de sa nouvelle notoriété, ne faisait que s'agrandir. L'une des invitées au Fort fut Lady Diana Cooper, actrice, écrivain et amie intime de l'ex-Mrs. Frieda Ward. (Mrs. Ward avait divorcé en 1931.) Lady Cooper lui raconta dans une lettre son séjour en juillet 1935 :

* Par allusion à la pièce d'Oscar Wilde : « The importance of being earnest ». (N.d.T.)

« Ce papier à lettres est d'une modestie décevante, ce qui n'est pas le cas pour les autres accessoires. Je me trouve dans une chambre rose avec des draps roses, une jalousie rose, du savon rose, un téléphone blanc, et servie par des bonnes roses et blanches.

« Le dîner a de quoi confondre par la surabondance de la chère. Par contre il n'y a presque rien à manger au déjeuner, et il faut se débrouiller à la mode américaine... Nous sommes arrivés après minuit (peut-être en qualité de chaperons). Bavardages, bière et lit, dans l'ordre. Je n'ai pas quitté ma chambre avant une heure, ayant été prévenue que personne ne le faisait. S.A.R. était en culotte de golf avec des bas bleu ciel. Wallis était admirablement correcte et chic. Ma coiffure à la chien, une erreur! Golf l'après-midi, mais seuls le Prince et Duff ont joué; Wallis et moi avons préféré flâner. Il s'est mis à pleuvoir et nous nous sommes réfugiées dans une cabane où nous avons bien ri avec d'autres douchés... Un thé superbe est arrivé à six heures et demie avec Anthony Eden et Esmond Harmsworth. Dîner à dix heures. Emerald est venue à huit heures trente pour les cocktails, mais elle n'a pas bu bien que le Prince ait préparé les doses de ses pauvres mains maladroites et ait rempli lui-même les verres.

« ... Le Prince s'était changé; il portait un kilt de tartan avec, sur le devant, une immense bourse de cuir blanc, et il a joué de la cornemuse autour de la table après dîner, non sans être allé auparavant chercher son bonnet. Nous avons « titubé » vers nos lits à deux heures du matin. C'est notre hôte qui a bu le moins [30]... »

Ernest Simpson était toujours le cavalier normal et légitime de sa femme lorsqu'ils allaient à des soirées que le Prince de Galles honorait de sa présence. Harold Nicolson, écrivain, érudit, diplomate et homme d'Etat, a noté dans son journal ses impressions sur le Prince et Wallis en différentes occasions.

Il raconta une conversation qu'il eut avec le Prince et que Wallis écouta avec beaucoup d'intérêt à un dîner chez Lady Sibyl Colefax en décembre 1935. « Il parle beaucoup de l'Amérique et de diplomatie. Il est irrité par le fait que nous ne déléguons pas là-bas nos meilleurs représentants. Il a une somme étonnante de connaissances de ces questions. " Que puis-je faire? " dit-il. " On ne fera que soupirer : Encore ce sacré Prince de Galles qui se mêle de tout! " On le trouve modeste, et il a du liant [31]. »

Nicolson les rencontra le mois suivant à la première d'une pièce de Noel Coward, *Tonight at 8:30*. Il écrivit alors ses premiers commentaires sur Wallis qui, cette fois, n'était pas accompagnée de son mari.

« Mrs. Simpson est une constellation de bijoux, elle s'épile les sourcils, elle est vertueuse et sage. J'ai été impressionné par le fait qu'elle a empêché le Prince de fumer pendant l'entracte. Notre souper au Savoy Grill, ensuite, se passe bien, mais je m'aperçois que le Prince regarde ma cravate et mon col avec des yeux distraitement critiques — ces yeux d'un bleu Windsor cernés de bile. Personne ne fait attention à lui, et je suis étonné que les maîtres d'hôtel ne fassent pas d'embarras excessifs. Le Prince aime beaucoup parler, et il est charmant. J'ai le sentiment qu'il préfère notre genre de société aux aristocrates ou aux faux intellectuels ou aux hommes politiques. Sibyl pense qu'elle (Wallis) le met en contact avec la Jeune Angleterre. Moi, cela m'ennuie de penser que Mrs. Simpson, en dépit de ses bonnes intentions, est en train de lui faire perdre le contact avec le type de personnes qui seront ses associés.

« Je rentre en méditant sur ces choses avec une certaine tristesse. Pourquoi cette tristesse?... Parce que j'estime que Mrs. Simpson est une gentille femme qui s'est brusquement affichée dans une situation absurde. Parce que je pense que le P. de G. s'est mis dans le pétrin. Et parce que je ne me trouve pas à l'aise dans une compagnie pareille [32]. »

Le charme de Wallis était si grand que Nicolson se sentit bientôt tout à fait à l'aise avec elle. Ils participèrent tous deux à un autre déjeuner Colefax en avril. Winston Churchill et J. I. Garvin, directeur de l'*Observer*, y assistaient. Garvin exposa la nécessité absolue de faire de l'Italie une alliée; Churchill ne fut pas d'accord, mais ajouta : « Nous devons conserver la maîtrise de la Méditerranée que mon glorieux ancêtre, Marlborough, a établie le premier [33]. » Wallis et Nicolson étaient tout oreilles. Elle apprenait à de tels déjeuners beaucoup plus que dans des livres.

Lors d'une autre réception, Wallis eut l'occasion de s'entretenir de nouveau avec Winston Churchill. Depuis sa brouille avec les dirigeants du parti conservateur, il était en tant qu'homme politique presque oublié. Mais il avait connu le Prince depuis son enfance, et c'était lui, en sa qualité de Secrétaire à l'Intérieur, qui était allé au château de Carnarvon pour y lire la proclamation le créant Prince de Galles.

Churchill pensa peut-être au passionnant roman d'amour que sa mère américaine, Jennie Jerome, enfant de Brooklyn, avait vécu avec un Prince de Galles qui devint Edouard VII. Or voici qu'il bavardait avec Wallis Simpson, enfant de Baltimore, qui était aimée d'un autre Prince de Galles, petit-fils de l'homme qui avait aimé Jennie.

De toute évidence, le Prince avait changé. Churchill ne fut pas le seul à remarquer qu'il buvait et fumait beaucoup moins. Et qu'il était heureux.

Puis George V tomba malade, et son état de santé empira très vite. Ce fut peu après minuit, le 20 janvier 1936, que Wallis reçut du Prince un coup de téléphone l'informant que son père venait de mourir.

La semaine d'après, pour l'une des cérémonies de l'avènement au Trône, le Prince avait invité Wallis à regarder la parade du haut d'un appartement inoccupé au palais St. James. Soudain Wallis leva la tête et vit Sa Majesté à côté d'elle. Lorsque la musique de la Garde attaqua le *God Save the King,* Wallis sentit des larmes couler de ses yeux et elle se tourna vers lui : avec tendresse, elle lui dit qu'elle comprenait que désormais il devrait vivre différemment.

Il lui pressa doucement le bras et murmura : « Mais rien ne pourra jamais changer mes sentiments envers vous [34]. »

2

14

« ... Nous, par conséquent, seigneurs spirituels et temporels de ce royaume... publions et proclamons maintenant par les présentes, d'une seule voix et du même consentement de la langue et du cœur, que le haut et puissant prince Edouard Albert Christian George André Patrick David est devenu à présent, du fait du décès de feu notre souverain d'heureuse mémoire, notre suzerain légal et légitime Edouard VIII, seigneur, par la grâce de Dieu, de Grande-Bretagne, d'Irlande et des possessions britanniques d'au-delà des mers, roi, défenseur de la foi, empereur des Indes... »

C'était impressionnant de penser qu'il régnait sur 486 millions de sujets disséminés dans le monde entier en un empire sur lequel « le soleil ne se couchait jamais ». Nul, cependant, ne savait mieux qu'Edouard VIII que la monarchie était en train de se transformer en mirage.

« Lorsque j'étais enfant », dit-il, « j'ai vu le Kaiser Guillaume II, cousin germain de mon père, à une partie de chasse à Sandringham; je m'en souviens bien parce que ce fut pour moi l'occasion de monter pour la première fois dans une voiture sans chevaux. Je me rappelle la visite à Cowes du Tsar Nicolas II et de sa famille, huit ans seulement avant que cet empereur infortuné, autre cousin germain de mon père, fût assassiné par les bolcheviks. Le bel Alphonse XIII d'Espagne, marié à l'une des cousines germaines de mon père, venait souvent en Angleterre chasser ou jouer au polo. Mes parents, alors prince et princesse de Galles, faisaient partie du cortège nuptial d'Alphonse XIII à Madrid en 1906 quand la bombe d'un anarchiste explosa sous le carrosse du roi et fit de nombreuses victimes mais épargna le souverain et sa jeune femme anglaise. Et le roi du Portugal Carlos, aussi grassouillet que jovial, qui en 1908 tomba prématurément sous les balles d'un assassin, était aussi un hôte assidu de Sandringham pendant mon enfance. Lorsque je faisais mes études à Oxford, mon père m'a fait venir au château de Windsor où il recevait l'élégant archiduc François-Ferdinand, héritier présomptif de l'empire d'Autriche-Hongrie [1] ».

La doctrine du droit divin était morte; et morte aussi la croyance dont la vibrante déclaration de Jacques Ier en 1609 : « C'est avec raison que les rois sont appelés des dieux, parce qu'ils exercent une sorte de ressemblance avec le pouvoir divin sur la terre... Ils ont le pouvoir d'élever ce qui est bas, d'abaisser ce qui est haut, et de faire de leurs sujets les pièces d'un jeu d'échecs. »

Il paraît qu'Edouard VII présenta un jour son fils, le prince George, comme « le dernier roi d'Angleterre ». Et lorsque George V mourut, ses derniers mots furent : « Comment va l'Empire [2]? »

Les funérailles de George V eurent lieu par un froid très vif. Sa Majesté arriva en taille. Wallis, qui savait qu'il s'enrhumait facilement, insista pour qu'il revêtit un manteau.

« Mais je n'ai pas ici de manteau de fourrure », objecta-t-il.

« Eh bien, vos frères en portent, eux », répliqua-t-elle [3]. » Alors Sa Majesté se couvrit, à contrecœur, du manteau de son père, et suivit avec ses trois frères l'affût drapé qui transportait le cercueil. La couronne impériale, retirée de la Tour de Londres, était fixée au cercueil, mais les cahots ébranlèrent la croix de Malte dont elle était surmontée, et elle tomba à terre. Cette croix remarquable, qui se composait d'un seul diamant carré, de huit diamants encore plus importants et de 192 plus petits, fut ramassée et remise en place, mais Sa Majesté esquissa un geste comme s'il avait voulu le faire lui-même; il se raidit, et on l'entendit murmurer : « Seigneur, à quoi dois-je m'attendre maintenant [4]? »

Le présage des événements à venir devint le thème des chuchotements du public anglais cette année-là.

Lorsqu'il avait été Prince de Galles, le romancier D. L. Lawrence avait écrit sur lui un poème où il l'évoquait comme « un garçon distant, timide, nerveusement épuisé, dont la devise était *Ich Dien* (Je sers!) ». Maintenant, ce fut « un triple ban pour le roi : Hip, hip, hurrah! Hip, hip, hurrah! Hip, hip, hurrah »!

Le Premier Ministre, Stanley Baldwin, parla au Parlement du nouveau roi. « Il a le secret de la jeunesse dans la fleur de l'âge. » Et le *Times*, dans un éditorial, approuva « son œil infaillible pour distinguer entre la dignité et la solennité... Les hommes, et non les livres, constituent sa bibliothèque ». Avec sollicitude, le journaliste ajouta qu'il lui manquait « l'appui et les conseils d'une épouse ».

Dans sa première allocution radiodiffusée de roi, Edouard VIII dit au peuple anglais : « Vous me connaissez mieux comme Prince de Galles — comme un homme qui, pendant et depuis la guerre, a pu entrer en contact avec les peuples de presque tous les pays du monde, quelles que soient les conditions et les circonstances. Et, bien que je m'adresse maintenant à vous en tant que roi, je suis toujours ce même homme qui a vécu cette expérience et mon effort constant sera de continuer à promouvoir le bien-être de mes compatriotes [5]. »

Pendant les premiers mois de son règne, il eut un emploi du temps très chargé, et Wallis le vit moins souvent; mais il lui téléphonait régulièrement. En sus de la routine des cérémonies, des inspections, des visites et des rendez-vous, le roi était soumis à la tâche quotidienne des « boîtes ». C'étaient des coffrets rouges à fermeture spéciale, remplis des dépêches et télégrammes du Foreign Office et des rapports du Colonial Office, de toutes sortes de communiqués qu'il devait lire, comprendre, approuver et signer, de quantité de propositions de distinctions honorifiques et de nominations qu'il lui appartenait d'octroyer. L'une de ces boîtes contenait les procès-verbaux secrets des conseils de Cabinet qui le mettaient au courant de tous les événements. En outre, le roi devint automatiquement amiral de la flotte, maréchal de l'armée de terre et maréchal de la Royal Air Force, chacun de ces titres s'accompagnant de devoirs spécifiques. Enfin, il lui fallait superviser sa propre maison royale (personnel et détails administratifs), ainsi que la gestion de ses deux domaines de la Couronne, Sandringham et Balmoral.

Avec tout cela, il voulait être le premier roi moderne du vingtième siècle. Son père n'avait jamais reçu le baptême de l'air. Il souhaitait être un monarque qui non seulement s'intéressait à son peuple, mais le comprenait. La reine Victoria avait été très étonnée quand elle avait découvert qu'il existait certaines choses comme des billets de chemin de fer. Il savait que certains citoyens étaient scandalisés parce qu'il portait son parapluie, ou se coiffait d'un chapeau melon ou n'allait pas à l'église tous les dimanches. Mais il tenait à ce que son peuple l'acceptât tel qu'il était.

Le couronnement fut fixé au mois de mai 1937, dans plus d'un an. Mais plusieurs cérémonies célébrèrent son avènement. Lors de la première, il se montra à côté de Wallis à une fenêtre donnant sur la cour du palais St. James — nous l'avons dit — et les photographes s'en donnèrent à cœur joie, ce qui souleva la question : « Qui est cette femme? »

Au début de 1936, Wallis était encore une inconnue pour le public britannique. Le jeudi saint, lorsque le roi apparut en grand apparat à l'abbaye de Westminster pour distribuer aux pauvres les traditionnelles pièces d'argent, il dirigea si directement et si souvent ses regards vers Wallis qui se trouvait dans la tribune réservée qu'elle rougit et baissa la tête, ce qui n'échappa pas à la curiosité de certains spectateurs.

A l'abbaye, il y avait aussi l'archevêque de Canterbury, le Très Révérend Cosmo Gordon Lang, primat d'Angleterre, qui ne le cédait en préséance qu'à la famille royale et qui passait même avant le Premier Ministre. La Grande-Bretagne était unique en ceci qu'elle avait une Eglise nationale, une « religion insulaire », et que le roi était le défenseur de cette foi.

Pour essayer de dissiper une certaine tension entre eux, l'archevêque avait dit à Edouard VIII : « Je tiens à ce que vous sachiez que, chaque fois que le roi a mis en cause votre comportement, je me suis efforcé dans votre intérêt de le présenter sous un aspect très favorable [6]. »

Sa Majesté fut froissée, dans son for intérieur, que son comportement ou son caractère eût été mis en cause. C'était un présage de plus.

Edouard VIII était monté sur le Trône à une époque de grande turbulence historique. L'Allemagne nationale-socialiste réarmait à une cadence frénétique, affermissait sa dictature et multipliait les gestes menaçants pour réoccuper la Rhénanie. L'Italie avait envahi l'Ethiopie sans se soucier des sanctions de la Société des Nations. « L'Angleterre », écrivait John Gunther, « est le pays le plus en danger au monde car il est le seul qui soit capable d'entrer en guerre pour le compte d'un autre » [7]. Le gouvernement anglais du Premier Ministre Baldwin, cependant, ne cessait d'intervenir mal à propos *. Le peuple anglais préférait le désarmement et désirait rester politiquement coupé du Continent. Ce sentiment était si vif que, lorsqu'une grosse tempête immobilisa tout trafic vers la France, on put lire sur l'affichette d'un journal : LE CONTINENT ISOLÉ [8].

Mais en 1936 Edouard VIII était moins préoccupé par le spectre d'une guerre future que par son avenir personnel. Il avait prévu que son premier dîner officiel aurait lieu à York House, et il informa Wallis qu'il désirait sa présence parce que, « tôt ou tard, mon Premier Ministre devra rencontrer ma future femme » [9].

Ce fut sa première allusion à leur mariage. Dans sa tête, depuis des mois, ce mariage était quelque chose de bien arrêté, de décidé, de définitif. Il voulait avoir Wallis auprès de lui pour toujours. Il ne pouvait plus envisager de la partager comme il avait jadis partagé Frieda Ward et Thelma Furness. Il voulait qu'elle habitât chez lui et non chez Simpson. Il était sûr que sa présence lui serait désormais plus nécessaire que jamais. Wallis comprenait bien son besoin d'elle. Mais comment aurait-elle pu supposer qu'un mariage serait possible? Les obstacles étaient trop nombreux. Le roi appartenait à son héritage. Or voici qu'il employait les mots « future femme », et voici qu'elle les prenait au sérieux...

Elle aurait pu répondre « non », carrément, comme Frieda Ward. C'était l'heure, c'était le moment ou jamais. Si elle avait dit non, il aurait dû affronter ce refus, l'accepter, s'y adapter. Au lieu de quoi, elle

* Pour justifier sa politique étrangère, Baldwin déclara à un ami : « Je voudrais qu'il soit dit de moi que je n'ai jamais envoyé un seul Anglais à la mort sur un champ de bataille étranger. »

« Mais », répliqua l'ami, « ne voyez-vous pas que vous êtes en train d'amonceler pour l'avenir des difficultés qui tueront un million d'Anglais dans la prochaine guerre? »

« Ah, cela », dit tranquillement Mr. Baldwin « ce sera l'affaire de mon successeur. » (Isabel Leighton : *The Aspirin Age*, p. 188-189.)

objecta qu'il ne devait pas parler ainsi, que l'idée était irréalisable, qu' « on » ne lui permettrait jamais de se marier avec elle. C'était la réplique d'une femme qui voulait poursuivre son rêve. Le roi lui sourit d'un air confiant et ajouta : « J'en viendrai à bout d'une façon ou d'une autre [10]. »

Le dîner suscita des controverses. Le Premier Ministre Stanley Baldwin et sa femme étaient les invités d'honneur. Les autres convives étaient Mr. et Mrs. Charles Lindbergh qui revenaient d'Allemagne; Alfred Duff Cooper et sa femme Lady Diana; Lady Cunard; Lord Louis Mountbatten et Lady Mountbatten; diverses personnalités parmi lesquelles Mr. et Mrs. Ernest Simpson. Tous les noms parurent dans la *Court Circular,* bulletin qui retraçait quotidiennement les faits et gestes de la famille royale.

Nombreux furent les membres de la société britannique à voir dans l'information de la *Court Circular* la déclaration publique des sentiments du roi à l'égard de Wallis Simpson. Lady Astor, Américaine de naissance et première femme à siéger à la Chambre des Communes, se montra spécialement consternée.

« Nancy Astor est terriblement indignée que le roi ait invité à son premier dîner officiel Lady Cunard et Mr. et Mrs. Simpson », nota Harold Nicolson dans son journal. « Elle dit que l'effet sera déplorable au Canada et en Amérique... et elle regrette que ce ne soit pas uniquement les meilleures familles de Virginie qui soient reçues à la cour. Je prends la défense de Mrs. Simpson et d'Emerald Cunard, mais je me retiens de dire qu'après tout n'importe quel Américain est à quelques nuances près aussi vulgaire qu'un autre Américain. Nancy Astor elle-même, par son comportement à la fois vaniteux et embarrassé à la Chambre, ne peut prétendre à passer pour un modèle de bienséance. En tout cas, elle est résolue à dire au roi que Mrs. Simpson peut paraître à la cour, mais non dans la *Court Circular.* Je lui suggère qu'un tel avis serait considéré par Sa Majesté comme une grossière impertinence. Elle me rétorque que, lorsque la dignité des Etats-Unis et de l'Empire britannique sont en jeu, il est de son devoir de consentir des sacrifices de ce genre [11]. »

Les Baldwin partagèrent ce sentiment mais avec une optique différente. Ils étaient évidemment très bien informés sur Mrs. Simpson, et Mrs. Baldwin se montra particulièrement vexée de cette rencontre forcée. Le biographe de Baldwin résuma en une phrase ce qu'elle pensait : « Mrs. Simpson a volé le prince des contes de fées [12]. »

L'idée que Wallis était la maîtresse du roi fut ressentie comme un affront par la très puritaine Mrs. Baldwin. Discutant de tous les désagréments que leur apportaient les rapports sexuels, une amie de Mrs. Baldwin lui demanda comment elle avait pu supporter d'avoir quatre enfants.

« Je fermais les yeux et je pensais à l'Angleterre », répondit-elle [13].

Son mari eut une opinion plus mesurée sur la présence de Wallis. Ce fut la première et la dernière fois qu'il la rencontra; il se borna à dire qu'elle l' « intriguait ».

Baldwin fut certainement plus inquiet quand il lut la *Court Circular* après le dîner officiel suivant à York House. La liste des invités comprenait le duc et la duchesse d'York; le nouveau Premier Lord de l'Amirauté, Samuel Hoare; le nouveau secrétaire privé du roi, le major Alexander Hardinge; les Winston Churchill; le nouveau vice-roi de l'Inde; Lady Diana Cooper; et Mrs. Wallis Simpson. Seules Lady Diana Cooper et Mrs. Simpson avaient assisté au dîner précédent. Le fait que Mr. Simpson ne figurait pas sur la liste fut très remarqué. Si le numéro antérieur de la *Court Circular* avait été un faire-part du roi au sujet de Mrs. Simpson, celui-ci était un coup de clairon. Ainsi que le roi l'expliqua plus tard au Premier Ministre Baldwin : « Cette dame est mon amie, et je ne veux pas la faire entrer chez moi par la porte de derrière, mais par la grande porte. »

L'importance de Wallis sur le plan mondain était telle à présent qu'elle n'avait qu'à lever le petit doigt pour que n'importe qui, dans la haute société britannique, allât la voir. Tout le monde se dérangeait parce que tout le monde savait que le roi serait là.

Le couple fit des apparitions plus fréquentes et plus libres. A un dîner en juin chez Lady Colefax, ils se retrouvèrent avec Harold Nicolson, mais aussi avec Arthur Rubinstein, Lord et Lady Brownlow, Lady Diana Cooper, Noel Coward et les Churchill (entre autres). Le roi dit à Nicolson que le dîner Lindbergh s'était bien passé, que Mrs. Lindberg s'était montrée un peu intimidée au début mais, ajouta-t-il, « avec mon charme bien connu, je l'ai mise à l'aise et elle m'a beaucoup plu ». Rubinstein joua du Chopin jusqu'à minuit passé; il aurait volontiers continué si le roi ne lui avait dit : « Nous avons beaucoup aimé cela, Mr. Rubinstein. » Et le roi commençait à prendre congé de ses hôtes quand Noel Coward se mit à chanter : *Mad Dogs and Englishmen*, et *No, Mrs. Worthington.* Aussitôt, le roi se rassit [14].

Wallis et le roi préféraient Noel Coward à Arthur Rubinstein. Et ce genre de réception où des gens s'asseyaient parfois sur le plancher leur plaisait beaucoup. Les parents du roi n'auraient pu imaginer une chose pareille.

L'un des premiers coups d'éclat de Wallis avait été de réunir à sa table deux grandes rivales, Lady Emerald Cunard et Lady Sibyl Colefax.

« Dîné chez Mrs. Simpson pour rencontrer le roi », nota dans son journal un autre invité. « Cravate noire; gilet noir. Un taxi pour Bryanston Court; un immeuble d'appartements; ascenseur; maître d'hôtel et femme de chambre à la porte; salon; beaucoup d'orchidées et d'arums blancs. L'assistance se compose de Lady Oxford, Lady Cunard, Lady Colefax, Kenneth Lindsay, le conseiller de l'ambassade américaine à Buenos Aires et sa femme, Alexander Woollcott. Mr. Ernest Simpson introduit le roi. De toute évidence, Lady Cunard est courroucée par la présence de Lady Colefax, et Lady Colefax est furieuse que Lady Cunard ait été également invitée. Lady Oxford paraît étonnée de leur présence à ce qui devait être une soirée très intime. Le roi passe gaiement de groupe en groupe.

« .. Puis le dîner. Je suis placé entre une Emerald indignée et la femme du diplomate américain. En face, Woollcott, et les deux bouts de la table seraient assez gais si Emerald ne persévérait dans sa colère. Le roi parle tout le temps à Mrs. S. et à Lady O. Emerald est incapable de supporter cela et commence à crier « Votre Majesté » d'une voix forte. Cela ne va plus du tout. Sibyl se met à raconter une histoire drôle qui va encore moins bien. Puis les femmes se retirent et pendant des heures nous bavardons, verre de porto en main, avec notre souverain. Il est, je dois dire, très alerte et charmant... Enfin, à une heure du matin, le roi s'en va.

« Un je ne sais quoi de snob en moi est un peu triste. Mrs. Simpson est un type d'Américaine parfaitement inoffensif, mais tous ces arrangements ne sont pas de très bon goût [15]. »

C'était bien l'avis d'Ernest Simpson. Le roi se gênait de moins en moins pour révéler ses sentiments à l'égard de Wallis, et Simpson était las de tabler sur un redressement de la situation, las d'attendre que se dissipât le rêve de sa femme, las d'espérer qu'elle lui reviendrait. Il s'était conduit comme un vrai gentleman, mais il était irrité, peut-être plus contre lui-même que contre n'importe qui.

Finalement il affronta Wallis.

« Elle lui répondit qu'il pouvait se fier à elle pour veiller sur sa personne; que les prévenances dont elle était l'objet lui faisaient plaisir et qu'elle n'y voyait aucun mal [16]. »

Comment la croire? C'était cependant la première fois qu'il abordait le sujet.

Mary Kirk Raffray séjourna chez les Simpson une partie de l'été. Elle était venue parce que Wallis avait besoin de parler à quelqu'un, et Mary était pratiquement sa seule amie intime. A cette époque-là, Mary avait ses propres problèmes conjugaux et elle avait aussi besoin de Wallis. Mary commença par écouter Wallis avec une compréhension sensible, mais plus son séjour durait et plus elle apprenait de détails, plus ses sympathies allaient à Ernest. Mary connaissait Ernest depuis 1924, et c'était elle qui les avait présentés l'un à l'autre. Il put donc facilement se tourner vers Mary, se confier à elle; or Mary souhaitait justement être désirée et se rendre utile. Sa personnalité était très proche de celle de Wallis, mais elle avait plus de chaleur dans le cœur et elle était « moins calculatrice » — peut-être parce que la vie l'avait davantage gâtée.

Toutefois elle continua la charade lorsqu'elle rentra aux Etats-

Unis; elle affirma aux journalistes qui l'attendaient que les relations entre le roi et Mrs. Simpson étaient « absolument innocentes ». La cousine de Wallis, Mrs. Anne Suydam, qui l'avait vue récemment, donna loyalement le même son de cloche : « Ernest est le seul homme que Wallis ait jamais aimé », dit-elle. « Elle lui appartient de cœur et d'âme et, lorsqu'ils sont ensemble, ils sont l'image même de l'adoration. Simpson est fier de sa femme, a confiance en elle et n'est effleuré par aucun soupçon. Ils se comprennent l'un l'autre, et c'est ce qui compte... du moins était-ce le cas la dernière fois que je les ai vus tous les deux [17]. »

Un article de journal, censé citer une source royale, contenait cette phrase : « Mr. Simpson considère comme purement platonique l'amitié qui s'est établie entre sa femme et le roi. » Il ajoutait que ces relations « ont été si déformées par le mystère et des bruits mal fondés qu'elles ont placé ces trois personnes dans une situation désobligeante. » Il faisait remarquer enfin que, « dans les milieux bien informés, le nom de Mr. Simpson a été cité parmi d'autres qui seront vraisemblablement honorés à l'occasion du couronnement [18]. »

Il est exact que le roi offrit à Simpson un titre. C'était conforme à une tradition royale. Roger Palmer devint comte de Castlemaine au XVIIe siècle parce qu'il n'avait pas désapprouvé que sa femme égayât la vie de Charles II. Mais Simpson, qui connaissait son histoire d'Angleterre, déclina la proposition.

A Bryanston Court, l'ambiance s'alourdit et se tendit de plus en plus. Que pouvait dire Wallis à son mari? Qu'elle se jugeait très coupable et qu'elle s'accablait de reproches, mais que la féerie était trop belle? Que sa tendresse pour lui, si calme, ne pouvait rivaliser avec le roman royal? Que la pitié était le sentiment le plus fort qu'elle éprouvait maintenant à son endroit, et que la pitié ne suffisait plus? Que pouvait-elle lui expliquer? Finalement, elle choisit de se taire.

Et puis, un soir où elle était absente, le roi arriva à Bryanston Court. Visiblement très ému, il tirait sur sa cravate, arpentait le salon à grandes enjambées. Soudain il se retourna vers Ernest Simpson et lâcha tout à trac ce qu'il était venu lui dire :

« Je la veux! »

« J'ai été si abasourdi », confia dans la suite Simpson à un ami [19], « que je me suis laissé tomber sur une chaise. Et brusquement je me suis rendu compte que je m'étais assis devant mon roi! [20] ».

Peu après, Simpson et le roi déjeunèrent ensemble au Guards Club. Leur ami commun Bernard Rickatson-Hatt assistait au repas; il rapporta ultérieurement leur entretien.

« Simpson dit au roi que Wallis devait choisir entre eux, et il demanda ce que le roi entendait faire : avait-il l'intention de l'épouser? Le roi se leva de sa chaise : " Croyez-vous réellement que je voudrais être couronné sans avoir Wallis à mes côtés? " [21]. »

Bien entendu, Wallis avait déjà choisi. Ernest Simpson alla s'installer au Guards Club.

Le commentaire le plus mordant sur le divorce (dont la nouvelle se répandit commme une traînée de poudre) émana de la première épouse d'Ernest Simpson. Interviewée à New York, elle déclara : « Je doute beaucoup des informations selon lesquelles Mr. Simpson et sa femme envisageraient de divorcer. Je ne vois aucune raison pour qu'ils le désirent, l'un ou l'autre. L'actuelle Mrs. Simpson possède assez de ce qu'il faut pour voler un mari. Quant à Mr. Simpson, il m'a " plaquée " alors que j'étais malade et hospitalisée à Paris [22]. »

Le roi, quant à lui, exultait. Sur l'avis de son conseiller juridique, il désigna pour le divorce de Wallis un avoué du nom de Theodore Goddard. Les rôles des tribunaux de Londres étant fort encombrés, Goddard recommanda que la procédure eût lieu à Ipswich, tout près de la capitale britannique.

Pour consommer son bonheur tout neuf, le roi projeta une croisière d'été le long des côtes dalmates. Il avait d'abord songé à s'établir dans une villa sur la Riviera française, mais le gouvernement anglais s'y était opposé en raison de la guerre d'Espagne et des incertitudes politiques en France. Ensuite Mr. Baldwin ne voulut pas que le roi s'embarquât à Venise, ce qui aurait pu donner l'impression que les Anglais approuvaient la conquête de l'Ethiopie par l'Italie. En revanche, le roi refusa tout compromis sur le yacht dont il avait besoin. A la place du vieux yacht royal, il exigea le plus grand, le meilleur, le plus luxueux. Son choix s'arrêta donc sur le *Nahlin*, véritable villa flottante.

Sur la liste des invités figuraient les Perry Brownlow, les Duff Cooper, les Mountbatten, Lord Dudley, et les chers amis de Wallis à Pékin et sur la Côte d'Azur Katherine et Herman Rogers. Plus que tous autres, les Rogers avaient partagé les hauts et les bas du destin de Wallis. S'il n'y avait pas eu de roi ni de Mrs. Rogers, la part de Herman aurait pu être plus considérable.

Afin de gagner le port yougoslave fixé pour le rendez-vous général, le roi voyagea incognito sous le nom de « duc de Lancaster ». Mais les bagages de Wallis portaient, en lettres de vingt centimètres, son nom : MRS. ERNEST SIMPSON. De toute façon, la croisière n'aurait pu être tenue secrète puisque le yacht royal était escorté par deux destroyers anglais, le *Grafton* et le *Glowworm.*

Le *Nahlin* longea les côtes dalmates. Croisière enchanteresse s'il en fut, avec le rivage escarpé qui s'élevait en montagnes, des villes pittoresques à faible population, le bleu d'une Méditerranée presque immobile, piquée des voiles rouges des bateaux de pêche, des cerisaies qui semblaient descendre jusqu'à la mer, des plages de sable totalement isolées et parfaites pour les pique-niques.

Le roi et Wallis s'en allaient canoter en direction d'une anse paisible, ou se promener discrètement dans un village. Wallis s'arrangea même pour acheter dans un magasin des caleçons de bain pour le roi. Dans une ville plus importante, un photographe les surprit se tenant par la main.

Cette intimité idyllique, toutefois, ne dura pas longtemps.

Dès que la nouvelle se répandit, chacun voulut entrevoir le couple célèbre. Lady Diana Cooper évoqua « l'impossibilité de débarquer à cause des foules qui criaient et se bousculaient sans laisser le roi respirer. S'il se dirigeait vers les curiosités d'une ville (églises et vieilles rues), des centaines de personnes le suivaient en criant : 'Cheerio!' et l'entouraient de telle sorte qu'il ne pouvait rien voir ». Elle décrivit aussi les gens qui « se vidaient les poumons à force de crier des 'Hurrah!' d'un air extasié ».

« Le roi avance de quelques pas et nous précède en parlant au consul ou au maire; nous, nous suivons et nous sommes aux anges. Il agite sa main pour esquisser un demi-salut. Il est tout à fait naturel et très à son aise. Voilà, je pense, la raison pour laquelle il fait certaines choses superlativement bien. Il ne joue pas la comédie. En plein milieu de la procession, il s'est arrêté pendant deux minutes au moins pour relacer sa chaussure; il y avait un nœud, et il lui a fallu du temps. Nous avons eu tout le loisir d'admirer son derrière. Vous ou moi, nous aurions été au-dessus d'un lacet, n'est-ce pas, jusqu'à la fin du défilé? Mais l'idée d'attendre ne lui est pas venue à l'esprit. Alors les gens se sont exclamés : « Qu'il est humain! Qu'il est naturel! Il s'est arrêté pour arranger sa chaussure comme n'importe lequel d'entre nous [23]! »

Elle nous brossa également un tableau du roi portant « un petit short immaculé, des sandales de paille... pas de chapeau (sa chevelure d'enfant luisait)... et deux crucifix à une chaîne autour du cou [24]... ».

Les curieux regardaient Wallis presque autant que lui. Ils l'acclamaient, lui offraient des fleurs, voulaient la toucher. « *Zivila ljubav* », criaient-ils; Wallis découvrit le sens de ces mots : « Que longtemps vive l'amour... »

Chaque fois qu'ils se promenaient ensemble et qu'un photographe surgissait, Wallis avait la discrétion de se placer deux pas en arrière afin que le roi fût au premier plan de la photo. Elle expliqua que les photographes ne gênaient pas le roi, mais qu'il n'aimait pas être surpris par eux. Avant la croisière, le roi paraissait toujours triste et préoccupé (on disait même qu'il n'avait pas souri depuis la mort de son père). A présent, les photos qui submergeaient l'Angleterre le montraient réellement heureux pour la première fois. Un hebdomadaire londonien força le black-out organisé sur les vacances du roi en publiant en première page une photo de lui et de Wallis avec la légende : « Le duc de Lancaster et une invitée [25]. » Les magazines américains expédiés en Angleterre qui contenaient des articles sur ce sujet furent censurés au ciseau avant d'être mis en vente.

Il avait paru approprié que le « plus beau yacht du monde » eût pour figure de proue un chef indien d'Amérique avec toutes ses garnitures de tête. Il pénétra sans se presser dans un fjord de l'Adriatique qui s'appelait Bocche di Cattaro; la paroi des montagnes était si haute que la lumière s'en trouvait assombrie et que le paysage prit un aspect sinistre. La ville était toute petite et pauvre; il n'y avait ni boutiques, ni hôtels, ni bars sur le quai : tout juste quelques minables lanternes vénitiennes à une bougie. Le roi aurait bien voulu repartir tout de suite, mais une cérémonie avait été prévue et, à contrecœur, le groupe attendit à bord du yacht.

Soudain, toutes les crêtes montagneuses semblèrent s'embraser, et chaque maison, chaque sentier le long du rivage escarpé s'illuminèrent de torches allumées; sur les vingt kilomètres du pourtour du fjord, des milliers de paysans, torches à la main, entonnèrent des chants de leur folklore. Les canons des forts des environs se mirent à tonner et les échos de leurs salves se répercutèrent dans les ravins. En guise de réponse, le cornemuseur du roi parcourut le pont en jouant « The Skye Boat Song », tandis que le roi tentait à grands cris d'expliquer à la foule ce qu'était une cornemuse.

Pendant que le yacht s'éloignait lentement de cette resplendissante sérénade, Sa Majesté chuchota à Wallis que c'était pour elle que la fête avait été organisée parce que ces gens-là « croient qu'un roi est amoureux de vous [26] ».

Elle lui répondit que c'était de la folie, qu'il devrait montrer plus de discrétion, qu'autrement le monde entier connaîtrait leur secret.

La discrétion, dit-il, n'était pas une vertu qu'il admirait particulièrement.

La Grèce, ce fut de la terre brune rocailleuse, des bateaux qui semblaient dater de l'époque d'Homère, des montagnes qui escaladaient les nuages. Le roi Georges de Grèce monta à bord du yacht à Corfou.

« Nous avons habillé notre roi d'un pantalon de flanelle blanche, d'un blazer et d'une casquette de yachting », raconta Lady Diana Cooper à propos des préparatifs précipités destinés à accueillir les six hôtes grecs imprévus. « Wallis nous a quittés pour tout arranger. Ils sont arrivés, sont restés deux heures, et nous nous sommes très mal tenus : nous nous regardions, nous bâillions, nous avions l'air de nous ennuyer à périr; c'est le roi qui a été le mieux [27]. »

Les deux monarques étaient cousins, et le roi de Grèce confia au roi d'Angleterre qu'il n'avait pas un seul ami à qui se fier, et que son existence était très triste. « J'espère que vous aurez plus de chance que moi », lui dit-il [28].

La mer était devenue verte; les oliviers étaient gigantesques; l'air embaumait. Wallis, le roi et les Duff Cooper débarquèrent sur un quai démoli, grimpèrent un escalier interminable qui, flanqué de cyprès symétriques, conduisait à une charmante statue de l'impératrice Elisabeth, à un point de vue magnifique et à une maison aussi immense qu'affreuse. Au dîner qu'offrit le roi de Grèce un peu plus tard dans sa splendide villa personnelle, Wallis fut placée à côté de lui et elle se comporta comme si elle avait passé toute son existence parmi des rois et des princes. « Wallis fut tout bonnement sensationnelle; ses mots d'esprit se succédaient à une cadence endiablée; le roi était visiblement très admiratif et amusé. »

Même à bord du yacht où tout cérémonial était exclu, le protocole avait la vie dure. « Aux repas, le roi se fait servir le dernier, et le résultat est qu'il ne lui reste jamais rien. Ces idiots de stewards ne s'en aperçoivent pas, et ils continuent de lui présenter les sauces et les garnitures pour son assiette sans viande, de sorte qu'il est obligé de dire au moins une fois par jour : " Oui, mais je voudrais bien quelque chose à manger [29]. " »

Leur séjour en Turquie eut lieu à la requête du Foreign Office, car l'Angleterre venait de conclure un accord commercial avec les Turcs. Mustapha Kemal Ataturk traita Wallis comme si elle était déjà reine; il la fit asseoir à côté du roi dans le cortège officiel, et à côté de lui à dîner. Sa Majesté souhaitait qu'il en fût ainsi, et Wallis ne demandait pas mieux.

Pour la première fois, elle crut que tout serait possible. Les plus proches amis du roi lui témoignaient la déférence requise. D'autres rois ou chefs d'Etat la respectaient. Non seulement elle était capable de leur tenir tête — avec aisance — mais elle prenait plaisir à leur compagnie en tant qu'êtres humains, et elle les divertissait. Si elle épousait le roi, elle était maintenant à peu près sûre de pouvoir jouer son rôle de reine.

La présence du roi à côté d'elle, son visage rayonnant d'amour... Oui, tout semblait de plus en plus possible.

La croisière avait pris fin, mais le roi n'avait guère envie de rentrer à Londres. Ataturk mit à sa disposition son train personnel, et Sa Majesté et Wallis se rendirent à Budapest et à Vienne. Quel retour romanesque! Au Hussar Restaurant sur la Kärntnerstrasse de Vienne, le roi et Wallis purent faire signe à un maître d'hôtel et lui dire : « Comme la dernière fois. » Et le maître d'hôtel sut exactement quel menu resservir. Au Rotter Club de Vienne, le roi chanta en allemand ses chansons préférées, comme il l'avait fait auparavant, et Wallis l'accompagna en fredonnant. Leur présence au night-club Emke de Budapest bénéficia d'une grosse publicité, mais elle vint trop tard pour sauver le club : « Même pas le roi et la compagne de son cœur n'ont réussi à sauver notre plus célèbre boîte de nuit [30] », soupira un journaliste hongrois le lendemain, quand elle fut fermée en raison de son arriéré fiscal.

Les observateurs de la presse notèrent que le roi paraissait content, qu'il souriait et riait beaucoup, qu'il buvait peu et qu'il dansait chaque

Photo UPI

Sa mère.

Photo News American de Baltimore

Son père.

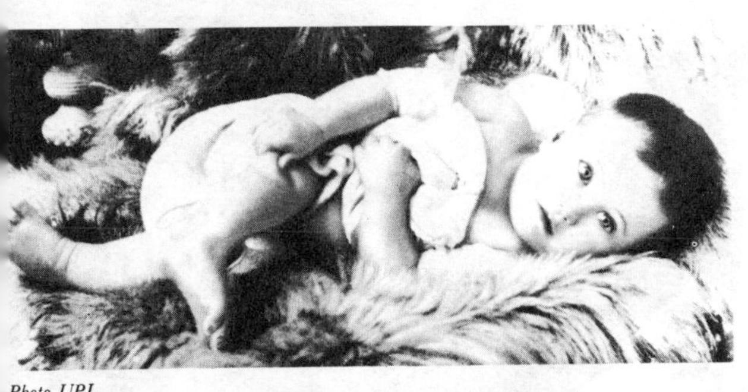

Bessie Wallis Warfield.

Photo UPI

Avec grand-mère Warfield.

Photo UPI

Photo New York Public Library Picture Colle

Trois rois et une reine : Edouard VII *(à gauche)*,
George V *(à droite)*, et Victoria tenant Edouard VIII sur ses genoux.

Photo UPI

Photo UPI

La jeune Bessie Wallis et sa maison au 212 d'East Biddle, Baltimore.

La résidence royale de Windsor.

Photo Popperfoto, Pictorial Parade

Photo UPI

La collégienne Wallis :
scènes à Oldfields.

Edouard soldat

page suivante :
Edouard, Prince de Galles.

Photo Central Press, Pictorial Parade

Photo UPI

Le Prince : un jeune homme toujours pressé.

Photo UPI

Wallis : une beauté de Baltimore.

Photo Daily News *de New York*

Photo U.S. Naval Academy Museum

Wallis épouse le Lt Earl Winfield Spencer, de l'Aéronautique Navale... mais le mariage les transforme tous les deux.

Photo UPI, dans la revue McC.

Photo New York Public Library Picture Collection

Le Prince : commis-voyageur de l'Empire britannique.

Photo New York Public Library Picture Collection

Photo UPI

Wallis rencontre un homme fascinant, Felipe Espil.

Photo Bigelow, UPI

Photo New York Public Library Picture Collection

Photo King Features Syndicate

Le Prince rencontre Lady Furness.

Photo Popperfoto

Le Prince tombe amoureux...

Photo Popperfoto

Wallis était alors la femme d'Ernest Simpson. Simpson trouva de l'amitié chez Mary Kirk Raffray, la meilleure amie de Wallis, qui devint plus tard la troisième Mrs. Simpson.

Photo UPI

Photo Wide World Photos

Wallis réfléchit à ses problèmes dans son appartement de Bryanston Court.

Photo UPI

Photo Popperfoto

Photo UPI

Le Prince et Wallis :
la cour continue.

Photo Pictorial Parade

Photo Wide World Photos

Photo UPI

Le roi est mort!... *Photo New York Public Library Picture Collection*

... Vive le roi!

Photo UPI

soir avec Wallis. Il paraît que, pour danser la czardas tzigane, Wallis arbora un jour un smoking en fil de verre, avec un seul diamant qui scintillait dans ses cheveux. Un autre compte rendu fit état d'un collier d'émeraudes et de diamants d'une valeur de 750 000 dollars.

Wallis négocia personnellement pour le roi un rendez-vous avec un célèbre otologiste de Vienne, le Dr. Heinrich Neumann. Le roi souffrait de douleurs persistantes dans l'oreille, et Neumann faisait autorité dans le monde. Il avait soulevé beaucoup de controverses parce qu'il s'était refusé à pratiquer une opération sur Adolf Hitler : « En tant que juif, avait-il dit, je ne peux pas courir ce risque car, si l'opération ne réussit pas, il dira que je l'ai fait exprès [31]. »

Lorsque le roi arriva pour son rendez-vous, le concierge l'arrêta à la porte et lui demanda son nom. « Je m'appelle Edouard. Soyez assez bon pour me conduire au professeur Neumann [32]. » Le diagnostic raisonnable du professeur fut que ce mal d'oreille était plus douloureux que grave. Plus tard, lorsque les nazis menacèrent Vienne, le roi prit ses dispositions pour que Neumann s'installât en Angleterre.

Les journalistes formaient maintenant un essaim autour du roi et de Wallis qui ne se donnaient même plus la peine de se dissimuler. L'un d'eux interviewa un barman de l'hôtel Bristol où le couple célèbre était descendu. « A présent, Mrs. Simpson parle avec l'accent anglais », déclara le barman. « L'an dernier, quand elle était ici avec lui, qui n'était encore que Prince de Galles, elle s'exprimait comme une Américaine qui s'initiait tout juste à la façon de parler des Anglais [33]. »

Au cours de ce voyage, Wallis avait fait plus que s'initier à la façon de parler des Anglais. Car d'amoureux, le roi était devenu obsédé. Elle l'avait ensorcelé comme peu d'hommes le furent jamais. Ou bien, ainsi que l'écrivit *Le Journal*, « elle est son oxygène et il est incapable de respirer sans elle [34] ».

Il ne la quitta que contre sa promesse de le rejoindre sous peu au château de Balmoral où il voulait la présenter à toute la famille royale.

Mais auparavant, Wallis alla passer quelque jours à Paris. La croisière avait été trop irréelle. Les Mountbatten, les Duff Cooper et les Brownlow étaient des habitués et s'étaient bien détendus. Mais Wallis avait fourni des efforts considérables car elle avait été le pôle d'attraction de leurs yeux et de leurs oreilles.

Comment savoir ce qu'ils pensaient? Elle ne pouvait que conjecturer sur le moment, et ce jeu de devinettes l'avait épuisée. Toujours sur le devant de la scène, et jamais d'entractes. Elle éprouvait le besoin d'en savourer un.

Elle séjourna à l'hôtel Meurice avec Mrs. Gilbert Miller et Mrs. Erskine « Foxy » Gwynne. Elles passèrent un après-midi à boire Martinis sur Martinis en bavardant de tout et de rien. Puis le téléphone commença de sonner. Les appels qui se succédèrent venaient d'Angleterre, chacun pour une femme différente. Le dernier fut pour Wallis.

C'était le roi, et il se sentait terriblement seul. En ce dimanche, il s'ennuyait et ne savait quoi faire.

« Pourquoi n'iriez-vous pas à l'église? » suggéra Wallis. Ce fut l'une des rares fois où, pendant son règne, il s'y rendit.

Le téléphone les laissant enfin tranquilles, les trois femmes se firent resservir des Martinis. Foxy Gwynne se sentit suffisamment remontée pour poser à Wallis une question :

« Qu'allez-vous faire avec Champion Premier? »

Les Martinis avaient amolli Wallis; pas au point cependant de la mettre en veine de confidences. Elle était avec deux amies, mais l'enjeu était trop important.

« Je ne ferai rien du tout », répondit-elle. « Je suis l'épouse d'Ernest Simpson, et j'espère le rester tant qu'il voudra de moi [35]. »

Londres fut sa prochaine étape.

15

Wallis s'attarda quelque temps à Londres pour débattre avec son avoué des détails de son procès en divorce dont la date avait été fixée au 27 octobre — à six semaines de là. Elle en profita aussi pour liquider son appartement de Bryanston Court, ce qui dut lui coûter car, en fait, elle ne fermait pas simplement un appartement pour commencer une nouvelle vie : elle enfermait aussi une partie d'elle-même dans l'un des nombreux tiroirs secrets de son âme. Sentiment de culpabilité, tristesse, points d'interrogation.

Elle avait correspondu avec Mary Kirk Raffray au sujet d'Ernest Simpson. Or non seulement Mary s'était résolument rangée du côté d'Ernest, mais elle s'était amourachée de lui. Un dernier échange de lettres aigres clôtura une longue amitié. Sans Mary, Wallis se découvrit très seule.

Elle avait encore Katherine et Herman Rogers. Lorsque le roi l'avait invitée à Balmoral, elle l'avait prié de les convier aussi. Elle possédait tous les courages pour affronter un salon rempli de lions mondains, mais il lui fallait du renfort pour affronter un salon rempli de lions royaux.

Wallis ignorait tout du château de Balmoral. La famille royale s'y rassemblait une fois par an, et ce rite d'automne avait été inauguré par la reine Victoria qui s'était éprise de cette résidence en granite, froide et exposée à tous les vents, sise à mille kilomètres de Londres sur les landes écossaises. Le prince consort, Albert, l'avait fait bâtir dans une vallée, sur la rive droite de la Dee, au milieu de forêts de sapins et de mélèzes, dans un cadre qui ressemblait beaucoup aux paysages d'Allemagne qu'il affectionnait. Il lui en avait fait cadeau, et sa veuve y passait souvent la moitié de l'année.

Pour la grande réunion d'automne, la famille royale n'était pas seule : il y avait aussi le Premier ministre, les archevêques, les ministres du Cabinet, les amiraux, les ducs et les duchesses. Le roi Edouard convia les ducs et duchesses de Marlborough, de Buccleuch et de Sutherland, ainsi que le comte et la comtesse de Roseberry, mais il oublia les personnalités politiques et religieuses. A leur place, il invita Wallis et les Rogers. Et non seulement il les invita, mais il rompit une autre tradition en allant les chercher à la gare d'Aberdeen à bord de sa voiture personnelle, avec son kilt et son béret écossais.

Ce geste suscita plus de courroux qu'il ne l'avait prévu. Plusieurs mois auparavant, il avait décliné une invitation à assister à une cérémonie au cours de laquelle devait être posée la première pierre d'un nouvel hôpital royal à Aberdeen; il s'était excusé en disant qu'il portait encore le deuil de son père, et il avait prié le duc et la duchesse d'York de le représenter. Or le jour de cette cérémonie coïncida avec celui où le roi prit gaiement sa voiture pour retrouver Wallis à la gare d'Aberdeen. La réaction des Ecossais fut sévère. « A bas la putain d'Amérique! » proclama une inscription à la craie sur un mur. L'auteur dramatique sir James Barrie prévint le rédacteur en chef du *Times* qu'il fallait s'attendre à ce qu'un pasteur écossais dénonçât en chaire les turpitudes de la cour.

Le frère du roi, le duc d'York, et la duchesse, qui vivaient à une dizaine de kilomètres de là, déplorèrent également cet incident. Bourgeoise, mais de sang noble, la duchesse déclara : « Tout le monde en sait plus que nous. Nous ne savons rien. Rien [1]! »

La reine Mary ne se rendit pas à Balmoral. Elle prétexta son déménagement du palais de Buckingham pour s'installer à Marlborough House. Le roi avait déjeuné avec elle le jour même de son retour. Ils avaient parlé de tout, sauf de ce à quoi ils pensaient le plus l'un comme l'autre. La reine Mary avait reçu un volumineux courrier de citoyens anglais d'au-delà des mers, qui la pressaient de faire cesser les cancans au sujet du roi. Elle montra à Lady Airlie une coupure du *News Post* de Baltimore disant que Mrs. Simpson épouserait le roi dès qu'elle aurait obtenu son divorce. Lady Airlie commença par déclarer qu'elle n'en croyait pas un mot, puis elle se rappela une parole de Sa Majesté à sa sœur alors qu'il était encore Prince de Galles : « Inutile, Lady Salisbury. Bruce et moi, nous sommes deux célibataires endurcis. Ni lui ni moi ne nous marierons jamais, sauf si nous tombons réellement amoureux d'une femme [2]. »

La vieille aristocratie n'avait jamais aimé le roi, même lorsqu'il était Prince de Galles, parce qu'il ne l'avait jamais aimée. Il trouvait ces nobles trop cérémonieux; ils n'étaient pas « drôles ». Cela ne signifiait pas qu'il possédait cette sorte d'instinct démocratique qui abolit les préjugés de classe. Pas du tout. Dans un certain sens, il était snob. Il préférait les gens de son propre groupe, de classe et d'origines semblables aux siennes. Le snobisme de la Garde n'avait pas meilleur défenseur que lui; il y voyait « de la tradition, de la discipline, de la perfection et du sacrifice [3] ». Il n'aimait pas les courtisans, les ducs et les duchesses à l'ancienne mode, non point en raison de leur classe sociale, mais parce que trop d'entre eux étaient collet monté et assommants. L'impression de froideur que Wallis ressentit à Balmoral émana de certains autres invités.

Un matin, Herman Rogers filma le roi en train de pratiquer un jeu autrichien avec un arc et des flèches. Lord Louis Mountbatten et le duc de Kent se montrèrent très maladroits, ce qui fit rire tout le monde. « Assises sur la terrasse en attendant le déjeuner, les dames avaient un air relâché et peu soigné », nota Cecil Beaton après avoir vu le film. « La duchesse de Sutherland semblait énorme sous un chapeau sans élégance, Mollie Buccleuch en tartan paraissait forcément trapue et carrée. Et la caméra ne flatta pas davantage Mary Marlborough ni Edwina Mountbatten. Seule la duchesse de Kent avait un je ne sais quoi de romantique avec ses cheveux en débandade qui flottaient au vent malgré un petit nœud de ruban. A chaque mètre de pellicule, le roi apparaissait avec Wallis; elle était très différente des autres, bronzée et tirée à quatre épingles sous un chapeau de feutre noir [4]. »

Les ducs et duchesses, les frères du roi et leurs épouses n'ignoraient pas que la chambre à coucher royale de Balmoral, précédemment occupée par le roi George et la reine Mary, était maintenant la chambre de Wallis Simpson. Elle leur déplaisait profondément, non seulement pour ce qu'elle était — quelqu'un de l'extérieur, une intruse — mais pour ce qu'elle faisait à leur roi. Elle n'appartenait pas à leur monde et elle n'y entrerait jamais, quoi que fît ou que tentât de faire le roi. Ils seraient polis, mais jamais cordiaux; ils pourraient même aller jusqu'à lui témoigner de la déférence : ils ne l'accepteraient jamais.

Plus tard, Wallis soutint que son séjour à Balmoral lui avait été très agréable. C'est difficile à croire. Ses reparties faciles et son rire ouaté pouvaient attendrir un roi de Grèce ou un dictateur turc, mais l'authentique aristocratie anglaise ne se laissait attendrir que par le temps et les générations.

Si Balmoral fut une pause pour Wallis, elle ne dura pas longtemps. Le roi devint son propriétaire. Elle emménagea dans une maison de quatre étages au 16 de Cumberland Terrace, en face de Regents Park. Elle la sous-loua, mais le bail original appartenait à la Couronne.

Le roi n'était pas un propriétaire comme les autres. Tous les jours il lui envoyait des roses à longue tige; il lui fit don d'une Buick royale conduite par son propre chauffeur; il lui téléphonait plusieurs fois par jour et, la nuit, il était son hôte.

Les sergents de ville londoniens éloignaient les curieux : « C'est une propriété de la Couronne, circulez, circulez... Ce ne sont pas des gens ordinaires qui habitent ici, vous le savez bien [5]... »

A son retour à Londres, le roi prit son petit déjeuner avec sa mère et, de nouveau, ni l'un ni l'autre ne parlèrent de Wallis Simpson. La reine Mary fit ensuite quelques confidences à Lady Airlie : « Vos fils ont à peu près l'âge des miens, Mabel. Et vous avez dû les élever sans l'aide de leur père. Dites-moi : vous ont-ils jamais déçue? [6]. »

Lady Airlie répondit que tous les enfants déçoivent parfois leurs parents, mais qu'il ne fallait pas oublier qu'ils avaient à vivre leur vie. « Oui, cela peut s'appliquer à de simples particuliers, mais non à un souverain », fit observer la reine Mary. « Un souverain n'est pas responsable devant lui seul. » Elle se tut un moment, puis reprit : « Je n'ai pas voulu parler à David de cette aventure avec Mrs. Simpson... D'abord parce que je ne voudrais pas lui donner l'impression que j'interviens dans sa vie privée, et aussi parce qu'il est le plus têtu de tous mes fils. Il suffit de s'opposer à une chose qu'il désire pour le rendre encore plus déterminé à la faire. Pour l'instant, il est terriblement entiché d'elle, mais mon grand espoir est qu'en général les attachements violents s'usent vite [7]. »

Après un nouveau silence, elle poursuivit : « Il donne à Mrs. Simpson les plus beaux bijoux. » Lady Airlie vit apparaître deux taches rouges sur les joues de la reine Mary quand elle ajouta à mi-voix : « J'ai tellement peur qu'il ne me demande de la recevoir [8]. »

Sauf dans les sphères supérieures de la société anglaise, le nom de Wallis était encore inconnu en Grande-Bretagne. Mais aux Etats-Unis les manchettes des journaux n'avaient jamais été aussi grosses :

LA YANKEE A LA COUR DU ROI EDOUARD [9]
LA FEMME LA PLUS ENVIEE DE L'EMPIRE BRITANNIQUE [10]

Elle déclara à l'artiste-photographe Cecil Beaton : « Je voudrais que vous ne m'appeliez plus par ce nom de Mrs. Simpson, que la presse américaine m'a fait détester [11]. »

Par ses manières et son style, Cecil Beaton s'était bien ancré dans les milieux de la cour et de la société; il avait d'ailleurs ses entrées partout, et il était même vaguement apparenté à Ernest Simpson. Cinq ans plus tôt, il avait fait la connaissance de Wallis à un bal, et il l'avait jugée « un peu musclée et maigre dans son velours bleu saphir, avec une voix très nasillarde ». Il l'avait revue récemment et trouvée « brillante et spirituelle, nettement améliorée pour l'allure et le chic... Elle m'a énormément plu ». Il avait beaucoup plu aussi à Wallis qui fut ravie de poser pour lui.

Alison Settle, qui régentait la rubrique de mode à l'*Observer* de Londres, aidait souvent Beaton à arranger les arrière-plans pour ses portraits. Elle reçut un jour un coup de téléphone de Beaton qui la pria de lui prêter des bustes en marbre de la jeune reine Victoria et de son prince consort. Dans le studio de Beaton, Alison Settle ne parvint pas à mettre un nom sur la femme qui attendait pour se faire photographier. « Voyons, où l'ai-je déjà vue? » se demanda-t-elle. « Je sais qu'elle s'est fait manucurer à côté de moi chez Elizabeth Arden. »

Mais elle observa que le maquillage de l'inconnue était très mauvais pour une photo sépia. « Je crains que vous ne soyez obligée de vous laver le visage et de vous maquiller autrement. La maquilleuse sera ici dans une minute. » Elle promena son regard sur le décor et vit deux autres bustes royaux, dont celui de la reine Alexandra. « Oh, oh, nous donnons dans le royal aujourd'hui, n'est-ce pas? » dit-elle assez fort pour être entendue. De retour à son bureau, elle retrouva brusquement le nom qui lui avait échappé. « Grand Dieu, c'était Mrs. Wallis Simpson [12]! »

Beaton commit lui aussi un faux pas quand il suggéra d'épingler des rouleaux d'hermine à l'arrière-plan. « Ne faites rien pour moi qui ait un rapport quelconque avec le couronnement. Je ne veux pas de ça maintenant », lui dit-elle avec brusquerie. Et elle lui lança un regard peu amène lorsqu'il lui demanda de baisser le menton « comme pour une révérence ».

La camera de Beaton vit Wallis « soignée et fraîche comme une jeune fille. Sa peau était aussi brillante et satinée que l'intérieur d'un coquillage; avec ses cheveux lisses, elle aurait pu être Chinoise [13] ». Mais Beaton devait se souvenir toujours de l'expression triste, douloureuse, de ses yeux.

Il lui apporta les épreuves de ses photos à Cumberland Terrace, mais il avait aussi amené son carnet de croquis. Elle lui parut plus sémillante, s'amusa à parler par phrases hachées, « ponctuées par de grands éclats de rire qui éclairaient son visage d'une véritable gaieté et donnaient à ses sourcils un air de surprise fort séduisant [14] ».

Wallis s'aperçut qu'elle pouvait parler à Beaton. C'était un être sophistiqué, désinvolte, irrévérencieux et drôle. Rien ne l'impressionnait, ne lui faisait perdre son flegme. Ses portraits étaient bons, mais ils n'étaient pas des façades : il y mettait de la profondeur.

« Et la plus grande absurdité de tout est ce qui a trait au mariage », lui dit-elle. « Comment des Anglais peuvent-ils être aussi bêtes! Il n'est pas question de mariage. » Beaton lui confia qu'il avait parié contre un mariage, et il ajouta : « Mais peut-être me ruinerez-vous. »

« Non. Je pense que je serai très pauvre et que vous réaliserez un gros bénéfice [15]. »

Etait-elle absolument sincère en disant cela? Le roi s'était montré si convaincu, si sûr de lui à propos de cette question! Fut-ce son séjour à Balmoral qui ressuscita ses doutes? Ou bien s'agissait-il seulement du même rideau de fumée destiné à brouiller les pistes?

A ce moment, le maître d'hôtel annonça Sa Majesté; le roi, d'excellente humeur, entra, examina rapidement le jeu d'épreuves de Beaton, choisit celles qu'il préférait et ajouta : « Je voudrais tout le lot. »

Et puis, devant Beaton, ils discutèrent des dernières nouvelles; tout y passa, du chômage en Galles du sud à la guerre civile d'Espagne.

L'Angleterre avait décidé de suivre l'exemple de la France et de pratiquer la non-intervention. Les Allemands et les Italiens fournissaient déjà des hommes et des armes au général Franco, et l'Union soviétique aidait de la même manière les forces gouvernementales. Beaton fut étonné de la mémoire du roi pour les noms et les statistiques.

Ensuite Wallis apporta des instantanés pris lors de la croisière du *Nahlin*. Beaton aurait pu se croire dans le living-room de n'importe quelle famille, quand chacun commente les photos des vacances. Aucune trace de raideur ou de cérémonial. C'était comme si le roi se trouvait chez lui. Et voilà bien l'une des grandes raisons pour lesquelles le roi avait si fort besoin de Wallis : elle créait cette impression de naturel chaque fois qu'elle était avec lui.

Wallis montra une photo d'elle-même et du roi, tous deux en short, et elle ajouta : « Charmant, vous ne trouvez pas [16]? » Puis elle évoqua la foule dans la cité yougoslave de Korčula, où toute la population était descendue au port pour les accueillir. « Vous vous rappelez? » demanda-t-elle au roi. « C'était formidable [17]! »

Beaton dessina le roi, mais ce que son croquis ne saisit pas, ce fut l'humeur du roi ensuite : il parlait très vite, il mangeait des raisins verts confits, il faisait le tour de la pièce à grandes enjambées, il actionnait des sonnettes, il ouvrait des paquets, il avait l'air heureux, très heureux.

16

« Je sais que je ne suis pas assez bien pour être votre reine », déclara Elizabeth Woodville en 1464 au débauché Edouard IV, « mais je suis trop bien pour être votre maîtresse [1]. »

« Elizabeth s'aperçut qu'elle avait produit sur Edouard IV une impression suffisamment profonde pour lui permettre d'espérer l'élévation suprême. Obstinément, elle refusa de contenter la passion du roi, et toutes les tendres paroles, caresses et importunités... ne purent rien contre sa vertu aussi rigide qu'inflexible. Cette passion, irritée par le refus et exacerbée par la vénération que suscitaient en lui des sentiments si honorables, finit par le porter au-delà de toutes les limites de la raison, et il proposa à cette femme de partager son trône en même temps que son cœur [2]. »

Aucun parallèle de ce genre n'existait entre Wallis et Edouard VIII. Elle avait déjà donné au roi sa passion et son cœur, et ce fut en partie cela qui l'avait conquis.

« Ce serait une grossière erreur de supposer qu'il n'était amoureux d'elle qu'au sens physique ordinaire du terme », dit Walter Monckton dont l'amitié avec le roi datait d'Oxford. « Il y avait entre eux une entente intellectuelle, et il est hors de doute que son tempérament de solitaire trouva en elle une camaraderie d'esprit... Elle insistait pour qu'il fût en forme et fît de son mieux en chaque occasion, et il la considérait comme son inspiration... A ses yeux, elle était la perfection faite femme [3]. »

Le roi avait ses propres règles pour déterminer le bien et le mal, et elles n'étaient pas toujours conventionnelles. Citons encore Monckton : « On avait souvent l'impression que le Dieu en lequel il croyait était un Dieu qui lui distribuait tout le temps des atouts maîtres et qui n'opposait pas d'obstacles à ses principaux désirs [4]. »

Son grand désir était le mariage. Il estimait que Wallis et lui étaient faits l'un pour l'autre, et qu'il n'existait pas de moyen plus honnête pour régulariser la situation. La différence entre Wallis et Elizabeth Woodville est que Wallis, à une certaine époque, se serait joyeusement contentée d'être la maîtresse du roi.

Bernard Rickatson-Hatt, rédacteur en chef de l'agence Reuter et vieil ami de Wallis et de Simpson, déclara qu'à son avis « elle avait l'intention d'avoir sa part de gâteau et de la manger. Les avances du Prince de Galles et du roi la flattaient, et elle prenait un immense plaisir à recevoir ses généreux cadeaux. Elle pensait qu'elle pouvait en profiter et, en même temps, conserver son foyer avec Simpson [5] ».

Rickatson-Hatt ajouta que Wallis rendait souvent Simpson extrêmement malheureux, puis l'accablait de tendresse et d'affection en guise de compensations. Il la dépeignit sous les traits d'une femme « qui aime les bonnes choses de la terre et est foncièrement égoïste... capable d'être dure [6]. » Il eut également le sentiment que si le roi n'avait pas été têtu et jaloux, la liaison aurait suivi son cours sans dommage pour le ménage Simpson.

Ç'aurait pu être possible. Seulement, le roi avait introduit un nouvel élément dans la personnalité complexe de Wallis : l'ambition. Il était roi et empereur. Il avait toujours obtenu ce qu'il désirait, et il la voulait. Il ne la voulait pas pour qu'elle fût maîtresse du palais de Buckingam; il la voulait pour en faire sa reine et impératrice. Et il lui promit qu'il y arriverait, qu'il savait ce qu'il faisait, qu'il pourrait « arranger les choses ». Il se montra si obstiné, si convaincant qu'elle finit par se laisser aller à le croire. Elle le crut parce qu'elle avait une ignorance stupéfiante de la loi et des coutumes anglaises, ainsi que du pouvoir royal. Et elle le crut aussi parce qu'elle avait envie de le croire. Elle avait envie de croire que la fille de Baltimore pourrait voir se réaliser son conte de fées et devenir reine de Grande-Bretagne, impératrice des Indes.

Ce fut alors, et alors seulement, qu'elle consentit à divorcer.

En parlant de Mrs. Simpson avec Nicolson, Ramsay MacDonald, l'ancien Premier ministre, soutint que personne ne trouverait à redire à elle si elle était veuve, qu'elle était la seule personne capable de remédier à la situation, « mais il y a toujours la possibilité qu'elle ait la tête tournée, ce qui n'aurait rien d'exceptionnel pour une tête [7] »,

« Sibyl (Lady Colefax) dit qu'en tout cas aucune indiscrétion n'a été commise avant la fin juillet », rapporta Nicolson le 6 octobre 1936, « et que Wallis semblait parfaitement comprendre la responsabilité de sa position. Mais, depuis le *Nahlin*, les imprudences se sont succédé. Il y a la nouvelle maison de Regents Park. Il y a l'épisode de Balmoral. Rob (Robin Maugham) estime que l'affaire est vraiment sérieuse et que les fondations de la monarchie en seront ébranlées. Tout cela m'attriste parce que j'aime bien Wallis Simpson. Le roi est froissé si l'on lui suggère que Wallis Simpson ne vaut pas les autres ou qu'il devrait n'avoir pour amies que celles dont les noms font bon effet sur la

Court Circular. Et il ne sera pas déloyal au point de supprimer le nom de Mrs. Simpson sur la *Circular* quand elle sera invitée. Mais je sens bouillonner des critiques qui risquent de tourner en réel mécontentement[8]. »

Wallis et le roi considéraient leur mariage et leur avenir comme leur secret magnifique, qu'ils ne consentaient à partager avec personne. Ils étaient tous deux d'un naturel soupçonneux. Ils avaient tous deux souffert. Wallis était peut-être capable « d'être dure », mais le roi aussi. Ils pensaient l'un et l'autre maintenant qu'ils pourraient avoir la couronne et l'amour, à condition de n'en parler à personne.

Et qui Wallis pouvait-elle consulter? Mary Kirk Raffray était rentrée chez elle après avoir déclaré son amour pour Ernest Simpson et mis un terme à leur amitié. Tante Bessie n'était pas encore arrivée. Wallis n'avait d'autres amis intimes que les Rogers, qui vivaient à Cannes. Rien d'étonnant, par conséquent, si elle accepta que le roi fût sa seule source de conseils et de renseignements. Et le mystère ne faisait qu'accroître la surexcitation de leur dramatique idylle.

La comédie continua même devant Walter Monckton. Lorsque Wallis fut d'accord pour divorcer, le roi l'avait conduite chez Monckton afin qu'elle recueillît son avis. Homme de taille moyenne avec des cheveux qui se raréfiaient et des lunettes à verres épais, Monckton avait été avocat du gouvernement dans le duché de Cornouailles quand le roi était Prince de Galles. Brillant avocat, il avait également conseillé le Nizam de Hyderabad. Le roi avait souvent dit combien il admirait l'intelligence de Monckton et estimait son jugement.

Il connaissait aussi sa parfaite loyauté et il s'était confié à lui ainsi qu'à quelques autres. Dès son avènement, il avait dit à Monckton qu'il ne pourrait pas supporter d'être cloîtré dans le palais de Buckingham et que le peuple anglais devrait l'accepter tel qu'il était, c'est-à-dire un homme différent de son père et résolu à être lui-même. Il ajouta que sa vie publique appartenait au peuple et qu'il serait disponible chaque fois que cela serait nécessaire, mais que sa vie privée lui appartenait en propre, et qu'il entendait la mener comme il l'avait toujours menée.

Et cependant, même à Monckton, il ne souffla mot de son intention de se marier. Le roi lui dit seulement qu'il déplorait amèrement le fait que son amitié pour Mrs. Simpson eût valu à celle-ci tant de publicité et risquât de nuire à ses perspectives de reconquérir sa liberté. Plus tard, et en tête-à-tête, Wallis expliqua à Monckton qu'elle souhaitait se libérer des liens de son mariage actuel, « qu'elle prenait de l'âge mais qu'elle pourrait bien rencontrer quelqu'un et conclure avec lui une union heureuse. Dans la ruelle qui se trouve derrière la sortie de Harcourt Buildings, elle me dit qu'il était ridicule de supposer qu'elle eût la moindre idée d'épouser le roi [9] ».

Monckton admit que c'était ridicule. Il l'admit alors même qu'il avait appris, plusieurs mois auparavant, qu'Ernest Simpson avait dit à Sir Maurice Jenks que le roi l'avait informé de son amour pour sa femme et de son intention de l'épouser. Monckton avait refusé de croire que le roi ait bel et bien parlé en ces termes, et il avait soupçonné une tentative de chantage.

Mais Monckton sous-estima l'amour du roi. Il croyait que « lorsqu'ils se trouveraient en face du choix brutal entre leur amour et son devoir de roi-empereur, ils feraient chacun un sacrifice, quoi qu'il pût leur coûter [10] ».

Le roi avait à sa disposition les meilleurs conseillers de toute l'Angleterre. L'un d'eux était Winston Churchill avec « le moteur de 100 CV qui tourne toujours dans sa cervelle [11] »; mais le roi ne s'était pas encore ouvert à lui. Ce fut Monckton, et non Edouard VIII, qui alla solliciter son avis : le procès en divorce se rapprochant et la publicité s'intensifiant à l'étranger, Monckton s'inquiétait des conséquences pour le souverain.

Churchill fit les cent pas dans ses salons de Morpeth Mansions en réfléchissant au problème.

« Je l'entends encore », dit Monckton : « 'La vie est taquine. La joie est l'ombre du chagrin, le chagrin est l'ombre de la joie.' Il m'a raconté qu'il avait refusé de s'asseoir à une table avec des gens qui critiquaient le roi. Mais il a manifesté une anxiété évidente en m'écoutant. Il était opposé à la procédure du divorce parce qu'il n'y voyait aucun avantage : la présence de Mr. Simpson serait une garantie. En outre, il tenait absolument à ce que je fisse comprendre au roi toute l'importance qu'il y aurait à ne pas afficher son amitié en public [12]. »

C'était exactement le genre d'avis dont le roi ne voulait pas; et c'était assurément l'une des principales raisons pour lesquelles il ne cherchait pas à prendre conseil. Il ne voulait pas écouter ce qu'il savait bien qu'on lui dirait.

Lorsque Monckton lui fit part de l'avis de Churchill, le roi se borna à répondre qu'il ne voyait pas pourquoi Mrs. Simpson devrait être ligotée à un mariage malheureux tout simplement parce qu'elle était son amie. Il écarta la suggestion de garder secrète cette amitié en disant que, n'en ayant pas honte, il n'entendait pas la cacher ou tromper son peuple.

Le roi demanda pourtant le concours de deux grands seigneurs de la presse anglaise, les Lords Beaverbrook et Rothermere, mais pour une affaire beaucoup plus précise.

Le divorce de Wallis devenant imminent, le roi redoutait la publicité qui l'entourerait. Il était inquiet pour Wallis. Lord Beaverbrook, propriétaire du *Daily Express* et de l'*Evening Standard*, avait déjà prévenu l'avoué de Wallis, Theodore Goddard, qu'il projetait de publier un grand article. Beaverbrook était un vieil ami de Goddard; celui-ci essaya de le dissuader, mais Beaverbrook refusa. Alors, le 13 octobre, Beaverbrook fut invité à « fixer votre heure [13] » pour un rendez-vous avec le roi. Il est fort intéressant de noter que, sur le livre de rendez-vous de Beaverbrook, le nom de Mr. Simpson figure au jour précédant sa rencontre avec le roi.

William Maxwell Aitken Beaverbrook était un Canadien qui avait fait fortune en fusionnant des cimenteries. Il entra dans le Cabinet anglais de 1918 en qualité de ministre de l'Information chargé de la propagande. Petit homme doté d'une énergie dynamique, il connaissait à peine le roi. Il ne partageait pas le sentiment romantique de Churchill envers la monarchie. Mais il se souvenait d'un passage d'Edmund Burke : « Le monde est gouverné par des entremetteurs. Ces entremetteurs influencent les personnes qu'ils mettent en rapport en présentant leurs propres sentiments à l'un des partenaires comme s'ils étaient les sentiments de l'autre; ainsi exercent-ils réciproquement leur maîtrise sur les deux [14]. »

Le roi demanda à Beaverbrook de s'entremettre pour que la presse anglaise n'accordât qu'un intérêt minimum au divorce de Wallis.

Il indiqua à Beaverbrook qu'il estimait de son devoir de protéger Mrs. Simpson parce qu'elle était malade et épouvantée par la publicité qui associait son nom avec celui du roi. Il ne fit aucune allusion à un projet de mariage. Goddard avait dit à Beaverbrook que Sa Majesté n'avait nulle intention de ce genre. « Et je l'ai cru », déclara Beaverbrook. Non seulement il le crut, mais il en donna l'assurance aux autres patrons de la presse britannique.

Beaverbrook négocia un « gentlemen's agreement » avec ses confrères au sujet du divorce. Plus tard, le *Daily News* de New York fit ce commentaire : l'ennui, avec les directeurs de journaux anglais, « c'est que la plupart d'entre eux se considèrent en premier lieu comme des hommes d'Etat et accessoirement comme des journalistes ».

Le roi avait soigneusement calculé la date du divorce. Après l'obtention d'un arrêt provisoire, la loi anglaise exigeait un délai de six mois pour que le divorce fût prononcé à titre définitif. A l'origine, ce délai avait été prévu pour le cas où l'épouse divorcée donnerait le jour à un enfant. Cela signifiait que Wallis serait libre le 27 avril 1937. Or la cérémonie du couronnement était prévue pour le 12 mai. Le roi pourrait donc épouser Wallis avant le couronnement. Il avait même décidé de répliquer au Premier ministre, le cas échéant : « Pas de mariage, pas de couronnement. »

Argument qui n'aurait pu être plus mal choisi.

Wallis quitta Londres au début d'octobre pour Felixstowe, près d'Ipswich. Goddard lui avait expliqué la nécessité de résider dans la région quelque temps avant la demande en divorce. Felixstowe était un village isolé sur la côte orientale de l'Angleterre à l'embouchure de la Gipping. La saison étant terminée, il n'y avait plus d'estivants.

Wallis arriva dans la Buick que conduisait le chauffeur du roi; elle était accompagnée d'une cuisinière, d'une femme de chambre et de deux amis, Kitty et George Hunter. Personne dans le village ne connaissait leur identité, et personne ne s'intéressa à eux. Bien que sa petite maison regorgeât de monde, rarement Wallis se sentit aussi seule que pendant cet intermède.

Tout en se promenant sur la longue plage déserte, elle réfléchissait au chemin qu'elle avait parcouru depuis le 212 d'East Biddle Street. Elle avait toujours eu la réputation d'être exactement le genre de personne que l'on pouvait aller trouver si l'on avait des ennuis; mais elle, vers qui pouvait-elle se tourner à présent? Elle était une femme seule. Elle n'avait pas encore la moindre idée de ce qui l'attendait. Elle croyait toujours que son roi viendrait à bout de tout.

Elle n'avait pas besoin de s'interroger sur la véritable profondeur de l'amour qu'il lui portait. Elle la connaissait. Mais que dire de son amour à elle? Le roi n'était pas Don Felipe A. Espil. Il n'était pas l'homme grand, fort, brillant, irrésistible qui lui avait tourné la tête. Le roi avait une beauté juvénile faite de charme et d'un chaud sourire. Il possédait son propre genre de force têtue. Il dansait à merveille. Ils avaient les mêmes goûts; ils préféraient les êtres aux livres, la musique populaire à l'opéra, des amis débordant d'entrain à des gens guindés, les bistrots aux salles de banquet.

Il était sincère, tendre, impatient de rire, encore plus impatient de lui faire plaisir. Et surtout il était roi et empereur, le meilleur parti du monde.

Mais de plus il avait besoin d'elle — beaucoup plus besoin d'elle qu'Espil.

« Elle l'aime, et cependant il me semble qu'elle n'est pas amoureuse de lui », résuma un ami perspicace [15].

L'amour de Wallis n'avait rien de passionné ni d'irrésistible, mais elle était certainement entraînée par le côté spectaculaire de leur idylle et la surexcitation perpétuelle qui en était la conséquence.

Etait-ce suffisant? N'était-ce pas plus ce qui se trouvait à la portée de la première venue?

De toute façon, il était trop tard pour faire marche arrière.

« Quand j'étais un petit garçon du Worcestershire qui lisait des livres d'histoire », déclara le Premier ministre Stanley Baldwin à un ami, « je n'avais jamais pensé que je devrais un jour m'interposer entre un roi et sa maîtresse [16]. »

Baldwin était aussi anglais que roast beef et John Bull. Plutôt petit, trapu, le visage carré, des complets toujours mal coupés, l'inévitable pipe à la bouche, il était alors dans sa soixante-dixième année et se préparait à prendre sa retraite. Le principal grief que lui adressaient ses critiques était d'être terne; il est vrai qu'il paraissait souvent préférer ses cochons au peuple et que son slogan politique était : « Dans le doute, abstiens-toi. » Il parlait lentement, était fermement conservateur, et aimait se définir comme « un homme simple ».

Un ancien directeur du *Times*, Wickham Steed, posa la question suivante : « Stanley Baldwin est-il le plus chanceux des hommes politiques incapables, ou le plus subtil des hommes d'Etat compétents [17]? » Harold J. Laski lui répondit : « Mr. Baldwin a le génie bien anglais d'avoir l'air d'un amateur dans un jeu où, en réalité, il est un superbe professionnel [18]. »

Baldwin était un politicien inconnu quand Andrew Bonar Law le choisit comme son secrétaire privé parlementaire, puis comme chancelier de l'Echiquier. Bonar Law aurait dit de son collaborateur qu'il était trop honnête pour intriguer contre lui et pas assez intelligent pour lui attirer des ennuis.

Lorsque Bonar Law, malade, démissionna en 1923, le roi George V dut lui trouver un successeur; il hésita entre deux leaders du parti conservateur, Baldwin et le marquis Curzon de Kedleston. Après la désignation de Baldwin, Curzon déclara : « Même pas une personnalité connue! Un homme sans expérience et d'une insignifiance totale [19]. » Et Baldwin dit aux journalistes : « Je n'ai pas besoin de vos félicitations, mais de vos prières [20]. »

« Chaque matin, nous nous agenouillons ensemble devant Dieu », dit la femme de Baldwin, « et nous lui recommandons notre journée en priant pour que nous puissions accomplir de bonnes œuvres. Ce n'est pas pour nous-mêmes que nous œuvrons, mais pour le pays et pour l'amour de Dieu. Comment pourrions-nous vivre autrement[21]? »

Son secrétaire a dit de lui qu'il était plus un prédicateur qu'un homme d'Etat, qu'il sentait les choses avec acuité, et qu'il avait une conscience plus active que son intelligence. Baldwin avoua lui-même qu'avec son « tempérament un peu mou », il préférait « l'accord au désaccord ». Son premier passage à la tête des affaires dura moins d'un an, et il fut remplacé par Ramsay MacDonald. Baldwin revint au pouvoir en 1924 avec une majorité imposante, se heurta à la grève générale de 1926, se représenta aux élections de 1929 avec le slogan « Sécurité d'abord », et perdit la bataille. En 1935, il redevint Premier ministre et son nouveau slogan fut : « Je pense que vous pouvez me faire confiance. »

Mais en 1936 Baldwin eut des ennuis. Son ministre des Affaires étrangères, sir Samuel Hoare, avait provoqué une tempête internationale en concluant à Paris avec Pierre Laval un accord qui permettait à l'Italie de conserver ce qu'elle avait conquis en Ethiopie. Un ami le dépeignit sous les traits d'un homme accablé par une épouvantable catastrophe. Ses jours à Downing Street paraissaient comptés. L'Allemagne compliqua davantage la scène internationale en réoccupant militairement la Rhénanie. Baldwin avait été informé du formidable programme de réarmement de Hitler — d'autant plus formidable si on le comparait au pitoyable rythme de l'Angleterre — mais il n'en avait rien dit.

« En supposant que je sois allé dans le pays proclamer que l'Allemagne réarmait et que nous devions en faire autant, quelqu'un croit-il sérieusement que cette démocratie pacifique se serait ralliée à mon appel en un moment pareil? Rien, à mon avis, ne nous aurait fait perdre plus certainement les élections[22]. »

Quand on lui demanda s'il s'était entretenu avec l'un ou l'autre des dirigeants européens, Baldwin ne fut pas moins net. Il répondit que non, et qu'il ne l'avait pas fait parce qu'il ne les aimait pas.

Baldwin conserva son extérieur calme de fumeur de pipe, mais son secrétaire nota : « En lui, le chaos se déchaîne [23] », et « Chaque fardeau devient un cauchemar [24] ». Redoutant une dépression nerveuse, ses médecins insistèrent pour qu'il se reposât quelques mois.

Avant son départ, Baldwin avait pris conscience de l'inquiétude qui se développait en Angleterre au sujet du roi et de Mrs. Simpson. Il avait appris, comme Walter Monckton, par Sir Maurice Jenks que le roi avait annoncé à Ernest Simpson son intention bien arrêtée d'épouser sa femme. Baldwin avait également reçu du principal secrétaire privé du roi, le major Alexander Hardinge, des messages répétés qui le pressaient de parler au roi de cette affaire. Comme tout le monde, Hardinge n'avait pas bénéficié de la totale confidence du roi mais, du fait de sa position, il savait mieux que personne à quoi s'en tenir.

Mise à part son aversion naturelle à intervenir dans la vie privée de son souverain, le Premier ministre estimait qu'aucun problème constitutionnel ne se poserait tant que Mrs. Simpson demeurerait l'épouse de son mari. Mais puisque la procédure du divorce s'engageait, le problème devenait plus immédiat.

Rétabli et reposé, le Premier ministre passa un week-end à Cumberland Lodge, la résidence de Lord FitzAlan, avec un petit groupe dont Alexander Hardinge faisait partie. C'étaient tous des personnages éminents de l' « Establishment », soucieux de l'avenir de la Couronne. Hardinge avait été, depuis 1920, secrétaire privé adjoint de George V. Son père avait été vice-roi des Indes, ambassadeur en France et en Russie, puis sous-secrétaire d'Etat permanent. Son arrière-grand-père s'était battu à Waterloo et avait reçu du duc de Wellington l'épée de Napoléon. La famille de Hardinge avait pour devise : « Pour Dieu et la Patrie. » Bien que secrétaire privé du roi, Hardinge se sentait plus de devoirs envers la monarchie qu'envers le monarque.

Hardinge était un homme simple, modeste, pas très grand, qui avait les traits tirés et une grosse moustache. Son ascendance le situait dans le cercle social immédiatement inférieur à celui de la famille royale. Ses fonctions auprès de George V lui avaient donné beaucoup d'entregent. Ce fut d'ailleurs l'habitude qu'il avait de la cour qui lui valut son poste de secrétaire principal du roi. Edouard VIII aurait préféré sir Godfrey Thomas qui avait été son secrétaire privé et son ami depuis dix-sept ans, mais Thomas s'estima inférieur à la tâche qui l'attendait, et il recommanda Hardinge. Le roi avait peu connu Hardinge, mais celui-ci passait pour un homme d'honneur, sans affiliation politique, méticuleux et efficace, pas du tout pour quelqu'un qui serait capable de provoquer des coups d'éclat.

Ce fut cependant Hardinge qui, en fin de compte, insista auprès du Premier ministre pour qu'il tentât de convaincre le roi d'arrêter le divorce Simpson; Baldwin accepta. L'année précédente, il avait déclaré au cours d'un discours : « Si, dans un quelconque cataclysme, la Couronne disparaissait, l'Empire disparaîtrait avec elle. Elle est un lien qui, une fois brisé, ne pourrait jamais être réparé; et tant que durera la tradition à laquelle nous nous sommes accoutumés, la tradition qui guide ceux qui s'asseyent sur notre auguste trône, ce sera une bénédiction pour notre pays, et aucune puissance sur la terre ne pourra la briser [25]. »

Le roi, de son côté, passait le même week-end à la campagne — une partie de chasse à Sandringham — lorsque Hardinge lui téléphona. Ils fixèrent le rendez-vous à mardi matin à Fort Belvedere. Le Premier ministre arriva visiblement nerveux et, presque en s'excusant, demanda un whisky et de l'eau gazeuse. Il proposa au roi de lui en verser un, mais le roi lui répondit d'un air sévère qu'il ne buvait jamais d'alcool avant sept heures du soir. Puis l'atmosphère se détendit quand ils commencèrent à bourrer leurs pipes.

« Vous rappelez-vous, Sir, que lorsque nous sommes revenus ensemble de Folkestone, vous m'avez dit que je pourrais vous parler librement de tout? Cette autorisation tient-elle lorsqu'il s'agit d'une femme [26]? »

Le roi répondit que oui.

Le Premier ministre ajouta qu'il lui parlait aussi comme à un ami, puis il exposa les bruits qui se répandaient de plus en plus en Angleterre et à l'étranger, ainsi que le préjudice qu'ils portaient à la monarchie. Finalement, il demanda : « Faut-il vraiment que cette instance soit maintenue [27]? »

Le roi déclara simplement, comme il l'avait déjà fait, qu'il serait mal de chercher à influencer Mrs. Simpson pour l'unique raison qu'elle était une amie du roi.

Pourquoi se crut-il obligé de mentir? Pourquoi ne pas avoir dit qu'il aimait Mrs. Simpson et qu'il voulait l'épouser? Quelle sorte de jeu jouait-il? Certains ont émis l'hypothèse que le roi espérait éviter tout affrontement avant que le divorce fût rendu définitif : alors il pourrait épouser la femme qu'il aimait et mettre le gouvernement de Sa Majesté devant le fait accompli.

Baldwin repartit ce matin-là avec le sentiment que « la glace avait été brisée », et il complimenta le roi sur la beauté de son jardin.

Soucieux, le roi téléphona à son ami Walter Monckton, lui rapporta son entretien avec Baldwin, puis lui dit : « Ecoutez-moi, Walter. Nul ne sait la tournure que vont prendre les choses. Je commence à me demander si je suis bien le genre de roi qu'il leur faut. Ne suis-je pas un peu trop indépendant? Comme vous le savez, je diffère beaucoup de mon père. Je crois qu'ils préféreraient quelqu'un à sa ressemblance. Eh bien, il y a mon frère Bertie [28]. »

Parlant à mots couverts de la succession avant même qu'Edouard devînt roi, Baldwin aurait dit : « Les York l'assumeraient très bien. » Baldwin confia aussi au leader travailliste Clement Attlee qu'il doutait fort que le nouveau souverain « maintiendrait son cap [29] ».

Contrairement à la Constitution des Etats-Unis, la Constitution anglaise n'est pas un document écrit. Ce qui gouverne le Royaume-Uni est un ensemble de principes acceptés; certains sont écrits, mais d'autres sont entièrement fondés sur la tradition. Le plus traditionnel de tous est l'existence même du Cabinet anglais. Le Parlement a donc la souplesse nécessaire pour faire face aux conditions changeantes de l'Empire. Ce qui est constitutionnel en Grande-Bretagne est ce qui est passé. Dans la *Forsyte Saga,* Galsworthy a écrit : « Il faut toujours donner du temps à l'Angleterre. Elle ne comprend les choses que lentement. »

La Constitution anglaise n'empêchait pas le roi d'épouser qui il voulait, à la condition que cette femme ne fût pas catholique romaine. S'il voulait épouser une catholique, il devait renoncer au trône en faveur de son héritier protestant le plus proche. Avant vingt-cinq ans, les membres de la famille royale ne pouvaient pas se marier sans l'autorisation du roi.

Mais en tant que roi, Edouard VIII pouvait épouser n'importe quelle femme, quelle que fût sa nationalité, sa race ou sa situation sociale. Rien ne lui interdisait non plus de se marier avec une divorcée. Et un membre du clergé qui présiderait à une cérémonie de ce genre ne serait coupable d'aucune illégalité.

Quatre ans plus tôt, l'archevêque de Canterbury avait exprimé son « désir » que l'Eglise anglicane ne célébrât point de mariages avec des divorcés dont le mari ou la femme seraient encore vivants. Puisque le roi était aussi le Défenseur de la Foi, cela soulevait un problème. Mais un facteur de plus grande importance était le Statut de Westminster qui, voté en 1931, avait décrété que le Parlement impérial cessait d'exercer la souveraineté sur les Dominions. Le seul lien symbolique restait la Couronne. Un mariage royal devait donc respecter la sensibilité des Dominions.

Tout cela, le roi le savait; il y réfléchissait et s'en inquiétait. Mais nous savons qu'il déclara plus tard à Monckton qu'il avait pris sa décision d'épouser Wallis en 1934, et que cette décision s'était durcie comme du béton.

La réaction des Dominions avait déjà commencé à filtrer. Le Premier ministre du Canada, Mackenzie King, passa la soirée du 26 octobre avec Baldwin auquel il annonça que le Canada serait hostile au mariage du roi avec Mrs. Simpson. Un journaliste canadien cita l'opinion d'un juriste : « Si les Etats-Unis veulent une reine, pourquoi ne pas couronner Mrs. Simpson à Washington [30]? »

Des journaux des Dominions, mentionnant la façon dont la presse américaine rendait compte de l'affaire Simpson, la comparèrent à « de la boue agitée par des voyous [31] ». L'éditorialiste Walter Winchell émit une opinion différente : « ... Les lecteurs s'intéressent plus aux gens qui ' vivent ' qu'à ceux qui ' agonisent '... Les amoureux sont des vivants... Les autres sont des morts [32]. »

La manchette d'un journal américain annonça :

CINQ CONTRE TROIS QU'IL NE L'EPOUSERA PAS [33]!

L'article comparait la société britannique à un verre de bière : la mousse de l'aristocratie en haut, les travailleurs en bas, et les classes moyennes représentant le gros du liquide qui faisait de la bière une bonne boisson; or les classes moyennes ne voulaient pas de Wallis pour reine.

Dans le flot régulier des lettres sévères qui émanaient d'Anglais d'outre-mer à destination du *Times* — et qui ne furent jamais publiées — le directeur Geoffrey Dawson en lut une qui retint son attention. Sous le pseudonyme de « Britannicus », le lecteur avait rédigé une philippique de neuf pages pour dénoncer « une véritable avalanche de fumier et de boue [34] » dans la presse américaine; il assurait que cette dernière était en train de retourner l'opinion des Etats-Unis à l'égard de la Grande-Bretagne « qui avait cessé d'être un royaume digne et sérieux pour devenir une vertigineuse opérette balkanique [35] ». Il énuméra notamment quelques histoires qu'elle mettait en circulation, à savoir que la reine Mary avait été bannie du palais de Buckingham pour céder la place à Mrs. Simpson, que Wallis devrait être enrôlée pour faire rentrer les dettes de guerre de l'Angleterre aux Etats-Unis, que le roi avait chassé de son bureau le Premier ministre qui avait osé se plaindre du mariage projeté.

« Je ne peux me retenir d'écrire que rien ne me plairait davantage que d'apprendre qu'Edouard VIII a abdiqué en faveur de l'héritier présomptif », concluait la lettre. « Selon moi, il serait préférable que ce changement intervienne avant que l'affaire ne s'ébruite par trop et que l'inquiétude générale ne se développe au point de remettre en question l'institution même de la monarchie [36]. »

En sa qualité de directeur du *Times,* Geoffrey Dawson était à soixante-deux ans l'une des douze plus importantes personnalités de la Grande-Bretagne. Le *Times* était Jupiter tonnant, la voix de l' « Establishment ». Certains critiques disaient que Dawson, rougeaud et presque chauve, n'avait pas le courage rédactionnel de son indépendance journalistique, qu'il aimait mieux tenir silencieusement la barre que prendre la tête d'une opération, bref qu'il préférait être le poisson-pilote plutôt que le requin. D'autres le considéraient comme un snob qui recherchait seulement la compagnie de gens haut placés; ils admettaient qu'il était d'une sincérité absolue, sauf vis-à-vis de lui-même. Pour ses amis, il écrivait admirablement bien, il travaillait beaucoup, il était discret, conservateur d'instinct, il avait de solides principes religieux, et il croyait aveuglément à la vocation de l'Angleterre et de l'Empire à être une grande force morale.

Pour Dawson, la lettre de Britannicus fut une preuve supplémentaire que l'affaire Simpson sapait cette force morale; il en porta aussitôt un double au palais de Buckingham afin de le montrer à son ami Alec Hardinge, le secrétaire du roi.

Lord Beaverbrook dit plus tard que Dawson avait été le principal scélérat dans le complot contre le roi en employant « des méthodes que beaucoup condamneraient », et qu'il « avait poursuivi sa proie avec une vigueur s'apparentant à du venin [37] ».

Hardinge confia à Dawson qu'il avait déjà pointé de « grosses pièces » sur le roi et il le mit au courant du rendez-vous avec Baldwin. Le soir même, Dawson alla voir le Premier ministre au 10 Downing Street pour lui remettre un autre exemplaire de la lettre de Britannicus. Baldwin lui dit que cette lettre renforcerait sa position dans ses tractations avec le roi, mais il pensait ne pouvoir prendre aucune initiative tant que le roi n'exprimerait pas son intention de se marier. Dawson jugea plus prudent, lui aussi, de tempérer son ardeur.

L'homme invisible à cet entretien fut l'archevêque de Canterbury, Cosmo Gordon Lang. Au Magdalen College d'Oxford, lorsqu'il avait été doyen de théologie, les étudiants l'appelaient « Cosmo ». Ils n'oublièrent pas sa belle voix, sa forte personnalité, ses sermons superflus et impropres. Le Dr. C. C. J. Webb se rappela aussi qu'il « s'entendait certainement mieux avec les étudiants issus de familles haut placées [38] ».

L'archevêque tint son propre journal sur ce qu'il appela « L'affaire du roi ». Ce qui le préoccupait le plus, c'était le service du couronnement en mai — à une époque où il avait projeté de lancer sa campagne intitulée « Un rappel à la religion ». S'il devait administrer le sacrement de la communion à un homme marié, ou sur le point de l'être, avec une femme qui avait déjà divorcé deux fois, une telle capitulation non seulement couvrirait de ridicule sa campagne, mais ébranlerait les fondements de l'influence et de l'enseignement de l'Eglise.

« ... L'idée que je serais obligé de le consacrer roi pesait sur moi comme un fardeau », écrivit-il dans son journal. « En vérité, je me demandais si je pourrais me résoudre à le faire. Mais j'avais l'intuition que les circonstances pourraient changer [39]... »

Le changement était proche. Il s'amorça le 27 octobre à Ipswich.

17

Henri VIII s'était entiché d'Anne Boleyn et il l'épousa en 1533, au mépris de Clément VII. Auparavant, il avait subordonné l'Eglise à la Couronne, nommé son propre archevêque de Canterbury, et ordonné que son mariage avec Catherine d'Aragon fût annulé en raison des sympathies qu'elle professait pour l'Espagne, de l'improbabilité qu'elle eût d'autres enfants, et du caractère illégal de la dispense pontificale qui avait permis leur mariage. Aussitôt, le pape Clément VII excommunia Henri VIII qui riposta en rompant avec Rome, en cessant tous paiements au Pape et en se désignant lui-même comme chef suprême de l'Eglise d'Angleterre.

Par conséquent, l'Eglise anglicane était issue du désir de divorcer d'Henri VIII. Mais, pendant très longtemps, aucune Eglise ne se montra plus rigoureuse dans son interdiction du divorce. Interdiction fondée pour l'essentiel sur la règle que le mariage ne pouvait être dissous que par la mort naturelle de l'un des époux et qu'il était indissoluble tant qu'ils étaient tous les deux en vie.

Il fallut plus tard une loi du Parlement pour que le divorce fût autorisé; encore ne fut-il accessible qu'aux puissants et aux riches. A tous autres la même réponse était opposée : comme on fait son lit, on se couche. De nombreuses années s'écoulèrent avant que l'Angleterre adoptât l'attitude américaine selon laquelle le mariage est plus une habitude sociale qu'un sacrement. L'adultère devint la seule excuse valable pour divorcer, et une loi de 1923 institua une égalité complète entre les sexes sur les motifs du divorce; elle réduisit aussi le coût de la procédure et elle la confia à la juridiction de la cour d'assises.

Dans 80 % des cas, le défendeur s'abstenait de plaider. Un gentleman ne devait-il pas assumer le blâme de l'adultère, même s'il n'était pas coupable? La comédie la plus courante consistait à invoquer la présence d'une professionnelle inconnue dans un hôtel de villégiature et le témoignage de la femme de chambre qui, servant le thé du matin, trouvait le couple au lit. La différence entre les divorces anglais et américains était que l'arrêt n'était pas rendu aussi vite en Grande-Bretagne.

Cette comédie indispensable pour obtenir un divorce était si manifestement une farce que l'Eglise d'Angleterre elle-même, à son assemblée de 1936, demanda que la loi fût modifiée, « à condition que les amendements ne tendraient pas à faire du mariage une union temporaire ou à saper les fondations de la vie familiale ». A. P. Herbert, auteur d'une satire sur le divorce, se déclara si fermement partisan d'une réforme qu'il fut élu au Parlement et proposa une loi visant à faciliter le divorce en éliminant collusions et complicités. Le divorce Simpson mit le problème sous les projecteurs de l'actualité.

Peu d'endroits semblaient plus indignes d'une publicité mondiale que la paisible ville campagnarde d'Ipswich. Elle ne présentait guère d'intérêt pour le touriste : le cardinal Wolsey, fils d'un boucher, y était né; Dickens avait utilisé le White Horse Hotel local pour un épisode de ses *Aventures de M. Pickwick*; le grand acteur David Garrick y avait fait ses débuts dans un local occupé par l'Armée du Salut. Ipswich fut aussi la scène d'un raid des Vikings. A part cela, rien d'autre qu'un petit musée et un marché qui se tenait une fois par semaine.

Le plus important pour Wallis Simpson, c'était qu'Ipswich fût le siège d'une cour d'assises qui se réunissait quatre fois par an pour rendre la justice dans le Suffolk.

« Tout fut très mal conduit », dit Lord Brownlow. « Le moment n'était pas bon, le lieu non plus, tout était mauvais. La ville avait été envahie par les gens de la Sûreté et des services secrets. Quant aux journalistes et photographes qui s'entassaient dans ce petit bourg, ils ne pouvaient qu'exagérer l'événement. Le fait que Wallis avait un très éminent avoué, dont on connaissait les liens avec le roi, pour mener son affaire aggravait encore la situation [1]. »

La presse internationale arriva à Ipswich au grand complet. Les quelques reporters anglais qui avaient effectué le déplacement se trouvaient là surtout à titre d'observateurs. En 1926, le Parlement avait voté une loi restreignant les comptes rendus des procès en divorce. Il en avait décidé ainsi pour protéger la morale publique, car ce genre d'instances révélaient souvent des détails intimes de perversion sexuelle, dont un nombre étonnant de variantes ingénieuses du sadisme et du masochisme. Quelques mauvais esprits laissaient entendre que l' « Establishment » avait voulu en réalité protéger sa réputation, puisque la proportion de divorces était considérable dans l'aristocratie et que c'étaient les perversions sexuelles de l'aristocratie qui provoquaient les plus gros scandales de presse.

Cette réglementation, toutefois, n'aurait pas empêché la presse britannique d'exploiter à fond l'histoire de Wallis Simpson si le roi n'avait poussé Beaverbrook à obtenir des directeurs de journaux la promesse qu'ils la traiteraient « en douceur ».

Wallis n'avait pas beaucoup dormi la nuit précédente. Elle était certainement tenaillée tour à tour par l'inquiétude et l'ambition, le doute et l'espérance.

Elle savait qu'elle disposait des meilleurs conseillers juridiques possibles, l'avoué Theodore Goddard et son associé Walter Frampton. Pour lui servir d'avocat devant la cour, elle avait Norman Birkett, conseiller du roi; cet homme maigre dont le nez aquilin était chaussé de lunettes passait pour être l'un des membres du barreau anglais les plus distingués et les plus chers. Birkett, qui fut anobli peu après le procès, était allé déjeuner avec Monckton chez le roi à Fort Belvedere plusieurs jours avant l'audience. « Norman fut très impressionné par la droiture du roi ainsi que par sa bienveillance et sa dévotion envers Mrs. Simpson, et il fut captivé par son charme. »

Birkett et Goddard donnèrent à Wallis l'assurance que tout avait été méticuleusement préparé et que l'audience serait brève et calme. Birkett avait si bien prévu les principales questions qu'il lui poserait qu'elle n'aurait à répondre que par oui ou par non.

Toute la logistique était au point. La police avait reçu des consignes tellement strictes que même un ancien maire d'Ipswich faillit être refoulé du palais de justice; les bancs du public, dans la salle d'audience, avaient été arrangés de telle sorte que les places faisant face à la barre des témoins restèrent inoccupées; trente laissez-passer seulement avaient été distribués à la presse, et, de leurs sièges, les journalistes ne pouvaient voir le témoin que de dos.

Plus de deux douzaines de photographes prirent position sur les toits avoisinants pour guetter l'arrivée de Wallis. La police démolit les caméras de certains photographes téméraires qui s'étaient trop rapprochés du palais de justice. Les agents de la Sûreté découvrirent aussi qu'une équipe d'actualités cinématographiques avait loué un appartement dont les fenêtres donnaient sur la cour d'entrée; ils la prièrent, sans ménagement, de déguerpir au plus vite.

Goddard et Frampton allèrent chercher Wallis dans leur voiture, afin qu'on ne la remarquât point dans la Buick royale. Il était convenu que ses amis et ses domestiques prendraient cette Buick avec ses bagages pour rentrer directement à Londres, où Goddard la ramènerait après l'audience. Dès que l'auto couverte de Goddard pénétra dans la cour, la police referma les grilles hautes de deux mètres cinquante. Wallis abaissa son grand chapeau sur ses yeux.

La première affaire inscrite sur les rôles de la cour pour cet après-midi était : « Simpson, W. contre Simpson, E. A. »

Elle s'assit à côté de la table de son avoué, entre deux hommes. Sept policiers, dont quatre en civil, restèrent debout, face au public, pendant l'audience. Les appareils photographiques et les caméras n'étaient pas autorisés à l'intérieur.

Wallis portait un tailleur de laine bleu marine, une écharpe à pois bleus et blancs, une seule bague à la main gauche. Elle était si tendue qu'elle avoua plus tard qu'elle ne savait pas très bien ce qui se passait autour d'elle. Un journaliste lui trouva un maintien de « reine [2] ». Un autre mentionna ses « quintes de toux [3] ».

Le juge qui présidait, sir John Hawke, était un petit bonhomme d'un certain âge; coiffé d'une perruque blanche comme neige et vêtu d'une robe pourpre garnie d'hermine, il fit son entrée conformément à la tradition, c'est-à-dire annoncé par des gardes qui, en tuniques rouges et colbacks noirs, soufflèrent dans des trompettes d'argent. Un journaliste curieux découvrit que Hawke avait été conseiller juridique du duché de Cornouailles qui était toujours sous l'autorité directe du roi. Hawke avait l'air d'un homme austère, solennel, avec ses lunettes à grosse monture sur le bout du nez.

Wallis fut appelée à la barre des témoins. Un huissier lui tendit le Nouveau Testament, sur lequel elle jura de dire la vérité, toute la vérité, rien que la vérité. La plupart des observateurs remarquèrent que sa voix était nette et ne tremblait pas.

« Fréquemment, sa langue obéissait à des mouvements de nervosité qui la faisaient voyager d'une joue à l'autre », nota un journaliste. « Pour quelqu'un qui la voyait pour la première fois, elle paraissait une femme entre deux âges de la haute société. Elle avait une loupe sur le côté droit du menton. Elle a raconté une histoire tout à fait banale [4]. »

Elle répondit à des questions sur son domicile, la date de son mariage, et fut priée de préciser si elle avait des enfants ou non.

Puis Birkett l'interrogea.

« Avez-vous été heureuse avec le défendeur jusqu'à l'automne de 1934? »

« Oui. »

« Quel changement s'est-il produit? »

« Il est devenu indifférent et il partait souvent seul pour les week-ends. »

« Vous en êtes-vous plainte auprès de lui? »

« Oui. »

« A-t-il continué à faire ce dont vous vous plaigniez, autrement dit à partir seul et à vous délaisser pour les week-ends? »

« Oui. »

« Le jour de Noël 1934, avez-vous trouvé une lettre sur votre coiffeuse? »

« Oui. »

La lettre fut communiquée au juge, l'avocat insinuant que l'écriture était celle d'une femme.

Le juge Hawke la lut et dit : « L'écriture est peut-être celle d'une femme, mais elle n'est guère lisible. » L'avocat lui remit alors une transcription dactylographiée de la lettre. « Elle ne prouve rien contre personne », déclara-t-il après l'avoir lue. « Je ne comprends pas. »

Birkett poursuivit néanmoins son interrogatoire de Mrs. Simpson.

« La découverte de la lettre vous a-t-elle causé une vive affliction? »

« Oui. »

« Vous êtes-vous plainte auprès de votre mari à cette époque? »

« Non. J'ai pensé que je ferais mieux de me taire, dans l'espoir que les choses s'arrangeraient. »

« Se sont-elles arrangées? »

« J'ai bien peur que non. »

Elle certifia alors qu'elle avait reçu une autre lettre, adressée à elle mais destinée à son mari *, et qu'ensuite elle avait rendu visite à un avocat et engagé des détectives. Birkett remit au juge une lettre qu'elle avait écrite un peu plus tard à son mari :

> Cher Ernest,
>
> Je viens d'apprendre que pendant votre absence, au lieu d'effectuer un voyage d'affaires comme vous m'aviez incitée à le croire, vous avez séjourné à un hôtel de Bray avec une femme. Vous comprenez, j'en suis sûre, que je ne peux pas fermer les yeux sur votre comportement et que je dois insister pour que vous cessiez d'habiter ici avec moi. Cela ne fait que confirmer les soupçons que j'ai depuis longtemps. Je vais donc donner pour instructions à mes avoués d'entamer la procédure de divorce [5].

Puis ce fut le tour des témoins habituels, la femme de chambre et le garçon d'étage de l'hôtel de Paris à Bray-on-Thames (Maidenhead). Ils avaient vu Mr. Simpson et une femme, et ils leur avaient servi le thé du matin dans le lit à deux places. Non, cette femme-là n'était pas Mrs. Simpson. La nuit où Simpson était censé avoir couché avec une autre femme était le 21 juillet, son huitième anniversaire de mariage.

Visiblement peu satisfait, le juge Hawke ouvrit la bouche pour poser une question; Birkett le devança aussitôt. « Je suppose que Votre Seigneurie pense à [6]... » Avec humeur, le juge demanda à l'avocat de Wallis comment il pouvait bien savoir à quoi il pensait.

Personne, à ce moment-là, n'aurait pu prédire ce que déciderait le juge.

La question qu'il avait voulu poser concernait le nom de l'autre femme; il n'avait pas été cité à l'audience, uniquement dans la requête initiale. Elle s'appelait Buttercup Kennedy.

Wallis avait le sentiment que le juge lui était foncièrement hostile. Il ne la regardait qu'à peine, et il semblait très contrarié d'être mêlé à l'affaire.

Presque à contrecœur, le juge Hawke se décida : « Eh bien, je suis évidemment obligé de conclure qu'il y a eu adultère. » Il ajouta : « Divorce provisoire accordé [7]. »

« Avec frais et dépens, monsieur le juge? »

* Il s'agissait d'une lettre tendre et amoureuse de Mary Kirk Raffray qui remerciait Ernest Simpson de lui avoir envoyé des roses.

« Oui, bien sûr [8]. »

L'audience fut levée; elle avait duré dix-neuf minutes.

Presque aussitôt, Wallis fut précipitamment entraînée hors de la salle par une porte latérale qui se referma au nez des journalistes. Avant qu'elle se rouvrît, Wallis roulait déjà sur la route de Londres.

18

Le roi épousera Wally

Telle fut la manchette du *Journal* de New York au lendemain du divorce de Wallis; elle couronnait un grand article non signé qui fut attribué à l'éditeur William Randolph Hearst après un entretien de celui-ci avec le roi. Sans fioritures, l'article annonçait qu'Edouard VIII avait l'intention d'épouser Wallis dès que son divorce serait devenu définitif en avril. L'article démontrait aussi que les mariages entre familles royales étaient passés de mode; que le frère du roi, le duc d'York, était parfaitement heureux de son mariage avec une bourgeoise, « une dame du peuple [1] », que la chose la plus importante pour la paix et la prospérité du monde était une entente et des relations étroites entre l'Angleterre et les Etats-Unis; et que le mariage du roi avec « une dame de grande valeur [2] » pourrait contribuer à favoriser cette coopération bénéfique.

« Mais essentiellement », concluait l'auteur de l'article, « la raison transcendante pour que le roi se marie avec Mrs. Simpson est qu'il l'aime passionnément, et qu'il ne voit pas pourquoi un roi serait privé du privilège d'épouser la femme qu'il aime ».

La presse américaine avait consacré au divorce Simpson une place considérable. Beaucoup se demandèrent si le procès n'avait pas été dirigé selon le bon plaisir du roi. Un député de Glasgow, George Buchanan, s'écria : « C'est un défi qui a été lancé à tous les tribunaux au profit de ce seul homme. Un procès en divorce a été jugé, alors que chacun d'entre nous sait qu'il y a eu infraction à la loi. La loi a été bafouée. Les tribunaux ne comptent plus [3]. » A son avis, la cour avait admis comme preuve un mensonge flagrant.

Certes le faux adultère était un tour de passe-passe pratiqué dans le monde entier, mais de nombreux Anglais vertueux s'indignèrent que leur roi y eût eu indirectement recours.

Le jour du procès, le roi respecta scrupuleusement ses rendez-vous, mais de toute évidence ses pensées étaient avec Wallis à Ipswich.

Il reçut entre autres personnalités Mackenzie King, Premier ministre du Canada. « Nous avions espéré », écrivit Geoffroy Dawson dans son journal, « que le Premier ministre du Canada profiterait de sa visite pour parler de l'inquiétude croissante de ses compatriotes. Il se trouvait en position de force pour donner un avertissement. Mais, de l'entretien que j'eus ensuite avec lui, il ressortit qu'il n'en avait rien fait, et même qu'il avait singulièrement compliqué les choses en insistant sur la popularité du roi dans les Dominions [4] ».

Le roi apprit le jugement peu après déjeuner, et il téléphona à Wallis dès qu'elle fut rentrée à Cumberland Terrace. Ils se retrouvèrent le soir chez elle où ils dînèrent en tête-à-tête. Sans Wallis, il s'était senti terriblement seul et nerveux; leur séparation lui avait été insupportable.

« Je l'ai vu pendant la quinzaine où elle était absente », dit Winston Churchill. « Il était malheureux, abattu, il avait le visage égaré, il ne savait quoi faire. Et puis, je l'ai revu vingt-quatre ou quarante-huit heures après son retour; c'était un homme tout différent : gai, jovial, sûr de lui. Qu'on ne s'y trompe pas : il serait incapable de vivre sans elle [5]. » Wallis non plus ne pouvait envisager de vivre sans lui. Leur liaison avait atteint un point de non-retour. Le mode de vie du roi était maintenant devenu celui de Wallis. Un désir royal était un ordre. Ils pouvaient arriver tard dans la nuit à l'Embassy Club sans prévenir : il n'y avait plus de place, mais une table libre surgissait miraculeusement. Il voyait Wallis admirer un manteau de zibeline, et soudain elle en recevait un. Il savait qu'elle aimait beaucoup les émeraudes, et elle eut un soir la surprise d'un collier d'émeraudes. C'était à croire qu'il possédait une baguette magique et que, d'un petit coup, il pouvait lui offrir tout ce dont elle avait envie.

Pour le premier week-end après son divorce, les journalistes surent qu'elle était à Fort Belvedere car il fut annoncé que le roi avait téléphoné de là à sa mère pour lui demander des nouvelles de sa grippe. La reine Mary avait interrogé Lady Airlie : « A-t-on beaucoup jasé, Mabell, ici, à Londres [6]? » Lady Airlie lui répondit par l'affirmative, puis questionna la reine pour savoir si le bruit qu'elle avait reçu Mrs. Simpson était vrai.

La reine Mary déclara que c'était faux, qu'elle « avait promis au défunt roi de ne jamais la recevoir [7] ».

La reine Mary pouvait avoir parfois la dureté de l'acier, mais elle poussa un long soupir de mère en ajoutant : « Il est très amoureux d'elle. Pauvre garçon [8]! »

Wallis étant de retour, le roi décida de lui apprendre la visite de Baldwin. Elle fut épouvantée, mais il la rassura doucement. N'était-il pas un roi à baguette magique?

Les maîtresses de maison submergèrent Wallis d'invitations. Ses amis de New York et de Paris, les Gilbert Miller, organisèrent une réception pour elle. Gilbert Miller, réputé metteur en scène de théâtre, avait estimé inconvenant d'inviter à la fois Wallis et le roi avant qu'elle fût divorcée. Les Miller possédaient à Londres une maison magnifique et, ce soir-là, elle fut envahie par un grand nombre de personnes non invitées qui avaient entendu dire que les hôtes d'honneur seraient le roi et Wallis. Comme leur flot ne cessait de grossir, Mrs. Miller finit par les avertir : « Vous feriez aussi bien de rentrer chez vous; le roi ne viendra pas [9]. » Tous les intrus repartirent aussitôt.

Le roi préférait de beaucoup les petits groupes de bons compagnons. L'un de ses plus anciens amis d'Amérique, « Doc » (Milton W.) Holden, vint lui rendre visite. Ils s'étaient connus à Paris pendant la Première Guerre mondiale, où Doc faisait partie de l'escadrille Lafayette. Doc constata à quel point Wallis avait changé le roi. Jeune homme, il avait été renfermé, presque timide. Avec Wallis, il était plein d'entrain.

« La première fois où je lui ai été présenté et quand elle a su que j'étais un vieil ami du roi, elle a tout mis en œuvre pour me charmer, et elle y a parfaitement réussi », raconta Doc. « Elle aurait ensorcelé n'importe qui. C'était une brillante causeuse. Et très naturelle. C'est probablement ce qui l'a séduit au début [10]. »

Tante Bessie arriva, elle aussi, en novembre 1936. Elle rapportait de sa traversée de l'Océan quantité d'histoires drôles; à bord, elle avait surpris d'innombrables conversations au sujet du roi et de Wallis, et elle avait dû demeurer impassible. Elle lui conta aussi qu'un journal américain avait essayé de la dénigrer sur le plan familial : un article relatait que Wallis aurait demandé à un oncle Warfield de certifier son ascendance et sa généalogie parce que la presse la traitait comme si elle était la fille d'un plombier, et que l'oncle Warfield lui aurait câblé en réponse : CESSEZ DE VOUS CONDUIRE COMME UNE FILLE DE PLOMBIER [11].

Pendant ce temps, le roi continuait de se conduire en roi. Il s'adressa au Parlement pour confirmer sa « Déclaration d'assurer la défense de la religion protestante par la Couronne ».

« Moi, Edouard VIII, solennellement et sincèrement en présence de Dieu, professe, certifie et déclare que je suis un protestant loyal... »

Ç'aurait dû être une journée de fête et d'apparat, avec un cortège haut en couleurs à travers Londres, mais il plut à verse et le roi se rendit au Parlement en voiture fermée. La Chambre des Lords était remplie de robes chatoyantes qui dégageaient une légère odeur de naphtaline. Il était tendu quand il commença son discours, puis sa voix prit de la force et du ton.

Parmi ses autres tâches quotidiennes, le roi devait recevoir tous les nouveaux ambassadeurs. Hitler avait désigné Joachim von Ribbentrop pour remplacer Hoesch, ami du roi.

Les ragots contre Wallis allaient bon train; l'un des plus venimeux prétendit que les Allemands l'utilisaient pour influencer le roi en leur faveur, et l'on ne manquait pas de rappeler qu'elle avait rencontré Ribbentrop quelques mois plus tôt chez les Cunard et chez Hoesch. Mais pourquoi Wallis aurait-elle cherché à influencer le roi sur ce point précis, puisqu'il nourrissait déjà, depuis longtemps, des préjugés favorables à l'égard des Allemands?

Selon Fritz Hesse, l'attaché de presse à l'ambassade d'Allemagne à l'époque, Hoesch aurait déclaré qu'il avait « entretenu des relations d'étroite amitié [12] » avec le roi pendant plusieurs années, et qu'il lui avait directement demandé son soutien lorsque les troupes allemandes pénétrèrent en Rhénanie *.

Hesse raconta aussi qu'il avait surpris une conversation téléphonique entre Hoesch et le roi qui avait appelé.

« Allo, Leo? Ici, David. Vous savez qui vous parle? »

« Naturellement », répondit Hoesch.

« J'ai convoqué le Premier ministre et je lui ai joué un tour à ma façon. J'ai dit au vieux bonhomme que j'abdiquerais s'il déclarait la guerre. Ce fut une scène terrible. Mais vous n'avez pas besoin de vous tracasser. Il n'y aura pas de guerre [13]. »

Ce récit paraît bien invraisemblable. La guerre était la dernière chose qu'aurait faite Baldwin. De même qu'il n'aurait pas toléré une telle intervention royale dans les affaires étrangères. Les sentiments pro-allemands du roi, cependant, n'étaient pas un secret. Il ne cachait pas non plus ses sympathies pour Mussolini. Lorsque les Italiens conquirent l'Ethiopie et que l'empereur Haïlé Selassié s'enfuit à Londres, Anthony Eden suggéra que le roi le reçût. Le roi refusa parce qu'il estimait que ce geste déplairait aux Italiens et à Mussolini.

Ribbentrop était un ancien représentant en champagne; il rapporta à Hitler que Mrs. Simpson, comme le roi, était favorable aux Allemands. Wallis soutient que non; toutefois elle ne tenta certainement jamais de le harceler comme le fit sa bonne amie Lady Emerald Cunard au cours de l'une de ses soirées. « Dites-moi, cher ambassadeur », minauda Emerald, « que pense vraiment de Dieu Herr Hitler? ». Et, un peu plus tard : « Nous voudrions tous savoir, très chère Excellence, pourquoi Herr Hitler n'aime pas les Juifs [14]? »

Wallis ne se serait jamais permis d'aborder sur ce ton des ques-

* Lorsque les troupes allemandes pénétrèrent dans la Rhénanie démilitarisée le 7 mars 1936 (violation délibérée du traité de Locarno qui aurait pu entraîner des contre-mesures militaires des Alliés), « Hitler très nerveux guettait les premières réactions. Il laissa échapper un soupir de soulagement : " Enfin! Le roi d'Angleterre n'interviendra pas. Il tiendra sa promesse " ». (Albert Speer, *Inside the Third Reich*, p. 72.)

tions de politique. C'était d'ailleurs Lady Cunard qui l'avait mise en garde à ce sujet.

Ce mois-ci, il y eut peu de grands dîners à Londres où le nom de Wallis ne figura pas sur la liste des invités.

Harold Nicolson nota dans son journal un dîner chez Lady Sibyl Colefax. « Il y a les Winston Churchill, les Duff Cooper, Somerset Maugham, les Mountbatten, Philip Sassoon, Arthur Rubinstein, Desmond MacCarthy et d'autres. Je suis placé entre une Américaine et la duchesse de Rutland avec laquelle je discute de la grande affaire Simpson. Mrs. Simpson a maintenant obtenu son divorce, et on commence à murmurer sérieusement que le roi la fera duchesse d'Edimbourg et l'épousera. Toute la question est de savoir s'il est épris d'elle au point qu'il voudra absolument qu'elle devienne reine, ou s'il s'agira d'un simple mariage morganatique. Très raisonnable sur le sujet, la duchesse de Rutland croit qu'il ne commettra pas de folies. Mais en écoutant les autres, je perçois que le risque est considérable [15]. »

Geoffrey Dawson remarqua qu'il était impossible d'aller quelque part sans entendre jaser sur l'affaire Simpson, et il confia à ses notes qu'elle était devenue « l'obsession de Sa Majesté ». Même à une réunion de la Literary Society, dit-il, on oublia de parler littérature, et certains envisagèrent l'hypothèse où des représentations seraient faites au roi par des officiers supérieurs de la Garde, qui étaient « les seules personnes dont il respectait l'opinion [16] ». Baldwin fut également l'objet de pressions de plus en plus nombreuses pour qu'il intervînt auprès du roi une nouvelle fois, mais il préféra attendre, dans l'espoir que « le jeune homme ferait preuve de bon sens ».

Le « jeune homme » ne jurait plus que par Wallis. Elle seule l'avait correctement jaugé; elle savait que l'amour qu'il lui vouait était sans limites, qu'il renoncerait à tout pour la suivre n'importe où. Elle continuait cependant à se comporter comme si elle était le personnage d'une pièce, elle disait les répliques de son rôle, elle était prisonnière d'une intrigue qu'elle ne dirigeait pas. Et elle semblait ne pas avoir non plus la moindre vue d'ensemble sur la signification de la pièce qu'elle jouait.

Quelle que fût son intimité avec quelques amies, elle niait farouchement que le roi et elle eussent l'intention de se marier. C'était, déclarait-elle, une idée complètement ridicule. Plus tard, Kitty Hunter fondit en larmes devant Walter Monckton, et balbutia que Wallis l'avait dupée jusqu'à la dernière minute en lui répétant sans cesse qu'elle n'épouserait jamais le roi.

Wallis ne dupa point seulement Kitty Hunter. Elle dupa tout le monde. Et le drame fut qu'elle se dupa elle-même. Tout simplement, elle ne comprenait pas les obstacles parlementaires; elle croyait sincèrement que tout finirait par s'arranger.

Le roi avait déjà choisi son argument de choc pour obliger le gouvernement anglais à accepter Wallis comme reine : « Pas de mariage, pas de couronnement. » Mais il n'avait confié à personne qu'il voulait l'épouser. Wallis pouvait tenir son emploi avec aplomb parce qu'elle cachait un secret romanesque et non une passion. Le roi, quant à lui, était transparent.

Quelques amis du roi espéraient encore qu'il ne s'agissait que d'une passade. « Vous savez bien comme notre David est inconstant. » Ils parlaient du roi du Portugal, Manuel, qui avait prodigué sa tendresse et des cadeaux de plusieurs millions de dollars à une danseuse française qui s'appelait Gaby Deslys. Cela se passait en 1908. Une révolution le chassa du trône et, en même temps qu'il perdit son trône, il perdit sa danseuse.

On fouilla l'histoire pour trouver des cas comparables. Guillaume Ier de Hohenzollern avait renoncé à la très belle princesse polonaise Elise Radziwill en 1826 lorsqu'il fut établi que son propre rang était supérieur au sien. Napoléon répudia Joséphine pour épouser la fille d'un empereur, et son frère Jérôme avait abandonné sa jeune femme de Baltimore pour se marier avec une princesse allemande. Justinien attendit la mort de l'impératrice avant d'épouser la fille d'un montreur d'ours, Théodora, qui l'aida à gouverner l'Empire d'orient au ve siècle. Louis XIV épousa madame de Maintenon, mais en secret, et il ne put même pas assister à ses funérailles. Sur les six femmes d'Henri VIII, quatre avaient été des bourgeoises. Marie d'Ecosse avait épousé un homme du peuple, et le Prince Noir, fils d'Edouard III, s'était marié avec une bourgeoise. Henri II d'Angleterre avait épousé Aliénor d'Aquitaine, femme divorcée du roi de France Louis VII. La femme de Jacques II avait été une bourgeoise. Et George IV se maria avec Mrs. Maria Anne Fitzherbert, catholique romaine et deux fois veuve, avant de devenir roi : puis il renia ce mariage et conclut une union politique avec la princesse Caroline de Brunswick, ce qui ne l'empêcha pas de se séparer d'elle un an plus tard pour revenir à Mrs. Fitzherbert.

Si Wallis croyait vraiment que, comme l'affirmait son cousin Upton Sinclair, elle descendait de Pocahontas, elle aurait pu faire valoir que cette princesse indienne avait en 1614 épousé un bourgeois, John Rolfe.

Tous ces rappels historiques meublaient les conversations aux cocktails, mais aucun ne s'appliquait au roi et à Wallis.

Ils jouaient leur propre jeu, fabriquaient leurs propres règles. Wallis croyait vraiment qu'elle serait couronnée, et le roi espérait fermement qu'il réussirait à l'imposer comme reine d'Angleterre. C'étaient deux ingénus, deux romantiques qui manquaient de maturité politique. Le roi, en particulier, n'avait jamais cultivé la patience ni l'acceptation des critiques, et il semblait être terriblement inapte à comprendre sa position politique actuelle. Il comptait trop sur sa popularité dans le peuple britannique, dont la masse ignorait encore l'existence d'une Mrs. Simpson. S'il avait permis à la presse de traiter ce sujet plus tôt, s'il s'était confié à l'opinion et s'il avait constitué son dossier avec le concours du public, il aurait pu récolter des appuis et une force supplémentaires. Pourquoi l'affaire fut-elle classée dans la rubrique « interdit d'en parler »? Parce que le roi voulait protéger Wallis contre une énorme publicité. Sa décision alla à l'encontre de ses projets.

Au calendrier du roi, figurait une revue de la flotte anglaise. « Personne ne saurait nier son talent inégalable pour susciter l'enthousiasme et manipuler les foules », constata sir Samuel Hoare qui était alors Premier Lord de l'Amirauté. « Il avait l'air de connaître personnellement chaque officier et chaque matelot de notre Marine. J'ai une longue expérience des meetings de masse, mais je n'en avais jamais vu un qui eût été aussi complètement dominé par une seule personnalité... Se frayant son chemin à travers la cohue, il est allé jusqu'au fond de la salle, et c'est lui qui a donné le signal pour chanter en chœur avec l'accompagnement d'un harmonica. Lorsqu'il est revenu sur l'estrade, il a improvisé une allocution qui a fait crouler la salle sous les applaudissements. Dans la foule, un matelot a proposé un triple ban en son honneur; il s'en est suivi une scène inoubliable d'enthousiasme spontané et délirant [17]. »

Avec le « For He's a Jolly Good Fellow » qui résonnait encore dans ses oreilles, comment ne se serait-il pas jugé assez populaire pour obtenir ce qu'il voulait? Il admit plus tard que, dans son for intérieur, il s'était senti fatigué et soucieux pendant la revue, mais « extérieurement il ne montra aucun signe de lassitude; et le tour de ses propos, vifs et clairs, ne se ralentit jamais » [18].

Interviewé par un journaliste américain, le député James Maxton exprima l'opinion que la revue navale était « destinée à triompher des objections véhémentes qui s'élevaient contre un mariage possible », et que le roi, « se trouvant en difficultés avec l'aristocratie, s'était mis en campagne pour consolider sa popularité personnelle » [19].

Bien entendu, la revue avait été prévue de longue date; mais le roi fut parfaitement conscient de l'effet qu'il avait produit et de la signification de l'enthousiasme manifesté.

Edouard VIII rentra éreinté au palais, et réclama un bain chaud.

L'attendaient les habituelles boîtes rouges des dépêches; sur l'une, il vit la mention URGENT ET CONFIDENTIEL. Il l'ouvrit et trouva une lettre de son principal secrétaire privé, Alec Hardinge.

Geoffrey Dawson nota dans son journal à la date du 13 novembre une visite au palais de Buckingham pour voir Hardinge, « et il me montra, puisque j'étais là, le brouillon d'une lettre à son royal maître, qu'il s'était senti l'obligation d'écrire après une nuit d'insommie. Ce fut sa première et unique intervention — une lettre admirable, respectueuse, courageuse et précise » [20]... L'avant-veille, Dawson avait eu une conversation avec l'archevêque de Canterbury, et « Cosmo » lui avait dit qu'il se refusait à toute intervention active dans l'affaire Simpson, ayant l'impression qu'elle ferait plus de mal que de bien.

Hardinge avait tenu le roi au courant de l'afflux des lettres de protestation émanant de sujets anglais d'outre-mer, ainsi que d'une résolution d'anciens soldats anglais déclarant que l'idée que Mrs. Simpson prendrait la place de la reine Mary n'était pas de leur goût. Hardinge et le Premier Ministre Baldwin avaient dîné ensemble le 12 novembre, le Premier Ministre désirant savoir si un changement s'était produit dans les rapports du roi avec Mrs. Simpson. Hardinge répondit qu'il n'avait rien remarqué. Baldwin lui dit alors qu'il envisageait pour le lendemain matin une réunion des principaux ministres afin de discuter de l'affaire. C'est ce matin-là que Hardinge écrivit sa lettre au roi.

« Le secrétaire privé du roi est un homme solitaire qui trace un sillon solitaire », déclara ultérieurement Hardinge pour expliquer pourquoi il avait montré sa lettre à Dawson. « A ce moment d'anxiété et de désarroi, j'avais désespérément besoin d'une opinion extérieure sur l'opportunité et la décence de mon texte, comme sur sa justesse; or, m'a-t-il semblé, nul ne pouvait mieux m'éclairer qu'un homme ayant la discrétion, l'expérience et l'intégrité de Geoffrey Dawson qui, de surcroît, était dans le secret [21]. »

Moment décisif que celui-là. La lettre allait déclencher toute une série d'événements inévitables. Il était au pouvoir de Geoffrey Dawson de l'arrêter ou de la modifier. Il ne le fit pas.

« Que penser d'un secrétaire privé qui discute des affaires de son maître avec le directeur d'un journal d'opposition et qui va jusqu'à lui révéler le contenu d'une lettre remplie de critiques sévères qu'il entend adresser à son employeur? C'est mal. Et pire encore quand le maître est un roi et l'employé un fonctionnaire de l'Etat [22]. »

Voici le texte rédigé par Hardinge :

Sir,

Avec mon humble respect.

En ma qualité de secrétaire privé de Votre Majesté, j'estime de mon devoir de vous exposer les faits suivants qui sont venus à ma connaissance et dont je certifie l'exactitude :

1) Le silence de la presse anglaise à l'égard de l'amitié de Votre Majesté pour Mrs. Simpson ne va pas durer. La date de l'explosion n'est probablement qu'une question de jours. A en juger par les lettres émanant de sujets anglais qui vivent à l'étranger où la presse a son franc-parler, l'effet sera désastreux.

2) Le Premier Ministre et les principaux membres du gouvernement se réunissent aujourd'hui même afin de délibérer de l'action à entreprendre pour remédier à la situation sérieuse qui s'établit. Ainsi que Votre Majesté ne l'ignore certainement pas, la démission du gouvernement — éventualité qui n'est nullement à exclure — mettrait Votre Majesté dans l'obligation de trouver quelqu'un d'autre pour constituer un gouvernement qui recueillerait le soutien de l'actuelle Chambre des Communes. J'ai toutes raisons de croire, étant donné le sentiment qui prédomine parmi les membres des partis représentés à la Chambre des Communes, que cette solution se situerait difficilement dans le champ des

possibilités. Il n'existe qu'une solution de remplacement : une dissolution et des élections générales dont l'enjeu principal serait les affaires personnelles de Votre Majesté — et je ne puis m'empêcher de penser que même ceux qui sympathiseraient avec Votre Majesté en tant que personnes privées ressentiraient profondément les torts qui seraient inéluctablement causés à la Couronne, pierre angulaire de l'Empire.

Si Votre Majesté me permet de m'exprimer ainsi, une seule mesure peut contribuer à éviter cette situation périlleuse : c'est que Mrs. Simpson parte sans délai pour l'étranger, et je supplie Votre Majesté d'accorder à cette proposition toute votre considération avant que le mal devienne irréparable. En raison du revirement de la presse, l'affaire a pris un caractère extrêmement urgent.

J'ai l'honneur, etc., etc.

Alexander Hardinge.

P.-S. : J'ai l'intention de partir ce soir après dîner pour High Wycombe afin d'y chasser demain, mais la Poste aura mon numéro de téléphone, et bien entendu je me tiens à l'entière disposition de Votre Majesté pour le cas où vous désireriez quelque chose [23].

Avant de cacheter la lettre, Hardinge se rendit au 10 Downing Street afin de la montrer au Premier Ministre et de lui demander s'il « élèverait une objection quelconque à ma transmission au roi de cette information qu'il m'avait donnée sous le sceau du secret la veille au soir » [24]. Hardinge avait espéré que Baldwin, après l'avoir lue, pourrait ajourner la réunion ministérielle jusqu'à ce qu'il connût la réaction du roi. Mais Baldwin étant occupé, Hardinge laissa une copie de sa lettre à un membre de son cabinet.

Le roi vit en cette lettre la crise de sa royauté. A la fois choqué et irrité, il se sentit trahi. Dans sa baignoire, il réfléchit puis, après avoir relu la lettre, il décida qu'elle avait été motivée et inspirée par Baldwin et que son but principal était de le menacer de la démission du gouvernement s'il ne renonçait pas à Wallis.

« Ils m'avaient touché aux racines même de ma fierté », expliqua le roi plus tard. « Seul un homme pusillanime serait resté insensible à un tel défi [25]. »

La lettre ne le toucha pas seulement aux racines de sa fierté, mais dans tout son être. Il ne pouvait pas, il ne voulait pas renoncer à Wallis. Jamais.

Wallis et tante Bessie étaient pour ce week-end invitées au Fort, et le roi avait décidé de ne pas faire partager ce nouveau souci à Wallis. Il tenait à en discuter auparavant avec un ami qui avait toute sa confiance, Walter Monckton.

Deux jours passèrent avant qu'il pût s'échapper afin de voir Monckton.

Monckton lut la lettre et approuva la nécessité d'agir promptement. Le roi demanda alors à Monckton de lui servir de liaison avec le Premier Ministre. Ils étaient assis dans le salon Empire du palais de Buckingham que le roi utilisait souvent pour recevoir en tête-à-tête;

pour la première fois, il déclara à Monckton qu'il avait l'intention d'épouser Wallis Simpson. Il ajouta qu'il avait souvent eu envie de le mettre au courant, mais qu'il s'était tu par peur de l'embarrasser par une confidence de cette nature. Peu de temps auparavant, Monckton aurait trouvé la nouvelle incroyable; maintenant, elle ne le troubla pas. Au cours des dernières semaines, il avait été témoin de l'intensité de l'amour du roi pour Wallis — fait qu'il avait commis l'erreur de mésestimer.

Le roi aurait voulu congédier Hardinge sur-le-champ, mais Monckton le persuada de n'en rien faire, parce que ce geste indiquerait une brouille au sujet de Mrs. Simpson. Monckton recommanda la patience.

De retour du Fort où elle avait pris le thé avec le duc et la duchesse de Kent, Wallis devina qu'il s'était produit un événement important. Le roi lui dit qu'il avait vu Monckton, lui montra une copie de la lettre de Hardinge et la laissa seule.

Wallis la lut sans y croire. La féerie s'écroulait, remplacée par la redoutable réalité. Le roi avait perdu sa baguette magique. Elle n'avait jamais prétendu descendre de Cendrillon, mais la pantoufle de verre lui allait bien, et elle venait de se briser en mille morceaux.

Au plus profond d'elle-même elle avait toujours eu des doutes : c'était trop beau pour être vrai, trop impossible pour durer. Pendant la croisière du *Nahlin*, le roi l'avait traitée en future reine, et elle s'en sentait presque une. Aux réceptions, elle voyait les gens lui témoigner de la déférence et du respect. Les bijoux étaient réels, les manteaux de fourrure étaient réels, et le plus réel de tout était l'amour du roi. Il n'y avait d'irréel que le monde, et l'avenir.

Le roi revint. Wallis lui déclara que la seule chose à faire était qu'elle quittât immédiatement l'Angleterre.

Le roi répondit qu'elle ne ferait pas une chose pareille, qu'il ne renoncerait jamais à elle.

Elle essaya de le convaincre de l'état désespéré de leur situation; elle lui dit que, si elle ne partait pas, ce serait pour lui une tragédie et pour elle une catastrophe. Mais le roi répliqua qu'il allait convoquer Baldwin et l'affronter le lendemain. « Si le pays ne veut pas approuver notre mariage, je suis disposé à m'en aller [26]. »

La si forte Wallis fondit en larmes. « David, c'est de la folie de penser à une chose pareille, et encore plus d'en parler [27]. »

Mais, ainsi que Wallis l'expliqua bien plus tard : « Une fois qu'il avait décidé quelque chose, il était comme une mule. Sans doute parce qu'il était habitué à obtenir tout ce qu'il désirait [28]. »

19

Cet hiver de 1936, l'influence américaine en Angleterre fut plus forte que jamais. Les disques de Bing Crosby se vendirent comme des petits pains et, dans toute la Grande-Bretagne, les chanteurs adoptèrent le style « crooner ». Les comédies musicales américaines, les orchestres « swing » de Louis Armstrong, Benny Goodman et Duke Ellington n'étaient pas moins populaires. Et le Monopoly remplaça le mah-jong.

Il y eut tellement de voitures et d'accidents de la route (7 000 morts dans l'année) que les automobilistes furent obligés de passer des examens de conduite avant de recevoir leur permis. La nouvelle marotte fut de « se tenir en forme », et le *Times* proposa « un grand effort national pour améliorer la condition physique de la nation » — en désignant le roi comme l'exemple parfait de « l'homme en forme ». Le jitterburg n'avait pas encore franchi l'Atlantique, mais il n'allait pas tarder. L'humeur et le tempo de l'Angleterre n'étaient plus au fox-trot.

Il est hors de doute que l'ambiance de cette époque transporta d'aise Edouard VIII. Il était toujours disposé à se déplacer ou à essayer quelque chose de nouveau. Assis, il avait envie de se lever; debout, de bouger. D'un pas rapide, il faisait le tour d'une pièce en fredonnant une chanson populaire ou un vieil air écossais. Il était bien un « homme en forme », qui avait de l'énergie à revendre, les yeux clairs, le teint de la bonne santé. Il aimait l'avion, le ski, le golf. Et il considérait le Premier Ministre Baldwin et son gouvernement comme une collection de vieilles badernes qui appartenaient à une Angleterre différente d'une époque différente. Mais maintenant il voyait en eux ses ennemis. Il dit un jour à Wallis « qu'ils allaient le condamner à mort » [1].

Monckton avait conseillé de la lenteur dans l'action, mais le roi voulait l'affrontement. Monckton donna à entendre que la décision du roi avait pu être inspirée par Wallis Simpson. Il écrivit dans son journal : « J'aurais voulu qu'il attendît encore et usât de patience, mais il discuta de l'affaire avec Mrs. Simpson après m'avoir quitté, puis décida de convoquer Mr. Baldwin pour lui faire part de son intention de se marier [2]. »

Wallis raconta son entrevue avec le roi lorsqu'il lui montra la lettre de Hardinge; elle se dépeignit sous les traits d'une femme bouleversée, affolée. Ce tableau est probablement exact. Mais depuis longtemps Wallis s'était endurcie et elle avait un instinct de lutteuse; elle possédait aussi beaucoup de bon sens. Il est parfaitement concevable que l'obstination du roi lui soit apparue comme un atout maître dans une discussion avec le Premier Ministre.

16 novembre. Le cadre n'était pas gai : le palais de Buckingham, et non le Fort.

Le roi et Baldwin se retrouvèrent face à face ce lundi soir, environnés d'histoire. Le roi alla droit au fait. « Mon intention est d'épouser Mrs. Simpson dès qu'elle aura la liberté de se remarier. » Il ajouta que, s'il pouvait l'épouser en tant que roi, il serait un meilleur monarque. Si toutefois le gouvernement s'opposait au mariage, « alors je me disposerais à partir » [3].

Baldwin avait commencé à tirer sur sa pipe; la déclaration du roi le fit sursauter.

« Sir », dit-il, « c'est une nouvelle très grave, et il m'est impossible d'en faire aujourd'hui le moindre commentaire » [4].

Le roi regarda Baldwin s'éloigner dans sa petite voiture qui ressemblait, pensa-t-il, à « un scarabée noir » [5].

Le rendez-vous suivant du roi, deux heures après, allait être plus chargé d'émotion, plus difficile aussi. En habit et cravate blanche, il se rendit à Marlborough House dîner avec sa mère et sa sœur Mary. Il y eut les menus propos habituels au sujet de la réfection par les peintres de la façade du palais de Buckingham avant le couronnement, des œuvres de bienfaisance de sa mère. Et puis, après le repas, le roi leur vida son cœur. Au début elles eurent l'air de compatir. Mais quand il ajouta qu'il consentirait à renoncer au trône, il vit le bouleversement de leurs traits, l'incrédulité. La reine douairière Mary considérait la monarchie comme une chose sacrée, et le mot capital de toute sa vie avait été et restait encore « le devoir ».

Le roi demanda à sa mère de recevoir Wallis, mais elle ne voulut pas se départir de son « inflexibilité ». Le chagrin ne retira rien à sa maîtrise sur ses nerfs, et elle ne fit qu'un effort limité pour dissuader son fils. Il était encore le roi.

Bien des années plus tard, elle lui écrivit :

« Vous vous rappelez combien j'ai été malheureuse lorsque vous m'avez informée de votre double intention de vous marier et d'abdiquer, et que je vous ai imploré de n'en rien faire, par amour pour nous et pour le pays. Vous sembliez incapable de comprendre tout point de vue qui n'était pas le vôtre... Je crois que vous n'avez jamais mesuré l'étendue du choc que votre attitude a provoqué dans votre famille et dans toute la nation. Il a paru inconcevable à ceux qui avaient fait tant de sacrifices pendant la guerre que vous, leur roi, ayez refusé un sacrifice moindre [6]... »

La reine douairière se promenait seule avec Lady Airlie en voiture quand elles virent l'affichette d'un journal : LE ROI SAIT-IL [7]?

« Cela veut dire, je suppose : le roi sait-il ce qu'on dit de lui? » s'écria la reine Mary. « Il ne voudra pas le croire. Inutile de le lui dire. Toute cette affaire est trop terrible [8]. »

Le Premier Ministre Baldwin rendit visite le lendemain matin à la reine mère, et elle l'accueillit par ces mots : « Eh bien, Mr. Baldwin, quel beau gâchis [9]! »

Baldwin avait conservé sa réputation de ne pas bouger avant d'y être obligé mais, quand il y était obligé, de bouger vite. Il fit venir Clement Attlee, chef de l'opposition travailliste, et lui demanda comment son parti jugeait l'affaire. Attlee répondit que ses amis n'avaient rien à objecter à une reine américaine, mais il ajouta : « Je suis certain qu'ils n'approuveraient pas que ce soit Mrs. Simpson [10]. »

Baldwin savait que rien, dans la Constitution anglaise, n'empêchait le roi d'épouser Wallis Simpson et d'en faire sa reine. Il savait aussi que, une fois le roi couronné, aucun pouvoir légal ne pouvait le contraindre à abdiquer. La seule menace qu'il pouvait brandir était la démission du gouvernement, ce qui obligerait le roi à essayer d'en former un autre. Si Attlee se rangeait au côté de Baldwin, le roi ne pourrait pas constituer ce nouveau gouvernement.

Wallis ne s'était jamais sentie aussi isolée. Le roi ne lui dit que quelques mots de son entreveue avec Baldwin, et encore moins de son dîner chez sa mère. C'était comme s'il voulait lui épargner les mauvaises nouvelles pour ne lui en annoncer que de bonnes, mais les bonnes se faisaient de plus en plus rares. Wallis se méprenait encore sur la puissance royale : elle la jugeait plus grande qu'elle ne l'était dans la réalité. Il lui affirmait qu'il résoudrait le problème à sa manière et qu'elle devait le croire. Elle ne demandait pas mieux. Mais elle ne savait pas vraiment ce qui se passait, ni les dimensions croissantes de la crise. Elle avait l'impression de se trouver seule dans une rue déserte aux premières secousses d'un tremblement de terre sans savoir quelle maison s'effondrerait la première.

« Eu une longue conversation avec Sibyl (Colefax) », nota Harold Nicolson dans son journal. « Elle a passé à Fort Belvedere la journée de dimanche, et il n'y avait personne d'autre qu'un nouvel attaché naval à la maison du roi et Mrs. Simpson. Elle a bavardé à cœur ouvert avec Wallis, qu'elle a trouvée extrêmement malheureuse. Toutes sortes de gens sont venus la voir pour lui rappeler son devoir et la supplier de quitter l'Angleterre. " Ils ne comprennent pas ", a-t-elle dit, " que si j'agissais ainsi, le roi me suivrait sans se soucier de rien ni de personne. Ils auraient alors leur scandale, et bien pire que celui auquel ils aspirent maintenant! " Sibyl lui a demandé ensuite si le roi lui avait jamais proposé le mariage. Elle a eu l'air étonnée, et elle a répondu : " Bien sûr que non! " Sibyl suggéra alors que ce serait une bonne chose si certains membres du Cabinet en étaient informés, car ils seraient en situation de pouvoir démentir l'histoire d'un mariage imminent. Mrs. Simpson a tout de suite approuvé l'idée, et elle a autorisé Sibyl à voir Neville Chamberlain. Malheureusement, Neville Chamberlain est alité avec la goutte; mais Sibyl a pu lui transmettre un message par l'intermédiaire de Mrs. Chamberlain, et elle en a tiré l'impression très nette que le roi avait informé Baldwin de sa décision d'épouser Mrs. Simpson après le couronnement. Sibyl est d'accord avec moi sur le fait que Mrs. Simpson est parfaitement sincère et bien intentionnée, et qu'il se peut fort bien que le roi ait parlé à Baldwin avant d'avoir abordé la question avec Wallis elle-même [11]. »

On ne saurait trouver meilleure preuve de la naïveté politique de Wallis. Elle savait que le roi avait fait part à Baldwin de leur projet de mariage. Pouvait-elle vraiment croire que Baldwin ne confierait pas cette information à ses ministres du Cabinet, et notamment à son successeur vraisemblable, Neville Chamberlain? Ce n'était même pas une question de politique : c'était une question de bon sens. Etait-elle bouleversée au point d'avoir perdu le sien? Coupée de tous renseignements, pressée par des amis bien intentionnés, céda-t-elle à la panique? Qu'elle n'eût pas dit à Lady Sibyl Colefax que le roi voulait l'épouser, soit. Mais de là à accepter que Lady Colefax allât le répéter à des ministres du Cabinet...

Le roi avait de son côté des préoccupations qui n'étaient pas plus gaies : il lui fallait annoncer la nouvelle à ses trois frères, à tour de rôle. Ce fut Bertie qui la prit le plus mal. Bertie, le duc d'York qui lui succéderait sur le trône s'il abdiquait. Bertie, si timide avec son bégaiement, fut même incapable de lui dire ce qu'il ressentait.

Mais rien de tout cela ne pouvait modifier le calendrier royal. Trente heures après avoir reçu Baldwin, il partait pour la Galles du Sud afin de visiter les cités minières appauvries.

Des années avaient passé depuis que le jeune homme nerveux avait été couronné Prince de Galles au château de Carnarvon. Toute pompe était à présent absente sur les flancs des collines à crassiers noirs et dans les maisons défraîchies de Pontypridd, de Cwmbran et de Blaenavon dans les vallées de Rhondda et de Monmouth.

Le Rhondda avait été un centre d'activité minière; maintenant ses imposantes cheminées ne fumaient plus, ses machines étaient rouillées, ses habitants au teint pâle désespéraient. Les deux vallées de dix-huit kilomètres de long, séparées par une crête de trois cents mètres, étaient jalonnées de bourgs sinistres aux rues dépavées et aux taudis misérables. On les appelait les « vallées tragiques » parce que les barrières douanières étrangères avaient entraîné le remplacement de la houille par le pétrole. Un jeune homme dit au roi qu'il n'avait jamais trouvé un emploi; fronçant les sourcils, le roi murmura : « Terrible... terrible [12]! »

Dowlais, « le coin le plus noir du Pays de Galles », avait eu autrefois des usines de fer et d'acier qui employaient 9 000 ouvriers. « Il y a huit ans », dit un fonctionnaire, « ses hauts-fourneaux illuminaient toute la contrée. Maintenant, toutes les familles sont inscrites aux caisses de secours » [13].

« Il faut absolument faire quelque chose! » dit le roi.

Les fenêtres étaient décorées de panneaux touchants.

AIDEZ-NOUS, NOBLE ROI! ET C'EST UNE VILLE PAUVRE MAIS LOYALE [14]. Des bouquets de fleurs sauvages ornaient les portes, et des drapeaux anglais délavés s'agitaient au vent sur des manches à balai.

Un groupe de chômeurs gallois tendit une lettre au roi :

« C'est une vallée maudite », lut-il. « Martyrisée par la main morte de la pauvreté... Nos femmes vieillissent prématurément... Nos enfants sont chétifs... Une population appauvrie pourra-t-elle célébrer dans la joie le couronnement de Votre Majesté [15]? »

Après plusieurs heures de ce spectacle, le roi convoqua P. Malcolm Stewart à une conférence à Mountain Ash. Stewart était un ancien commissaire pour la Galles du Sud; il avait la mâchoire carrée, il était tiré à quatre épingles, il avait démissionné quinze jours plus tôt parce que le gouvernement avait carrément refusé ses plans visant à ressusciter la prospérité galloise, à construire des usines pour extraire du pétrole du charbon, à faire bénéficier les nouvelles industries de dégrèvements fiscaux.

La tournée du roi au Pays de Galles fut un coup d'éclat politique. Tous les journaux de Grande-Bretagne reproduisirent en manchette la phrase : « Il faut absolument faire quelque chose! » L'opinion s'émut à l'idée que les Anglais avaient sur le trône un nouveau type de roi. Vingt-quatre heures plus tard, le chancelier de l'Echiquier Neville Chamberlain ordonna un réexamen des propositions de Stewart et promit que « nous appliquerons toutes celles qui peuvent être utiles » [16] . Dans son for intérieur, Chamberlain était furieux de l'image populaire d'un roi sensible et d'un gouvernement insensible. Dans le *Daily Herald,* Hannen Swaffer décrivit le dîner de ce soir-là où le roi « avait tapé du poing sur la table » pour réclamer que des mesures soient prises.

Baldwin redouta des conséquences politiques et il avait raison. Les députés travaillistes à la Chambre des Communes demandèrent que fût rapidement votée une mesure législative pour attirer l'industrie au pays de Galles. Le roi était devenu le champion de la classe ouvrière contre les forces de la richesse et du pouvoir. Des journaux présentèrent le roi comme « populiste ». Un organe de presse aussi respectable que le *News Chronicle* écrivit : « Le roi se tient au-dessus et à l'extérieur de la politique. Ce qu'il a fait, il l'a fait dans l'unique intérêt de la vérité et du bien public... L'homme de la rue a l'impression que Whitehall a été déclaré coupable. »

Le voyage et les commentaires du roi ne le rendirent pas plus cher aux dirigeants du gouvernement qui se penchaient maintenant sur l'affaire Simpson. Le *Daily Telegraph* lança un avertissement : il serait grave que la visite royale fût interprétée comme « un blâme adressé à l'autorité gouvernementale ». Autrement dit, le roi s'était égaré au-delà de ses prérogatives royales. La colère de Chamberlain fut caractéristique. Les dirigeants conservateurs qui avaient éprouvé de la sympathie pour le roi et Mrs. Simpson se retournèrent contre leur souverain. Il leur fallait un roi décoratif, un roi unificateur, et non un trouble-fête. Un lion royal avec des dents pouvait devenir dangereux.

Wallis reçut alors la visite d'Esmond Harmsworth, président de l'Association des directeurs de journaux, qui avait aidé Beaverbrook et Monckton à conclure le « gentlemen's agreement » pour que la presse se tût. C'était le fils de Lord Rothermere, directeur du *Daily Mail*, l'un des rares journaux à prendre fait et cause pour le roi.

Harmsworth fut le premier à évoquer la possibilité d'un mariage morganatique. Disons en bref que c'est une forme de mariage historiquement usitée en Europe entre le membre masculin d'une maison royale et une bourgeoise : la femme ne partage pas le rang du mari, et leurs enfants ne succèdent pas à ses titres. Comme la Constitution anglaise ne reconnaissait pas un mariage de ce genre, une législation spéciale serait nécessaire.

Il ne faut que trois heures de train pour aller de Londres au pays de Galles, et Wallis put fort bien effectuer une visite-éclair et être de retour à Londres le lendemain matin. Peut-être voulut-elle parler au roi de l'idée de Harmsworth. En tout cas l'idée déplut au roi parce qu'elle rabaissait Wallis. Le dernier mariage morganatique dans la famille royale remontait à quatre-vingt-dix ans. Mais il dit à Wallis : « J'essaierai n'importe quoi dans le pétrin où je me trouve en ce moment [17]. » Il autorisa donc Monckton à collationner les précédents et les possibilités juridiques, et il autorisa également Harmsworth à soumettre l'idée à Baldwin. Harmsworth rapporta au roi que Baldwin consentait à l'étudier, mais sans enthousiasme.

Le soir où le roi revint du Pays de Galles, Wallis était déjà sortie pour dîner car elle n'escomptait pas qu'il rentrerait si tôt. Le roi invita tante Bessie à dîner avec lui. Tante Bessie lui dit, et elle le lui répéta plus tard, qu'elle espérait qu'il n'abdiquerait pas, qu'elle savait combien Wallis pourrait le rendre heureux, mais qu'il devait réfléchir sérieusement avant d'opter pour son bonheur personnel sans tenir compte des vœux de ses compatriotes.

Plus Walllis réfléchissait à un mariage morganatique, plus cette perspective lui souriait. Elle n'ignorait pas que la royauté était obligée de marcher sur une corde raide, dans des limites très strictes pour se mouvoir et agir, et aussi sous les regards du monde entier. Si l'Empire britannique était un mythe que préservait une émotion, le roi se devait de maintenir cet équilibre. Les rois étaient nés et instruits pour être des funambules et, d'instinct, ils connaissaient cet art. Wallis avait essayé de le pratiquer, mais sans plaisir. Le centre d'attraction était trop en vue, et la tension trop grande. Elle aimait bien une haute position et le prestige, mais elle détestait le formalisme et la raideur. Wallis était une femme normale, férue de liberté. Reine, elle serait coulée dans un moule de plâtre. Epouse morganatique, elle deviendrait la femme la plus puissante de l'Empire britannique. Et elle savait mieux que personne à quel point son jugement et sa volonté assujettissaient le roi. S'il l'épousait, elle serait plus qu'une reine et elle lui inculquerait suffisamment de sa force pour le rendre meilleur monarque.

Le mariage morganatique avait une origine allemande. Les familles royales allemandes faisaient grand cas de l'égalité par la naissance, *Ebenbürtigkeit*. Ce n'était que par une telle égalité, pensait-on, qu'un mariage pouvait être complet et parfait. Dans diverses maisons royales, les règles traitant du mariage morganatique spécifiaient qu'aucun autre mariage ne saurait être conclu du vivant des parties contractantes.

Techniquement, il n'y avait pas de précédents en Angleterre. Le cas le plus proche dans la famille royale datait de 1847, lorsque le duc de Cambridge s'était marié avec l'actrice Louisa Fairbrother qui lui avait déjà donné deux fils. Mais ce n'avait pas été une union morganatique parce que George III, son père, lui refusa l'autorisation de se marier et que, conformément à la loi de 1772 sur les mariages royaux, il n'était donc pas marié légalement.

Tout ce que Wallis savait des mariages morganatiques, c'était qu'ils avaient eu cours chez les Habsbourg. Elle connaissait le slogan Habsbourg : « Libre aux autres de faire la guerre; toi, heureuse Autriche, marie-toi! » Mais les Anglais associaient dans leur esprit le mariage morganatique avec des rois comme Carol II de Roumanie qui avait rompu le sien pour épouser une princesse de Grèce, avant d'abandonner celle-ci pour s'enfuir avec Mme Lupescu. Edouard VIII trouvait que l'idée en soi était « étrange et presque inhumaine [18] », mais, sur l'insistance de Wallis, il consentit à envisager cette possibilité.

Walter Monckton avait prévenu le roi que, « même dans le cas improbable où le Cabinet approuverait un mariage morganatique, une législation spéciale serait nécessaire et que l'issue d'un vote au Parlement semblait douteuse » [19]. En outre les Cabinets des onze Dominions devraient donner leur accord.

L'ingénu politique qu'était le roi estimait que sa grande force résidait dans les Dominions, à cause de sa popularité personnelle. Seulement, la décision n'incombait pas au peuple : elle était prise par chaque Cabinet; or le roi était infiniment plus aimé des mineurs que des dirigeants politiques dont il avait peu cherché, d'ailleurs, à obtenir l'amitié.

Il consulta sir Samuel Hoare, Premier Lord de l'Amirauté; Hoare se montra fort compréhensif mais convaincu que la Grande-Bretagne et les Dominions n'accepteraient jamais d'avoir comme reine Mrs. Simpson à cause de ses divorces, et que le Cabinet Baldwin à ce sujet était un mur. Le même jour, le roi alla voir Alfred Duff Cooper, ministre de la Guerre. Cooper, qui avait fait partie de la croisière du *Nahlin*, lui conseilla la patience; il lui dit en substance : « Faites-vous couronner, laissez les passions se calmer, et épousez ensuite qui vous voulez. »

Sans tenir compte de l'avertissement de Hoare, rejetant l'avis de Duff Cooper, le roi posa sa tête sur le billot. Il pria le Premier Ministre Baldwin de venir le voir.

Get Your $10,000 Post Insurance Policy—See Page 32

Sports Edition ★★★★★★★ COMPLETE FINANCIAL

New York Post

Sports Edition ★★★★★★★ COMPLETE FINANCIAL

THREE 3 CENTS — FRIDAY, DECEMBER 4, 1936 — THREE 3 CENTS

CAN'T BE KING AND MARRY, EDWARD TOLD—WALLIS FLEES

THEIR EYES GAZE INTO THE FUTURE

BALDWIN ISSUES ULTIMATUM IN COMMONS SPEECH

Premier Says Morganatic Wedding Is Impossible—Goes to See King —Resignation Possible

LONDON, Dec. 4 (UP).—Members of the royal family, bitterly opposed to King Edward's apparent determination to fight for the right to marry Wallis Simpson, were reported today to be ready to desert England.

Should the King undertake to make his romance the subject of an election, it was said, Queen Mary threatened to retire into grief-stricken seclusion for the rest of her life.

The Duke and Duchess of York, heirs to the throne, were said to be ready to leave the country. Other brothers of the King were represented as taking a similar attitude.

LONDON, Dec. 4 (AP).—Prime Minister Stanley Baldwin told the House of Commons today that the Government will not give its consent to King Edward to marry Wallis Warfield Simpson and keep the throne

BRITISH SHIP HELD —REBELS ACCUSED

Also Hears Spanish Fascists Took Russian Steamer

WPA PROJECT HEAD RESIGNS

Protests Layoff Policy as Workers End Stay-In

MRS. SIMPSON FLEES TO FRANCE

Pauses at Rouen, Then Motors to an Unknown Destination

Bronx Lyons Roars Back At Britain's

Baldwin avait déjà repris contact avec le chef du Labour Party; Clement Attlee lui affirma que, « en dépit de la sympathie ressentie pour le roi Edouard et de l'affection qu'avaient suscitée ses visites aux régions touchées par la dépression, le parti travailliste — à l'exception de quelques membres de l'intelligentsia dont on peut être sûr qu'ils se trompent chaque fois qu'on leur demande leur avis — partageait l'opinion que j'ai exprimée ». Son opinion : ses amis seraient hostiles à un mariage morganatique. Baldwin sonda ensuite le chef du parti libéral, Archibald Sinclair, qui se déclara complètement d'accord avec Attlee et Baldwin.

Le Premier Ministre pouvait à présent opérer à partir d'une position de force. Il avait isolé le roi. Le roi pouvait encore épouser qui il voudrait, mais le gouvernement Baldwin démissionnerait, et ni Attlee ni Sinclair n'accepteraient de former un autre ministère.

Discutant de l'idée d'un mariage morganatique avec son secrétaire Tom Jones, Baldwin s'écria : « Est-ce la sorte de chose que j'ai soutenue dans ma vie publique? Si je dois partir, et il faudra bien que je m'en aille un jour, autant que je parte là-dessus [20]. » Il savait bien entendu, malgré ce propos, qu'il bénéficiait de l'entier appui de son Cabinet et des chefs de l'opposition, qu'il pourrait porter facilement le débat devant la Chambre des Communes, et qu'il n'aurait pas du tout à partir. Fortifié par ces certitudes, Baldwin se rendit au palais de Buckingham pour affronter le roi.

C'était le 26 novembre. Le roi demanda à Baldwin ce qu'il pensait d'un mariage morganatique. Choisissant ses mots avec soin, Baldwin répondit qu'il n'y avait pas encore « réfléchi ». Cependant, dit-il, si le roi désirait son « opinion de prime abord », il croyait fermement que le Parlement ne voterait jamais une telle législation.

Le roi lui demanda s'il en était certain.

« Sir, désirez-vous que j'examine officiellement cette proposition [21]? »

Question cruciale. Jusque-là, le roi avait été son seul maître. Le Premier Ministre pouvait discuter, conseiller, mais non imposer. L'accord du roi en vue d'un examen officiel du problème avait une signification très profonde. Il signifiait que le roi ne pourrait plus chercher ailleurs un « avis » et qu'il serait contraint — respectueusement certes mais contraint tout de même — d'accepter « l'avis » du gouvernement comme l'expression de sa volonté et sa décision officielle. Et, ainsi que l'expliqua le Premier Ministre, un examen officiel du problème impliquait la consultation des Cabinets des Dominions ainsi que du Cabinet anglais.

« Oui, je vous prie de le faire », insista le roi [22].

Il ne le savait pas, mais cette phrase marquait la fin de son avenir royal.

Le lendemain, Beaverbrook se rendit chez le roi. Il était allé aux Etats-Unis, et le roi lui avait demandé de rentrer d'urgence.

Beaverbrook n'avait jamais été un ami personnel du roi, ni un fervent partisan de la monarchie. « J'ai interrogé Beaverbrook », écrivit Randolph Churchill, « afin de savoir pourquoi, puisqu'il était si peu monarchiste et qu'il connaissait à peine le roi, il s'était donné tant de mal pour Edouard VIII. Il m'a répondu laconiquement : " Pour emmerder Baldwin " » [23].

La haine, là, était profonde. Son origine datait d'un duel entre les deux hommes au sein du parti conservateur : Beaverbrook soutenait les droits préférentiels de l'Empire tandis que Baldwin défendait le libre échange. Elle s'enfla au cours de la lutte qu'ils se livrèrent pour contrôler le parti. Bonar Law, le prédécesseur de Baldwin, communiquait à Beaverbrook des renseignements privés; Baldwin mit fin à cette pratique. Parlant de Beaverbrook et de Rothermere, Baldwin les appelait des barons de la presse qui ne valaient pas qu'on s'occupât d'eux. « Ce sont deux hommes que je ne voudrais pas avoir chez moi [24] », déclara-t-il. Dans un discours en faveur de Duff Cooper, Baldwin les avait fustigés en ces termes :

« Quelles sont leurs méthodes? Leurs méthodes sont le mensonge formel, l'inexacte présentation des faits, la demi-vérité... Ce à quoi visent les propriétaires de ces journaux est le pouvoir, et le pouvoir sans responsabilité — le pouvoir de la prostituée de tous les temps [25]. »

Cette dernière phrase était une citation du cousin germain de Baldwin, Rudyard Kipling. Jamais Beaverbrook et Rothermere ne l'oublièrent, et ne pardonnèrent à l'homme qui l'avait prononcée.

Beaverbrook pressa le roi de retirer sa demande d'autorisation d'un mariage morganatique. Il voulait que le roi demeurât sur le trône, épousât la femme qu'il aimait, et laissât Baldwin démissionner. Il croyait qu'il serait possible alors de former un parti du roi composé de tories, de socialistes et de libéraux, et que les deux grands partis hésiteraient à provoquer un tel bouleversement : « Le roi n'a qu'à persévérer pour l'emporter. »

Beaverbrook proposa également au roi de permettre à lui-même, à Rothermere et à d'autres directeurs de journaux amis de commencer leur campagne de presse afin de porter à la connaissance du peuple le cas royal.

Edouard VIII hésita.

« Son inquiétude était intense, mais ne s'appliquait pas où il fallait », nota Beaverbrook. « Il aurait dû consacrer toutes ses énergies au problème principal, qui était la lutte pour demeurer sur le trône et se marier le moment venu. S'il avait entrepris une campagne bien organisée, il aurait atteint son but, et Baldwin aurait été un homme politiquement fini. Mais il était préoccupé par d'autres choses, et surtout par le souci de protéger Mrs. Simpson contre une publicité hostile, voire contre n'importe quelle publicité, quels qu'en fussent le prix ou les conséquences [26]. »

Beaverbrook avait rencontré Wallis une seule fois. Il trouva qu'elle était simple, pas très bien habillée, « et je ne fus guère séduit par le style de sa coiffure [27] ».

« Elle avait un sourire doux et agréable; sa conversation s'émaillait de déclarations selon lesquelles elle n'entendait rien à la politique, de phrases qui révélaient une grande simplicité de caractère et de vues générales, mais aussi un semblant d'inexpérience dans les affaires pratiques [28]. »

Beaverbrook remarqua toutefois qu'à un moment donné elle prit part à une discussion politique; « alors elle exprima des conceptions libérales, qu'elle soutint intelligemment et qui se fondaient sur des bases solides » [29].

Il fut aussi intéressé par le fait qu'il y avait six femmes à ce dîner et que cinq d'entre elles embrassèrent Wallis à son arrivée. « Elle accueillit ces baisers avec une dignité appropriée, mais elle n'en rendit aucun [30]. »

Le roi avait tenu Wallis à l'écart de la plupart de ses manœuvres politiques mais, ce soir-là, ils discutèrent à fond tous les deux du mariage morganatique.

« Lorsque le roi me téléphona tard dans la soirée », dit Beaverbrook, « et m'informa que Mrs. Simpson préférait le mariage morganatique plutôt que devenir reine, je compris que mes adjurations avaient été vaines. Le mariage morganatique était ce que souhaitait Mrs. Simpson, et ce que Mrs. Simpson désirait était ce que le roi désirait » [31].

Beaverbrook avait parfaitement raison. Wallis ne pouvait pas et ne voulait pas conseiller sérieusement le roi sur les divers jeux parlementaires parce qu'elle n'y comprenait goutte. Mais elle avait parfaitement saisi l'avantage qu'elle tirerait en devenant une puissance plus libre et plus souple derrière le trône, sans avoir l'inconvénient d'y prendre place, exposée à tous les regards. C'était une bonne position pour elle, et le roi ne songeait qu'à lui rendre service. Le simple fait qu'il manœuvrait pour des solutions de rechange indiquait nettement qu'il n'était pas du tout pressé de renoncer à la royauté. Et Wallis pas davantage.

Elle savait maintenant qu'elle était célèbre. Cumberland Terrace était devenu une attraction touristique, et elle ne tenait nullement à en sortir. Puis elle reçut des lettres de menace — de très vilaines lettres. Le roi lui-même apprit qu'un attentat se préparait pour faire sauter la maison de Wallis; il lui téléphona aussitôt pour proposer qu'elle s'installât pendant quelque temps au Fort avec tante Bessie, sans dire à personne où elle se rendait. Il vint en personne les chercher.

Avant ces incidents, Wallis avait conservé un semblant de naturel. Elle avait si fort persuadé tout le monde qu'il n'existait pas la moindre possibilité d'un mariage que Harold Nicolson rapporta dans son journal : « Je crois tout à fait sincèrement que le roi a fait la proposition à Mr. Baldwin sans l'avoir faite à Wallis. Toute cette affaire me navre. J'ai reçu d'elle ce matin une lettre si raisonnable [32]! »

C'était un jeu, un jeu très romanesque!

Certains de leurs amis de l'époque affirment qu'ils « ne se sont jamais comportés comme des gens désireux de renverser l'Eglise d'Angleterre. Ils se comportaient comme un couple d'amoureux qui voulaient se marier, et ils étaient visiblement horrifiés par les événements considérables que ce simple désir avait déclenchés »[33].

« Ils avaient l'air de penser qu'on pouvait quitter le trône d'Angleterre comme on se lève d'une chaise, et on ne pouvait pas s'empêcher de les aimer pour leur incroyable mais sincère naïveté[34]. »

Tout le monde ne les aimait pas pour la même raison, notamment la duchesse d'York. Si Edouard VIII abdiquait, ce serait son mari qui lui succéderait sur le trône; et elle était inquiète pour la santé de Bertie, pour ses capacités physiques à tenir la Couronne à bout de bras.

Un jour, le roi et Wallis arrivèrent inopinément au château de Windsor pour prendre le thé, et la gouvernante des deux enfants, Elizabeth et Margaret, observa Wallis avec intérêt. « C'était une femme distinguée, séduisante, déjà d'un certain âge, mais possédant cette bienveillance profonde qui est l'apanage des Américaines. Elle avait l'air très à son aise; peut-être un peu trop. Elle avait une façon de s'adresser au roi très particulière, comme s'il était sa propriété. Je me rappelle qu'elle le mena à une fenêtre pour lui suggérer que certains arbres pourraient être déplacés et que la suppression d'une partie de la colline améliorerait le point de vue[35]. »

« Qui est-ce, Crawfie? » s'enquit Elizabeth.

La gouvernante Marion Crawford entendit un peu plus tard la duchesse d'York soupirer tristement : « Il nous faut accepter ce qui nous arrive et nous en accommoder[36]. »

S'accommoder des événements exigea beaucoup d'efforts aussi du roi et de Wallis. Le roi la protégeait le plus possible contre les mauvaises nouvelles, mais elle le connaissait si bien qu'elle les devinait rien qu'à le regarder, en dépit de tout ce qu'il faisait pour les cacher. Un ami écrivit :

« J'ai vu le roi et Wallis à cette époque-là, et je n'ai jamais vu deux êtres aussi fatigués. Il était fatigué de sa longue bataille pour faire de Wallis une reine, ce qu'il voulait absolument, et elle était fatiguée d'essayer de lui plaire et de plaire aussi à tout le monde. Ils avaient l'air de deux malheureux quand il y avait du monde; la seule fois où j'ai vu jaillir l'étincelle de leur entrain de jadis, ce fut lorsqu'ils se retrouvèrent seuls ensemble. Je le sais, parce que je regardais par une fenêtre et que je les ai aperçus tout seuls. Je vous en donne ma parole : ils ressemblaient à deux gosses[37]. »

Le Dr. Arthur Frank Payne confia à un journal de New York que toutes les indications qu'il avait recueillies lui révélaient que le roi se trouvait au bord de la dépression nerveuse et que son amour pour Wallis Simpson était l'exact remède psychologique qui l'empêchait de sombrer.

Il ne fait aucun doute que Wallis ait été le balancier du roi. Ils avaient trop souvent le sentiment d'être seuls contre le monde entier.

Wallis a raconté le changement qui s'était opéré au Fort. Ce n'était plus un château enchanté, mais un château assiégé. Jack McGovern, député travailliste, posa à la Chambre des Communes la question de savoir s'il était sage, de la part du gouvernement, de dépenser de l'argent pour les projets du couronnement « étant donné les paris qui s'échangent aux Lloyd's sur les probabilités que le couronnement ait lieu ». En attendant, le roi accomplissait ses tâches et respectait ses rendez-vous. Il opposa même son veto à des modifications de boutons, de couleurs et de taille dans les uniformes de la Garde, prévues pour le couronnement.

Le Cabinet de Londres se réunit en session spéciale le vendredi 27 novembre afin d'entendre Baldwin donner pour la première fois sa version de toute l'affaire. Il déclara à ses ministres qu'à son avis le mariage morganatique était aussi indésirable qu'impraticable, et que le gouvernement devait choisir : accepter pour reine la femme du roi, ou accepter son abdication. Le lendemain, le roi ouvrit sa boîte rouge pour lire le procès-verbal de cette réunion secrète, mais il ne trouva rien sur la question qui lui tenait tant à cœur.

En lui apprenant ce qui s'était passé, Beaverbrook insista sur le fait que le roi avait posé sa tête sur le billot. « Baldwin n'a plus maintenant qu'à faire tomber la hache [38]. »

Beaverbrook était persuadé que le complot contre le roi avait pour principaux chefs Baldwin, Geoffrey Dawson et l'archevêque de Canterbury. Le roi était aussi de cet avis. Mais les trois hommes étaient si apparentés par l'esprit qu'un complot aurait été inutile. Aucun d'eux ne voulait que Wallis fût reine ou l'épouse morganatique de leur roi. Ils croyaient qu'un mariage pareil nuirait gravement à l'unité de l'Empire britannique. En outre, l'archevêque y voyait un coup sérieux porté à l'Eglise. Si le roi avait besoin de Wallis, ils n'avaient plus besoin du roi.

L'archevêque, qui était resté à l'arrière-plan, se décida à paraître. Il eut de fréquents rendez-vous avec Baldwin, Dawson et Hardinge. Ce dernier n'avait jamais démissionné, ni discuté de sa lettre avec le roi; il avait continué à travailler aux affaires quotidiennes. Lorsque le roi demandait à Monckton de venir, il le faisait toujours passer par un dédale d'escaliers et d'ascenseurs afin qu'il n'approchât point du bureau de Hardinge. Mais Hardinge semblait toujours savoir quand il était au palais, et il l'invitait à venir boire un verre et bavarder. Les deux hommes se connaissaient depuis Harrow. Monckton et Baldwin étaient aussi des amis de longue date, et ils siégeaient tous deux au conseil d'administration de Harrow. Le fait qu'ils portaient la même cravate du collège facilitait leurs rapports, mais ne modifia pas le résultat de leurs entretiens. Monckton avait clairement fait comprendre à Baldwin que l'on s'acheminait vers une abdication.

Point donc n'était besoin d'un complot politique. Le roi s'était placé lui-même dans une situation sans issue. L'archevêque avait eu l'intuition que les circonstances pourraient changer : or elles évoluaient rapidement.

Le problème se faisant plus aigu, les amis politiques du roi se raréfièrent.

« Cet homme a fait plus de mal à son pays que n'importe qui dans l'histoire [39] », dit à un ami l'ancien Premier Ministre et dirigeant travailliste Ramsay MacDonald. Si la sympathie déclarée du roi pour les ouvriers plaisait aux chefs du Labour Party, ils s'inquiétaient qu'il pût inaugurer un style populiste pour les futurs monarques.

Ramsay MacDonald était plus spécialement préoccupé par l'effet que pourrait avoir l'affaire sur le prestige américain, canadien et anglais. Il ne pensait pas que le peuple anglais fût du côté du roi sur cette question. « Les classes supérieures sont plus contrariées qu'elle soit Américaine que divorcée. Les classes inférieures se moquent qu'elle soit Américaine, mais elles abominent l'idée qu'elle ait déjà eu deux maris [40]. »

Wallis disposait d'une poignée d'amis qui se faisaient ses propagandistes auprès de l' « Establishment ». Lady Oxford, ex-Margot Asquith, passa un long moment avec Geoffrey Dawson : elle ne tarit pas d'éloges « sur le bon sens de Mrs. S. et son heureuse influence sur S. M., et elle semblait penser encore maintenant que leurs relations n'avaient absolument rien qui pût provoquer des commentaires publics [41] ».

Les commentaires, cependant, allaient devenir publics, et avant peu.

« Le *Times* a observé le silence depuis quelque chose comme trois mois malgré bien des pressions et des moqueries sur les deux rives de l'Atlantique », écrivit Dawson dans son journal. « J'ai toujours eu le sentiment très net que nous devions être les premiers à parler. Le reste de la presse attend visiblement que nous lui servions de guide [42]. »

La charge de la presse était déjà amorcée.

Sa Majesté continuait à dire à Wallis qu'il y avait encore de l'espoir, que rien n'était définitif, qu'il n'avait pas interrompu ses tentatives.

Son écuyer, le colonel Piers Legh, remarqua sa nervosité, la façon dont il changeait constamment d'œillet à sa boutonnière. « Il en mettait un, l'ôtait dix minutes plus tard, en replaçait un frais. Il me rendait fou, mais évidemment il ne savait pas ce qu'il faisait [43]. »

Wallis était assiégée par des amis anglais qui la suppliaient de renoncer au roi. Walter Monckton écrivit dans son journal : « On dit facilement qu'elle aurait dû obtenir de lui qu'il renonçât à elle. Mais je n'ai jamais connu d'homme dont il aurait été plus difficile de se débarrasser [44]. »

Monckton confia à un ami que le roi se serait suicidé plutôt que de renoncer à Wallis Simpson.

20

On jouait à New York *Victoria Regina* avec Helen Hayes dans le rôle de la reine Victoria. Dans la première scène, la reine avait cette réplique : « Les rois d'Angleterre ont jadis épousé des bourgeoises; ils seraient bien avisés de recommencer. »

La salle applaudissait à tout rompre.

A la même époque, le film américain *Libelled Lady* était projeté à l'Empire Theatre de Londres, à Leicester Square. Dans l'une des dernières séquences, une actrice s'écriait : « Que voulez-vous dire? Il y a trois ans que j'ai divorcé d'avec Simpson! » Aucun écho dans le public pour cette coïncidence du nom « Simpson » et du mot « divorce [1] ». L'opinion anglaise ignorait encore tout de l'affaire, puisque la presse continuait d'observer un silence absolu.

Quant aux magazines américains qui parlaient abondamment de l'histoire Simpson, ils étaient toujours censurés au ciseau avant d'être mis en vente en Angleterre. La revue *Esquire* publia une nouvelle dont un personnage s'appelait Mrs. Simpson; elle n'échappa point à la vigilance des censeurs.

Wallis était très préoccupée par la presse américaine : elle invita Newbold Noyes, alors co-directeur du *Star* de Washington, à venir écouter sa propre version des faits. Noyes avait épousé sa cousine Lelia Barnett, et elle le connaissait depuis vingt ans.

Noyes essaya de la rassurer en lui affirmant que 70 % au moins des journaux américains lui étaient favorables. Elle hésita à le croire en raison des nombreuses lettres de menaces et de haine qu'elle avait reçues. « Ce n'est pas qu'elles me font peur, mais je suis navrée que des gens réagissent ainsi. S'ils connaissaient la vérité, je suis sûre que leurs sentiments seraient différents [2]. »

« La Wallis Simpson dont je me souvenais était insouciante et rieuse, avec toujours quelque plaisanterie sur les lèvres », écrivit Noyes. « La Wallis Simpson que j'ai retrouvée est encore aussi gaie, aussi spirituelle; mais à présent elle sourit plus qu'elle ne rit, et de temps à autre une expression lointaine dans son regard révèle des soucis qu'elle n'exhibe jamais [3]. »

Elle portait une robe de brocart noire et sans manches qui moulait son corps, avec un haut col carré, un éblouissant bracelet de diamants et de rubis, des rubis aux oreilles sur une monture ancienne, deux orchidées fixées à la taille. Elle n'avait pas de bagues aux mains,

« Son port de tête sur un cou mince et bien modelé, caractéristique de toute sa charpente osseuse, est joli et fier », dit Noyes. « Elle a des chevilles et des poignets fins, des mains robustes et efficaces, des doigts qui ne sont pas très longs, de tout petits pieds, une tournure élégante sans que sa silhouette ressemble à celle d'un garçonnet. Elle a la vivacité d'un pur-sang [4]. »

Noyes énuméra cinq traits dominants de sa personnalité : sociabilité, fidélité, simplicité, vitalité et naturel. Il nota aussi son aptitude à bien écouter autant qu'à bien parler, sa faculté de rire au bon moment, et « l'authenticité, la sincérité de son rire [5] ».

Le célèbre écrivain H. G. Wells écrivit pour la presse américaine : « Jusqu'ici je n'ai jamais entendu le moindre mot pouvant suggérer qu'elle est autre chose qu'une femme parfaitement honorable, supérieurement intelligente et ayant de charmantes manières. Pourquoi le roi ne devrait-il pas l'épouser et en faire sa reine?... Mrs. Simpson est beaucoup plus apte à être la femme du roi que n'importe quelle jeune fille qu'on pourrait lui imposer à sa place. »

Quant au roi, Wells en brossa le tableau suivant : « Il ne plaît ni à l'administration, ni aux autorités. Les gens qui occupent des positions privilégiées ont la chair de poule quand on leur parle de lui. Il prend l'avion, arrive à l'improviste et se met au courant, au lieu de voyager par train spécial... Chacun de ses actes atteste qu'il possède un esprit très moderne; il est sans façon, il se moque des conventions, il pose des questions très déconcertantes sur les conditions sociales... Ils savent parfaitement au fond d'eux-mêmes que, s'il ne peut pas être humilié, discrédité et frappé d'impuissance politique en étant obligé de renoncer (avec quelle publicité!) à son désir d'épouser cette femme remarquable, ils seraient plus heureux sans lui [6]. »

C'était tout à fait exact. Les milieux qui se situaient immédiatement autour du cercle royal étaient extrêmement impatients de se débarrasser de ce roi. Lady Nancy Astor, que nous avons déjà rencontrée et qui connaissait le roi depuis qu'il avait été Prince de Galles, estima qu'elle pourrait aborder franchement avec lui ce sujet tabou. Américaine devenue plus Anglaise que les Anglais (et même membre du Parlement), Lady Astor avoua plus tard : « Je suis allée le voir et je l'ai supplié de ne pas agir comme il agissait. » Cette supplication n'ayant produit aucun effet, elle se mit à « parler haut et avec véhémence [7] ».

Lady Astor représentait un secteur peu banal de l'opinion. Sur son livre de rendez-vous, à son domaine de Cliveden, figuraient les noms de toutes sortes de gens dans un incroyable mélange de classes sociales et de partis politiques. Elle recevait les Premiers Ministres, les grands directeurs de journaux, les politiciens en herbe, des socialistes et des fascistes. Geoffrey Dawson, directeur du *Times*, était un habitué de Cliveden. On retirait toutefois l'impression très nette que la grande majorité de ce groupe, Dawson compris, trouvait « raisonnables » les revendications d'Hitler. Baldwin et Neville Chamberlain semblaient partager ce point de vue.

Harold Nicolson disait de Lady Astor qu'elle était « une femme bonne, mais démesurément idiote » avec « une influence subversive ». « Le mal que font ces maîtresses de maison imbéciles et égoïstes est en vérité considérable. Elles donnent aux diplomates étrangers le sentiment que la politique se décide dans leurs propres salons. Elles créent une atmosphère d'autorité, de responsabilité et de grandeur, alors qu'il s'agit seulement d'une prétention à l'esprit [8]. »

Il s'agissait parfois d'un peu plus. Nicolson lui-même a rapporté dans son journal une réunion secrète de Herr von Ribbentrop et de quelques ministres du Cabinet, au cours de laquelle « l'ambassadeur d'Allemagne acquit bel et bien l'idée qu'il existait en Angleterre une minorité influente toute prête, à condition qu'il ne fût pas touché à l'Empire britannique, à laisser à l'Allemagne hitlérienne les mains libres contre la Russie et, par voie de conséquence, la suprématie en Europe [9] ».

Ce groupe de Cliveden était celui que « la jolie petite rousse » Ellen Wilkinson, député travailliste, accusa d'utiliser « l'influence de Mrs. Simpson sur le roi Edouard pour atteindre leurs propres objectifs [10] ».

Nul dirigeant politique anglais en tout cas, ne souhaitait moins la guerre avec l'Allemagne que Stanley Baldwin. Son secrétaire Tom Jones était même allé voir Hitler pour négocier une rencontre Hitler-Baldwin. Cette rencontre n'eut jamais lieu parce que Baldwin ne voulait pas prendre l'avion et « qu'il n'aimait pas beaucoup la mer ».

Les sentiments du roi à l'égard de l'Allemagne étaient beaucoup plus proches de ceux de Baldwin que de Churchill.

Pendant le week-end du 28 novembre, le roi et Wallis allèrent au Fort, qui ne devait jamais plus être pour eux un havre de paix et de calme. Les courriers se succédaient, et le roi dut s'excuser souvent auprès de Wallis pour assister à des réunions dans une autre pièce. Le monde extérieur avait cessé de l'être. Le roi ne cherchait plus à dissimuler la gravité de la situation, mais il essayait encore d'épargner à Wallis les détails. Il se bornait à lui dire que « rien n'était encore définitif [11] ».

Cela ne faisait qu'aggraver son anxiété. Elle avait toujours eu une imagination encline au pessimisme, et à présent elle ne manquait pas d'aliments pour nourrir ses inquiétudes. Le sentiment de son inutilité la tourmentait particulièrement. La boule de neige était devenue une avalanche, et elle se jugeait trop petite pour lutter contre tout l'Empire britannique. Le roi s'agitait trop pour lui faire un cours succinct sur la Constitution anglaise, et Monckton avait reçu l'ordre de ne pas lui communiquer ses secrets.

Tante Bessie s'efforça de détendre Wallis et de lui conserver son équilibre. Elle alla pêcher dans sa mémoire toutes les histoires drôles et les bons souvenirs d'autrefois. Elle essaya d'injecter son sens commun dans cette situation apparemment insensée. Surtout elle lui offrait du thé, de la compréhension, de la tendresse. Elle était une mère, une sœur, une amie. Wallis avait besoin des trois.

Samedi, Geoffrey Dawson reçut un petit mot de Monckton et Hardinge qui le pressaient de maintenir le silence de la presse sur l'affaire. Dawson s'était déjà permis plusieurs coups d'épingle aussi fins qu'acérés, dont la signification n'était évidente que pour ceux qui « étaient dans le coup ». A propos de la nomination d'un gouvernement général de l'Union sud-africaine, Dawson avait écrit un éditorial pour souligner l'importance qu'il y avait à tenir la Couronne et ses représentants loin de « tout scandale public éclatant ». Et, dans son résumé des travaux parlementaires de la semaine, il avait glissé une phrase sur la Chambre des Communes « qui prouvait qu'elle était un Conseil d'Etat capable de manifester sa force et sa solidité dans toute crise qui pourrait survenir au-dedans comme au-dehors ».

Dimanche après-midi, Dawson rendit visite à l'archevêque de Canterbury qu'il trouva « très soucieux, ce qui était bien naturel [12] ». L'archevêque aux cheveux blancs et aux lèvres minces se rendait parfaitement compte que le dénouement approchait. Lundi après-midi 30 novembre, Dawson conféra avec Baldwin. « Les réponses des Dominions arrivaient, et toutes confirmaient l'opinion de S. B., à savoir que le vote d'une législation ' morganatique ' était impossible dans tout l'Empire [13]. »

Monckton déclara plus tard que « le roi n'avait jamais fondé de gros espoirs sur l'acceptation d'une législation relative au mariage morganatique [14] »; pourtant, certaines réflexions du roi donnèrent à penser le contraire.

Auparavant, Monckton s'était senti obligé de soumettre au roi les informations qu'il avait glanées au cours de ses conversations avec des dirigeants de tous les partis.

« Ils mesurent bien la force du lien qui existe entre vous deux, ainsi que l'étendue du terrible sacrifice qui vous serait demandé à l'un et à l'autre si vous deviez poursuivre seul votre tâche. Mais ils estiment que vous ne pouvez pas vous démettre, même en de telles circonstances, sans vous compromettre de façon irréparable aux yeux du monde [15]. »

En rédigeant cette note, Monckton savait qu'Edouard VIII n'était plus en état d'être sensible à des arguments pareils.

Extrêmement déprimé, le roi se rendit auprès de Wallis. Sa faculté de choisir s'était encore amenuisée. Toutes les portes se fermaient. Il se savait aimé par le peuple. Si seulement il pouvait lui faire connaître exactement ses sentiments!

Wallis l'écouta, réfléchit, et soudain eut une idée. La presse américaine était résolument hostile au président Franklin D. Roosevelt, et cependant celui-ci avait annihilé cette opposition par des causeries radiodiffusées « au coin du feu ». Or le roi était, à la radio, absolument merveilleux. Elle l'avait entendu. Sa voix savait émouvoir. Pourquoi pas? Pourquoi ne parlerait-il pas à la radio? Le peuple y serait sensible : Wallis en était sûre. Il pourrait s'adresser à lui avec son cœur, comme il s'était si souvent adressé à elle. Pourquoi ne pas essayer? L'enjeu en valait la peine.

Le roi fut transporté d'enthousiasme. Bien sûr! Elle avait vu juste. Le peuple voudrait écouter, et il comprendrait. Ce n'était pas un problème politique : c'était un problème humain. Certes, le Parlement devrait lui accorder la permission de prononcer son allocution, mais comment pourrait-il la lui refuser?

Surexcité, il l'embrassa pour lui témoigner sa satisfaction et regagna précipitamment son bureau.

On a attaché beaucoup d'importance à la théorie selon laquelle Sa Majesté ne voulait vraiment pas régner et aurait utilisé l'affaire Simpson pour quitter le trône. Il avait dit, à propos d'autre chose, qu'un roi ne pouvait que conseiller, encourager et pleurer.

Tout las qu'il était souvent du fardeau de la couronne, il était né et il avait été élevé pour la porter. Il ne lui était pas facile, ni agréable, de s'en défaire. Les lettres « R. I. » qui suivaient sa signature signifiaient *Rex Imperator* (roi et empereur). Où aller après avoir atteint le sommet de la montagne? Que ferait-il des années qui lui restaient à vivre?

Il y avait encore autre chose : il savait à quel point Wallis tenait à ce qu'il demeurât sur le trône; il savait tout le romanesque dont elle entourait leur amour; il savait combien elle se glorifiait de l'éclat de sa position.

S'ils vivaient ensemble, le *Rex Imperator* pourrait être passionnant, et peut-être même important. Avec la force, les encouragements, l'énergie et la tendresse de Wallis, il pourrait donner à la royauté une dimension qu'elle n'avait pas eue depuis des siècles. Un roi « populiste », pourquoi pas?

Sans elle, le *Rex Imperator* n'aurait aucun sens.

Alors, pour l'héritage qu'il avait reçu, pour Wallis, pour sa vision de l'avenir, il s'accrocha avec tenacité à la couronne. Il le fit à sa manière instinctive, souvent ingénue, sans consulter les meilleurs de ceux qui ne demandaient qu'à l'aider.

« J'ai dit à mes frères, à ma mère, et même à mon Premier Ministre de ne pas m'approcher parce que je ne voulais pas qu'ils fussent mêlés à cette affaire. La décision m'appartenait. Je l'ai prise, et c'est ainsi que les choses devaient être [16]. »

Lloyd George, très âgé mais encore valide, aurait été l'un de ses plus farouches partisans; mais il était parti pour les Antilles bien avant que se levât la tempête Simpson. Il expédia néanmoins ce message : « Une nation a le droit de choisir sa reine, mais le roi aussi a le droit de choisir sa vie personnelle; si Baldwin est contre eux, je suis contre Baldwin [17]. »

Winston Churchill, dont le concours aurait pu être très important, était tenu au courant par Beaverbrook, mais cantonné sur la touche. Et le roi ne permettait toujours pas à Beaverbrook, malgré son insistance, de lancer une campagne pour rallier le peuple à la cause du roi.

Et puis, le barrage craqua.

Il y avait un évêque de Bradford dans le Yorkshire qui s'appelait Blunt et qui était un ami personnel de la reine-mère. Il était prévu que ce Dr. A. M. F. Blunt parlerait du prochain couronnement à sa conférence diocésaine. Il s'était rendu à Londres pour assister à une réunion convoquée par l'archevêque de Canterbury, et ce dernier n'avait pas caché ses craintes au sujet du projet de mariage morganatique. Blunt avait également rencontré Baldwin qui ne semblait pas moins préoccupé par un soutien croissant de la presse à l'idée d'un mariage morganatique. Alors, dans son homélie, l'évêque Blunt déclara tout net qu'il fallait recommander le roi à la grâce de Dieu, dont il aurait bien besoin pour accomplir fidèlement son devoir. « Nous espérons qu'il est conscient de ce besoin. Certains d'entre nous préféreraient qu'il en donnât plus de signes positifs. »

Quand une charge est amorcée, la plus petite étincelle peut déclencher l'explosion. Plus tard, l'évêque Blunt expliqua qu'il avait seulement voulu réprimander le roi parce qu'il ne fréquentait guère les églises. Mais le *Yorkshire Post* vit dans l'homélie un courroux provoqué par l'affaire Simpson et il y consacra un plein éditorial. Si Arthur Mann, le directeur du *Yorkshire Post*, n'avait pas communiqué une copie de son article aux journaux londoniens du matin, le roi aurait pu bénéficier de quelques jours supplémentaires de grâce.

C'était le mercredi 2 décembre, et la presse anglaise perdit son sang-froid habituel. Dawson estima qu'il était trop tard pour traiter toute l'histoire d'une manière appropriée le lendemain, et il entra en contact avec les autres directeurs de journaux pour avoir l'assurance qu'ils attendraient eux aussi. Mais non content de reproduire l'homélie de Blunt, le *Times* publia un article de tête prophétique sur le merveilleux accueil qu'Edimbourg avait réservé au duc et à la duchesse d'York. C'était plus qu'une coïncidence. L'article évoquait « l'affection particulière pour le Prince dans la postérité duquel une autre race d'ascendance écossaise pourrait être appelée un jour au trône impérial ».

Wallis et le roi s'attendirent à voir crouler tout leur univers le lendemain.

Peu avant que n'éclatât l'orage dans la presse anglaise à propos de l'affaire Simpson, il y eut un à-côté intéressant. Des journalistes vigilants découvrirent sur le quai de Southampton Ernest Aldrich Simpson qui attendait Mary Kirk Raffray; celle-ci rentrait des Etats-Unis où elle était allée procéder au règlement définitif de son divorce avec Jacques Raffray. Simpson et Mary effectuèrent le voyage de Londres dans le même compartiment de chemin de fer, puis se séparèrent sur le quai de la gare de Waterloo, sortirent en courant par des portes différentes, bondirent dans le même taxi et se couchèrent dans le fond de la voiture pour échapper aux journalistes. Lorsque les reporters finirent par les retrouver, ils les prièrent de se redresser pour se montrer, ce qu'ils firent avec de grands éclats de rire.

A elle seule, Mary Kirk avait réussi à guérir Ernst Simpson de son abattement profond et à le sortir de son apathie. C'était parce qu'il cherchait déjà un tempérament analogue qu'il avait épousé Wallis (entre autres raisons). Il se marierait avec Mary Kirk dès qu'ils seraient libres tous les deux.

En dépit des arrangements que Simpson pouvait avoir avec Mary Kirk, il lui parut indispensable de faire un geste assez exceptionnel. Simpson, naturalisé Anglais, éprouvait une véritable passion pour la Grande-Bretagne. Pas tellement à cause des Coldstream Guards où il s'était engagé pendant la guerre, ni de son chapeau melon ou de son parapluie. Mais la monarchie et l'Empire lui inspiraient du respect. Et ce respect était maintenant ancré en lui avec une force affective considérable. Peu lui importait l'immense amertume qu'il avait ressentie au cours des dernières années; le mal lui avait été fait par le roi agissant en homme, non point par le roi agissant en monarque. Dans son for intérieur, il ne pouvait blâmer ni Wallis ni le roi. Il était assez intelligent pour comprendre que leur amour avait été inévitable. Et puis, il avait à présent Mary Kirk.

Mais l'idée que le roi pourrait abdiquer lui sembla monstrueuse. Il se dit qu'il pourrait tout arrêter. Le divorce ne deviendrait définitif qu'en avril; il n'avait qu'à refuser sa coopération.

Par des intermédiaires, il soumit son offre à Monckton, puis à Baldwin, et finalement à Wallis. Il reçut des trois la même réponse : c'était au roi seul de décider. Alors Simpson alla voir le roi.

Edouard VIII fut profondément touché. Le loyalisme, la probité de Simpson étaient manifestes. Il faisait passer avant lui-même son roi et sa patrie. C'était toutefois le dernier genre de sacrifice que souhaitait le roi. Ce que Simpson ne comprenait pas, ce que personne n'avait l'air de comprendre, c'était que le roi tenait plus à Wallis qu'à son trône.

Le 2 décembre avait été pour le roi une journée fort occupée. Beaverbrook lui avait rendu visite dans l'après-midi pour lui confirmer la fin du « gentlemen's agreement » relatif au silence de la presse. Il avait l'impression que la réaction initiale des journaux serait favorable à Baldwin, mais que la sympathie pouvait changer de camp et l'opinion se rallier au mariage du roi. Mais le roi, encore maintenant, hésitait à prendre une initiative qui déclencherait une plus grande publicité.

Beaverbrook ne dit pas au roi qu'il essayait une autre manœuvre dont l'essentiel consistait à approcher Wallis directement. La veille au soir, un dîner avait réuni à Stornaway House un petit groupe d'amis du roi, dont Monckton, Esmond Harmsworth, l'avoué George Allen et Lord Brownlow. « Ils décidèrent d'un commun accord que j'étais le mieux introduit auprès de Wallis », relata Brownlow ultérieurement, « et que je devais la voir pour essayer d'obtenir qu'elle le quitte [18]. »

Wallis séjournait au Fort, et le roi resterait toute la journée au palais de Buckingham parce qu'il avait un rendez-vous avec Baldwin à une heure tardive. Le moment était donc bien choisi.

« Effectivement je l'ai vue », dit Brownlow. « Je lui ai exposé nos sentiments à tous, et pourquoi il était important qu'elle partît. Mais je n'ai pas été sûr de l'effet produit [19]. »

Bien qu'elle eût conservé son sang-froid, l'effet fut considérable. De plus en plus de gens — non seulement ses propres amis, mais des amis du roi — accumulaient les pressions sur Wallis. Au début, elle avait pensé que le roi ne pouvait pas se tromper, et il l'avait encouragée dans cette impression; mais maintenant, et chaque jour davantage, elle sentait que tout allait mal. Elle voyait la nervosité croissante du roi. Il fumait sans arrêt et tirait constamment un mouchoir de sa poche pour s'éponger, même lorsqu'il ne transpirait pas. Il avait une façon de se tamponner le front avec son mouchoir « comme s'il cherchait à atténuer une souffrance cachée [20] ».

Et puis les lettres de menace étaient devenues plus effrayantes. « Prenez garde, vous connaîtrez bientôt le sort réservé à toutes les maîtresses de rois [21]! »

Et cette autre, timbrée de Mayfair et écrite sur du papier élégant :

« Si vous aviez vécu il y a deux cents ans, des moyens auraient été trouvés pour débarrasser le pays de votre présence, mais personne ne semble avoir le courage requis pour vous réexpédier aux U.S.A. où le mariage est un objet de dérision; il m'appartient donc, puisque je suis patriote, de vous tuer. Considérez cette lettre comme l'avertissement solennel que je le ferai [22]. »

Pourtant, tout n'était pas débroussaillé. Comment le quitter au moment où il avait le plus besoin d'elle? Qui l'écouterait, discuterait avec lui, lui caresserait la tête, lui tiendrait la main? Mais un départ pourrait tout simpifier, purifier l'atmosphère, apaiser les remous. Pour Wallis, l'après-midi se passa dans les tourments.

Le Premier ministre Baldwin pria Geoffrey Dawson de passer au 10 Downing Street en fin d'après-midi. Son rendez-vous avec le roi était fixé à six heures. « Il avait vraiment l'air vidé; assis devant sa table, la tête entre les mains, il était sans doute content de ne pas attendre tout seul l'heure de son audience », écrivit Dawson [23].

Le Premier ministre avait encore des soucis, car la situation ne se trouvait pas complètement déblayée de toute incertitude. Il avait dans son camp toutes les forces politiques, mais ce roi était à la fois impulsif et émotif : personne ne pouvait prédire à coup sûr comment il réagirait — rallier un parti du roi, se battre pour acquérir le soutien de l'opinion, ou même renoncer au mariage morganatique pour attendre un moment propice. Quelqu'un aurait entendu Baldwin maugréer : « L'amour est bon pour les épiciers, pas pour les rois. »

Baldwin devait dire plus tard au Parlement : « Sa Majesté n'est pas un enfant. Il avait l'air si jeune que nous le prenions tous pour notre Prince, mais c'est un homme mûr qui a une large et grande expérience de la vie et du monde [24]. »

Le roi ne partageait pas cette impression. Dans la suite il avoua qu'il sentait que son univers se désagrégeait.

Pendant son entretien avec Baldwin, on l'entendit crier : « Non, et non, et non [25]! »

Mais la majeure partie de la conversation s'était déroulée dans le calme. Baldwin lui indiqua que les réponses des Dominions n'étaient pas encore toutes parvenues, mais qu'il était maintenant évident qu'ils n'approuveraient pas un mariage morganatique.

« Sa Majesté m'a dit que cette réponse ne l'étonnait pas », devait déclarer Baldwin au Parlement. « Il a accepté mon indication sans poser de questions, et il n'y a plus jamais fait allusion [26]. »

Le Premier ministre résuma de nouveau les options entre lesquelles le roi avait à choisir : renoncer au mariage, se marier contre l'avis de ses ministres, ou abdiquer.

« Croyez-moi, Sir, mon espoir sincère, et l'espoir du Cabinet, c'est que vous resterez notre roi [27]. »

« Que je sois ou non sur le trône, Mr. Baldwin », répondit le roi, « je me marierai; et si douloureuse qu'en puisse être la perspective, j'abdiquerai le cas échéant afin de me marier [28]. »

Lorsque le roi rentra au Fort ce soir-là, il trouva Wallis en compagnie de tante Bessie et de leur cousin Newbold Noyes. Wallis lui fit la révérence et l'appela « Sir », comme toujours en présence de tiers.

« Vous devez être très fatigué, Sir », dit-elle [29].

Le roi s'excusa de son retard, s'inclina légèrement devant Wallis, lui affirma qu'il n'était pas fatigué, mais expliqua : « J'ai eu une journée exceptionnellement chargée [30]. »

Il s'était changé au palais, et il arborait son kilt des Highlands.

« Voudriez-vous un cocktail, Sir? » s'enquit Wallis.

« Non, merci », dit le roi. « Je ne crois pas en avoir envie [31]. »

Wallis en prépara un pour Noyes et pour elle-même : du bitter sur un morceau de sucre, deux gros cubes de glace et une bonne once de bourbon.

La conversation se limita à des propos banals. Le roi la soutint sans faiblir ou s'énerver. Il fut question de chasse au coq de bruyère et de jeux de patience. Wallis et lui avaient travaillé sur un puzzle pour reconstituer une carte de la France. Elle était à moitié terminée et le roi, distraitement, ramassa une pièce de forme bizarre qu'il y inséra.

« Je regrette de n'avoir pas mieux regardé », déclara Noyes plus tard. « Sur cette pièce, il y avait peut-être le nom de Cannes [32]. »

Le maître d'hôtel à tunique rouge annonça : « Le dîner de Sa Majesté est servi [33]. »

Le menu était typique : potage à la tortue, mousse de homard avec une sauce piquante, faisan rôti avec des pommes soufflées et une salade verte, ananas frais et un entremets au fromage sur toast; du bordeaux pendant le dîner, et de l'alcool avec le café. Des bougies allumées, la porcelaine et le service de table aux armoiries du roi décoraient la table d'acajou carrée. Noyes remarqua que, chaque fois que Wallis voulait dire au roi quelque chose que les domestiques n'avaient pas besoin d'entendre, elle s'exprimait en allemand « et le roi lui répondait dans la même langue [34] ».

Ils parlèrent de la politique mondiale et des affaires en Angleterre et aux Etats-Unis. Le roi disait toujours « les Etats-Unis d'Amérique ». Wallis participa activement à la conversation; tante Bessie se contentait d'écouter.

« Connaissant la largeur d'esprit et la courtoisie de votre pays », dit le roi à Noyes, « je ne parviens pas à comprendre l'attitude de votre presse à l'égard d'une Américaine qui est mon amie [35]. »

Noyes lui répéta ce qu'il avait déjà répondu à Wallis, à savoir que dans son immense majorité la presse américaine était favorable à Wallis. Puis il fut question du mariage.

« Si vous vous mariez, Sir », dit Noyes, « la femme que vous honorerez ainsi sera l'une de trois choses. Corrigez-moi si je me trompe [36]. »

Le roi lui demanda de nommer ces « trois choses ».

« Votre épouse morganatique, ou la reine d'Angleterre ou, dirons-nous, Mrs. Windsor, femme du roi d'Angleterre qui aura abdiqué. »

« Exact à 67 %, mais pas plus », répondit le roi. « Pour un monarque anglais, la possibilité d'un mariage morganatique n'existe pas [37]. »

Wallis, qui savait qu'il sortait d'un tête-à-tête avec Baldwin, dut sursauter en l'entendant dire cela pour la première fois.

« Il apparaît donc, Sir », reprit Noyes, « qu'il n'y a que trois dénouements possibles à cette situation. Wallis devient reine. Elle devient Mrs. Windsor à la suite de votre abdication. Ou vous renoncez à l'intention de l'épouser. »

« Toujours exact à 67 % seulement, Mr. Noyes », dit le roi. « Vous devez limiter vos hypothèses aux deux premières; ce sont les deux seules valables [38]. »

Noyes continua ses sondages au sujet de leurs projets d'avenir et Wallis, quelque peu embarrassée par son obstination, écarta le sujet en disant avec un grand éclat de rire : « Encore un peu, et il vous obligera à me demander ma main devant lui, Sir [39]. »

Noyes nota plus tard : « J'ai observé les yeux du roi Edouard VIII quand ils suivaient Wallis Simpson. J'ai observé les jeux de physionomie de Wallis Simpson quand elle regardait l'homme qu'elle aimait, ou parlait de lui. Et si j'ai jamais vu deux êtres totalement, profondément, presque incroyablement absorbés l'un en l'autre, je les ai vus ce jour-là [40]. »

Sa Majesté demanda ensuite à Wallis si elle aimerait faire quelques pas dehors. Ce n'était pas un temps pour se promener : le brouillard était tombé; il faisait sombre et humide; ils partirent néanmoins par le chemin dallé. Il lui apprit alors que la journée n'avait pas été bonne, ce que Baldwin lui avait dit, ce que les journaux publieraient sans doute le lendemain matin.

Il déclara qu'il n'avait plus le choix : ne pouvant ni ne voulant renoncer à elle, il devait abdiquer.

Ils se turent quelques instants; leur détresse était trop grande, et chacun souffrait pour l'autre.

Et puis elle lui répéta qu'il devait demeurer sur le trône, à tout prix et quel que fût le sacrifice que cela leur coûterait.

Elle lui dit ensuite qu'elle avait décidé de quitter l'Angleterre, et qu'elle aurait dû le faire depuis longtemps [41].

Cette fois, il n'essaya pas de la dissuader. Il eut l'air presque soulagé qu'elle eût pris cette décision. Il savait ce qui allait advenir, et il la voulait le plus loin possible des coups qui s'abattraient sur eux.

Ce soir-là, le roi donna quelques coups de téléphone. Dans son inquiétude, et avec son manque de maturité politique, il espérait encore pouvoir contrôler l'explosion de la presse.

Le roi voyait dans le *Times* l'organe de son ennemi Geoffrey Dawson, et il s'attendait à ce que celui-ci se lançât dans une offensive dramatique contre Wallis.

« A la fin de la soirée, alors que je me débattais avec mon journal », nota Geoffrey Dawson, « le Premier ministre m'appela non pas une fois, mais deux, avant minuit... seule occasion, je pense, où j'aie entendu sa propre voix sur mon téléphone, pour me dire que Sa Majesté le harcelait pour découvrir, et si nécessaire arrêter, ce que publierait le *Times*. Il savait qu'il devait y avoir une attaque contre Mrs. Simpson, et il avait « donné pour instructions » au Premier ministre de l'interdire. S. B. lui avait vainement répondu qu'en Angleterre la presse était libre, et qu'il n'exerçait aucun contrôle sur le *Times* ou tout autre journal. Lorsqu'il me rappela en s'excusant beaucoup, ce fut pour me dire que le roi serait satisfait et laisserait tranquille son Premier ministre si ce dernier voulait lui lire l'article de tête. Pourrais-je le lui montrer, pour qu'il eût la paix? A cette heure-là, ainsi que je le lui expliquai, le journal était sous presse; mais vers minuit je fis porter par courrier une épreuve de l'éditorial à Downing Street, et je n'entendis plus parler de rien [42]. »

Il n'entendit plus parler de rien parce que Baldwin était déjà couché lorsque l'article arriva; et son biographe avoue qu'il ne le lut pas.

La matinée du lendemain fut l'une des rares depuis la Première Guerre mondiale où le temps ne fut pas le principal sujet de conversation des Anglais.

UNE CRISE GRAVE, lurent-ils dans les manchettes de leurs journaux.

En éditorial, le *Times* :

« Il existe beaucoup de filles d'Amérique que le roi aurait pu épouser avec l'approbation de son peuple en liesse. Ç'aurait été une innovation, mais une innovation qui n'aurait été nullement déplacée dans l'histoire de la Maison Royale... La seule objection, et elle est insurmontable, est que la dame en question a déjà deux anciens maris vivants dont elle s'est successivement séparée par le divorce. »

Le *Daily Express* :

« Que le roi parle! Que le roi communique sa décision au peuple!... Allons-nous perdre ou conserver le roi? Il connaît la réponse que le peuple souhaite entendre. Mais il ne faut pas que ce soit un au revoir, car les citoyens de ces Iles l'entendraient avec un cœur lourd et la tête courbée par le chagrin. »

Le *Daily Telegraph* :

« La reine Mary, la reine Alexandra, la reine Victoria — voilà les reines d'Angleterre qu'ont connues depuis un siècle ce pays et cet Empire, et ils ne toléreront pas un modèle de reine différent. »

Le *Daily Mail* :

« L'abdication est hors de question en raison des innombrables dommages qu'elle pourrait causer. L'effet sur l'Empire serait désastreux. Il ne faut pas qu'elle se produise. Le roi et ses ministres doivent trouver une issue. Le peuple veut son roi. »

Le commentaire le plus imprévu et le plus remarquable vint du *News Chronicle*, le plus « pro-Baldwin » de la presse. Il préconisait un mariage spécial grâce auquel le roi se marierait en qualité de duc de Cornouailles et ferait de sa femme le consort du roi et non une reine. Dawson qualifia l'idée de « particulièrement pernicieuse ». Mais Baldwin dut être fort satisfait du *Daily Herald*, l'organe du parti travailliste, qui déclara que le roi devait se ranger à l'avis de ses ministres.

Les journaux des Dominions se montrèrent encore plus dogmatiques sur la question. Ils soulignèrent tous « le sens élevé du devoir » du roi, la nécessité où il se trouvait de « faire un sacrifice suprême », et le fait que son bonheur était « un bien petit prix à payer pour la ferveur de l'Empire ».

Le roi aurait dit : « Ils ne veulent pas de moi [43]. » Mais plus il lisait la presse, plus il s'irritait. Avec beaucoup de retard, il décida de se battre et de raconter son histoire. Il travailla avec acharnement pour achever le brouillon de l'allocution radiodiffusée qu'il se proposait de prononcer. Avant qu'il eût fini, Wallis entra dans sa chambre, un journal à la main, et son visage, sa voix trahissaient l'intensité de son trouble.

Il lui dit qu'il était navré qu'elle eût lu les journaux, et elle répondit en exprimant sa tristesse de lui avoir fait cela; puis elle ajouta : « Je ne puis pas rester ici un jour de plus... Il faut que je quitte l'Angleterre cet après-midi même [44]. »

De nouveau, il ne discuta pas.

Le même soir, le roi devait dîner avec sa mère et sa sœur à Marlborough House, et il les avait enfin persuadées de lui permettre d'amener Wallis afin qu'elles pussent faire sa connaissance et émettre leur jugement personnel. Quelques semaines plus tôt, cette rencontre aurait pu être très importante. L'agrément public de Wallis Simpson par la reine Mary n'aurait-il pu être décisif? Ou, pour reprendre la formule de John Gunther, si Wallis était allée faire du shopping avec Mrs. Baldwin, tout n'aurait-il pas été différent?

Mais en admettant même que la reine mère eût reçu Wallis et que Wallis lui eût plu, comment aurait-elle pu approuver le mariage? Elle était foncièrement hostile au divorce. Son respect pour la royauté était infini. Et elle n'aurait jamais brandi l'étendard de la révolte contre un « avis » du gouvernement. Une rencontre avec Wallis n'aurait eu de sens que si elle avait eu lieu au début, avant que pût se cristalliser l'opposition du gouvernement.

Peut-être Wallis se sentit-elle incapable d'affronter cette entrevue, peut-être fut-ce une autre raison qui la poussa à vouloir partir le jour même. Les dispositions furent rapidement prises. Le roi téléphona à son ami Lord Brownlow.

« J'ai reçu une communication du roi vers onze heures », dit Lord Brownlow. « Il m'a demandé de faire sortir ' W ' — c'était son nom de code — du pays, de venir au Fort cet après-midi dans ma voiture personnelle et d'emporter du linge pour une quinzaine de jours. Je n'ai pas su où nous irions avant d'être arrivé au Fort [45]. »

Walter Monckton vint aider aux préparatifs du voyage. Il était accompagné de sa fille Valérie, dix-sept ans, qui avait souvent servi de messagère à son père entre le Fort et le 10 Downing Street. Elle garda du déjeuner de ce jour-là un souvenir très vif, et elle se demande encore comment Wallis avait pu être si gentille avec elle en ces heures de tension, s'efforçant même de la mêler à la conversation. Valérie remarqua le soin qu'elle prenait à appeler « Sir » le roi, parce qu'elle était là. Elle s'émerveilla aussi des prévenances qu'eut le roi à son égard : un jour il l'avait vue boire de la bière, et il veilla à ce qu'elle eût un choix de bouteilles de bière au repas.

Ce fut un jour de frénésie, de précipitation folle pour les bagages et les derniers arrangements, et cependant ces deux êtres situés dans l'œil de l'ouragan demeuraient courtois et pleins d'égards. Les bonnes manières s'apprennent quand on est destiné à régner. Chez Wallis elles étaient plus instinctives.

Lord Brownlow arriva au crépuscule dans sa Rolls. Le thé fut servi. Le roi expliqua que Wallis se rendait à Cannes chez ses amis Herman et Katherine Rogers. Il avait arrêté lui-même les dispositions pour ce voyage, et elles étaient compliquées. Au lieu de se déplacer en train dans un compartiment réservé, ce qui aurait été simple, ils partiraient en voiture sous des noms d'emprunt. Son chauffeur personnel George Ladbrooke et un détective de Scotland Yard les accompagneraient.

Avant leur départ, Lord Brownlow demanda au roi :

« Et vous, Sir, qu'allez-vous faire? »

« Il m'a répondu qu'il irait en Suisse jusqu'à ce que la situation se fût calmée. Et je lui en ai beaucoup voulu ensuite parce qu'il n'avait vraiment pas besoin de me mentir [46]. »

L'au revoir fut pénible car ni le roi ni Wallis n'avaient la moindre idée de la date à laquelle ils se reverraient. Wallis confia au roi son chien Slipper. Slipper avait été le premier cadeau qu'il lui avait offert.

Pour Wallis maintenant, c'était le temps de la solitude et de la crainte. Elle ne pouvait vaincre l'inquiétude lancinante que peut-être, en dépit des assurances du roi, tout était fini. Et cette inquiétude se teintait d'irrévocabilité, comme le testament qu'elle venait de rédiger. Au fond d'elle-même, elle se disait qu'elle pourrait ne plus jamais le revoir. Ils ressemblaient soudain à deux petits pions dans une succession d'événements qui les submergeaient. Et, malgré tout, elle se sentit envahie par une sorte de joie de vivre, comme si elle participait à une grande aventure.

21

Tante Bessie ne s'était pas trompée : Wallis eut peur. La peur n'était pas sa compagne habituelle. Wallis savait se débrouiller en toute occasion et elle ne redoutait personne. Elle possédait aussi assez de courage pour relever n'importe quel défi capable de lui procurer des sensations fortes; son énergie était combative, et elle pouvait être téméraire dans sa franchise.

Mais jamais, dans ses rêves les plus fous, elle n'avait pensé que son aventure avec le roi prendrait de telles dimensions. Une position éminente et la célébrité avaient de quoi l'enchanter. Mais voici qu'à présent elle se retrouvait seule contre tout un monde. Les gros titres des journaux du matin traduisaient la condamnation d'un pays.

Les lettres qu'elle avait reçues étaient des cris de haine, des menaces de meurtre. Ses amis d'Angleterre l'avaient suppliée, ou accablée de sarcasmes. Et l'homme qu'elle aimait allait être honteusement cloué au pilori de l'histoire.

Si elle avait pu craindre pour elle-même et si elle avait éprouvé des remords, maintenant elle tremblait encore davantage pour lui. Elle lui confia un jour que c'était seulement lors de son départ qu'elle avait pleinement mesuré ce que représentait pour lui une abdication.

Elle dit aussi, plus tard, avoir eu la conviction, en le quittant, qu'elle ne le reverrait jamais.

Wallis et Perry Brownlow roulaient dans les ténèbres; le brouillard s'était épaissi; une petite pluie fine tombait. Le ferry pour la France partait à 10 heures, et la Buick de Wallis avec le chauffeur du roi se trouvait déjà au rendez-vous. Mais ils purent causer dans la Rolls de Perry.

« Nous étions à mi-chemin de Newhaven », raconta Lord Brownlow, « quand je lui ai demandé si elle savait ce qu'elle faisait. Elle m'a énuméré tous les motifs de son départ en ajoutant que sa situation était devenue intenable, mais je lui ai dit que ce n'était pas à cela que je pensais. Je pensais à son influence sur le roi. Je lui ai donc demandé si elle comprenait bien que, dès qu'elle aurait quitté le pays, elle allait perdre l'immense pouvoir qu'elle exerçait sur lui, et que nul ne pouvait prévoir ce qu'il ferait. Pour être franc, je n'envisageais même pas l'abdication. Le mot n'était pas dans mon esprit. Mais je m'inquiétais de ce que le roi pourrait faire d'autre. Je le savais émotif, tellement capable de choses imprévisibles [1]... »

Un peu plus tôt, Brownlow avait voulu l'amener à renoncer au roi; mais il se rendait compte à présent qu'elle avait encore, avant de se séparer de lui, un rôle à jouer dans l'orbite royale. Ce serait une transition.

« Mes paroles l'ont alarmée », poursuivit Brownlow. « Elle a eu l'air ahurie, désorientée, et elle m'a prié de lui dire ce que, à mon avis, elle devait faire. Je lui ai alors exposé qu'elle devrait se rendre à ma résidence de campagne à Belton, où personne n'irait la chercher ni se douterait de sa présence. La maison était tout installée, prête à l'accueillir, et de nombreux domestiques seraient à sa disposition [2]. »

Brownlow ordonna au chauffeur de se ranger sur un bas-côté de la route, et une discussion plus approfondie s'ensuivit entre Wallis et lui. Brownlow, bien entendu, ne connaissait pas la vérité sur la situation; il ignorait l'intention bien arrêtée du roi d'abdiquer plutôt que de perdre Wallis, ainsi que la tournure dangereuse prise par les événements à cause de Baldwin et des Dominions. Mais son intuition quant à l'influence de Wallis sur le roi était juste. Wallis lui opposa que le roi s'était donné beaucoup de mal pour organiser ce voyage en France et qu'il se sentirait trahi si elle agissait différemment.

« Elle pensait aussi qu'il quitterait le palais et le Fort pour aller la retrouver directement à la campagne. J'ai discuté avec elle, mais sans la convaincre : elle estimait qu'il fallait exécuter le plan prévu [3]. »

Wallis avait tort, et elle en convint plus tard. Si elle était restée en Angleterre, elle aurait pu exercer assez d'empire sur le roi pour qu'il demeurât sur le trône. Elle lui aurait donné la force de se battre et de manœuvrer — ce qu'il n'était plus guère disposé à faire.

Découragé par son échec, et ne désirant pas rester à côté d'elle pour récriminer ou se taire, Brownlow prit le volant. Il entendit peu après une sirène de police et il lança un coup d'œil au compteur : il roulait à plus de cent dix kilomètres à l'heure. Le détective montra aux agents sa carte de Scotland Yard, et ils repartirent.

Sur le ferry vers Dieppe, ils figuraient sous le nom de Mr. et Mrs. Harrison.

« Tout cela était complètement absurde », commenta Brownlow, « parce que nous n'avons dupé personne. Nos passeports étaient à nos véritables noms et, dès notre arrivée, des fonctionnaires français nous ont accueillis; sans doute avaient-ils renseigné les journalistes, car ceux-ci nous ont presque tout de suite repérés. Nous n'avons jamais pu les semer durant tout le trajet vers le Midi [4]. »

Ils s'arrêtèrent à Rouen, devant l'hôtel de la Poste, à 3 heures du matin. Epuisée, Wallis gagna sa chambre et s'allongea sur le lit sans se déshabiller. Une femme de chambre la réveilla à l'aube avec du thé et des petits pains que Perry lui avait fait monter. Lorsqu'ils descendirent, il y avait du monde dans le hall.

Ladbrooke attendait dehors dans la Buick bleu foncé immatriculée CUL 547, numéro qui allait devenir célèbre dans le monde entier. L'hôtel logeait ce jour-là, une troupe de la Comédie-Française en tournée. Une jeune actrice blonde, Nadia Dauty, reconnut Wallis impeccablement vêtue d'un tailleur rouille. Elle la photographia mais le détective se précipita, la bouscula, fit tomber par terre la caméra et le chapeau de la pauvre Nadia Dauty qui se mit à hurler. Perry entraîna Wallis dans la voiture qui démarra aussitôt.

Le solide Ladbrooke avait emporté toute une pile de cartes routières, et il choisit une voie secondaire dans l'espoir d'éviter les journalistes. Mais surtout Wallis voulait téléphoner au roi.

A Evreux, elle se souvint d'un hôtel avec une grande cour. La cabine téléphonique se trouvait près du bar. Perry demanda la communication avec le Fort. Le nom de code du roi était « Mr. James ».

« Il avait dû donner des ordres pour que lui fût transmis en priorité absolue tout appel venant de France, car nous l'avons toujours obtenu au bout de trois au quatre minutes [5]. »

La liaison était si défectueuse que Wallis dut crier pour essayer d'être comprise, et qu'elle lui répéta plusieurs fois la même chose.

« Elle lui a donné toutes sortes de conseils pour qu'il consultât Churchill, l'Aga Khan, Lord Derby; elle lui a recommandé de ne pas abdiquer, de ne pas se laisser aller à un coup de tête. Elle avait l'air de croire encore que, si le roi menaçait d'abdiquer, il obligerait le gouvernement à accepter un mariage morganatique. Mais elle criait si fort au téléphone que le détective Evans et moi-même avons eu peur que les clients de la salle à manger ne l'entendent; alors nous nous sommes mis à faire nous aussi beaucoup de bruit pour couvrir sa voix [6]. »

Très déprimée, Wallis raccrocha; elle savait qu'il l'avait à peine entendue.

Ils reprirent la route après déjeuner. Wallis se rappela subitement qu'elle avait oublié dans la cabine les notes qu'elle avait griffonnées sur ce qu'elle voulait dire au roi.

Brownlow fut terrifié en pensant à l'usage que les journalistes risquaient de faire de ces notes s'ils les découvraient. Mais il était trop tard pour revenir à Evreux. La route était encore longue. Tant pis!

Le secret, déjà, était éventé. Des journalistes avaient repéré la femme de chambre de Wallis qui était arrivée en France avec les bagages de sa maîtresse, tous étiquetés à destination de Cannes. Même à Evreux, Wallis avait été identifiée. « Nous l'avons tous reconnue », déclara la fille de l'hôtelier M. Julio Pacciarelli, « mais nous avons fait semblant de la voir pour la première fois [7]. » Tous les journaux français publiaient sa photo.

Troublé et inquiet à cause des notes perdues, Ladbrooke se trompa de route et prit la direction des côtes. Il faisait presque nuit quand il s'aperçut de son erreur. Ils s'arrêtèrent de nouveau pour téléphoner d'un petit hôtel. Ils passèrent une heure à essayer vainement d'obtenir le palais de Buckingham.

Lorsqu'ils arrivèrent enfin à Blois, fatigués et malheureux, la neige commençait à tomber. Ils décidèrent de passer la nuit à l'hôtel de France et de Guise. Brownlow s'aperçut que l'hôtel était déjà plein de journalistes.

On leur donna des chambres adjacentes; Wallis avait si peur des journalistes qu'elle fut incapable de dormir; ils entrouvrirent la porte de communication entre leurs chambres et ils bavardèrent.

« Wallis », dit Brownlow, « votre affaire m'a causé beaucoup d'ennuis, et il me semble que je mérite de savoir comment tout cela est arrivé. S'est-il mis à genoux pour vous faire sa déclaration [8]? »

« Je pense que vous êtes en droit de tout savoir », répondit Wallis.

« A ce moment précis », raconta Brownlow, « je me suis assoupi et, quand je me suis réveillé, elle me disait : 'Vous conviendrez, j'espère, que j'ai été très franche avec vous...' Après cela, je ne pouvais pas lui demander de me répéter toute l'histoire [9]! »

Pour essayer de mystifier les journalistes, Brownlow avait donné des ordres à la réception pour qu'on les réveillât à 9 heures. Mais il remit secrètement un gros pourboire au portier pour qu'il leur montât le café à 3 heures du matin et les fît ensuite sortir par les cuisines.

Un journaliste astucieux avait coincé sa voiture personnelle contre la Buick. Ladbrooke réussit néanmoins à déboîter, et ils reprirent la route malgré la neige qui compliquait la tâche du chauffeur.

Ils se firent servir un petit déjeuner à Moulins où Brownlow expédia deux télégrammes : l'un, destiné aux Rogers, annonçait leur retard; l'autre, adressé en code à Beaverbrook, était ainsi conçu :

« W. M. Janet conseille vivement à James Company d'attendre automne prochain pour achat des actions Chester et d'annoncer sa décision verbalement, augmentant ainsi popularité, conservant prestige, mais aussi le droit de rouvrir négociations à l'automne [10]. »

En clair, Wallis désirait que le roi ne songeât plus au mariage pendant un an et se fît couronner.

La liaison téléphonique n'étant jamais bonne, c'était presque un concours entre le roi et Wallis à qui crierait le plus fort. Brownlow remarqua deux choses d'importance. D'abord, le mot « abdication » revenait plus souvent et, à son grand désespoir, le fait lui parut soudain plus plausible. Ensuite, il y avait constamment d'assommants petits cliquetis sur la ligne. Quelques mois après, Brownlow alla voir le chef du service de sécurité M-5, et « je lui ai dit que ses gens se déshonoraient en écoutant pour le Premier ministre les conversations privées du roi. ' Nous ne faisons jamais de choses pareilles ', m'a-t-il répondu. Alors je lui ai rappelé que j'avais moi-même entendu les cliquetis au téléphone, et il n'a plus nié [11] ».

Wallis semblait avoir l'impression qu'elle n'existait plus pour le roi parce qu'elle n'arrivait pas à se faire comprendre de lui.

« Je le dis à sa louange », déclara Brownlow plus tard. « Malgré sa fatigue, elle n'a pas cessé d'être une gaie compagne de voyage. Elle pouvait être absolument charmante [12]. »

Le bavardage de Wallis était probablement destiné à l'empêcher de penser. Les menus propos pendant une crise ont souvent une vertu thérapeutique. Mais à certains moments, elle crut qu'elle allait craquer.

A un poste d'essence, un journaliste de *Paris-Soir* lui posa quelques questions auxquelles elle répondit « en très mauvais français » :

« Vous êtes, les Français, très sympathiques mais très importuns. Voilà deux jours que je n'ai pu dormir. J'ai besoin de repos, de beaucoup de repos [13]. »

Le journaliste lui demanda ce qu'elle pensait de la situation.

« Je ne puis faire aucune déclaration », répondit-elle. « Le roi est seul juge. Je n'ai rien à dire, sinon que je voudrais qu'on me laisse tranquille [14]. »

Aux abords de Lyon, Ladbrooke s'arrêta pour demander la route; un homme reconnut Wallis et cria : « Voilà la dame! »

Leur Buick précédait maintenant une caravane de journalistes. Au début de l'après-midi ils arrivèrent à Vienne et descendirent au célèbre restaurant de la Pyramide. La propriétaire, Mme Point, connaissait Wallis et la conduisit dans sa propre chambre. « Elle avait l'air extrêmement fatiguée et nerveuse », raconta Mme Point. Elle les fit servir dans une salle pour banquets qui aurait pu contenir quarante convives; du moins furent-ils seuls. Wallis commanda du foie gras, des crevettes, une volaille, mais elle n'y toucha que du bout des lèvres. Elle but un peu de vin blanc.

Pendant que les journalistes déjeunaient, Mme Point leur proposa de sortir dans la ruelle par une fenêtre du fond. Wallis expliqua plus tard à une amie que c'était la fenêtre des cabinets.

« Quel dommage que Baldwin n'assiste pas à notre escalade! » dit Brownlow [15].

La pluie reprit, entremêlée de neige fondue. Wallis avait maintenant trop de temps pour réfléchir et se souvenir. Sa gaieté s'était envolée. Son avenir lui apparaissait aussi sombre que le ciel. Elle se sentait paralysée par la fatigue. Ils s'arrêtèrent en ville vers minuit afin d'appeler les Rogers d'une cabine publique dans la rue. Les hurlements de Brownlow en français pour obtenir la communication avaient une résonance si comique que Wallis se détentit d'un coup et éclata de rire; elle rit longtemps, c'était plus fort qu'elle; rien n'aurait pu l'en empêcher.

Lorsqu'ils arrivèrent à la villa des Rogers, Brownlow aperçut une foule compacte qui, en dépit de l'heure tardive, se pressait devant la grille.

« J'ai dit à Wallis de s'accroupir sur le plancher, je l'ai recouverte d'une housse, et nous avons foncé dans la cour [16]. »

Les policiers français et anglais qui montaient la garde au-dehors dirent aux gens qui stationnaient : « Vous feriez mieux de rentrer chez vous. Elle est fatiguée et elle veut dormir [17]. »

Il lui semblait qu'elle venait de loin, de très loin, mais où était-elle?

22

Lorsque Wallis quitta le Fort pour se rendre à Cannes, Walter Monckton s'y installa. Il estimait que, le roi subissant une tension extrême, il ne fallait pas le laisser seul et que, si Edouard VIII avait jamais éprouvé la nécessité d'avoir un ami près de lui, c'était bien maintenant.

Monckton comprit vite pourquoi le roi voulait que Wallis fût sa femme et sa reine. Sa résistance physique et son endurance étaient extraordinaires, de même que son courage, mais il subsistait en lui de la faiblesse et un fond d'incertitude qui pouvaient devenir dangereux s'il n'était pas épaulé. Wallis l'aurait raffermi, stabilisé, et elle aurait imprimé au pouvoir qu'il exerçait une force réelle. A de nombreux égards ils étaient complémentaires l'un de l'autre. Edouard VIII fournissait le décor, l'héritage, l'éducation pour le métier de roi, une mémoire phénoménale, sa curiosité, de la bonne volonté pour se défaire du vieux et essayer le neuf. Wallis lui apportait compréhension et sympathie, une tendresse rafraîchissante, un esprit vif, du sens pratique et une aptitude exceptionnelle à lui donner confiance. Personne d'autre ne lui avait offert cela. Or il en avait besoin, terriblement besoin. Le 25 novembre, Tom Jones prit à Downing Street le petit déjeuner avec le Premier Ministre Baldwin; celui-ci rapporta que le roi lui avait affirmé qu'il ne pouvait rien faire sans cette femme.

Le roi en était venu à compter de plus en plus sur l'allocution radiodiffusée qu'il se proposait de prononcer. En la rédigeant, il tenta d'expliquer l'importance de Wallis pour lui. Après avoir rappelé combien il lui avait fallu de temps pour découvrir la femme qu'il voulait, et précisé qu'il entendait l'épouser, il ajouta :

« Ni Mrs. Simpson ni moi n'avons jamais cherché à exiger qu'elle soit reine. Tout ce que nous désirions était que notre bonheur conjugal s'accompagnât d'un titre et d'une dignité appropriés pour elle, comme il convient à ma femme [1]. »

En dehors de l'allocution, le roi mûrit un nouveau plan : il parlerait à la radio, puis il se rendrait en Belgique et attendrait que l'opinion publique se retournât en sa faveur. Dans ce cas, un conseil d'Etat pourrait remplacer le roi, ainsi que cela se faisait pendant la maladie grave d'un monarque.

Peu après le départ de Wallis, il regagna en hâte le palais de Buckingham pour remettre au Premier Ministre une copie de son allocution. Beaverbrook avait insisté pour qu'il la lût à Baldwin mais qu'il ne lui en donnât point un exemplaire. Une fois de plus, le roi ne tint pas compte du conseil. L'idée de l'allocution radiodiffusée alarma le Premier Ministre, et il se borna à dire qu'il convoquerait une réunion spéciale du Cabinet pour débattre du sujet. A contrecœur, Baldwin consentit à ce que le roi consultât Churchill.

Rentré à Downing Street, Baldwin parla de Churchill à un membre du Cabinet : « J'ai commis ma première bévue [2] », dit-il.

Baldwin avait toujours redouté Winston Churchill; il devinait en lui une puissance cachée, le don d'éveiller une nation par des accents bouleversants. Churchill avait rompu avec ses collègues du parti conservateur à propos de leur attitude sur la question des Indes, et démissionné du « Shadow Cabinet » de Baldwin en 1931 parce qu'il était hostile à la libération de Gandhi. Neville Chamberlain avait été ravi : « Nous gagnerions une force considérable si nous nous débarrassions de Winston [3]. »

Churchill était alors devenu le taon de son parti : il le piquait régulièrement à propos de la renaissance militaire de l'Allemagne hitlérienne et de la nécessité pour l'Angleterre de réarmer. Un critique déclara de Churchill qu'il était « l'homme le mieux haï de la politique britannique ».

Ce fut Beaverbrook qui prophétisa à un Winston Churchill découragé et considérant sa carrière politique comme terminée :

« Quelle absurdité! Un homme comme vous peut être un jour dans les enfers du désespoir et, le lendemain, élevé au pinacle et nommé Premier Minitre [4]. »

Nul ne le savait mieux que Baldwin. Il craignait Churchill parce qu'il voyait en lui le seul homme encore capable de sauver la situation pour le roi, en formant un parti où se mêleraient les dissidents des trois grands partis anglais.

Ce jour-là, Churchill prononça un discours à l'Albert Hall. Il répéta ses arguments véhéments en faveur du réarmement et pour la défense de la Société des Nations, puis il ajouta :

« Il y a un autre problème grave qui nous assombrit ce soir. Dans quelques minutes nous entonnerons le *God Save the King*. Je le chanterai avec plus de ferveur du cœur que je ne l'ai jamais fait dans ma vie. J'espère, je prie pour qu'aucune décision irrévocable ne soit prise dans la précipitation, pour que le temps et l'opinion publique soient autorisés à jouer leur rôle, et pour qu'une personnalité si précieuse et si chère ne soit pas sur-le-champ retranchée du peuple qu'il aime tant [5]. »

La fin de son discours fut saluée d'un sonore triple ban pour le roi.

Churchill se rendit ensuite chez Beaverbrook. Ils discutèrent du texte de l'allocution radiodiffusée, et Churchill suggéra quelques retouches. Le roi devait aller chez sa mère dans la soirée; il invita Churchill à dîner le lendemain soir.

La reine mère lui avait écrit un petit mot pour lui dire qu'elle ne l'avait pas vu depuis dix jours et qu'elle était très émue par les nouvelles : ne pourrait-il pas passer ce soir? Elle avait signé : « Votre maman toujours aimante, Mary [6]. »

Elle était sortie dans l'après-midi pour voir les ruines fumantes du Crystal Palace, et ce spectacle n'avait fait qu'aggraver la tristesse de sa journée. Le duc et la duchesse d'York dînaient chez elle, et le roi les vit tous; il tenta de leur expliquer qu'il n'était pas venu plus tôt parce qu'il ne voulait pas mêler sa famille à sa crise personnelle. Il fit valoir qu'il lui appartenait, à lui seul, de la résoudre. Le duc d'York rapporta plus tard que le roi avait dit à sa mère « qu'il ne pouvait pas régner seul et qu'il devait épouser Mrs. Simpson. Lorsque David s'en alla après avoir prononcé cette phrase terrible, il me pria de venir le voir au Fort le lendemain matin ».

Le roi regagna ensuite le Fort afin d'attendre le premier coup de téléphone de Wallis. A partir de cette soirée, il ne quitta presque plus le Fort par peur de rater ses appels. Voyageant de nuit sans fermer l'œil, Wallis songeait tristement qu'elle s'était coupée de la vie du roi. A mesure qu'elle se rapprochait de Cannes, elle pensait à ce qu'elle lui dirait dans son prochain coup de téléphone. De son côté, le roi n'était pas moins préoccupé par ce qu'il lui dirait afin qu'elle se sentît moins désespérée. Chacun ne s'inquiétait que de l'autre. Pour chacun, l'autre était le seul qui comptât. Leurs coups de téléphone prenaient les dimensions d'un sommet de passion.

« Aucun de nous n'oubliera jamais ces communications à longue distance sur une mauvaise ligne », confia Monckton à son journal. « Le Fort est bâti de telle manière que, si quelqu'un crie au rez-de-chaussée, sa voix peut être entendue avec plus ou moins de netteté dans tout le château [7]. »

Quels propos intimes pouvait dire le roi lorsqu'il était obligé de hurler en sachant que tout le monde écoutait? Seuls des chuchotements auraient convenu à ce qu'il aurait voulu exprimer.

Le vendredi 4 décembre, Baldwin prit la parole à la Chambre des Communes. Il fit comprendre aux députés que la loi anglaise ne reconnaissait pas le mariage morganatique et que le gouvernement de Sa Majesté n'était pas « disposé à présenter une législation de ce genre » pour modifier la tradition. Il ajouta que les Dominions approuvaient le gouvernement. La Chambre applaudit.

De son banc, Churchill lança à Baldwin : « Vous ne serez pas satisfait avant de l'avoir brisé, n'est-ce pas [8]? »

Cette accusation ne décontenança pas le Premier Ministre, qui avait d'ailleurs une autre mauvaise nouvelle à annoncer au roi : le Cabinet ne lui permettait pas de prononcer son allocution radiodiffusée.

Beaverbrook, cependant, espérait encore. Il voyait grossir la marée de l'opinion en faveur du roi. Si Wallis maintenant consentait à renoncer au mariage, Baldwin pourrait être vaincu. « L'avenir brillait de promesses », écrivit-il plus tard. « La victoire semblait à notre portée [9]. »

En vérité, une grande vague de sympathie se levait pour le roi. Trois cents jeunes gens des deux sexes défilèrent vers le palais de Buckingham en déployant d'immenses banderoles :

FAITES SAVOIR AU ROI QUE VOUS ETES AVEC LUI
VOUS NE POUVEZ PAS L'ABANDONNER
NOUS VOULONS EDOUARD. MORT AUX POLITICIENS [10]

Ils se massèrent devant la résidence du Premier Ministre au 10 Downing Street pour crier : « Nous voulons notre roi... Nous voulons notre roi... »

Puis ils chantèrent « For he's a jolly good fellow » et l'hymne national.

Sur d'autres pancartes, on lisait :

QUE DIEU PROTEGE LE ROI CONTRE BALDWIN
DEFENDONS LE ROI
LE ROI NE PEUT PAS MAL AGIR

Ailleurs, d'autres foules crièrent : « Nous voulons Eddie! »[11]

A Liverpool, T. J. Hodgson, secrétaire général du syndicat des postiers, organisa un meeting où il déclara : « Tous les fonctionnaires civils se tiennent fermement derrière le roi. »

A Hyde Park, un orateur réclama qu'on « le laissât épouser la femme qu'il voulait ».

Toutefois, Harold Laski exprima le point de vue de nombreux dirigeants travaillistes : « Il ne faut pas que, par cette question, soit créé un précédent qui ferait une fois encore de l'autorité royale la source d'un pouvoir politique indépendant dans l'Etat. Le parti travailliste est un parti constitutionnel... Le pivot de cette conception est qu'un gouvernement du Labour Party disposant d'une majorité à la Chambre des Communes est en droit de faire accepter son avis par la Couronne... Le roi peut conseiller. Il peut encourager. Il peut mettre en garde. Mais si le Cabinet demeure ferme sur sa position, le roi, selon notre système constitutionnel, doit obligatoirement s'incliner [12]. »

Le romancier Hugh Walpole s'écria : « La reine Wally? Mais c'est absolument grotesque! » Et l'actrice anglaise Pamela Stanley renchérit : « Si j'avais à choisir entre l'amour et l'Empire, j'opterais pour l'Empire [13]. »

Un appel fut lancé par l'*Evening Star* de Londres dans un éditorial :

« Sa Majesté a besoin de votre attention la plus sérieuse et de votre soutien immédiat. Il a osé avoir le courage de ses convictions. Il désire épouser une Américaine. Ses ministres du Cabinet disent " Non ". Vous perdrez ce grand Anglais si vous ne prouvez pas tout de suite que le peuple anglais accueillerait avec faveur une telle union. Réfléchissez bien à ce qu'elle permettrait d'accomplir aux deux plus grandes nations anglophones du monde. »

Des manifestants en colère bousculèrent la voiture de l'archevêque de Canterbury qui sortait d'une entrevue avec Baldwin.

George Bernard Shaw fut incité par l'actualité à écrire un « dialogue fictif », c'est-à-dire une fantaisie dont le sujet était un roi qui voulait épouser une Américaine divorcée, Mrs. Daisy Bell. Shaw nous montre le Premier Ministre et l'archevêque chez le roi; le Premier Ministre agite la menace de sa démission, l'archevêque refuse d'officier au couronnement. Le roi répond au Premier Ministre qu'il va constituer un parti du roi, et il rappelle à l'archevêque que, 11 % seulement des 500 millions d'habitants de l'Empire britannique étant chrétiens, il pourrait se passer allègrement des cérémonies religieuses du couronnement.

Shaw émettait aussi une hypothèse intéressante : « Une Américaine qui a déjà eu deux maris ne serait-elle pas une excellente épouse pour un roi qui n'a jamais été marié [14]? »

Même les fascistes et les communistes anglais se retrouvèrent dans le camp du roi.

Sir Oswald Mosley demanda à ses Chemises Noires : « Seriez-vous contents si un Cabinet de vieilles badernes choisissait votre femme pour vous [15]? »

Quant au député communiste William Gallacher, il déclara : « Nous, communistes, n'avons certainement pas à nous tracasser. S'il veut l'épouser, je lui dirai en mon nom personnel : « Bonne chance à vous, et bonne chance à elle [16]! »

Mais il y eut, dans le camp des non, un Révérend Paxton qui confia à Harold Nicolson : « Je n'aurais jamais cru que je verrais un jour mes paroissiens refuser de chanter le God Save the King. »

Dans l'opinion, la confusion était à son comble. Geoffrey Dawson accusa « la presse Simpson » de monter « un vrai barrage de plaidoyers » en faveur d'un délai, d'une consultation populaire, de tout ce qui permettrait de conserver un souverain aimé du peuple (et, ce qui clairement allait de soi, de se débarrasser d'un mauvais Premier Ministre).

Au cours de son dîner avec le roi, Churchill souligna le fait qu'aucun problème constitutionnel ne se posait encore et qu'il n'y en aurait pas avant que le mariage du roi soit imminent, certainement pas en tout cas avant que le divorce de Wallis devienne définitif en avril. Les principes héréditaires ne doivent pas être laissés à la merci des hommes politiques, dit-il.

« Il conseilla au roi de gagner du temps », rapporta Monckton qui assistait au dîner. « Il expliqua qu'il ne pouvait pas affirmer que le roi réussirait s'il résistait et se battait, mais qu'à son avis le roi devrait prendre son temps pour mesurer la valeur des appuis qu'il recevait. Sa présence fut un grand encouragement pour le roi qui l'aimait bien et qui contrefaisait à merveille ses affectations sans y mettre la moindre malignité.

« Il nous faut du temps pour masser les gros bataillons. Nous pouvons gagner. Nous pouvons perdre. Qui peut le dire? »

Le zèle de Churchill produisit un effet certain sur le roi. « Lorsque Mr. Baldwin m'avait parlé de la monarchie », nota Edouard VIII, « elle m'avait toujours paru quelque chose de sec et d'inanimé. Mais quand Mr. Churchill en parlait, elle vivait, elle grandissait, elle resplendissait de lumière [17] ».

Ce soir-là, Wallis n'était pas encore arrivée à Cannes. Elle lui avait téléphoné avant de dîner, et ils avaient échangé quelques phrases presque inaudibles; mais il avait maintenant une nouvelle plus encourageante à lui communiquer, et il fut heureux de la crier de toutes ses forces.

En retour, il perçut le cri de Wallis : « Ne renoncez pas. Battez-vous! Battez-vous! »

23

Pour le roi, la nuit de vendredi fut décisive. Celle où il se mit l'âme à nu. Celle où, entre tant d'autres, il aurait eu besoin de Wallis. La nuit du choix définitif.

Dans une certaine mesure, ce choix était arrêté depuis longtemps. Restait à l'affronter, avec toutes ses conséquences.

Il avait parlé à Wallis, parlé à Churchill, parlé à Beaverbrook, parlé à Monckton. Tous l'avaient pressé d'attendre et de se battre. Mais il était trop impatient, trop têtu, et beaucoup trop amoureux.

Au début de la soirée, le dynamisme de Churchill avait revigoré ses espérances. Tout lui parut, momentanément, possible. Il savait qu'on s'agitait pour former un parti du roi. Une soixantaine de parlementaires s'étaient déclarés prêts à se ranger sous sa bannière contre Baldwin. Le cousin de Wallis, Newbold Noyes, avait assisté à une réunion secrète où les dirigeants du parti du roi étaient allés jusqu'à débattre de la composition du nouveau Cabinet de leur futur gouvernement.

Si le roi refusait de se plier à « l'avis » de Baldwin et si le ministère Baldwin démissionnait en bloc, Churchill serait l'homme idéal pour constituer le parti du roi et diriger le prochain gouvernement.

En même temps, le roi n'avait qu'à « déchaîner la presse Simpson » pour lui permettre de fustiger et de retourner l'opinion publique en sa faveur. Dans certaines régions, des manifestations pour le roi avaient groupé plusieurs milliers de personnes. Kingsley Martin rapporta qu'une ouvrière lui avait dit : « C'est un sale gosse, mais nous ne voulons pas le perdre [1]. »

La question religieuse le troublait énormément. Roi, il était aussi Défenseur de la Foi. Il aurait pu, sans demander la moindre autorisation, retirer sa proposition d'un mariage morganatique, se faire couronner, puis épouser Wallis. Mais, au cours du couronnement, il serait oint des saintes huiles, il communierait et il jurerait de faire observer les doctrines de l'Eglise anglicane. Puisque ces doctrines désapprouvaient le divorce, le roi serait donc couronné « avec un mensonge sur les lèvres [2] ».

Autre problème : l'archevêque célébrerait-il le service du couronnement? Le biographe officiel de l'archevêque exprima l'opinion suivante : « Si, avec le consentement du Parlement, le roi avait pu suivre sa volonté, l'archevêque, en dépit de sa tristesse, n'aurait ni refusé son office ni démissionné. Il aurait pu soutenir que les relations entre l'Eglise et l'Etat se compliquaient mais que, en se dégageant lui-même de toute complicité, il n'aurait fait que transmettre le fardeau à un autre [3]. »

L'archevêque pensait en outre que cet « autre » pourrait être « plus complaisant » à l'égard des prétentions de l' «Establishment » et que l'Eglise risquait de souffrir beaucoup si elle était confiée à « des mains inexpertes et suspectes [4] ».

Selon son biographe par conséquent, il aurait célébré le couronnement.

Si un archevêque s'acquittait d'une telle cérémonie, en sachant la valeur du serment et connaissant la suite, jusqu'à quel point pourrait-on reprocher au roi de s'y être prêté?

On raconta que l'archevêque était « extrêmement ennuyé » par l'homélie de l'évêque Blunt « parce qu'elle donnait l'impression que l'indiscrétion provenait de Lambeth [5] ». Pourtant il avait reçu au palais de Lambeth pour le petit déjeuner Anne et Christopher Freemantle et, sur une petite table, il y avait un journal américain avec cette manchette : DAVID ÉPOUSERA-T-IL WALLY [6]?

« Voyant l'inquiétude d'Anne et de son mari, l'archevêque déclara que le mariage devait être empêché et qu'il le serait. ' Ce serait la fin de la monarchie en Angleterre ', leur dit-il. Il ajouta que le silence de la presse serait rompu le lendemain, à son instigation, par un éditorial du *Yorkshire Post* qui alerterait le pays. Et c'est ce qui se passa [7]. »

De la part du roi, il n'était donc pas trop présomptueux de voir la sombre silhouette de l'archevêque manœuvrer dans les coulisses avec ses ennemis.

Après avoir causé avec Churchill ce vendredi soir, le roi avait téléphoné à Beaverbrook pour lui dire que Churchill se rendait chez lui. « J'en ai conclu moi aussi », écrivit Beaverbrook dans la suite, « qu'il avait changé d'avis et qu'après tout il était prêt à se battre pour son trône [8] ». La visite de Churchill ranima tous les espoirs de Beaverbrook.

Mais il était alors plus de deux heures du matin et, entre-temps, le roi s'était une fois de plus ravisé.

Le parti du roi attendait son signal. Marchant de long en large dans sa chambre, Edouard VIII se sentit incapable de mettre en mouvement les forces nécessaires. S'il donnait son aval à un parti du roi, s'il retirait la muselière à la presse amie, il provoquerait un chaos politique, et le peuple se diviserait en une sorte de guerre civile. Quel coup pour la Couronne! Loin de symboliser l'unité, la Couronne engendrerait l'anarchie et la haine. S'il épousait Wallis dans des conditions pareilles, comment pourraient-ils espérer être heureux?

Si Wallis s'était trouvée auprès de lui cette nuit-là, elle aurait avancé une centaine d'arguments pour répliquer aux siens.

Même à propos de la question religieuse qui lui tenait tant à cœur, le roi avait confié à Brownlow « que l'archevêque de Canterbury lui avait dit, en substance, qu'il devrait conserver Wallis comme maîtresse, et à l'arrière-plan [9] ». Wallis aurait préféré être son épouse morganatique ou sa reine, mais elle n'aurait pas demandé mieux que de se cantonner à l'arrière-plan pour rester près de lui. Et puis, du temps ayant passé et l'opinion s'y étant préparée graduellement, ils auraient pu se marier et voilà tout. Tel aurait été le principal argument de Wallis, et elle possédait assez de force pour le convaincre. Elle l'appelait « Tête de mule [10] »; incontestablement il était entêté, mais il l'aimait au point qu'il ne savait pas lui refuser grand-chose. Et, surtout, Wallis tenait absolument à ce qu'il se maintînt sur le trône, non seulement pour lui mais pour elle-même.

Or en cette nuit décisive Wallis n'était pas là. Nous ignorons le nombre de pas qu'il fit dans sa chambre, combien de cigarettes il fuma, quelle quantité d'alcool il absorba, combien de fois il maudit son destin. Nous ne pouvons qu'émettre des hypothèses sur le désordre de son âme. Quand on est jeune, on connaît toutes les réponses; quand on prend de l'âge, on s'aperçoit que l'on ne connaît même pas toutes les questions.

Il avait créé de toutes pièces son besoin pressant personnel, sa propre crise, et maintenant il allait résoudre celle-ci à sa manière. Le lendemain matin, quand il vit Monckton après le petit déjeuner, il l'informa de sa décision définitive. Elle n'était pas une surprise. Il demanda à Monckton d'inviter au Fort pour le soir même le Premier Ministre et de le prévenir que le roi avait l'intention de lui notifier officiellement sa décision d'abdiquer.

L'impassible Monckton avait beau s'y attendre, il fut bouleversé en écoutant son roi. Excellent diplomate, élevé dans la tradition selon laquelle un jeu de physionomie est presque un péché mortel, Monckton n'en laissa rien paraître. Au surplus, les événements des dernières semaines avaient pompé ses ultimes ressources d'énergie et d'émotion. Il était trop fatigué pour verser des larmes, même intérieures. Il savait que le roi avait dépassé le stade de la discussion, et il n'essaya pas de l'y ramener.

Une inquiétude nouvelle l'assaillit cependant. « J'ai eu terriblement peur que le roi ne renonçât au trône et ne se vît néanmoins privé de sa chance d'épouser Mrs. Simpson [11]. » C'était en effet possible. Jusqu'à ce que le divorce fût rendu définitif en avril, le procureur du roi pouvait faire valoir une collusion ou des illégalités et arrêter la procédure; il ne pouvait pas le citer en justice tant qu'il était roi; mais une fois qu'Edouard VIII aurait abdiqué, il serait passible de poursuites judiciaires autant que le premier venu.

Autre difficulté éventuelle : une proposition de loi visant à réformer la législation sur le divorce et présentée à la Chambre des Communes par A. P. Herbert. Si cette législation devenait ces temps-ci l'objet d'un débat parlementaire, toute la question des divorces truqués ressurgirait avec, peut-être, des répercussions catastrophiques pour le roi. Afin de supprimer tous les traquenards possibles et de donner au roi la tranquillité d'esprit dont il avait si cruellement besoin, Monckton lui suggéra de coupler l'acte d'abdication avec un autre qui transformerait immédiatement le divorce provisoire de Mrs. Simpson en un jugement définitif : « Cela aurait déblayé une grave situation constitutionnelle qui concernait le monde entier, et évité toute possibilité qu'un scandale supplémentaire éclatât », dit-il [12].

L'idée enthousiasma le roi. De cette manière, il ne serait pas obligé d'être séparé de Wallis jusqu'au mois d'avril, et il pourrait l'épouser tout de suite.

Ce soir-là au Fort, Baldwin se montra très nerveux. L'épreuve de force avait eu lieu et il en était sorti vainqueur, mais il avait un goût de cendre dans la bouche. Sous le politicien pragmatique, il y avait l'homme que son cousin Rudyard Kipling avait appelé « le membre littéraire de notre famille ». C'était un mélange bouillonnant d'imagination sensible et de réalisme brutal. Il vit devant lui un homme plus jeune dans le malheur, et son sentiment paternel prit le dessus. Non seulement il avait accepté les propositions de Monckton mais, ce qui ne lui était pas habituel, il avait cédé à l'émotion en déclarant spontanément qu'il démissionnerait de son poste de Premier Ministre si le Cabinet récusait l'idée de l'acte du divorce.

Plus tard, le fils du Premier Ministre, Oliver Baldwin, raconta à Harold Nicolson que son père et le roi avaient fait cent fois le tour du jardin en discutant de l'abdication. Revenus dans la biliothèque du Fort, son père, exténué, avait demandé un whisky avec de l'eau gazeuse. Puis il avait levé son verre et déclaré : « Ma foi, Sir, quoi qu'il arrive, ma femme et moi vous souhaitons le bonheur du plus profond de nos âmes [13]. »

« Sur quoi le roi fondit en larmes », écrivit Nicolson dans son journal. « Et S. B. lui-même se mit à pleurer. Quel étrange tableau que ces deux hommes sanglotant côte à côte sur un canapé [14] ! »

Baldwin convoqua pour dimanche le Cabinet en conseil spécial afin de délibérer sur les actes, ainsi que l'archevêque de Canterbury qu'il voulait informer.

Entre-temps, le roi ne souffla mot de ses projets d'abdication à personne, même pas à Churchill et à Beaverbrook. Churchill avait écrit au Premier Ministre qu'à son avis ce serait « une cruauté et une faute » que de contraindre le roi à prendre une décision importante dans sa position actuelle. Il fit aussi une déclaration à la presse :

« Je réclame du temps et de la patience... Il n'est pas question d'un conflit quelconque entre le roi et le Parlement. Le Parlement n'a jamais été consulté...

« Le problème est le suivant : le roi va-t-il abdiquer sur l'avis du ministère en place? Jamais auparavant un tel avis n'a été délivré à un souverain en régime parlementaire... Aucun ministère n'a qualité pour conseiller l'abdication du souverain... Si le roi refuse de suivre l'avis de ses ministres, ils sont libres, bien entendu, de démissionner... Je répète qu'il y a de sérieux motifs pour désirer le temps et la patience [15]. »

Dans un journal, le colonel Josiah Wedgwood, député travailliste, écrivit :

« Ne bousculez pas le roi! L'abdication est la principale chose à éviter. Le roi est très aimé. Un changement déchirera le pays en deux [16]. »

Massés devant le palais de Buckingham pendant ce week-end, des milliers de citoyens manifestèrent en faveur du « roi des pauvres », avec des banderoles de ce genre :

NE TOUCHEZ PAS AU ROI. ABDICATION SIGNIFIE REVOLUTION [17]!
NOUS VOULONS EDDIE ET NOUS VOULONS SA DAME [18]
EDOUARD A RAISON ET BALDWIN A TORT [19]

Ayant appris que le Cabinet était convoqué en réunion spéciale pour discuter de la décision du roi en faveur de l'abdication, Beaverbrook se rendit chez Churchill pour lui faire part de la « triste nouvelle [20] ».

« Notre coq ne se battra pas », insista Beaverbrook [21].

Mais Churchill, qui venait de voir le roi et qui avait décelé en lui la volonté de se battre, refusa de le croire.

Dînant ce soir-là avec sir Edward Peacock, un collègue de Monckton, ce fut un roi très différent qui évoqua les suggestions de Churchill. Peacock se rappela qu'il déclara : « Winston a été très amusant, mais il s'est complètement trompé dans ce qu'il m'a proposé; une telle ligne de conduite serait inexcusable [22]. »

Peacock se souvint même du roi parlant « avec gratitude de la bonté et de l'assistance de Stanley Baldwin [23] ». Peut-être était-il encore sous l'effet de leurs larmes communes.

Le roi n'était pas un homme rusé, mais il ne voulut pas dire, même à Wallis, que tout était consommé. Il était encore debout après minuit, le dimanche 6 décembre, quand elle arriva à Cannes.

Ecrasée de fatigue, Wallis ne se réveilla qu'un peu avant midi. Le soleil flamboyait. Sa chambre avait un balcon qui donnait sur des orangers, des figuiers et des palmiers, sur des plates-bandes de fleurs éclatantes, sur la belle vallée qui descendait vers la mer. Elle ouvrit tout grand sa porte-fenêtre et resta là, dans son déshabillé rose pâle, les bras ouverts, oubliant la pluie et la neige de la nuit, les trente-six heures de voiture, oubliant tout pendant une fraction de seconde. Puis, rouvrant les yeux, elle se rappela qui elle était. Sur la route, devant la villa, il y avait une foule de curieux qui attendaient pour entrevoir la femme la plus célèbre du monde. Avec leurs télé-objectifs, les photographes étaient perchés sur les arbres qui entouraient la villa. Elle rentra précipitamment dans sa chambre et referma la porte-fenêtre qu'elle ne rouvrit plus.

Wallis Simpson était devenue le personnage public numéro un. Son déshabillé rose pâle illustra l'article de première page du *New York Times*. Le monde voulait tout savoir sur elle, absolument tout. Qui donc était cette femme qui avait à ce point capturé le cœur d'un roi? Que mangeait-elle, comment s'habillait-elle, que pensait-elle? Le yacht de ses amis, dans le port, était-il prêt à la faire disparaître comme par enchantement pour la conduire à quelque rendez-vous? L'avion personnel du roi réchauffait-il ses moteurs pour emporter Edouard VIII vers elle? Ressemblait-elle davantage à l'actrice Miriam Hopkins qu'à Monna Lisa? Si elle épousait le roi, les femmes devraient-elles lui faire la révérence? Le mariage la métamorphoserait-il en Altesse royale? Etait-il vrai que le roi lui avait donné des bijoux valant un million de dollars?

Un journal de New York estima très important de remplir la majeure partie de sa première page avec des agrandissements des yeux de Wallis et des yeux du roi, et la légende : LEURS YEUX INTERROGENT L'AVENIR [24].

Oui, quel était leur avenir? Ils l'ignoraient l'un et l'autre. Leur existence était devenue une vie au jour le jour sous le signe de l'inattendu et de l'imprévisible.

Wallis se savait prisonnière. La foule bruyante massée à l'extérieur de la cour semblait disposée à dormir sur place, et les douzaines de photographes disséminés tout autour de la maison ne dormaient jamais. En plus du détective de Scotland Yard, il y avait des agents de la Sûreté française et des gendarmes. Elle ne pourrait jamais se promener dans le jardin sans être vue, jamais ouvrir ses fenêtres pour respirer l'air embaumé. Quant à son téléphone, il était certainement branché sur la table d'écoutes.

Elle apprit plus tard que Herman Rogers, qui couchait seul dans la chambre voisine de la sienne, avait placé un pistolet sous son oreiller dès le jour de son arrivée.

« Wallis fut le grand amour de la vie d'Herman », déclara sa seconde femme Lucy. « Mais leurs rapports restèrent purement platoniques. C'était un homme si loyal qu'il n'aurait jamais agi différemment, et il ne se serait jamais séparé de Katherine qui connaissait ses sentiments à l'égard de Wallis mais s'en accommodait. En revanche, si Herman avait été veuf plus tôt, avant que Wallis ne connût le Duc, je suis sûre qu'il l'aurait épousée. D'ailleurs, il ne s'en est pas caché avec moi [25]. »

Herman offrit à Wallis toute la sympathie et la tendresse qui lui étaient possibles à cette époque, mais elles avaient leurs limites. Katherine Rogers, qui la dépassait d'une tête et qui n'était pas aussi plaisante, était l'une de ses anciennes amies de Californie, et elles s'aimaient beaucoup; il est cependant probable qu'Herman ait dressé entre elles une barrière invisible. Quant à Perry Brownlow, il était perspicace, merveilleux, honnête, et elle pouvait toujours compter sur lui pour qu'il lui répondît sans détours, mais il avait laissé ailleurs son cœur et son esprit : au Fort, avec son roi.

Elle aurait pu se confier totalement à l'un des trois, mais il est douteux qu'elle l'ait fait. Elle n'était pas le genre de femme qui se confie. De plus, le malheur était quelque chose qu'elle détestait de partager. Ç'aurait été une faiblesse, et elle n'aimait pas du tout s'avouer faible.

Jadis sa mère lui avait dit que la solitude avait ses mérites, en ce sens qu'elle permettait de réfléchir. Mais Wallis n'avait nulle envie de réfléchir. Sa mémoire, son imagination la torturaient. Quelle erreur avait-elle commise? Et quand? Et pourquoi? Que pouvait-elle faire maintenant? Que devait-elle dire au roi? Avait-elle encore la liberté d'un choix?

Elle avait toujours prétendu qu'il lui plaisait de vivre dans l'insouciance. Ah, comme elle aurait désiré à présent voir son avenir étalé devant elle avec tous les détails et les orientations d'une carte routière! Mais ce n'était pas le cas : prisonnière dans un labyrinthe, elle passait d'une salle à une autre sans pouvoir s'enfuir ou se cacher ailleurs.

Un graphologue lui avait affirmé qu'il ne voyait « pas beaucoup de conflits internes dans son écriture si régulière et si assurée ». Certes elle écrivait à grands traits hardis qui pouvaient révéler une robuste confiance en soi, mais tout son être était un nœud de conflits internes. Des astrologues s'étaient penchés sur son horoscope pour énoncer des pronostics contradictoires. Elle était née sous le signe des Gémeaux, en conjonction avec la planète Vénus, ce qui signifiait des amours favorables, annonça l'un d'eux. Un autre nota l'influence de Neptune pour lui prédire un « pouvoir grandiose » plutôt que de l'amour. Un troisième observa qu'une éclipse de soleil avait eu lieu pour son précédent anniversaire et qu'elle ne devait pas songer au mariage l'année suivante. Et elle n'avait pas oublié le diseur de bonne aventure qui, il y avait bien longtemps, s'était aventuré à prophétiser qu'elle épouserait un roi.

Les astrologues ne tombaient d'accord que sur un point : elle était une Gémeaux avec deux visages et deux vies. Wallis était bien résolue à n'en montrer qu'un.

Les domestiques de la villa ne voyaient en elle qu'une femme qui bavardait avec insouciance. Mais ses amis savaient qu'elle souffrait.

« Wallis n'était plus la Wallis imperturbable et confiante que j'avais connue », rapporta Brownlow. « A Cannes, elle était complètement différente : inquiète, effrayée. Et, franchement, je n'étais pas là pour calmer ses craintes. Je tremblais trop pour le roi [26]. »

Wallis aussi tremblait pour le roi. Mais sa plus grande peur provenait du fait qu'elle ne commandait plus à rien. Tout se passait ailleurs, et le téléphone ne filtrait que des parcelles de vérité. Le premier jour, elle entendit le roi qui s'efforçait d'être apaisant et d'espérer, mais elle savait qu'il cherchait uniquement à ne pas l'inquiéter. Elle devinait sa lassitude, et cependant elle ignorait ce qu'il pensait et faisait réellement. Elle continuait à l'adjurer de se battre pour ses droits, à lui répéter qu'il était le roi et que le peuple l'aimait tellement que sa popularité finirait par lever tous les obstacles. Elle songeait à l'immense puissance démocratique du peuple américain, mais non à la grande force déterminante d'un conseil secret du Cabinet anglais. Elle sentait que son enthousiasme et son insistance le raffermissaient un peu, mais pour combien de temps? Elle savait avec quelle impatience il attendait ses coups de téléphone, parce qu'il le lui disait, mais elle ne savait plus quelle force elle pouvait exercer encore sur lui.

Et elle savait enfin qu'elle ne pouvait plus dire au roi ce qu'il devait faire. La ligne qui les reliait était maintenant branchée sur le service d'écoutes de la sécurité anglaise M-5, et elle était aussi surveillée par des postiers français mal payés qui transmettaient leurs conversations à des journalistes généreux. Le roi et Wallis s'efforcèrent de parler en code.

Le roi était toujours « Mr. James », Churchill « W.S.C. », Beaverbrook « Tornade », et Baldwin « Béquille » [27].

Mais souvent la complexité de leur code la déconcertait, et elle parlait en clair, sous le coup de l'émotion, pour lui recommander de ne pas prendre de décisions inconsidérées, d'écouter les conseils de ses amis, de réfléchir et qu'il ne perdrait rien à attendre.

La seule réponse du roi était qu'il lui appartenait de dénouer la situation comme il l'entendait.

Le premier jour, il y eut plusieurs communications téléphoniques, mais la liaison était toujours aussi mauvaise.

Jolie cage, cette villa située au haut d'une route étroite et tortueuse! Des cyprès entouraient le fond, et la façade dominait la mer. « Lou Viei » était son nom. Elle avait été un monastère au XIIe siècle, puis la cachette d'un pirate. La légende locale assurait qu'elle avait été hantée par l'esprit d'une femme très belle qui, déçue en amour, y attendait son amant infidèle. Les Rogers l'avaient achetée en 1927; après l'avoir très modernisée, ils avaient aménagé six chambres avec salles de bains, des courts de badminton, un pavillon de thé; la cour en stuc rose était éclairée par leurs lanternes chinoises.

En regardant les lanternes le premier soir, Wallis éprouva plus encore un sentiment d'irréalité.

Pékin avait été la fantaisie romanesque de sa vie. Elle y avait trouvé une paix complète, l'oubli total, un contentement absolu. Un bel homme différent chaque nuit, si elle en avait envie, et elle ne se privait pas de satisfaire ces envies-là. C'était Shangri-La; pourquoi en était-elle partie?

Maintenant elle était une manchette pour tous les journaux du monde, un personnage public, une figure que l'on se montrait du doigt. Maintenant elle était « cette femme-là! »

Maintenant on la mettait même en chansons :

Le roi est dans son palais, combat de nombreux ennemis;

Mrs. Simpson se repose au soleil, en France, et elle pense à ses malheurs [28].

Le plus ironique, c'était que pour beaucoup de millions d'êtres humains, elle était la femme la plus enviée du monde.

Pendant ce week-end du 5 décembre, l'opinion publique en Angleterre avait amorcé son virage. Des membres du Cabinet et des parlementaires s'étaient rendus dans leurs circonscriptions, et ils en étaient revenus imprégnés de l'animosité générale contre une divorcée. L'Union des mères anglaises, que protégeait la reine Mary et qui représentait 577 000 mères de famille, fit connaître son « inquiétude angoissée » [29].

Les ministres du Cabinet se réunirent pour leur conseil spécial du dimanche matin, et la discussion fut longue. Malgré les efforts de Baldwin en vue de faire approuver les deux actes, le Cabinet refusa. Neville Chamberlain expliqua par la suite à Monckton que « les deux actes sentaient le marchandage, alors qu'il ne devait y en avoir aucun; que le second (pour hâter le divorce de Mrs. Simpson) offenserait le sens moral de la nation, qu'il soulèverait des résistances et provoquerait un débat, et qu'au cours du débat des déclarations et insinuations désobligeantes seraient faites » [30].

Sir Edward Peacock ajouta que le Parlement ne voterait jamais une telle proposition. Il mit en lumière le danger que le procureur du roi ne prît prétexte de cette intervention; or « nul n'a le droit de s'immiscer dans la bonne marche de la justice » [31].

Parmi les raisons plus immédiates qui décidèrent les ministres à repousser le projet, il y avait la probabilité qu'ils « perdraient des électeurs » et que l'Eglise le considèrerait comme « une abomination » [32]. Lorsqu'ils informèrent Monckton de leur décision, ils lui demandèrent comment le roi réagirait. Monckton répondit que le roi serait amèrement déçu et qu'il voudrait prendre son temps pour consulter d'autres conseillers. Un délai, dit-il, qui se chiffrerait en semaines plutôt qu'en jours. Les ministres se montrèrent fort désolés. Baldwin insista pour que l'affaire « fût terminée avant Noël » [33]. Neville Chamberlain fit état du mauvais effet de la crise sur le commerce et les achats de Noël.

Ce dimanche-là, dans toutes les églises de l'Angleterre, le clergé offrit des prières — sans sermons — pour le roi et la famille royale. Ce fut une prédicatrice à la Guild House, au cours d'un service non confessionnel, qui demanda « à chacun de prier pour le roi et aussi de ne pas oublier la femme qu'il aime et qui a également besoin de vos prières ».

L'archevêque de Canterbury arriva au 10 Downing Street pour son entretien avec Baldwin, notifia son opposition à « l'abomination » que constituait le projet sur le divorce, et reçut du Premier Ministre l'assurance que le roi abdiquerait. La police dut charger pour que l'archevêque pût regagner sa voiture. La foule chantait en chœur : « Le roi ne peut pas mal agir ». Dans un journal du lendemain matin, la photo de l'archevêque parut en bonne place avec la légende L'HOMME QUI DIT NON. Dans l'esprit public, la rencontre du prélat et de Baldwin ne fit que donner plus de consistance aux rumeurs d'une conspiration contre le roi.

Baldwin se rendit aussi chez la reine Mary. « Je vois voler en éclats le monde qui m'entoure », lui dit-elle, « le monde que j'ai mis si longtemps à bâtir » [34].

Son mari avait été « la valeur sûre de l'Angleterre » [35], et le credo de George V était que le roi devait être « la source de l'honneur ». La tradition royale était imprimée dans l'esprit de tous les écoliers anglais, au même titre que la bataille d'Hastings et la Grande Charte. Le buste du roi figurait sur chaque lettre, chaque pièce de monnaie, chaque billet de banque. La royauté signifiait l'apparat et toutes les magnificences, et la reine Mary la découvrait tachée de boue. Le biographe officiel de la reine, James Pope-Hennessy, rapporte qu'elle aurait déclaré à sa famille que « dans toute sa vie aucun autre événement ne lui avait causé autant de tristesse, ni infligé un aussi profond sentiment d'humiliation ».

Baldwin manœuvra pour noircir un peu plus le tableau pendant l'après-midi de dimanche. Puisqu'il avait les rapports d'écoute sur les conversations téléphoniques du roi, il était au courant des conseils de Wallis et ils l'inquiétaient. Il s'arrangea pour que sir Horace Wilson, chef intérimaire de la Trésorerie, convoquât l'avoué de Wallis pour son divorce, Theodore Goddard. Agissant au nom de Baldwin, Wilson demanda à Goddard d'aller voir Mrs. Simpson pour la sonder sur « ses intentions réelles ». Goddard accepta.

Le roi laissa percer son amertume quand Monckton lui apprit le résultat de la délibération des membres du Cabinet. Ils lui avaient refusé un compromis avec le mariage morganatique. Ils lui avaient dénié le droit de s'adresser au peuple par radio. Il consentait à quitter le trône silencieusement et avec dignité, mais non sans avoir reçu l'assurance qu'il ne se heurterait à aucune difficulté pour épouser la femme qu'il aimait. Maintenant, ils voulaient sa capitulation sans conditions.

Monckton mentionna au roi que Baldwin avait répété qu'il démissionnerait puisque le Cabinet avait opposé son veto à l'acte du divorce, et que lui-même, au nom du roi, l'en avait dissuadé. Si Baldwin démissionnait en effet, ce serait Neville Chamberlain qui deviendrait Premier Ministre, et il n'avait cessé de se montrer véhémentement opposé au roi.

Le roi se trouvait acculé dans un angle et ne savait quoi faire.

Wallis était encore plus apeurée. Le roi était sa seule source d'informations, et il lui en communiquait si peu! Elle était désorientée. Elle continuait à soutenir, au téléphone, qu'il devait se battre pour ses droits et que sa popularité emporterait tout; les Anglais étaient à peine au courant de ce qui se passait; les conseils du Cabinet étaient secrets; le Parlement ne savait que ce que Baldwin lui disait, et Baldwin ne lui disait presque rien.

Lord Brownlow prit une initiative. « J'ai dit à Wallis qu'elle devrait publier une déclaration par laquelle elle renoncerait au roi. Je n'en attendais pas beaucoup, mais je pensais que nous devions faire quelque chose [36]. »

Wallis, non sans réticences, accepta, et Herman Rogers prépara un communiqué pour la presse. Elle le lut et l'atténua. Finalement ils tombèrent d'accord sur le texte suivant :

« Au cours des dernières semaines, Mrs. Simpson a invariablement voulu éviter toute action ou proposition de nature à nuire à Sa Majesté ou au trône.

« Aujourd'hui son attitude n'a pas varié, et elle est disposée, dans l'hypothèse où ce geste apporterait une solution au problème, à se retirer sur-le-champ d'une situation qui a été rendue aussi affligeante qu'intenable [37]. »

Wallis était sûre que sa déclaration ne servirait à rien. Tout était déjà allé trop loin. Du moins expliquerait-elle sa position au public. Peut-être la mépriserait-il moins. Mais l'espérance l'avait fuie : jamais elle n'aurait dû partir et le laisser seul.

La distance entre Wallis et le roi était à présent plus que physique. Pendant qu'il se débattait avec ses états d'âme et qu'elle maudissait son manque d'informations, ils se trouvaient chacun dans un univers à part, reliés uniquement par un câble que Mr. Baldwin avait fait brancher sur une table d'écoutes. En cherchant à lui épargner des inquiétudes, il les multipliait, et elle s'efforçait de le décider à livrer bataille alors que la guerre était déjà perdue. Ce n'était plus un roman d'amour : c'était une tragédie.

La tragédie s'accentua le lundi 7 décembre. Dans la matinée, Wallis téléphona au roi pour lui lire la déclaration qu'elle se disposait à remettre à la presse dans l'après-midi. Il l'écouta, d'abord incrédule, puis peiné. Finalement il lui donna le feu vert : « Cela ne changera rien [38]. »

Au cours du week-end, de nombreux membres du Parlement avaient été convaincus que les électeurs anglais voulaient le roi, mais ne voulaient pas de Wallis.

Baldwin informa dans l'après-midi la Chambre des Communes que le gouvernement attendait toujours la décision du roi. Ce fut alors que Winston Churchill se lança dans une dernière parade désespérée.

Avant même qu'il se fût levé, son voisin sir George Lambert lui dit : « Mon cher Churchill, je vous en adjure du plus profond de mon âme, n'intervenez pas dans cette affaire. Ne sentez-vous pas l'atmosphère de la Chambre? »

« Je n'ai pas peur de cette Chambre », lui répondit Churchill. « Et quand je vois mon devoir, je fonce. »

Il attaqua vigoureusement en effet pour dire que le gouvernement n'avait pas le droit de contraindre le roi à abdiquer sans consulter le Parlement. Quatre jours plus tôt, les Communes l'avaient applaudi quand il avait présenté la même requête. Mais entre-temps l'opinion avait viré de bord; les députés aussi.

« Assis! » crièrent quelques-uns. « Taisez-vous! » Et plusieurs autres le huèrent.

« Winston a subi une lourde défaite », nota Nicolson. « Il avait presque perdu la tête, et il a perdu à coup sûr son autorité sur la Chambre. Ce fut une scène extraordinairement dramatique.

« D'abord nous avons eu Baldwin : lent et mesuré. Puis Winston s'est dressé pour poser une question supplémentaire. Il ne l'a pas fait dans la forme requise, et le speaker l'a deux fois rappelé à l'ordre. Il a hésité, il a vaguement brandi ses lunettes. Assis! criait-on. Une nouvelle fois, il a brandi ses lunettes, puis il s'est effondré. C'était pénible [39]. »

Le *Times* dit plus tard que ce fut « l'échec le plus saisissant de l'histoire parlementaire moderne [40] ».

Racontant « le complet effondrement de Winston », Nicolson écrivit à sa femme Vita Sackville-West : « Bob Boothby en a parlé si drôlement! ' Je savais ', a-t-il dit, ' que Winston allait faire quelque chose de terrible. J'avais passé le week-end avec lui. Il ne disait mot, il s'agitait, il lançait des coups d'œil dans tous les coins. Lorsque c'est un chien qui fait ça, vous savez qu'il va vomir sur le tapis. La même chose s'est produite avec Winston. Il a réussi à se contenir pendant trois jours, puis il est allé à la Chambre et il a vomi sur le parquet '. Ce qui est vrai, à la lettre. Il a démoli en cinq minutes tout son patient travail de reconstruction de deux années [41]. »

Ce n'était plus le moment de « masser ses gros bataillons ».

La plupart des observateurs politiques estimèrent que Churchill avait pris part à cette bataille royale moins pour défendre le roi que pour lutter contre Baldwin. Le gros souci de Churchill était le péril croissant que représentait l'Allemagne national-socialiste, et le dossier de Baldwin sur le réarmement anglais était d'une minceur pitoyable. Comme Beaverbrook, il avait espéré que ce problème ferait chuter le Premier ministre. Trop longtemps écarté du pouvoir, Churchill aspirait à y revenir. Au lieu de quoi, tout s'était écroulé autour de lui, anéantissant ses espoirs politiques et freinant sérieusement l'élan indispensable à un réarmement plus rapide.

Une génération plus tard, Churchill alla peindre dans la villa de Beaverbrook sur la Côte d'Azur. Les deux hommes évoquèrent leurs luttes politiques de jadis et les différends qui les avaient toujours opposés. « Sauf en une occasion », dit Beaverbrook en rappelant la crise de l'abdication [42].

« Peut-être nous sommes-nous trompés tous les deux cette fois-là », répliqua Churchill [43].

Lorsque Churchill sortit en ouragan de la Chambre des Communes, Lambert se leva et dit : « Le Premier ministre mesure-t-il la sympathie profonde dont il est assuré dans tous les groupes de la Chambre [44]? »

Un tonnerre d'applaudissements éclata.

Le parti du roi était mort. Le pétard mouillé avait avorté. La grande vitalité du roi faiblit. Il avait dépassé les limites de l'endurance. Néanmoins il insista pour voir Theodore Goddard et lui interdire de se rendre auprès de Wallis. En Grande-Bretagne, il y a peu de choses plus sacrées que les relations entre un avoué et son client, mais le roi tenait tellement à préserver Wallis de tout souci qu'il n'hésita pas à intervenir. Goddard n'avait pris aucun engagement lorsque le roi le reconduisit. Il se précipita chez le Premier ministre.

Pendant ce temps, Wallis se préparait à rendre publique sa déclaration. Elle aurait publié n'importe quoi. Même à la pire époque des crises d'éthylisme de Spencer, elle avait fait preuve d'une résistance à toute épreuve et d'une volonté extraordinaire pour faire face à la situation. Maintenant elle se sentait entraînée dans un gouffre, et Brownlow et Rogers étaient les seules ancres auxquelles elle pouvait se raccrocher. Ayant perdu toute confiance en soi, elle avait besoin d'intelligences et d'épaules plus fortes que les siennes. Elle envoya les deux hommes à l'Hôtel Majestic de Cannes, où Brownlow lut son communiqué à la presse.

Brownlow n'avait guère été satisfait de la déclaration. Il la trouvait trop molle. « Je l'ai écrite, mais je ne savais pas moi-même ce qu'elle voulait dire [45]. » Wallis l'avait modifiée, affadie. Elle craignait de trop chagriner le roi. Elle était déchirée.

Elle savait mieux que personne qu'il en pèserait chaque mot. Elle savait à quel point il souffrait et se sentait seul, combien il était sensible. Elle se jugeait déjà trop responsable de toutes ses peines et elle ne voulait pas en ajouter d'autres. Voilà pourquoi elle adoucit la déclaration pour en arrondir les angles. Et puis, cette sorte de plongeon lui semblait trop définitive : elle conservait encore le vague espoir que son roi pourrait réussir un miracle.

« J'ai lu la déclaration à cinq heures de l'après-midi. Dès six heures, les journaux londoniens du soir publiaient en gros titres que Wallis renonçait au roi [46]. »

Cette réaction optimiste émana principalement du groupe de presse Rothermere-Beaverbrook. Le *Daily Mail* de Rothermere mit l'accent sur les deux mots « affligeante » et « intenable ».

« Dans le premier, elle rend le verdict de son cœur; dans le second, celui de sa tête. Les deux sont justes. »

Le *Daily Express* de Beaverbrook publia la plus grosse manchette :

FIN DE LA CRISE

Et le *Daily Express* déclarait :

« Disons ceci de Mrs. Simpson. Depuis longtemps dans diverses régions du monde, et depuis assez longtemps dans notre pays, son nom a été entouré de ragots. Elle leur a répliqué, à tous, par les mots qu'elle a écrits hier. »

Mais que signifiait exactement cette déclaration?

Brownlow, qui l'avait rédigée, avoua qu'il n'en savait rien. Wallis n'en était pas plus sûre que lui. Pour une véritable renonciation, elle sonnait « un peu creux ». Le roi avait approuvé sa publication à contrecœur, peut-être en pensant que, jusqu'à un certain point, elle « détournerait vers lui les critiques dont elle était l'objet, ce qu'il souhaitait par-dessus tout ».

Le public y lut ce qu'il voulut lire.

L'*Express* fut le plus optimiste :

« Pouvons-nous nous réjouir? Oui, nous le pouvons. La crise est maintenant passée dans l'histoire, et le roi est toujours avec nous. Une situation inextricable a été dénouée par l'acte de renonciation d'une femme. »

Répondant à sa propre question, L'AMOUR OU LE TRÔNE? un journal de New York déclara avec superbe : ÉDOUARD GARDERA LE TRÔNE.

Lorsque les gros titres submergèrent les rues, le roi téléphona à Wallis et explosa : « Vous démolissez mes plans. Vous me donnez l'air d'un imbécile [47]! » Mais il ne lui exposa toujours pas ses plans.

Wallis laissa passer l'orage. A quoi bon discuter avec lui? Elle aurait pu lui rappeler qu'il l'avait autorisée à publier cette déclaration. Il n'avait pas prévu la réaction des journaux. Il avait simplement pensé que le communiqué pourrait réduire l'animosité à l'égard de Wallis.

Puisqu'il avait déjà dit à Baldwin qu'il abdiquerait, ce nouveau développement était superflu. Bien qu'elle ne le lui dît pas, Wallis était enchantée par ce tapage. Peut-être y gagnerait-elle qu'on la laissât tranquille.

Mais la peine du roi la frappa au cœur. Et puis elle avait d'autres problèmes. Les photographes s'étaient montrés excessivement importuns. Plusieurs d'entre eux s'étaient débrouillés pour pénétrer dans le jardin et se cacher dans les massifs jusqu'à ce qu'elle apparût, saluée par des éclairs de magnésium. Des policiers s'étaient précipités, avaient brisé les caméras et procédé à des arrestations. Dans l'espoir d'éviter la répétition de tels incidents, Wallis accepta de poser pour un seul photographe. Elle arriva vêtue d'un tailleur noir et d'un tricot bleu, sur des chaussures à haut talon. Sa physionomie avait un tel air de tristesse que le photographe la pria de sourire [48].

« Pourquoi sourirais-je? » demanda-t-elle.

Goddard était donc allé à Downing Street mettre le Premier ministre Baldwin au courant de la réaction du roi à l'égard de son projet de voyage à Cannes. Baldwin montra à Goddard les gros titres de l'après-midi et il lui demanda ce qu'il savait de la déclaration de Mrs. Simpson. Naturellement, Goddard ne savait rien. Baldwin lui dit alors qu'il était de son devoir de se rendre auprès de Mrs. Simpson et de découvrir ce qu'elle avait en tête, sans se soucier de ce qu'en penserait le roi. Goddard répondit qu'il « irait certainement », et Baldwin mit à sa disposition un avion civil du gouvernement.

Le roi ne tarda pas à l'apprendre et il rappela Wallis. Il lui annonça la prochaine arrivée de Goddard et il lui enjoignit de ne pas le recevoir, ni de l'écouter, ni de lui parler. Wallis se hérissa. Le ton impérieux du roi l'exaspérait. Dans la plupart de leurs conversations téléphoniques, elle s'était montrée conciliante et parfois implorante, en essayant toujours de lui faire entendre raison. Maintenant elle se fâcha. Depuis trop longtemps elle avait enfermé en elle trop de choses. Elle n'en pouvait plus. Pour qui se prenait-il donc? Elle n'aimait pas du tout que quelqu'un lui donnât des ordres. Elle avait ses idées personnelles. Et puis c'était aussi une question de politesse. Goddard était son avoué. A coup sûr elle le verrait et l'écouterait. Qui sait? Peut-être même tomberait-elle d'accord avec lui.

Le roi fit marche arrière et se calma rapidement. Tout ce qu'il réussit à obtenir fut qu'elle le consulterait avant de prendre une décision définitive qui serait fondée sur les propos de Goddard.

Geoffrey Dawson estima que la déclaration Simpson ne voulait « absolument rien dire ». Il se borna à la publier au-dessus d'un autre entrefilet ainsi conçu : « La vicomtesse Thelma Furness est arrivée hier de New York à Southampton sur le paquebot *Queen Mary* [49]. » C'était le type même de rapprochement qui arrachait de petits ricanements dans certains milieux mondains, mais d'autres lui trouvèrent

« une méchanceté féline et une frivolité vulgaire qui seraient mieux à leur place dans la presse de bas étage [50] ».

Le mardi 8 décembre, Dawson évalua assez exactement la situation : « L'opposition est maintenant pratiquement à plat, et nous attendons tous que la crise se dénoue à Fort Belvedere et non à Cannes [51]. »

Tard dans la nuit, Goddard arriva à Cannes. Le mauvais temps et un moteur en panne avaient retardé l'avion.

« On m'a réveillé à quatre heures du matin pour me remettre un message de la presse », raconta Lord Brownlow. « J'y ai lu que Theodore Goddard, un secrétaire et un gynécologue étaient à Marseille et se rendaient à Cannes. J'ai répondu à la presse que je n'étais au courant de rien et qu'ils ne pénétreraient pas dans la villa [52]. »

Wallis avait oublié de prévenir Brownlow de la visite de Goddard.

« Ensuite Goddard m'a appelé au téléphone et m'a demandé un entretien avec Wallis pour des affaires de famille », poursuivit Brownlow. « Je lui ai dit qu'il pourrait la voir s'il descendait de voiture à cent mètres de la grille et s'il entrait sans valise, sans secrétaire et sans médecin [53]. »

Les journalistes firent grand cas de la présence d'un médecin. C'était le Dr. W. Douglas Kirkwood, ancien chirurgien au Queen Charlotte's Hospital pour femmes, l'un des plus grands établissements de Londres spécialisés dans la gynécologie et l'obstétrique. La rumeur qui se répandit le plus vite fut que Wallis était enceinte. Selon une autre, plus raisonnable, le délai de six mois qui était indispensable pour transformer en jugement définitif l'arrêt provisoire de divorce avait été prévu principalement pour le cas où la femme du mari divorcé mettrait un enfant au monde pendant cette période intérimaire; par conséquent, si ce médecin pouvait établir que Wallis n'attendait pas d'enfant, le divorce pourrait être prononcé plus tôt.

Goddard fournit une autre explication : il avait le cœur fragile et, comme ce vol avait été son baptême de l'air, il avait jugé bon de se faire accompagner d'un médecin ami.

Loin de vouloir accélérer le divorce, Goddard avait une autre idée : idée qui, en cas de succès, pouvait faire de lui le héros du jour — ni pour le roi, ni pour Wallis, ni pour Baldwin, mais pour la famille royale et le peuple anglais.

La proposition de Goddard était d'une simplicité extrême : Wallis n'avait qu'à retirer son action en divorce, et la crise serait dénouée. Etant donné que le roi ne pourrait plus l'épouser, quel intérêt aurait-il à abdiquer?

L'idée plut beaucoup à Wallis; elle avait l'air sensée, vraisemblable : une solution parfaite. Elle était sûre qu'Ernest Simpson l'accepterait, car elle connaissait le sérieux de ses sentiments à l'égard de l'abdication; il était prêt à faire n'importe quoi pour empêcher cette conclusion; d'ailleurs n'avait-il pas déjà présenté une proposition en ce sens? A cette époque-là, elle l'avait transmise au roi; maintenant, elle était plus disposée à écouter. Elle ne savait pas exactement jusqu'à quel point il s'était engagé avec Mary Kirk, mais ce ne serait qu'une affaire de temps pour que tout se résolût à la satisfaction générale. A son avis, Churchill et Beaverbrook avaient raison : qu'il se fasse couronner, et la tempête s'apaiserait d'elle-même; ensuite ils pourraient se marier, tout comme Ernest et Mary.

Si elle s'était trouvée encore avec le roi, elle aurait certainement réussi à lui arracher son consentement. L'idée était si simple, si juste! Encore fallait-il qu'il l'approuvât. Pourquoi s'était-elle enfuie? Elle n'aurait jamais dû le quitter. A présent, ils pouvaient encore tout avoir, sans se perdre l'un l'autre. Comment le lui expliquer dans un code stupide? Le téléphone ne servait à rien pour ce genre de chose. Il aurait fallu une soirée paisible, tous les deux seuls devant un bon feu, avec quelques verres d'alcool au fil des heures. Là, elle l'aurait sûrement convaincu.

Goddard lui donna des détails sur le virage pris par l'opinion anglaise. « Elle m'a dit très précisément qu'elle était toute prête à renoncer à lui », raconta Goddard. Wallis ajouta que l'essentiel consistait à obtenir l'accord du roi; sinon « où qu'elle aille, le roi la suivrait [54] ».

Wallis voulut avoir l'opinion de Brownlow, et elle le pria de réfléchir à la proposition de Goddard.

« J'ai réfléchi pendant cinq minutes », relata Brownlow, « et je lui ai dit qu'elle ne devrait pas faire cela parce que, si elle le faisait et si le roi persévérait dans les mêmes sentiments (ce qui était certain), alors le divorce serait en fin de compte prononcé à Reno ou Mexico ou ailleurs, ce qui déclencherait un esclandre encore plus grave en Grande-Bretagne. En outre, elle savait que le roi ne supporterait pas qu'elle fût sa maîtresse s'ils ne pouvaient pas se marier. Il la voulait avec lui pour toujours, et il avait là-dessus des idées bourgeoises : il tenait absolument à lui rendre l'honneur en l'épousant. Wallis m'a écouté, mais elle n'ignorait pas que je pensais moins à elle qu'au roi [55]. »

Wallis hésita. Que devait-elle faire? Quel avis devait-elle suivre? Elle avait une confiance absolue en Brownlow. Mais Goddard lui avait fait entrevoir une issue, la seule porte de sortie, sans doute, qui existât. Perry Brownlow connaissait le roi depuis leur adolescence. Et nul ne savait mieux que lui à quel point le roi pouvait être têtu. Wallis décida de lui téléphoner pour tenter de le persuader.

Goddard se rappela que la liaison avait été « très mauvaise, avec des interruptions continuelles [56] ». De plus, il fallait s'époumonner, et il y avait le code, la tension nerveuse.

Wallis lui dit qu'elle avait résolu de retirer sa demande de divorce. Pour mieux l'en dissuader, le roi lui passa son conseiller juridique George Allen.

Et Allen lui dit de ne pas retirer sa demande de divorce parce que le roi avait déjà mis en marche le mécanisme de l'abdication.

Wallis raccrocha. Il avait arrêté sa décision et il avait commencé à l'exécuter sans même en avoir discuté avec elle, et sans la lui avoir annoncée ensuite. Maintenant encore, il était incapable de l'en informer; il s'était déchargé de ce soin sur Allen. Pourquoi?

Brusquement, elle se sentit trop épuisée d'émotion pour se mettre en colère. C'était fini; la tragédie avait commencé. Toute pâle et brisée qu'elle était, elle parvint à dire au revoir à Goddard, et elle quitta la pièce sans trahir son trouble. Mais au-dedans d'elle-même, elle ne s'était jamais sentie plus morte.

Quel qu'eût été son état d'âme ce soir-là, le roi avait un invité à dîner : le Premier ministre Baldwin.

« Il doit lutter avec lui-même comme cela ne lui est jamais arrivé auparavant », confia Baldwin à un ami, « et s'il me laisse faire, je l'aiderai. Peut-être même passerons-nous la nuit ensemble [57]. »

S'adressant plus tard à un autre ami, Baldwin ajouta : « La seule fois où j'ai eu peur. Je croyais qu'il avait pu changer d'avis, mais j'avais tort. Il avait donné sa parole : c'était assez [58]. »

Baldwin arriva au Fort avec sa valise, tout prêt à y passer la nuit. Le roi pensa qu'il serait incapable de négocier aussi longtemps avec le Premier ministre, et il pria Sir Edward Peacock de faire gentiment comprendre à Baldwin qu'il était enchanté de dîner avec lui, mais qu'il se sentait trop fatigué pour de nouvelles discussions.

L'entretien qui les réunit avant le dîner fut aussi bref que stérile. Baldwin lui remit une copie du message du Cabinet : c'était une lettre polie, officielle, qui demandait au roi de « reconsidérer une intention qui affligerait si profondément tous les sujets de Votre Majesté [59] ».

Le roi ne se laissa pas toucher par ces mots hypocrites; il connaissait le désir du Cabinet qu'il abdiquât le plus vite et le plus rapidement possible.

Les autres invités du roi à ce dîner étaient le duc d'York, Walter Monckton et Sir Edward Peacock. Pour le Duc, ce fut la fin d'une « attente affreuse, effroyable [60] ». Le roi annonça à son frère, qui devait lui succéder, sa décision irrévocable.

Sachant à quel point le roi était épuisé, Monckton suggéra que les deux frères dînassent en tête-à-tête pendant que les autres invités mangeraient dans une autre pièce. Mais le roi refusa : il n'entendait pas se dérober.

« Quand nous nous sommes réunis dans la salle à manger, il est entré et s'est assis au haut bout de la table entre Mr. Baldwin à sa droite et Sir Edward Peacock. Je crois que ce dîner a été son tour de force. Dans cette pièce lambrissée, paisible, il trônait à son bout de table avec son visage et son sourire d'enfant; alors que nous étions blancs comme des linceuls, il avait le teint frais et coloré; il a alimenté la conversation de propos brillants, et son regard vigilant s'assurait que ses invités ne manquaient de rien. Il portait son kilt blanc. A la droite de Mr. Baldwin, il y avait le duc d'York à côté duquel j'étais placé. Au cours du dîner, le duc d'York s'est penché vers moi pour murmurer : ' Regardez-le. Il ne faut absolument pas le laisser partir. ' Mais nous savions tous deux que nous ne pourrions rien dire ni faire pour l'en empêcher [61]. »

Wallis éprouvait le même sentiment. A distance, elle le découvrait différent. Il était un roi et un empereur, et il voulait jouer son rôle jusqu'à la dernière minute. La façon dont il lui avait dit de ne pas recevoir Goddard... ce n'était pas une requête, mais un ordre. Or jamais auparavant il ne lui avait donné d'ordres.

Wallis était à bout de nerfs. Il lui avait confié si peu de choses, et il s'était si fort opposé à toutes ses idées comme si elles étaient absurdes, comme si ses propres plans seuls étaient parfaits! Lorsqu'elle était auprès de lui, elle connaissait ses doutes. Mais, de si loin, elle ne pouvait que s'incliner devant sa métamorphose. Il avait arrêté sa décision; il n'en démordrait pas.

Elle se sentait coupable; pas simplement parce qu'elle l'avait quitté, mais parce qu'elle avait remis entre ses mains sa propre vie et son propre destin pour qu'il en disposât sans la consulter.

Cela datait du jour où elle avait consenti à se marier avec lui et à divorcer d'avec Simpson. Ensuite, les événements s'étaient emballés; leur vitesse et leur force se multipliant à l'infini, elle n'avait plus été capable d'en prendre le commandement; elle ne dirigeait plus rien.

« Wallis était de plus en plus effrayée à mesure qu'augmentait l'intensité de la situation », dit Brownlow, « et je ne calmais pas ses appréhensions en m'efforçant de lui expliquer l'énormité des décisions qui étaient en train de se prendre [62]. »

« Au cours de mon séjour à Cannes, nous ne sommes sortis qu'une fois de la villa. Le fils de Lord Rothermere, Esmond Harmsworth, vieil ami commun de Wallis et de moi, était descendu dans les environs, et il nous a demandé de venir prendre le thé chez lui parce qu'il avait quelque chose d'important à nous dire. C'était Harmsworth qui avait été le premier à suggérer un mariage morganatique. Cette fois-ci, il nous a entretenus d'un projet visant à instaurer un Conseil d'Etat qui gouvernerait en l'absence du roi! Son idée ne valait même pas quelques instants de réflexion.

« Sur le chemin du retour, j'ai dit à Wallis que, si elle le laissait abdiquer pour l'épouser, elle serait la femme blanche la plus haïe au monde [63]. »

Wallis se recroquevilla. Dans son for intérieur, elle savait que Perry Brownlow avait parfaitement raison. Elle s'en doutait depuis longtemps, et son courrier quotidien lui en apportait la preuve.

Toute sa vie, elle avait voulu qu'on l'aimât, et les gens, toujours, l'avaient aimée. Elle croyait dans la gaieté et elle faisait rire; les gens aimaient rire, et ils aimaient Wallis parce qu'elle les amusait. A n'importe quelle soirée, elle était la bienvenue. Elle répandait sur son passage du charme et de la belle humeur. C'était un don, et elle le possédait. Elle en était fière. Elle voulait plaire; elle voulait qu'on l'aimât.

Or voici que, tout à coup, c'était la haine qui frappait à sa porte. Plus de haine qu'elle n'en avait jamais connu. Et ce n'était qu'un début. Comment raisonner la haine?

Le pis, c'était qu'elle était impuissante. Son David avait retiré de dessous ses pieds le tapis enchanté sans même la consulter. Il avait gardé ses secrets pour lui comme si son existence était seule en jeu. Mais celle de Wallis l'était encore bien davantage. Le public aurait pitié de lui mais la haïrait en l'accusant de tout. Le public avait peut-être raison. N'empêche que le roi aurait pu lui demander son avis. Lui, du moins, s'était trouvé en face d'un choix; mais elle, quel choix lui restait-il? Aucun.

« Elle s'est mise à pleurer », dit Brownlow. « Elle a craqué. Je ne l'avais jamais vue pleurer. Dieu sait si elle avait été soucieuse, inquiète, épuisée, mais elle avait toujours su paraître calme et digne, maîtresse de ses nerfs. Maintenant il n'en était plus question. Elle était à bout de forces. Elle ne savait que pleurer, pleurer. J'ai essayé de la consoler; au bout d'un moment, elle s'est calmée et, me regardant droit dans les yeux, elle m'a demandé : « Que dois-je faire? » [64]

24

« Elle m'a demandé ce que je ferais si j'étais à sa place. Je lui ai répondu : partir, partir immédiatement, cette nuit même. Je m'arrangerais pour que nous prenions le train de Rome, puis nous descendrions à Gênes et nous embarquerions sur un bateau à destination de Ceylan. Elle a acquiescé : " Très bien. Allons-y. " Elle aurait fait n'importe quoi, vraiment n'importe quoi. Cependant je ne voulais pas manquer de loyauté envers le roi, et il m'est apparu qu'elle devait lui téléphoner pour le prévenir. Voyez-vous, je le connaissais, et je savais aussi quelles épreuves il traversait. J'ai estimé que nous avions le devoir de le mettre au courant. Elle l'a donc appelé, et elle a reçu la plus belle volée de bois vert de son existence. Il lui a crié que ce projet bouleverserait tous ses plans, qu'elle était à mille kilomètres de lui, qu'elle ne pouvait pas savoir ce qui se passait et que, si elle se rendait à Ceylan ou ailleurs, il la suivrait immédiatement. Il lui a dit ensuite qu'il ne pourrait rester sur le trône qu'à la condition de renoncer à elle pour toujours, ce dont il serait incapable. Et elle, le voulait-elle[1]? »

Elle lui avait affirmé, auparavant, que n'importe quoi était préférable à l'abdication, mais ce « n'importe quoi » lui parut soudain trop gros. Renoncer l'un à l'autre pour quelque temps, pendant que les remous s'apaiseraient, soit. Mais pour toujours? Non.

Ce fut le mot de la fin. Le combat de Wallis était terminé.

L'opinion anglaise le sentit confusément. Les Britanniques commencèrent à entrevoir le vif de l'affaire : leur roi avait à choisir entre eux et une femme, et il voulait la femme. Même en Galles du Sud où le roi était si aimé, le peuple se montra amer et déçu.

Jusqu'à Lady Emerald Cunard, la vieille amie de Wallis qui l'avait patronnée dans le monde, qui trahit! Harold Nicolson l'entendit dire à table : « Chère Maggie, parlez-moi donc un peu de cette Mrs. Simpson : je ne l'ai rencontrée qu'une fois. »

« Le tragique, c'est que les gens, après avoir surmonté le premier choc sentimental, veulent maintenant que le roi abdique », nota Nicolson dans son journal. « Je veux dire par là qu'à la Chambre l'opinion est presque unanimement hostile au roi. ' S'il peut trahir les devoirs de sa charge, puis trahir la femme qu'il aime, il n'y a rien de bon en cet homme. ' Ainsi, bien qu'il puisse conserver son trône s'il « renonce » à Mrs. Simpson, il aura perdu l'estime de ses sujets.

« Deux choses ressortent, je crois. D'abord la suprématie de Baldwin. Un dirigeant travailliste me disait hier : ' Grâce à Dieu, nous avons S. B. au pouvoir. Aucun autre homme en Angleterre n'aurait été capable de venir à bout d'une situation semblable. ' Et, en second lieu, la réelle unanimité qui se manifeste à la Chambre lors d'une crise. Il n'y a eu ni hystérie ni politique partisane. On a vraiment l'impression qu'en de telles circonstances, la Chambre est un Conseil d'Etat. Quel peuple solide nous sommes, sous toute notre sentimentalité [2]! »

Aussi déchiré que Wallis par les émotions, le roi se trouvait presque « au bout de son rouleau ». Il eut cependant un autre entretien avec sa mère dans le bureau du duc d'York à la Royal Lodge du parc de Windsor. Ce fut sa première sortie du Fort depuis six jours.

La reine douairière écouta son récit des événements de la semaine; désorientée, consternée, elle n'en conserva pas moins toute sa dignité. Tout simplement, elle ne parvenait pas à comprendre. Plus tard, elle devait confier à Monckton : « Avoir abandonné tout ceci pour cela [3]! » Mais ce jour-là elle trouva quelque chose de plus tendre à dire à son fils : « Pour moi, le pire est que vous ne pourrez pas la voir pendant si longtemps [4]. »

Le roi ne dormit pas de la nuit. Les lampes du Fort restèrent allumées presque jusqu'au lever du jour, ainsi que celles du 10 Downing Street. Le carillon de Big Ben retentit à deux heures et demie du matin dans le froid et le brouillard, au moment où un courrier sortait de la maison historique du Premier ministre avec une boîte métallique noire, longue et étroite, juste assez grande pour contenir un rouleau. Elle portait un gros cachet rouge. Les journalistes et les curieux ne s'y trompèrent pas : c'était le décret d'abdication qui était porté au roi pour qu'il y apposât sa signature.

Wallis en savait si peu sur l'histoire et les traditions britanniques qu'elle avait demandé au roi : « Même si vous renonciez à être roi, ne pourriez-vous rester Empereur des Indes [5]? »

Ce fut sa dernière tentative désespérée pour sauver quelque chose. Pourquoi avait-il fallu que les deux hommes qu'elle avait réellement aimés se fussent trouvés dans le cas de devoir choisir entre elle et une carrière? Espil avait opté pour sa carrière, et son roi avait opté pour elle. Au plus intime de son âme, peut-être regrettait-elle que les choix n'eussent pas été inversés.

Elle avait toujours paru frêle, mais à présent elle n'était plus que l'ombre d'elle-même. Ses grands yeux semblaient encore plus dévorants, plus chargés d'obsessions. Elle avait perdu près de cinq kilos, le dixième de son poids normal.

Elle se sentait vaincue. Katherine Rogers s'efforçait de lui relever le moral en lui répétant qu'elle avait fait tout ce qu'elle pouvait, que personne n'avait le moindre reproche à lui adresser. Wallis savait que c'était faux. Elle avait tout fait de travers. Et tout trop tard. Auparavant, elle avait toujours eu assez de ressort pour accueillir les choses comme elles se présentaient, mais plus maintenant. En partie, parce qu'elle ne savait jamais ce qui allait venir. En essayant de la mettre à l'abri des soucis, le roi s'était lourdement trompé.

Lord Brownlow ressentait lui aussi cette impression d'inutilité et d'impuissance. La presse continuait de le harceler, et il était bien incapable de dire quoi que ce fût aux journalistes parce qu'il ne savait rien de plus qu'eux. « Je vais devenir fou avec toute cette affaire », dit-il [6]. Le plus insupportable était la défaite. Le roi qu'il aimait était en train d'abandonner son trône, et il ne pouvait rien pour lui.

Le Premier ministre avait dit à Monckton qu'il voulait que l'abdication fût chose faite vendredi soir. Baldwin et ses ministres soulignèrent énergiquement que si le roi tergiversait, ou allait voir Mrs. Simpson, ou n'agissait pas conformément au plan avant le vote de la liste civile, il n'obtiendrait pas un penny parce que le Parlement refuserait son approbation.

La loi sur la liste civile établissait l'allocation financière destinée à la famille royale — allocation d'où proviendraient les revenus réguliers sur lesquels le roi pourrait compter après son abdication.

Monckton avait travaillé ce soir-là à Downing Street avec le secrétaire à l'Intérieur, Sir John Simon, et le major Hardinge. Appartenant toujours à l'état-major du roi, Hardinge s'était rendu la veille chez l'archevêque de Canterbury pour le mettre au courant et lui donner l'assurance que le roi allait abdiquer.

Monckton apporta au Fort un double du message d'abdication. Sir Edward Peacock, qui l'avait précédé, apprit au roi que le Cabinet exigeait qu'il ne rentrât point en Angleterre avant deux ans au moins. Peacock proposa ensuite que, puisqu'ils ne pouvaient plus rien faire cette nuit-là, ils allassent tous se coucher. Le roi accompagna Peacock jusqu'à sa chambre tout en continuant de bavarder. « Je l'ai supplié de se mettre au lit », dit Peacock. « Quand il s'est éloigné, je l'ai entendu appeler le pauvre Walter Monckton qui était complètement éreinté : « Je voudrais vous dire un mot [7]. »

Les trois frères du roi arrivèrent le lendemain matin pour servir de témoins à la signature de l'acte d'abdication.

Il signa sept copies de l'acte d'abdication et huit exemplaires du message du roi aux Parlements de l'Empire. Puis, pendant que ses frères signaient à leur tour, le roi sortit dans le jardin.

Monckton le rejoignit, s'excusa, puis déclara que le Premier ministre avait demandé s'il y avait quelque chose que le roi désirerait qu'il inclût dans son message au Parlement le lendemain.

Le roi répondit qu'il était « gentil de la part de S. B. » d'avoir songé à ce geste [8]. Il griffonna deux billets sur deux petits bouts de papier rectangulaires. L'un attestait la confiance qu'il plaçait en son frère pour lui succéder et rappelait qu'ils s'étaient toujours très bien entendus. Le second indiquait que « l'autre personne le plus étroitement concernée » avait constamment essayé jusqu'au bout « de dissuader le roi de prendre cette décision [9] ».

Au lieu de transmettre directement à Downing Street les documents signés, Monckton suivit le protocole : il les porta au palais de Buckingham et les remit au major Hardinge pour qu'il les communiquât à qui de droit. Quelle ironie dans le fait que l'homme dont la lettre avait déclenché toute la tempête aille livrer au Premier ministre le produit fini de son travail!

Baldwin avait dit qu'il préférait « se taire en sept langues » plutôt que de parler en l'une d'elles [10]. Mais le jeudi 10 décembre fut son jour de parole.

Harold Nicolson trouva, ce jour-là, la Chambre des Communes « nerveuse et bruyante ». Les tribunes étaient remplies sur deux rangs, et des gens s'étaient assis dans les couloirs. Il décrivit Baldwin tâtonnant pour trouver la clé de sa boîte, extrayant des feuillets portant le monogramme royal, rouge, ainsi que se propres notes sur du papier mince.

« Le vieux bonhomme les ramasse en hâte et, aussitôt, se dirige précipitamment vers la barre, se tourne, s'incline et s'avance vers le fauteuil. Il s'arrête et salue encore. ' Un message du roi ', crie-t-il, ' signé de la propre main de Sa Majesté. ' Puis il tend les papiers au speaker.

« Ce dernier se lève et lit à haute voix — tremblante — le message d'abdication. L'impression qu'à tout moment l'émotion peut l'obliger à s'interrompre accroît notre propre émotion. Je n'ai jamais senti dans une assemblée une telle charge de pitié et d'effroi.

« Ensuite le Premier ministre se lève. Il narre toute l'histoire. Il avait un mouchoir bleu dans la poche intérieure de son habit à queue. Les ' Très bien! Très bien! ' ont la résonance solennelle des ' Amen '. Ses papiers sont en désordre... et il hésite un peu. Il confond les dates, se tourne vers Simon : ' C'était un lundi, n'était-ce pas le 27? ' L'artifice de tels détours est si frappant qu'on pense qu'ils ont été voulus. A aucun moment il n'exagère l'émotion, ni se lance dans des effets oratoires. Le lourd silence n'est brisé que par les journalistes parlementaires qui vont téléphoner le discours, paragraphe par paragraphe. Je suppose que, dans les siècles à venir, des hommes liront mot à mot ce morceau et s'exclameront : ' Quelle occasion perdue! ' Ils ne sauront jamais la force tragique de sa simplicité. ' J'ai dit au roi... ' 'Le roi m'a dit... ' C'était sophocléen et presque intolérable. Attlee fut de mon avis. Lorsqu'il eut fini, il a demandé que la séance soit suspendue jusqu'à 6 heures du soir. Nous nous esquivons en files serrées, le corps et l'âme brisés, conscients d'avoir entendu le meilleur discours de toute notre existence. Pas question d'applaudir. C'était le silence de Gettysburgh [11]. »

Le tragique, l'intolérable, n'étaient pas seulement le discours mais le décor, et l'action.

Avec le discours de Baldwin, la Chambre des Communes vit pour la première fois toutes les scènes dans leurs détails intimes. Baldwin parla du roi comme d'un vieil et cher ami, ce qu'il n'était pas. Il parla de lui-même comme d'un homme qui avait désespérément essayé de maintenir le roi sur le trône, et ce n'était qu'une demi-vérité. Au début, c'est exact, il tenta de persuader le roi de rester en renonçant à Wallis. Lorsque celui-ci refusa carrément et que Baldwin perçut qu'un tel mariage diviserait le pays, alors il ne cacha plus son impatience de voir le roi abdiquer. Des années plus tard, lorsque Brownlow remit à Baldwin le manuscrit de la renonciation de Wallis et qu'il lui raconta les plans et les espoirs qu'il avait nourris alors pour empêcher l'abdication, Baldwin lui répondit, peut-être en plaisantant moins qu'il n'y paraissait : « Si vous aviez réussi, je vous aurais jeté dans la Tour de Londres pour le reste de votre vie [12]. »

Cependant, à ce dernier dîner au Fort — ils ne se revirent jamais plus — Baldwin argumenta avec une force persuasive extrême « pour l'amour du pays et pour tout ce que représentait le roi » afin qu'il renonçât à sa décision de se marier. Le roi fatigué le pria alors de lui épargner de nouveaux avis à ce sujet, mais le Premier ministre était dur d'oreille et ne l'entendit pas. « A ma vive surprise », nota Monckton, « Mr. Baldwin revint à la charge avec une vigueur renouvelée et, je crois, réaffirma sa position encore mieux qu'avant [13]. »

La vérité est toujours mixte. Le Baldwin pratique, politique, voulait se débarrasser du roi le plus tôt possible; le Baldwin émotif, sentimental, voulait conserver le roi.

Rien de tout cela, évidemment, dans son discours au Parlement!

Il fit état, cependant, de la référence (demandée au roi) au frère d'Edouard VIII, mais il ne mentionna pas le fait auquel le roi tenait encore plus, à savoir que Wallis avait tout tenté pour l'empêcher d'abdiquer.

Le roi avait téléphoné à Wallis pour l'informer de son abdication. Tout engourdie qu'elle était, elle lui dit qu'il était fou.

« Nous avons appris l'abdication par la radio », dit Brownlow. « Nous l'attendions. Elle était allongée de tout son long sur le divan. Elle s'est remise à pleurer. Nous étions tous les deux seuls, et j'ai essayé de la consoler. Je me demande jusqu'à quel point j'ai réussi. Elle a pleuré très longtemps [14]. »

Today

By Arthur Brisbane

The Capital's Greatest Newspaper

Washington Herald

AN AMERICAN PAPER FOR THE AMERICAN PEOPLE

6 A.M. FINAL

PRICE THREE CENTS

THURSDAY, DECEMBER 10, 1936

KING ABDICATES!

Signs Decree; House Gets News Today

NEW MAXWELL JURY SELECTED; RETRIAL OPENS

Defense Offers Strategy to Contend Blow of Slipper Did Not Kill Trigg Maxwell

By W. A. S. DOUGLAS

WISE, Va., Dec. 9.—Pretty brunette Edith Maxwell went on trial again today as a patricide. A jury 13 months ago convicted her of murdering her father and imposed a sentence of 25 years. Her appeal for retrial was granted.

'Henpecking' Alleged

WAITING

Mrs. Simpson Off to Meet Edward at Airport

REUNION

By MAURICE BURKE

CANNES, France, Dec. 9 (U.P.).—The scene of England's romantic drama of love and empire was due to shift to Cannes tonight, as Mrs. Wallis Warfield Simpson waited the arrival of King Edward VIII.

Wallis Leaves Villa

Mr. David Windsor

YORK TO REIGN

Parliament Slated to Name Duke as Monarch After Accepting Renunciation; Leaders Disturbed

EMPIRE TENSE

LONDON, Thursday, Dec. 10 (U.P.).—An automobile crunched softly along a Fort Belvedere bridal path, swung into a private road and poked cautiously on through the white fog toward Windsor Castle.

Inside was the King of England who, according to friends, was on his way to say goodbye-goodbye to family, throne and empire.

CANNES, Dec. 10 (Thursday)

Le dîner du roi ce soir-là ne fut pas particulièrement agréable. George et Kitty Hunter étaient là, ainsi que tante Bessie. Les Hunter avaient accompagné Wallis à Felixstowe pendant qu'elle attendait l'audience d'Ipswich pour son divorce. Kitty Hunter évoqua plus tard ce repas devant Monckton.

« Le pauvre roi dut passer des instants assez pénibles », raconta Monckton, « parce que George et Kitty versèrent des larmes dans leur potage et dans tout ce qui leur fut servi ensuite, malgré les efforts héroïques du roi pour que le dîner se déroulât dans la gaieté [15]. »

Monckton avait encore des affaires à régler pour le roi. Il alla voir le duc d'York pour lui parler du titre d'Edouard VIII après l'abdication.

« J'ai souligné que le titre « Son Altesse Royale » était l'un de ceux que l'abdication ne retirait pas et dont la suppression exigerait une loi du Parlement. Le roi renonçait à tout droit au trône pour lui-même et ses successeurs, mais non à sa naissance royale qu'il partageait avec ses frères. Le duc comprit tout de suite et m'annonça qu'il créerait son frère aîné Duc de Windsor par le premier acte du nouveau règne [16]. »

La question du titre se compliqua lorsque Wallis fut en cause, mais ces difficultés surgirent ultérieurement.

Le roi avait dit à Baldwin qu'il entendait prononcer un discours d'adieu par radio au peuple britannique lorsque l'abdication serait devenue officielle. En tant que simple particulier, il n'avait plus besoin de l'autorisation de Baldwin.

La BBC programma le discours pour le vendredi 11 décembre à 10 heures du soir, et elle posa les câbles appropriés au château de Windsor. Le monde entier réclama la retransmission par relais. Alors même que l'Espagne était plongée dans la guerre civile et que Madrid était bombardée par des canons et des avions, Radio-Madrid téléphona pour obtenir l'autorisation de relayer le discours d'abdication.

Le roi et Monckton travaillèrent sur un premier texte. « Le même jour », rappela Monckton, « Churchill est descendu à Fort Belvedere et il a considérablement amélioré la forme du message prévu, sans toutefois en altérer la substance [17]. »

Comme s'il devait n'y avoir jamais de fin aux mauvaises nouvelles, le secrétaire à l'Intérieur, Sir John Simon, dont les fonctionnaires avaient mis sous surveillance le téléphone du roi, lui notifia que, « les circonstances ayant changé [18] », les détectives anglais qui protégeaient à Cannes Mrs. Simpson seraient retirés.

Le roi piqua une colère terrible. Tout ce qu'il avait fait avait eu pour premier motif de mettre Wallis à l'abri d'inquiétudes, de problèmes ou de toute publicité malveillante. Pour en arriver là? Le secrétaire à l'Intérieur annula rapidement sa décision et les détectives demeurèrent sur place.

Wallis avait en effet besoin de toute la protection possible. Les curieux se succédaient en masse devant la villa des Rogers; ils observaient tout; ils attendaient sans désemparer. Ils comptaient le nombre de boîtes d'orchidées que le roi lui envoyait chaque jour. Ils identifiaient quiconque se promenait dans la cour. Ils surveillaient les fenêtres et scrutaient l'intérieur de toutes les voitures qui sortaient.

Si cette histoire prenait ainsi des proportions phénoménales, ce n'était pas simplement parce que le monde entier aime les amoureux; c'était parce que la plupart des gens vivaient une existence quotidienne si morne, si incolore, qu'ils se passionnaient pour ce genre de roman d'amour.

Le vendredi où l'acte d'abdication franchissait ses ultimes étapes à la Chambre des Communes, tous les députés semblaient fort contents d'eux-mêmes, ce qui ne les empêcha pas de prononcer les petits discours habituels de sympathie pour le roi.

Le travailliste indépendant George Buchanan tailla quelques croupières à cette hypocrisie en disant qu'il n'avait jamais entendu autant de tartufferies sur le roi. « S'il ne s'était pas spontanément retiré du trône, chacun sait que les mêmes députés qui lui rendent des hommages aussi peu sincères auraient déversé sur lui des tombereaux de brocards, d'insultes et d'ordures... S'il est seulement un dixième aussi bon que vous l'affirmez, pourquoi ne le gardez-vous pas [19]? »

Le roi et Churchill déjeunèrent ensemble au Fort ce jour-là. Churchill réclama une photo du roi, et le roi en fit chercher une. Churchill tira alors une montre de son gousset et, à l'heure prévue pour le vote définitif de l'acte d'abdication par le Parlement, il demanda au roi de signer de son nom la photographie. Le roi signa « Edward, R. I. » et lui dit : « Voici ma dernière signature de roi [20]. » L'abdication fut officielle à 1 h 52. Edouard VIII avait régné trois cent vingt-cinq jours, treize heures et cinquante-sept minutes.

A la porte, lorsqu'il lui fit ses adieux, l'ancien roi entendit Churchill réciter, à mi-voix, les vers d'Andrew Marvell sur la décapitation de Charles Ier :

Il ne fit rien de commun ni de mesquin
Sur cette scène mémorable.

Churchill avait les yeux pleins de larmes quand il se dirigea vers la voiture qui l'attendait. Au moment où l'auto allait démarrer, l'ex-roi sortit en courant et cria : « Hé, Winston, vous avez oublié votre photo [21]... »

Son frère Bertie, le duc d'York, qui allait lui succéder entra dans sa chambre pendant qu'il était en train de faire ses bagages. Les deux hommes étaient mal à l'aise. L'ancien roi dit au futur roi que la tâche n'était pas difficile, et de ne se faire aucun souci pour son bégaiement tant son élocution s'était améliorée.

Monckton arriva avec le texte définitif de l'allocution radiodiffusée. Baldwin avait indiqué à Edouard qu'il serait heureux si elle contenait une petite phrase amicale à son sujet. Edouard n'était guère disposé à lui consentir cette faveur parce que le Premier ministre n'avait pas soufflé mot au Parlement des louables efforts de Wallis. Cependant il ajouta une mention aimable pour Baldwin. Il la justifia plus tard en disant qu'il n'avait pas voulu être mesquin. Mais il est bien possible que dans son subconscient il ait pensé que Baldwin pouvait encore compromettre le divorce définitif de Wallis par l'intermédiaire du procureur du roi. Baldwin détenait aussi d'autres clés d'avenir : un titre décent pour Wallis, le montant de l'allocation gouvernementale, les futurs rapports d'Edouard avec son pays.

Le dîner au Fort fut paisible; il n'y avait que l'ex-roi et quelques fidèles. Sur la route du château de Windsor, ils s'arrêtèrent à la Royal Lodge pour voir le duc d'York et la reine Mary. Puis ils repartirent pour le château où avait lieu l'émission.

« Nous sommes montés dans la salle où le roi devait prononcer son allocution », raconta Monckton, « et Sir John Reith, directeur général de la BBC, nous parla pendant quelques instants de l'Espagne et d'autres sujets, puis il nous laissa seuls, le roi et moi.

« Dans les cinq dernières minutes avant l'heure prévue pour l'émission, le roi relut rapidement son texte. Il fit aussi des essais de voix au micro, et on l'assura que tout allait bien. A dix heures, Sir John Reith entra, se pencha au-dessus du roi qui était assis devant le micro, et annonça ' Son Altesse Royale le Prince Edouard ', puis il quitta la salle [22]. »

Jamais une émission n'avait bénéficié d'une écoute aussi considérable. A la villa Lou Viei de Cannes, Wallis bavardait encore, non sans énervement, cinq minutes avant que Brownlow lui rappelât que c'était l'heure de brancher la radio. Elle s'allongea sur le divan, les yeux fixés sur le poste comme si elle le voyait parler :

> Enfin, il m'est possible de dire quelques mots personnels.
>
> Je n'ai jamais rien voulu cacher mais, jusqu'à maintenant, il ne m'a pas été constitutionnellement possible de parler.
>
> Il y a quelques heures, j'ai accompli mon dernier devoir de roi et empereur et, à présent que me succède mon frère, le duc d'York, mes premiers mots doivent proclamer mon allégeance envers lui. Je le fais de tout cœur.
>
> Vous connaissez tous les raisons qui m'ont poussé à renoncer au trône, mais je voudrais que vous compreniez qu'en prenant ma décision je n'ai pas oublié la patrie et l'Empire que je me suis efforcé de servir depuis vingt-cinq ans comme Prince de Galles et, tout récemment, comme roi.
>
> Mais vous devez me croire si je vous dis que j'ai constaté l'impossibilité de porter le lourd fardeau des responsabilités et de m'acquitter de mes devoirs de roi comme je le désirais sans le concours et le soutien de la femme que j'aime, et je voudrais que vous sachiez bien que ma décision a été prise par moi et moi seul. Il s'agissait d'une chose dont j'étais le propre juge. L'autre personne le plus étroitement concernée s'est efforcée, jusqu'à la dernière minute, de me convaincre d'adopter une ligne de conduite différente. J'ai arrêté cette décision, la plus grave de ma vie, en songeant uniquement à ce qui serait finalement préférable pour tous.
>
> Elle m'a été rendue moins difficile par l'absolue certitude que mon frère, avec sa longue habitude des affaires publiques du pays et ses immenses qualités, sera en mesure de me remplacer sur-le-champ sans que soient interrompus ou compromis l'existence et les progrès de l'Empire, et il a le bonheur inégalable, que partagent beaucoup d'entre vous mais qui ne m'a pas été accordé, d'avoir un foyer heureux avec sa femme et ses enfants.
>
> Pendant ces journées pénibles, j'ai été réconforté par ma mère et par ma famille.
>
> Les ministres de la Couronne, et en particulier Mr. Baldwin, le Premier Ministre, m'ont toujours témoigné une entière considération. Il n'y a jamais eu le moindre différend constitutionnel entre moi et eux, ni entre moi et le Parlement. Elevé par mon père dans la tradition constitutionnelle, je n'aurais jamais permis que de tels problèmes surgissent.
>
> Depuis que j'ai été Prince de Galles et, dans la suite, quand j'ai occupé le trône, j'ai toujours été traité avec la plus grande bienveillance par toutes les classes de la société, où que j'aie vécu ou voyagé dans tout l'Empire. Je leur en suis très reconnaissant.
>
> Maintenant, je quitte complètement les affaires publiques, et je dépose ma charge. Un certain temps s'écoulera peut-être avant que je revienne dans mon pays natal, mais je suivrai toujours avec un intérêt profond la fortune de la nation anglaise et de l'Empire; et si, à un moment quelconque dans l'avenir, je puis me rendre utile au service de Sa Majesté à un poste privé, je n'y faillirai pas.
>
> Et à présent nous avons tous un nouveau roi.
>
> De tout cœur je lui souhaite, et à vous son peuple, bonheur et prospérité.
>
> Dieu vous bénisse tous.
>
> *God save the King.*

« Le roi a commencé, je pense, avec un peu d'inquiétude », remarqua Monckton, « mais au fil des phrases sa confiance a grandi, sa voix s'est affermie, et le *God save the King* final a été presque un cri. Puis le roi s'est levé et, passant un bras autour de mes épaules, il m'a dit : " Walter, c'est vers quelque chose de beaucoup mieux que je vais maintenant " [23]. »

Wallis raconta plus tard que tout le personnel de la villa et les Rogers s'étaient rassemblés dans la pièce pour écouter le discours d'abdication et qu'ils la laissèrent seule aussitôt après. L'un des domestiques soutint ensuite que Wallis avait murmuré tout en écoutant : « L'imbécile! Imbécile stupide [24]! »

Sur le divan du salon, après leur départ, Wallis éclata en sanglots comme si ç'avait été la fin du monde.

« Cette fois, je n'ai pu la consoler », dit Brownlow, « et je n'ai même pas essayé. J'avais l'impression qu'elle avait détruit mon roi. J'ai quitté la pièce sans lui dire au revoir »[25].

L'ancien roi rentra avec Monckton pour faire ses adieux à la famille royale. La reine Mary masqua ses sentiments derrière ses airs de grandeur « et prit allègrement congé du roi. Je me rappellerai toujours la voiture démarrant et le salut du roi à sa mère », dit Monckton [26].

Pendant près d'une heure, les frères parlèrent de tout et de rien, sauf de ce qui occupait le plus leurs pensées. Finalement, le duc de Kent, qui était le plus jeune et le préféré de l'ancien roi, explosa : « C'est complètement insensé [27]! »

Plus tard, George VI écrivit : « Lorsque nous nous sommes dit au revoir, David et moi, nous nous sommes embrassés, puis séparés comme des francs-maçons, et il s'est incliné devant moi, son roi [28] *. »

Dans leur voiture en route pour Portsmouth, l'ancien roi évoqua avec Monckton des heures et des lieux d'autrefois, et parla d'amis communs. Ils se trompèrent de porte pour pénétrer dans le bassin, et ils durent en faire le tour avant de découvrir le *Fury*, destroyer tout neuf qui allait le conduire en France. Il avait tenu à effectuer la traversée sans être accompagné d'officiels; seuls quelques membres de son entourage devaient le suivre.

Il était quatre heures du matin, le samedi, quand Monckton fut de retour à Londres; il rédigea aussitôt une lettre pour la reine Mary. « Je l'ai quitté sur le destroyer », écrivit-il; « il était encore plein du gai courage et de l'esprit qui nous a tous stupéfiés cette semaine... Il y a et il y aura toujours en lui de la grandeur et de la gloire. Même ses défauts et ses folies sont exceptionnels [29]... »

* Dans le texte original du premier discours de George VI, il y aurait eu ce membre de phrase « Par suite de l'abdication de notre cher et bien-aimé frère aîné », qui fut retiré de la version définitive du discours.

Monckton dit qu'il était parti « comme un grand gentleman » [30]. Baldwin devait déclarer à son biographe : « Quiconque écrira sur l'abdication devra rendre justice au roi. Il n'aurait pu se comporter mieux qu'il ne l'a fait [31]. »

Lorsque le *Fury* s'éloigna sans bruit, l'ancien roi resta debout sur le pont et contempla dans la nuit l'ombre de son Angleterre. Il n'avait pas renoncé qu'à son trône; il avait renoncé à son pays.

« J'ai su alors que j'étais irrémédiablement seul », commenta-t-il plus tard. « Les ponts-levis se relevaient derrière moi. Mais j'étais certain d'une chose : en ce qui me concernait, l'amour avait triomphé [32]. »

3

25

Pour Wallis, le temps des larmes était passé.

Elle allait avoir besoin de toute son énergie, de tout son sang-froid.

Les lettres qui lui parvenaient du monde entier se chiffraient maintenant par milliers; la haine les avait souvent inspirées. Toujours curieuse, mais peut-être aussi par pénitence, elle voulut en lire une grande partie.

S'il y avait une tonalité d'ensemble, c'était celle de la plainte.

« Pourquoi nous avez-vous enlevé notre roi? »

La police démentit des bruits selon lesquels ses aliments étaient quotidiennement analysés par peur du poison, mais ne nia pas que plusieurs personnes avaient été arrêtées pour lui avoir écrit des lettres de menaces.

Elle décacheta une enveloppe très vite, car l'écriture lui était aussi familière que la sienne, et elle tomba sur ce passage :

« ... Et votre existence aurait-elle toujours été la même si vous aviez rompu? Je veux dire : auriez-vous pu reprendre votre vie passée et oublier le monde enchanté que vous aviez traversé? Je ne le crois pas, mon enfant [1]. »

C'était une lettre d'Ernest Simpson.

Rien d'étonnant s'il s'exprimait si paternellement avec elle, bien qu'il fût légèrement plus jeune que Wallis. Il la connaissait par cœur, il devinait l'effondrement de sa confiance en soi, il mesurait la profondeur des reproches qu'elle s'adressait. Dans une autre lettre, il lui écrivit qu'il voulait croire qu'elle avait fait tout ce qui était en son pouvoir pour empêcher la catastrophe finale.

Son ardent défenseur aux Etats-Unis, Upton Sinclair, tança vertement les Anglais dans un long article. Au sujet d'Edouard, il ajouta : « Par un seul geste magnifique, vous avez fait plus pour donner de la dignité à la condition féminine et pour accorder à la femme sa juste place, que beaucoup de grands peuples n'en ont été capables au prix de persistants et laborieux efforts [2]. »

L'une des réponses publiées à Sinclair fut un câblogramme : « Vous considérez Mrs. Simpson comme la fleur de la féminité américaine. Pas nous. » Signé : « Un Londonien [3]. »

Lady Astor (née en Virginie) répéta partout que le peuple anglais avait rejeté Wallis à cause de « son passé ». Elle disait aussi : « Ceux qui ne veulent pas se plier aux règles ne peuvent pas régner [4]. »

Wallis passa le lendemain de l'abdication enfermée dans sa chambre. Ç'aurait été trop accablant de parler, même à Rogers ou à Perry Brownlow. Elle resta couchée jusqu'au milieu de l'après-midi. Dormit-elle? C'est une autre question.

La radio demeura branchée presque toute la journée, et Wallis s'étonna peut-être que les Anglais fussent si peu démonstratifs devant la nouvelle de l'abdication. S'ils furent émus, ils le cachèrent sous leur célèbre réserve britannique. A la Jamaïque, Lloyd George versa des larmes, comme beaucoup de millions de femmes dans le monde.

« Quiconque a entendu parler ce souverain n'oubliera jamais ses paroles », déclara l'actrice Ina Claire, et : « L'abdication a rendu nos productions dramatiques ternes et inintéressantes. Elle a surclassé Hollywood et, à côté d'elle, la tragédie grecque paraît banale. Il faut que le théâtre tire enseignement de cette émission historique. »

Philip Gibbs a résumé ainsi la réaction d'aviateurs de la RAF qui venaient d'écouter l'allocution d'Edouard : « Il nous a laissé tomber [5]. »

Mais cette irritation restait mesurée. L'humeur générale était plutôt à la tristesse, au regret, à la honte.

La reine Mary la traduisit dans son message au peuple.

« Je n'ai pas besoin de vous parler de l'affliction qui emplit le cœur d'une mère quand je pense que mon cher fils a estimé de son devoir de déposer sa charge et que le règne, qui avait débuté avec tant d'espoirs et de promesses, s'est subitement terminé.

« Je sais que vous comprendrez ce qu'il lui en a coûté d'arriver à cette décision; et que, vous rappelant les années où il s'est efforcé avec tant de zèle de servir et d'aider son pays et l'Empire, vous garderez toujours de lui un souvenir reconnaissant dans vos cœurs [6]. »

Dans une lettre au *New York Times,* un Londonien essaya d'expliquer cette réaction aux Américains.

« Que le peuple américain nous méprise, s'il y tient, parce que nous n'avons pas cassé de vitres, lynché des politiciens et démoli tout l'édifice que nos ancêtres ont eu tant de mal à construire; mais il ne faut pas que se répande l'ignoble mensonge que nous avons approuvé et applaudi la manœuvre déshonorante grâce à laquelle de puissants intérêts ont éloigné de la vie publique l'un des Anglais vivants les plus courageux, sincères et loyaux [7]. »

Cela, Wallis ne le comprenait pas. Elle avait cru dès le début que la force du roi résidait dans le peuple qui l'aimait et — pensait-elle — ne l'abandonnerait pas. Elle ne se rendait pas compte que le peuple ignora tout jusqu'à ce qu'il fût trop tard; que, une fois mis au courant, il ne comprit pas complètement; et que, quand il eut compris, il se tourna en majorité contre le roi.

Dans une note confidentielle au Secrétaire d'Etat des Etats-Unis, le consul américain à Plymouth analysa la situation avec lucidité.

Ce n'était pas la nationalité américaine de Wallis, ni même « une aversion congénitale pour le divorce » qui avait provoqué l'opposition du peuple au mariage; « mais les gens d'ici ont estimé que la procédure pour obtenir le second divorce ressemblait trop à une farce pour qu'ils la tolèrent ». Le « front solide » de l'opposition, écrivit-il, était constitué par « les classes moyennes qui comprennent les non conformistes endurcis et la grande majorité des fidèles de l'Eglise anglicane ». Parmi ces derniers, beaucoup « déclarèrent ouvertement que tout aurait été très bien si le roi avait suivi l'exemple institué par d'autres souverains dans le passé, et s'il avait fait de Mrs. Simpson sa maîtresse. Ils semblaient incapables de mesurer l'hypocrisie de ce point de vue, et ils n'éprouvaient aucune difficulté à dire, presque simultanément, que le roi devait être un exemple de moralité pour son peuple [8].

« Comment a-t-il pu choisir contre son peuple? demandent-ils. »

Cette hypocrisie morale exaspérait Wallis. Sa rancune contre les Anglais ne fit que croître au cours des années.

Perry Brownlow fut incapable de demeurer plus longtemps à Cannes. Son chagrin pour Edouard était si profond qu'il ne pouvait feindre à l'égard de Wallis une compassion qu'il ne ressentait pas. Et, surtout, il voulait être auprès de son ami qui avait besoin de lui.

Lorsque les journalistes l'interrogèrent sur le discours d'abdication, il se borna à répondre : « La voix du roi a été écoutée à la villa comme partout ailleurs. Je n'ai rien d'autre à vous dire [9]. »

26

Wallis avait le cafard parce qu'elle était prise au piège; le nouveau Duc de Windsor était tout ragaillardi parce qu'il se sentait libre.

A bord du *Fury*, le commandant du destroyer écrivit dans son rapport : « Son ancienne Majesté avait l'air normal de quelqu'un qui aurait traversé des moments très éprouvants, mais son attitude ne trahissait aucune lassitude, et il s'exprimait avec animation [1]. »

Sur le navire, il s'affaira tout de suite pour expédier des câbles d'adieux et de remerciements à tous ses amis. Lorsqu'il fut averti que la radio ne pourrait pas être utilisée dans les eaux territoriales, il ordonna que le *Fury* regagnât la haute mer jusqu'à ce qu'il fût allé au bout de sa liste. Il confia plus tard à Lord Brownlow en riant qu'il avait économisé beaucoup d'argent parce qu'il n'avait pas payé les câbles.

L'un d'eux fut adressé au Premier Ministre Baldwin qui avait encore entre les mains quelques clés capitales pour l'avenir du Duc.

Le *Fury* ayant une autonomie de 10 000 kilomètres, le bruit courut qu'il se dirigeait vers la Côte d'Azur où le Duc et Wallis avaient rendez-vous. Mais ses conseillers juridiques l'avaient prévenu qu'il compromettrait le divorce de Wallis s'ils habitaient le même pays avant que le jugement provisoire devînt définitif.

Le *Fury* accosta à Boulogne, et il faisait encore nuit lorsque le Duc monta à bord du wagon spécial qui l'attendait. En disant au revoir aux quelques amis qu'il avait autorisés à l'accompagner jusque-là, il fit cette remarque qui résumait assez bien sa tragédie : « J'ai toujours cru que je pourrais faire accepter un mariage morganatique [2]. »

« Au milieu de toutes ses grandes qualités, il y avait aussi en lui un certain manque... Ce qui paraît presque incroyable, c'est qu'un homme né et élevé pour assumer de si hautes responsabilités, un homme qui possédait visiblement la capacité de le faire et qui avait déjà commencé à les exercer en bénéficiant de l'entière bonne volonté de la nation, ait dû tout sacrifier à cause d'une préférence personnelle pour un autre mode de vie. On peut vraiment appliquer au roi Edouard le jugement porté sur l'empereur Galba, à savoir que tous les hommes l'auraient trouvé digne du trône s'il n'y était jamais monté [3]. »

Malgré le froid hivernal et l'heure matinale, une foule nombreuse où figurait le maire de Boulogne attendait son arrivée. Mais n'étant plus un personnage officiel, il refusa de recevoir personne. Les curieux entrevirent simplement un homme en manteau noir et chapeau melon, et quatre camions de gardes mobiles les refoulèrent. Cinq agents de la Sûreté rejoignirent le duc, son écuyer et Slipper, le chien de Wallis. Quand eurent été chargés quatre grosses malles et vingt-six bagages à main, le train s'ébranla.

Il avait d'abord fait le projet de s'installer dans un petit hôtel suisse, mais Wallis s'y était opposée. Elle téléphona à leurs amis le baron et la baronne Eugène de Rothschild qui s'empressèrent d'inviter l'ancien roi à leur château d'Enzesfeld en Autriche.

Le baron était un bel homme élégant, et son épouse comptait parmi les femmes les plus distinguées d'Europe. La baronne était l'ex-Kitty Wolff, fille d'un dentiste de Philadelphie, qui en était à son troisième mariage. Grande, gracieuse, très bien faite, elle passait pour l'une des femmes les mieux habillées du monde.

Le château était situé à proximité immédiate d'un petit village qui dominait une plaine rendue sinistre par l'hiver. Le duc, cependant, se sentit assez plein d'entrain après le voyage pour poser devant les photographes. Au château, il téléphona longuement à Wallis et on l'entendit ensuite « chanter dans sa baignoire ».

Lorsque le baron rendit visite au duc dans sa chambre, il le trouva en train de défaire ses valises et d'en extraire son linge et ses vêtements. Le duc était venu sans valet de chambre et il s'excusa du désordre. « Je ne suis pas très bon pour ce genre de choses », avoua-t-il. « Voyez-vous, je ne l'ai jamais fait tout seul [4]. »

Le lendemain matin, son optimisme tomba à plat. Il essaya de pousser une balle de golf sur les pelouses, mais le temps était trop sombre et trop froid. La baronne l'invita au bowling qui se trouvait au sous-sol, mais elle le battit. Et les nouvelles n'étaient pas fameuses.

L'archevêque de Canterbury avait gardé le silence pendant la crise. Mais à présent que la controverse était terminée, il estima nécessaire de se prononcer contre le mariage. Ce dimanche-là, il parla du roi qui avait quitté « nos rivages dans les ténèbres » [5]. Il fit allusion à son « ardent désir d'un bonheur privé [6] » qui l'avait amené à abandonner sa charge.

« Il est encore plus étrange et triste qu'il ait cru devoir rechercher son bonheur d'une manière non conforme aux principes chrétiens du mariage, et dans un milieu social dont les valeurs et les modes de vie sont étrangers aux meilleurs instincts et traditions de son peuple [7]. »

Il termina en disant : « Quel dommage! Oh, quel dommage [8]! »

Le Duc de Windsor prit la chose suffisamment mal pour qu'il consultât Monckton en vue d'intenter un procès à l'archevêque. Il téléphona aussi à son frère le roi et à sa mère. De longues conversations avec Wallis qui sut se montrer tendrement persuasive au bout du fil finirent par le calmer. Le discours de l'archevêque avait été radiodiffusé et intégralement publié par tous les grands journaux.

Les réactions furent mitigées.

Le Premier ministre Baldwin, dans une lettre manuscrite élogieuse, trouva que ce discours était la « voix de l'Angleterre chrétienne ». Etrange attitude de la part d'un homme qui s'était désigné lui-même comme le « vieil ami » d'Edouard et qui lui écrivit ensuite : « Vous avez été très droit avec moi, et vous avez agi comme vous aviez dit que vous le feriez; vous avez tout au long conservé votre diginité personnelle; vous n'avez rien fait pour gêner votre successeur [9]. »

L'archevêque d'York suivit son chef, et il parla à son tour de la « triste et humiliante histoire », c'est-à-dire de la décision du roi Edouard de renoncer à son trône pour « la femme d'un autre ». Et il ajouta : « Un homme d'honneur aurait agi différemment [10]. »

Les commentaires de ces deux archevêques qui semblaient s'acharner sur un homme à terre, suscitèrent une réaction typiquement anglaise en faveur du « fair play ». Du coup, la censure de l'opinion se nuança d'indulgence.

Le dirigeant travailliste Ben Tillett exprima cette nouvelle réaction du pays en disant : « Quoi qu'il ait fait, il est assez puni. Et Mrs. Simpson a également assez souffert. »

La solitude du Duc ne tarda pas à devenir cruelle.

Il parla par téléphone à Wallis plus souvent et plus longtemps. Il se plaignit de maux de tête, de maux d'oreilles. « Le Duc n'est pas particulièrement malade », dit le baron à la presse. « Comment pourrait-il se porter tout à fait bien étant donné les circonstances [11]? » L'indisposition fut présentée comme « un relâchement nerveux, affectif » [12].

L'arrivée de Lord Brownlow n'aurait pu être plus opportune ou mieux accueillie. Il lui apportait une pile de lettres de Wallis, ainsi que des photographies de villas de la Côte d'Azur qu'ils pourraient avoir envie de louer.

« Je me rappelle que j'ai bavardé avec lui jusqu'à trois heures du matin. Or je devais prendre l'avion afin d'être rentré dans ma famille pour Noël. Il m'a dit qu'il voulait me voir avant mon départ, et je me suis réveillé tard. J'ai frappé à sa porte; comme il ne me répondait pas, je suis entré. Il était au lit; c'était une vraie chambre de célibataire, où étaient éparpillés ses clubs de golf, sa caméra, quantité d'autres choses. Mais il avait entouré son lit de photos de Wallis, disposées en équilibre instable sur des tables et des fauteuils. J'en ai compté seize. C'était comme s'il dormait dans une crypte.

« Et il dormait. Profondément. Etreignant un petit oreiller de Wallis brodé à ses initiales « WS ». Tout autour de lui, des souvenirs de tous leurs bons moments passés ensemble, depuis des fragments de rocher jusqu'à de la bruyère. J'aurais voulu crier! Je suis ressorti, j'ai trouvé le valet allemand qu'il venait d'engager et je lui ai dit de réveiller le Duc. Lorsque je suis rentré dans sa chambre, tout — les photos, les souvenirs — tout avait disparu.

« Je n'ai qu'à fermer les yeux : je revois encore cette chambre [13]! »

27

Wallis ne se sentit libre que lorsque les détectives s'en allèrent et que les curieux se lassèrent. Jean Rouré, qui commandait les policiers français chargés de la protéger, dit à un journaliste : « Tout ce qu'a fait Mrs. Simpson, elle l'a fait sur ordres de Londres, jusqu'au départ du baron Brownlow samedi soir. Maintenant elle est libre et peut paraître en public. »

Sur une requête spéciale de Londres, un détective resta toutefois auprès d'elle. Mais son chauffeur George Ladbrooke lui laissa la Buick et rentra en Angleterre par le train. A présent, elle pouvait ouvrir ses fenêtres et aller se promener. Au cours de l'un de ses nombreux coups de téléphone, le Duc avait insisté pour quelle ne demeurât plus volontairement enfermée; il lui conseilla de faire du shopping, de jouer au golf, d'assister à des réceptions.

Alors Wallis convoqua Pierre, l'un des meilleurs coiffeurs de France, pour qu'il vînt s'occuper de ses cheveux. Il arriva avec un assistant, et ils passèrent trois heures à pratiquer leur art.

Elle avait peut-être été vaincue, mais sa défaite n'était pas totale, et elle voulut paraître sous son meilleur jour. Elle invita aussi des couturiers à lui montrer leurs collections et à modifier les robes qu'elle devait adapter à sa nouvelle silhouette amaigrie.

Le Petit Parisien essaya dans un éditorial de lui faciliter les choses : « En venant ici, Mrs. Simpson a donné à notre pays une marque de confiance et d'amitié à laquelle il nous faut répondre en gentlemen. Permettons donc à une jeune femme que les émotions ont dû briser de se reposer en paix, en sécurité, en liberté. »

Sa première visite à Cannes, cependant, ne fut pas agréable : reconnue, elle fut forcée de regagner précipitamment la villa.

Le maire de Cannes, Pierre Nouveau, lui adressa une lettre et des fleurs; il exprima ses regrets pour l'incident, et son espoir que le reste de son séjour serait meilleur. Ce simple geste suscita des réactions.

Certains Cannois, notamment des résidents anglais, déplorèrent publiquement que le maire eût dépensé l'argent des contribuables pour envoyer des fleurs à cette femme-là [1] ». D'autres remarquèrent que de nombreux touristes anglais, habitués de la station, boycottaient Cannes cette saison parce que Mrs. Simpson s'y trouvait : ils l'accusèrent de ruiner le commerce local.

De la villa Lou Viei, parvint au Duc une phrase plaintive : « Tout ce qui se passe maintenant dans cette région semble se rapporter à moi. »

Sans doute sur le conseil d'Herman Rogers, Wallis décida d'essayer d'améliorer son image de marque. En réponse à quelques questions, elle écrivit : « Il n'y a jamais eu le moindre désaccord entre Son Altesse Royale et Mrs. Simpson. » Elle ajouta : « Mrs. Simpson n'est pas dans une situation qui lui permette de dresser des plans, et elle ne compte pas voir Son Altesse Royale avant quelques semaines; elle ne voudrait pas exprimer une opinion sur la partialité des récents commentaires émis sur le Duc en Angleterre par l'Eglise [2]. »

Puis elle tint une conférence de presse à la villa. Elle apparut sur le perron avec un manteau sport à carreaux jeté sur ses épaules comme une cape, et sans chapeau; elle se tint debout à côté d'un parterre de marguerites pendant que les journalistes attendaient à un tournant de l'allée.

Elle portait un grand sac de cuir brun foncé. Sa seule bague était un anneau d'un centimètre serti de bijoux au quatrième doigt de la main gauche. Un fin bracelet d'or incrusté d'émeraudes et d'améthystes encerclait discrètement son poignet gauche.

Elle ne trahit sa nervosité qu'en tamponnant fréquemment sa bouche avec un petit mouchoir. Un journaliste remarqua qu'elle avait du rouge aux lèvres, mais que ses ongles étaient vernis à l'incolore.

Le monde s'intéressait-il vraiment à la couleur de ses ongles? Oui. Le monde voulait tout savoir.

Herman Rogers fit fonction de porte-parole et de conseiller à cette conférence de presse, mais Wallis eut droit à beaucoup de compliments : elle avait « de la verve », elle était « imbattable dans les répliques », elle « savait écouter ». « Lorsqu'elle posait poliment des questions, ce qui lui arriva souvent », nota un reporter, « elle attendait les réponses comme si elle était extrêmement intéressée » [3].

Elle avait peu d'informations à leur communiquer. Elle parla du temps, de la beauté de la Côte d'Azur, des dangers des routes de montagne, et elle se déclara amusée qu'on l'eût signalée en Egypte et à Rome au cours de ces derniers jours.

Son avenir, dit-elle, reposait entre les mains de l'homme qui venait, pour elle, de renoncer à son trône.

Cervantès l'a dit : « Tout inquiète un amant éloigné. » Naturellement agité, le Duc appelait trois fois par jour Wallis au téléphone.

Il était triste, nerveux. Il avait encore mal à l'oreille. Il faisait trop froid pour jouer au golf. Et la baronne continuait à le battre régulièrement au bowling.

Le bourgmestre d'Enzesfeld aurait voulu offrir à son hôte éminent un défilé à la lueur des torches avec des danses populaires, mais le Duc s'excusa. La chorale du village arriva en compagnie des enfants des écoles et de l'orphéon municipal pour adresser une sérénade au Duc; il les remercia mais, de grâce, un autre jour! Il se présenta à l'improviste pour déjeuner à l'ambassade de Grande-Bretagne à Vienne, distante d'une heure de route, et il parut tout étonné parce que l'ambassadrice utilisait des ronds de serviette. « Cela signifie-t-il », demanda-t-il, « que vous ne mettez pas de serviettes propres pour chaque repas? » [4].

Des papiers officiels lui étaient encore envoyés de Londres, mais leur nombre et leur intérêt diminuaient. Il s'ennuyait tellement qu'il lut les coupures de presse et même une brochure qui, intitulée *Solution du problème autrichien* [5], proposait qu'il fût le nouveau roi d'Autriche. Il sourit.

Son sourire s'effaça à la vue d'un éditorial du *New York Times* qui flétrissait son « manquement au devoir » à cause de « sa folle passion pour une femme ».

Quand donc comprendraient-ils? Ce n'est pas une question de passion; c'était sa vie qui se trouvait en cause. Wallis était le cœur de sa vie, voilà tout!

Il n'avait même plus le goût de s'habiller; il préférait sa culotte de cheval à carreaux, une chemise de flanelle grise et un chandail gris. Mais il tenait à ce que l'on respectât sa retraite. Des détectives, des gendarmes, des garde-chasses armés de fusils patrouillaient le domaine. Quelques gendarmes avaient même la baïonnette au canon. Le gouvernement autrichien mobilisa deux avions de la police pour tenir à l'écart des photographes trop audacieux. Pour une fois, le Duc rit de bon cœur en lisant un article qui relatait la poursuite par des chiens policiers d'une douzaine de photographes à moitié gelés dans les bois adjacents.

Autrement, il regardait des films de Mickey Mouse, il buvait du vin chaud sucré et épicé de clous de girofle et de cannelle — médecine autrichienne recommandée pour les rhumes et les maux de tête.

Le bruit se répandit que le Duc songeait à acheter ou à louer un château. Il reçut alors près de soixante-dix offres. Il en visita d'ailleurs un certain nombre, et en choisit un pour sa lune de miel.

Il téléphonait souvent à Londres pour parler à son frère le roi et lui donner toutes sortes de conseils qu'on ne lui demandait pas. Il procéda à ses achats de Noël, chercha des manteaux de fourrure pour Wallis. Il se montra économe pour lui-même : quelques couteaux de chasse et des valises, sans oublier de comparer les prix. Il n'avait jamais tenu ses comptes. Avant de s'acheter un manteau tyrolien, il réfléchit un bon moment, puis choisit celui qui avait la fourrure la moins chère pour économiser quinze dollars. « Il est près de ses sous », disaient les commerçants de l'endroit [6].

Son chauffeur arriva de Londres avec ses vêtements et son matériel de ski, et le Duc le renvoya avec la voiture pleine de cadeaux pour la famille royale. A l'occasion de Noël, sa mère lui fit parvenir un grand portrait de George V; son père avait été le seul homme qui ne l'eût jamais inspiré.

Peut-être fut-ce à la suggestion de sa mère qu'il participa à l'office de Noël. Belle réplique aux archevêques de Canterbury et d'York! Au lutrin de l'église anglicane de Vienne, il lut le récit de la Nativité. « J'étais très nerveux », admit-il plus tard. « Mais curieusement, lorsque je pris place pour lire l'un des Evangiles, une grande paix descendit sur moi et je me sentis consolé. » Il dit son texte d'une voix claire et assurée et, à la fin du service, il chanta avec toute l'assistance le *God save the King* [7].

Et puis, plus seul que jamais, il téléphona à Wallis.

Le signe le plus sûr que Wallis avait commencé à s'adapter et à reprendre des forces fut qu'elle envoya chercher à Londres toutes ses robes, et tante Bessie.

Elle fit expédier au Duc une boîte de mandarines cueillies sur les arbres des Rogers.

Et elle n'oublia pas un message de Noël pour les archevêques de Canterbury et d'York : elle autorisa une agence de presse à dire en son nom que les prélats et tous ceux qui avaient critiqué le Duc l'avaient bien mal connu et que, s'ils l'avaient réellement connu, ils n'auraient eu aucun motif de le blâmer.

A son cousin Newbold Noyes, Wallis câbla des réponses à diverses questions. Non, il n'était pas vrai que son divorce était accéléré afin qu'elle pût épouser le Duc plus tôt; non, il n'était pas vrai que le Duc lui eût donné des joyaux de la Couronne et qu'elle eût été obligée de les restituer; non, il n'était pas vrai qu'ils eussent acheté des maisons en Afrique du Nord ou dans Green Spring Valley au Maryland.

Quelques articles que lut Wallis pendant ces semaines-là durent lui faire plaisir. La romancière Gertrude Atherton avait écrit : « Prends garde, Angleterre! Tu as gravement insulté non seulement une Américaine, mais toutes les femmes d'Amérique. Et nous comptons dans ce pays [8]. » La célèbre romancière anglaise Rebecca West ajouta son grain de sel : « Il aurait été peut-être imprudent que Mrs. Simpson devînt reine, mais je suis sûre que la sécurité de l'Empire britannique serait mieux assurée si Mrs. Simpson était Premier Ministre [9]. »

Mais une nouvelle qui plut beaucoup plus à Wallis que son éventuelle promotion au 10 Downing Street fut que quelqu'un avait acheté son ancienne maison de Baltimore au 212 d'East Biddle Street pour la transformer en musée — sanctuaire serait un mot plus juste — rempli de photos d'elle et ouvert au public moyennant un droit d'entrée de 50 cents.

En tout cas, Wallis émergeait d'un état de choc et, si elle pensait à quelque chose, c'était à ses conversations téléphoniques pour revivre toutes ses épreuves; elle essayait d'imaginer ce que faisait le Duc. Elle raconta plus tard qu'elle passait beaucoup de temps seule dans sa chambre à regarder dans le vague.

Une amie qui la vit alors la décrivit comme « une petite fille qui aurait grandi en âge et en sagesse — une petite fille à laquelle on avait retiré sa poupée pour la mettre en pièces sous ses yeux ».

Et puis, dès le début de la nouvelle année, Wallis se montra plus souvent. Une réception chez Somerset Maugham qui possédait une villa non loin de Cannes, la visite d'une usine de parfums à Grasse, une excursion sur la Côte d'Azur au crépuscule dans un beau manteau d'hermine et coiffée d'un casque blanc à la russe. En février, son ami de New York, Henry Clews, Jr., donna en son honneur une fête dans une boîte de nuit de Cannes. Wallis portait une robe de dentelle noire et un collier de perles; elle était très en forme, pleine d'entrain. Elle dansa deux fois avec Nicolas Zographos, chef du célèbre syndicat grec qui régentait les tables de baccarat dans les casinos français. Il n'en fallut pas plus pour déclencher toute une série de rumeurs sur elle et Zographos.

Le monde attendait la suite de l'histoire Simpson. Le Duc épouserait-il sa belle de Baltimore? La princesse d'Amérique abandonnerait-elle son roi pour un joueur grec?

Si Wallis avait retrouvé toute son exubérance, c'était parce que David et elle préparaient en détail leurs projets de mariage. Elle avait visité de nombreuses villas sur la Côte d'Azur pour en dénicher une qui pourrait être leur demeure et aussi le lieu de leur mariage. Herman Rogers participait à ces recherches, et il avait pris contact avec un ami qui était le propriétaire d'un beau château isolé à trois heures de Paris.

Le Duc se remit à chanter dans sa baignoire. X rapporta à Y qu'il arborait maintenant des pyjamas orange flamboyants et que son humeur s'était pareillement éclairée.

Il posa pour des photographes, pratiqua le golf dans la joie, et ses maux d'oreilles disparurent comme par enchantement. Il se sentait extrêmement à son aise dans un château de quarante chambres. Il disposait de tout un appartement : une chambre à coucher, une petite bibliothèque, un fumoir, un salon et une salle de bains. Slipper semblait ravi de régner sur un tel empire et s'amusait beaucoup à chasser les souris; il ne se battit qu'une fois avec le gros chien des Rothschild.

La seule et grande épreuve du Duc était sa séparation d'avec Wallis.

Aux termes stricts et techniques de la loi, Wallis et le Duc n'avaient pas besoin d'être physiquement séparés pendant les cinq mois précédant la transformation du divorce provisoire en divorce définitif. Mais afin d'éviter tous sujets de plaintes, les conseillers juridiques du Duc avaient insisté pour que non seulement ils ne se vissent point pendant cette période intérimaire, mais qu'ils n'habitassent pas dans le même pays.

Et puis survint un élément de mystère et de complication. Un clerc d'avoué, Francis Stephenson, se rendit au Bureau des divorces et soutint que le jugement Simpson ne devait pas devenir définitif parce que, dit-il, il y avait des « faits nouveaux ». Personne ne savait qui il représentait ou pourquoi il effectuait cette démarche, et il ne voulut pas le dire.

Le mystère s'épaissit lorsqu'il abandonna subitement son intention de faire enregistrer sa déclaration, « parce qu'on me l'a demandé [10] ».

A soixante-quatorze ans, Stephenson mourut sans avoir dévoilé le mystère. Par la suite, le procureur du roi fit savoir qu'il n'avait pas eu le projet d'intervenir.

Le Duc essayait désespérément de hâter le divorce. Il téléphona à toutes les personnalités importantes qui pouvaient avoir du poids dans l'affaire. Il appela notamment le roi.

Le nouveau roi avait toujours respecté son frère aîné. Mais maintenant l' « Establishment » avait mis le Duc au réfrigérateur et pressait le roi d'en faire autant. Il soulignait que le Duc donnait au roi toutes sortes d'avis qui allaient souvent à l'encontre de ceux des ministres.

« Je crains, David, de ne plus pouvoir continuer à te téléphoner », lui dit finalement le roi.

« Tu parles sérieusement? »

« Oui. Très sérieusement, et je le regrette », répondit George VI. « Tu dois bien deviner pourquoi [11]. »

Pour que les choses fussent claires, le roi envoya Monckton en Autriche. Il avait anobli Monckton, qui le servait à présent au poste où il avait servi Edouard VIII.

Le Duc expliqua plus tard que son père et son frère faisaient partie de l' « Establishment », et lui non. Il dit que son père détestait le changement et que, s'il l'avait pu, il aurait révoqué le XXe siècle. Son frère avait chaussé les bottes de George V et acceptait de bonne grâce le statu quo. David indiqua que, s'il avait régné plus longtemps, il aurait manifesté plus d'indépendance. Il ne se serait pas révolté contre l' « Establishment », mais il y aurait eu des heurts inévitables, mariage ou pas mariage. Et le résultat, ajouta-t-il, aurait été bénéfique, et non dommageable, pour le pays.

Peu après l'abdication de son frère, George VI s'était rendu à un petit dîner. La maîtresse de maison, Lady Maureen Stanley, avait invité le comédien Stanley Holloway pour divertir ses hôtes. Holloway récita le morceau populaire *Albert et le Lion.* Sans réfléchir aux analogies, il en vint au passage : « Il y avait un grand lion qui s'appelait Wallace, dont la face était couverte de cicatrices [12]... » Le roi et tous les invités éclatèrent de rire. L' « Establishment » pouvait être non seulement méchant, mais cruel.

Lorsque David Lloyd George rentra en Angleterre, il fut fait comte de Dufor, et il déjeuna avec Georges VI. La conversation s'orienta bientôt vers Wallis Simpson, et le roi dit :

« Elle n'oserait jamais revenir ici. »

« Là, vous vous trompez », répliqua Lloyd George.

« Elle n'aurait pas d'amis ici », insista le roi.

« Elle a encore des amis », affirma Lloyd George.

« Mais ni vous ni moi? » interrogea Sa Majesté avec inquiétude [13].

C'était la femme qui l'avait obligé de régner, alors qu'il ne voulait pas être roi. C'était la femme qui avait détruit son frère. Il n'éprouvait nul désir d'accélérer la procédure du divorce, d'ailleurs il ne l'aurait pas pu. David ne l'ignorait point, et cependant il multipliait les appels au roi à ce sujet.

De même George VI trouvait gênant de discuter par téléphone de questions d'argent avec son frère. Jusqu'ici, le Duc n'avait eu aucun problème sur ce plan-là. Sa fortune personnelle passait pour considérable. En tant que Prince de Galles, il avait reçu tous les revenus provenant du duché de Cornouailles, estimés à un million de dollars par an. De plus, il avait bénéficié d'un legs de cinq millions de dollars de sa grand-mère, la reine Alexandra. Il était toujours le propriétaire des châteaux de Sandringham et de Balmoral. De l'avis général, l'allocation annuelle qui, toute sa vie, lui serait versée sur les revenus du duché de Cornouailles s'élèverait à 125 000 dollars par an. La vente de Sandringham et de Balmoral lui rapporterait au moins 500 000 dollars supplémentaires. Pour éviter tout débat public, il était prévu que les arrangements se feraient dans le cercle de la famille royale et ne seraient pas soumis à l'approbation de la liste civile *. La princesse Mary, sœur du Duc, les confirma lorsqu'elle alla avec son mari voir le Duc. L'argent n'était pas son gros souci, mais le Duc, jusqu'à la fin de ses jours, le présenta comme tel.

Il avait tout loisir de réfléchir à son avenir. John Grigg, fils de sir Edward Grigg qui était lié d'amitié avec lui, émit une suggestion. John Grigg avait rendu son titre pour pouvoir siéger à la Chambre des Communes. S'inspirant de sa propre vie et de l'*Apple Cart* de George Bernard Shaw, pièce où l'on voit un monarque constitutionnel qui

* Au début de chaque règne, une loi appelée Liste civile est votée par le Parlement, et elle dresse le programme des subventions annuelles à accorder à la famille royale.

menace de s'en aller et de se présenter en bourgeois aux élections générales, Grigg estimait que le Duc devrait abandonner son titre et se lancer dans la politique. Il pensait que si le Duc se faisait le champion de la politique intérieure de Lloyd George et de la politique étrangère de Churchill, il deviendrait « une force pratiquement irrésistible ».

C'était une idée extrêmement intéressante, un peu trop pour le Duc à cette époque. L'avenir auquel il aspirait maintenant se situait loin des feux de la rampe; il avait envie de bricoler dans un jardin, de jouer au golf l'après-midi et de faire des choses qui pourraient être considérées comme utiles.

Malgré le nombre et la durée de ses conversations téléphoniques avec Wallis, beaucoup de décisions pratiques n'étaient pas encore prises. Où vivraient-ils? Que ferait-il? Où iraient-ils?

28

Wallis avait retrouvé ses repères et son équilibre. Le tumulte s'apaisait. Elle allait avoir quarante et un ans; peut-être était-ce trop tard pour changer; peut-être aussi n'en avait-elle point envie.

Et puis, elle était sur le point de se marier. Rien ne l'en empêcherait maintenant. Seulement, le jugement définitif du divorce n'interviendrait pas avant plusieurs semaines, et elle s'impatientait. Elle n'aimait pas jardiner comme le Duc, et le golf n'était pas sa distraction préférée. En réalité les exercices physiques ne lui disaient rien. Un peu de natation, à petite allure, lui suffisait amplement. Et pourtant il lui plaisait de bouger, de se déplacer, d'agir.

Le printemps était là; les mimosas avaient refleuri à Cannes; tante Bessie rentra aux Etats-Unis. Tante Bessie avait été à la fois un cœur débordant de tendresse, une oreille compatissante et compréhensive, et un esprit avisé qui savait apporter à sa nièce un maximum de détente. Elle avait toujours le mot pour rire, et le rire était le remède dont Wallis avait le plus besoin. Elle pouvait aussi dire à Wallis des choses que les Rogers eux-mêmes ne lui auraient pas dites, pour l'empêcher de dérailler. Le départ de tante Bessie fut un véritable arrachement.

Le Duc téléphonait plus souvent, mais leurs conversations restaient difficiles à cause de la mauvaise qualité des liaisons. En revanche, ils pouvaient à présent parler sans s'énerver, parfois pendant une heure. Il la pressait de changer de décor.

Elle ne demandait pas mieux que d'explorer en éclaireur les villas des environs. Il y en avait une pour laquelle elle éprouvait une véritable prédilection : c'était La Croe au cap d'Antibes, qui appartenait à sir Pomery Burton. Maison blanche sur une petite hauteur qui dominait la mer, elle avait une piscine taillée dans le roc, un court de tennis, un jardin magnifique et une baignoire en forme de cygne. Pour un mariage, le cadre était parfait. Herman Rogers, de son côté, avait découvert le château de Candé, résidence de campagne dans un parc, près de Tours, dont le propriétaire était Charles Bedaux. Celui-ci proposa de le prêter gratuitement au Duc aussi longtemps qu'il faudrait.

Le Duc jugea utile de consulter son frère. George VI lui fit part de sa préférence pour le château de Candé, étant donné la réputation de dissipation que la Côte d'Azur avait acquise au cours des dernières années.

Wallis avait hâte de voir le château. Le jour où elle le visita, il pleuvait mais, quand Fern Bedaux lui eut fait faire le tour de cette élégante demeure, elle fut enthousiasmée. Tout de suite, elle choisit la salle de musique pour la cérémonie nuptiale. En se représentant par avance la scène, elle se sentit plus impatiente que jamais.

Le printemps porta à son comble l'agitation du Duc. Incapable de rester en place, il escalada des montagnes, il abattit des kilomètres en voiture, il alla faire du ski, il effectua des randonnées à bicyclette, il joua au golf, mais il ne pénétra dans aucune boîte de nuit. Une fois par semaine il se rendait à Vienne pour se faire couper les cheveux à l'Hôtel Bristol où le coiffeur le tenait au courant des potins de la capitale. Il se promena autour du château de Schönbrunn et visita le musée d'Etat.

Les personnes non autorisées et surprises sur le domaine des Rothschild étaient passibles d'une amende de deux shillings; une cinquantaine la payèrent. Mais dans l'ensemble la population respecta son désir de tranquillité. On lui apporta des truites de torrent — qu'il aimait beaucoup — et des poèmes. Les ramoneurs lui permirent même de toucher le groin de leur cochon traditionnel, la légende assurant que cela portait bonheur en amour et pour les choses matérielles. Il reçut des cadeaux du monde entier : des centaines de dindes, quatre-vingts stylos, soixante gâteaux, vingt étuis à cigarettes et des chiens de races diverses. Il réexpédia les chiens et distribua les denrées alimentaires et les autres présents aux nécessiteux des alentours.

Ce n'était pas un hôte facile; le baron et la baronne firent l'impossible pour lui plaire. Lorsqu'il avait besoin de solitude, ils le laissaient tranquille. Lorsqu'il s'énervait, ils organisaient de petits dîners avec des gens intéressants. Ils commandèrent même des films pour des projections privées. Mais rien ne lui plaisait beaucoup ou longtemps.

Finalement, les Rothschild l'avertirent qu'ils allaient s'absenter bientôt, et le Duc décida de s'en aller lui aussi. Peu avant son départ, Lord Brownlow arriva avec une bourriche d'huîtres et un crédit de 4 000 livres à la Banque Coutts. Le Duc fut ravi, surtout par l'argent, et il demanda à Brownlow de payer sa note de téléphone. La note se montait à 900 livres. « Neuf cents livres pour l'amour! » s'exclama bien des années plus tard Lord Brownlow qui n'en était pas encore revenu.[1].

Le Duc loua une maison à St. Wolfgang. Il ne conserva que son maître d'hôtel et son garde du corps.

N'ayant plus les Rothschild pour le distraire, il attendait de plus en plus impatiemment le 3 mai.

Le château de Candé était situé dans la vallée de la Loire au milieu de quatre cents hectares de terres. De nombreux rois de France avaient fait construire dans la région des palais de marbre pour égayer leur retraite. Ce pays de landes et de prairies remplies de perdrix, de faisans et de cerfs bénéficiait d'un climat où la température n'atteignait que rarement les extrêmes, et l'air au crépuscule était presque luminescent.

Le château possédait une bonne cinquantaine de chambres. De loin, ses hautes tours et ses clochetons pointus ressemblaient à des chapeaux de sorcières. A l'époque des Croisades, le domaine avait été l'apanage d'une famille romaine, puis il était devenu le siège du doyen de l'abbaye de Saint-Martin. Le château avait été érigé en 1508 par le doyen de cette abbaye qui fut aussi le premier maire de Tours et ministre des Finances de Louis XII. Trois cents ans plus tard, une autre aile le compléta. Charles Bedaux, le neuvième propriétaire, l'acheta en 1927 à une famille anglo-cubaine, puis le modernisa avec un parcours de golf de dix-huit trous, des courts de tennis, une réserve de gibier et une piscine. Ces modifications exigèrent soixante tonnes de canalisations qu'il fit passer à travers les anciens murs de pierre.

Un souterrain reliait la maison au rendez-vous de chasse, mais une légende locale prétendait qu'il aboutissait à un château voisin, distant de six kilomètres. Les donjons du monastère se trouvaient enterrés quelque part sous le parcours de golf.

La plupart des chambres étaient immenses et lambrissées sous de hauts plafonds. Dans tous les couloirs, il y avait des coffres à bois où s'entassaient les bûches destinées à d'innombrables cheminées. La pièce choisie par Wallis pour la cérémonie du mariage était, nous l'avons dit, un petit salon de musique à côté de la bibliothèque meublée en ancien entre des murs aux lambris presque blancs.

Fern Bedaux insista pour que Wallis eût pour chambre à coucher celle qui avait des murs couleur crème, des boiseries Louis XV et une vue magnifique. Le plafond était d'un doux beige rosé avec des touches d'or. Dans la salle de bains, il y avait du marbre rose, des murs bleus, des agencements en or, un lustre de fleurs en porcelaine. Ce qui plut surtout à Wallis, ce fut le cabinet de toilette avec une armoire à glace. Le lit était spacieux, rose pâle avec une tête recouverte de dentelle d'Alençon et un dessus en soie également rose pâle. Dans un petit salon attenant à la chambre, Herman Rogers s'installa. Katherine couchait dans une autre chambre à l'étage au-dessus. Tout un appartement fut réservé au Duc dans une aile du château.

Photo New York Public Library Picture Collection

Le Premier Ministre Stanley Baldwin place Edouard VIII devant l'alternative : le trône ou la femme qu'il aime.

Photo UPI

L'archevêque de Canterbury.

Avec Walter Monckton.

Avec Winston Churchill.

Son temps d'épreuve

Photo Pictorial Parade

Avec tante Bessie.

La retraite du roi :
Fort Belvedere.

Photo Popperfoto

Ils s'étaient gardés l'un à l'autre.

A Cannes :
Herman Rogers,
Katherine Rogers,
Wallis,
Lord Brownlow.

Photo John D. Le Vien

En attendant son divorce d'avec Simpson.

Photo Herbert Bigelow

Photo UPI

Le mariage
au château de Candé :
le champagne
est de la fête

e gauche à droite : tante Bessie, le Révérend Jardine, la Duchesse et le Duc,
Irs. Fern Bedaux et Randolph Churchill;
l'arrière-plan, « Fruity » Metcalfe.

Photo Herbert Bigelow

A Candé : le grand salon
où eut lieu la cérémonie;
au-dessus,
la chambre à coucher.

Photo Herbert Bigelow

Photo Popper

Avant la guerre :
avec Hitler en Allemagne.

Photo UPI

Pendant la guerre :
avec la Croix-Rouge française.

Photo Popperfoto

Dansant à un cercle
militaire de New York.

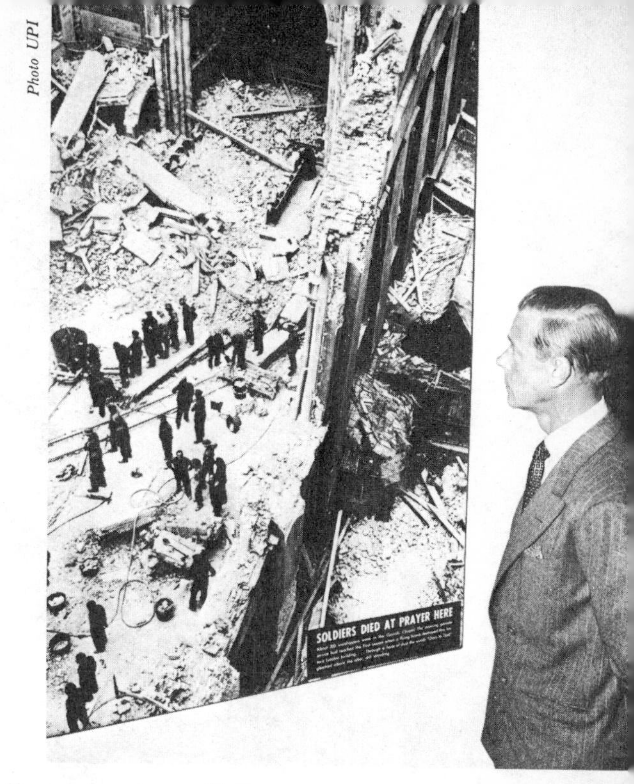

Photo UPI

Pendant la bataille d'Angleterre, ils servirent aux Bahamas.

Photo UPI

Photo UPI

Photo Daily News de New York

Jimmy Donahue devint un ami intime.

Elsa Maxwell se fit critique
à l'occasion...

Pour démentir
les bruits d'une fêlure.

Photo UPI

Photo UPI

Il avait son golf...

La seule maison qu'ils achetèrent : le Moulin, aux environs de Paris. *Photo UPI*

Elle avait ses toilettes...

Photo A.F.P., Pictorial Parade

Les chiens étaient leur famille.

Photo New York Public Library Picture Collection

Photo Daily Express *de Londres, Pictorial Parade*

Il avait été un mythe.

Photo Daily News *de New York*

Leur amour avait été une légende.

La famille royale les reçut enfin pour une cérémonie à la mémoire de la reine Mary

Photo Wide World Photos

Et puis, un jour, le mythe mourut...

Photo UPI

mais la légende a continué de vivre.

Photo UPI

Fern Bedaux, originaire de Grand Rapids dans le Michigan, avait autant de grâce que de goût. Quand Wallis et les Rogers arrivèrent, elle les accueillit dans une maison remplie de fleurs, et son maître d'hôtel anglais, V. J. Hale, avait aligné les vingt-deux domestiques en uniforme, sous la lumière rouge adoucie des lustres, pour les présenter à leur nouvelle maîtresse. Ce serait la maison de Wallis aussi longtemps qu'elle le souhaiterait.

« Elle ne ressemblait guère à Mme Bedaux », dit Hale. « Madame était plus distante et plus formaliste que la Duchesse, et je crois que la Duchesse admirait ses airs d'aristocrate. Quand Madame s'en est allée, j'ai demandé à la Duchesse si elle voulait apporter des changements, et elle m'a répondu : " Faites exactement ce que vous aviez l'habitude de faire quand Mme Bedaux était là [2] ". »

Les jours s'écoulèrent lentement pour Wallis. Elle avait encore deux mois à passer seule. Katherine Rogers se rendait de temps en temps à Paris, mais Wallis ne quitta jamais le château, et Herman ne quitta jamais Wallis.

Elle avait besoin de lui aussi. Il avait renoncé à son propre style de vie indépendante pour lui offrir son appui, et elle s'appuyait effectivement beaucoup sur lui.

Par bonheur, la liaison téléphonique entre Candé et l'Autriche était bonne; c'est que le Duc et elle avaient des centaines de détails à mettre au point avant leur mariage. Serait-il religieux, ou civil, ou les deux? Qui devraient-ils inviter? La famille du Duc, par exemple?...

Wallis était trop énervée pour dormir beaucoup. Le sommeil et ses facultés réparatrices l'avaient toujours fuie dans les circonstances difficiles. En revanche, le Duc dormait comme un enfant.

L'après-midi, Wallis se promenait. Dans les bois du domaine, il y avait surabondance de violettes, de fraises, de muguet. Elle s'ennuyait tellement qu'elle se remit au golf avec les Rogers. Elle se laissa même interviewer. Dès le lendemain de son arrivée, des journalistes avaient pris position devant la grille de la cour.

Elle leur dit peu de choses. Elle pensait que la guerre civile en Espagne « serait la ruine de ce pays magnifique [3] ». Elle espérait apprendre le français, elle n'envisageait pas de faire du cheval, elle ne savait pas où ils vivraient, elle souhaitait toujours revenir aux Etats-Unis. Elle voulait savoir si l'Amérique était encore le pays des gadgets. « Ici, les gens ne veulent pas de gadgets », dit-elle. « Vous courez à la cuisine et vous leur distribuez les petits gadgets les plus chers — et le lendemain vous les retrouvez dans la poubelle [4]. » Son chien s'étant trempé dans les bois, elle promenait sur lui son séchoir tout en parlant.

Le bleu était-il sa couleur préférée?

« Oui. Et mon ambiance préférée, celle de ces jours mornes où il pleut. Savez-vous que nous avons un canot? » expliqua-t-elle en désignant un débarcadère par la fenêtre. « Quand il est submergé, nous sommes sûrs que la journée sera très mauvaise. S'il montre son nez, nous nous aventurons au-dehors [5]. »

Une jeune journaliste remarqua que Wallis avait les mains toujours occupées : elle les nouait ou les dénouait, ou elle les portait à ses cheveux.

« Et votre avenir? » interrogea la journaliste.

« Qui sait? Je suis fataliste. »

« Et joueuse? »

« Et joueuse. »

Avant qu'elle repartît, Wallis lui demanda d'un air songeur : « Paris est-il gai? »

« Très gai », répondit la journaliste [6].

A l'approche du mois de mai et du jugement définitif du divorce, le Duc lui renvoya Slipper par l'entremise d'un inspecteur de Scotland Yard. Slipper avait été son premier cadeau à Wallis, et Wallis l'aimait beaucoup. Il l'avait emmené en Autriche pour emporter un peu plus de son amour pour lui. Il le lui restitua parce qu'il estima qu'elle en avait plus besoin que lui et que ce retour de Slipper serait une ambassade de sa propre tendresse.

Wallis et Slipper furent aussi heureux l'un que l'autre de se retrouver. Mais un après-midi, alors qu'ils étaient tous deux sur le parcours de golf avec les Rogers, Slipper s'échappa pour courir après un lapin. Ne le voyant pas revenir, Wallis le chercha. Elle le découvrit en train de se débattre contre la morsure d'une vipère. Elle le transporta à toute vitesse à un hôpital, mais il n'y avait plus rien à faire pour le sauver.

La mort de Slipper fut un choc terrible pour Wallis.

« Il a été enterré dans les règles », raconta Hale. « Je ne l'ai jamais vue aussi triste et démoralisée [7]. »

Le temps ne s'améliora pas au printemps : il faisait froid et humide, et il pleuvait. Vers la fin d'avril cependant, le ciel s'éclaircit et Wallis se dérida aussi. Cecil Beaton arriva pour la photogaphier. Le château avait pris un air de surexcitation difficilement contenue. Il y avait de plus en plus d'allées et venues en vue de la noce dont personne cependant ne connaissait la date.

Beaton décrivit le dîner. « Les femmes étaient habillées à la perfection, toutes en rouge. Wallis exhiba un nouveau bijou en forme de deux pennes, l'une sertie de diamants, l'autre de rubis. Sa robe avantageait une silhouette incroyablement rétrécie, plus étroite depuis l'abdication. »

Les Rogers allèrent se coucher, mais Wallis et Beaton bavardèrent jusqu'à l'aube.

«- J'ai été frappé par la clarté et le dynamisme de son intelligence », dit-il. « Lorsque j'ai enfin gagné mon lit, je me suis rendu compte qu'elle possédait non seulement une personnalité, mais aussi une force extraordinaire. Elle a peut-être des limites, peut-être est-elle politiquement ignare et mal instruite en morale, mais elle connaît à fond la vie [8]. »

De leur entretien, Beaton retira l'impression que Wallis n'avait pas été clairement informée de l'intention du Duc de l'épouser avant que n'éclatât le conflit décisif avec le Parlement, et que l'abdication l'avait surprise autant que tout le monde. Elle était résolue à ce que le Duc et elle « aplanissent les difficultés [9] ».

« De toute évidence elle admire beaucoup son caractère et sa vitalité, et elle l'aime, bien qu'à mon avis elle ne soit pas amoureuse de lui. En tout cas, elle a pris une grande responsabilité en veillant sur quelqu'un dont le tempérament se situe au pôle opposé au sien et qui pourtant compte absolument sur elle [10]. »

Il remarqua la façon qu'elle avait de se tordre les mains, de « rire en avançant sa lèvre inférieure ». Il l'écouta parler de la solitude qui avait été le lot le plus fréquent de son existence, et elle lui dit que, peut-être, cet isolement l'avait aidée.

« Elle m'a avoué qu'elle avait failli céder et se pendre à l'un des nombreux andouillers qui décoraient le salon. Mais le contrôle de ses nerfs la surprenait. Elle ressemblait, me dit-elle, à un homme sur beaucoup de plans. Elle avait peu d'amies femmes. Katherine Rogers, la plus intime d'entre elles, a comme Wallis, je pense, une mentalité masculine [11]. »

Les jours passèrent enfin plus vite.

Puis elle reçut le 3 mai de Londres le coup de téléphone si longtemps attendu : son divorce était à présent définitif; elle était libre de se marier quand elle voudrait.

Elle appela aussitôt le Duc et lui cria : « Vite! Dépêchez-vous [12]! »

29

Quand Wallis lui téléphona, le Duc avait déjà fait ses bagages et il attendait. Le premier train de l'après-midi était l'Orient-Express, et il bondit à bord. Il arriva presque au pas de course, sans chapeau; il avait l'air amaigri mais transfiguré par le bonheur. « Chérie, ç'a été si long! » dit il [1].

Il lui apportait deux paquets : un costume de paysanne autrichienne à couleurs vives, qui se nomme un *Dirndl,* et quelques edelweiss qu'il avait cueillis lui-même dans la montagne.

Son exil loin d'elle avait duré vingt-deux semaines. Autant dire des siècles.

Un peu plus tard, ils firent ensemble une longue promenade. Elle savait combien il avait espéré qu'un représentant de la famille royale assisterait à leur mariage; le Duc aurait voulu que son plus jeune frère, George, fût son témoin. Impossible. Le gouvernement s'y opposait. La reine mère aussi.

Il aurait également souhaité qu'une cérémonie religieuse fût célébrée par un pasteur anglais de l'Eglise anglicane. Mais les évêques avaient pratiquement interdit à tous leurs ministres de bénir un tel mariage. D'autre part, le Duc décida de retarder la cérémonie afin qu'elle ne concurrençât point le couronnement, à présent fixé au 12 mai.

Wallis comprit; elle n'ignorait pas l'importance que David attachait à ces choses. Maintenant elle était prête à s'adapter à n'importe quelle situation. Elle n'avait plus qu'un seul désir : faire plaisir à cet homme de toutes les façons possibles. Pour elle, il avait renoncé à son univers.

Ils se mirent d'accord sur un mariage très simple à Candé, en présence de quelques amis seulement. Ils demanderaient au maire de la localité d'officier pour la cérémonie civile. La date fut fixée au 3 juin. Wallis était « terriblement superstitieuse parce qu'elle avait été élevée dans le Sud des U.S.A. »; elle croyait que « des chapeaux sur un lit, des affaires suspendues à un bouton de porte, le nombre 13, un miroir brisé »... et des noces en mai étaient des présages de malheur [2].

Ils reçurent quelques nouvelles déprimantes. Un certain nombre d'amis chers qu'ils auraient voulu avoir auprès d'eux se dérobèrent. Le roi est mort, vive le roi! La famille royale avait donné l'exemple en refusant d'assister au mariage; l'aristocratie s'empressa de le suivre. Il y eut une femme pour se réjouir bien haut de « la gifle » infligée à Wallis : Mary Kirk Raffray, qui se trouvait alors en Angleterre pour essayer de régler son divorce personnel. Wallis se contenta de dire : « Je vois ainsi qui, parmi mes amies, sont mes amies [3]. »

Le Duc fut évidemment plus peiné par l'attitude de l' « Establishment » qui ignorerait son mariage, ne s'y ferait pas représenter, ne lui accorderait pas la moindre publicité. Geoffrey Dawson avait déjà annoncé que le *Times* rendrait compte du mariage Windsor comme d'un fait divers banal, en ne lui concédant qu'un minimum de place dans ses colonnes.

Comme des bruits continuaient de circuler dans la presse sur le don par le Duc des bijoux de la reine Alexandra à Wallis, qu'elle aurait refusé de restituer, Wallis décida de présenter au monde une image d'elle-même plus exacte. Elle se fit interviewer par une parente éloignée qui était avocat en Angleterre, Helena Normanton, afin de démentir formellement qu'elle eût jamais reçu des bijoux ayant appartenu à un membre quelconque de la famille royale.

« Il est vrai que je possède quelques jolies pièces, mais elles ne sont rien par comparaison avec la qualité ou la quantité de celles qui appartiennent aux femmes réellement riches. »

Elle bavarda avec aisance, sans cérémonie, un peu comme si elle échangeait des confidences. « Je commande mes affaires habituelles pour le printemps. J'aime bien avoir une demi-douzaine de belles robes en même temps, et je les porte jusqu'à ce qu'elles n'en puissent plus. »

Non, elle n'avait pas commandé de pyjamas brodés de petites couronnes. « D'ailleurs il me déplaît de voir des hommes en pyjama sur les plages et, en ce qui concerne les couronnes, je n'en ai jamais vu une seule. »

Le commentaire final de Helena Normanton fut que Wallis avait rencontré trop tard l'homme qu'il lui fallait.

Conclusion fort discutable. Plus tôt, aurait-elle préféré Felipe Espil au Duc? Espil avait été pour Wallis ce que le comte Charles Kinsky avait été pour Lady Randolph Churchill — l'homme idéal. L'ex-Edouard VIII était pour Wallis ce que son grand-père Edouard VII avait été pour Lady Randolph Churchill.

A Candé, cependant, l'amour brillait dans les yeux de l'un et de l'autre. Seule différence : le degré d'intensité.

Le nouvel écuyer du Duc, qui s'appelait Dudley Forwood, avait vingt-quatre ans et était venu d'Autriche avec lui, se rappela longtemps les sentiments du Duc à cette époque.

« Lorsqu'elle n'était pas dans la pièce où il se trouvait, il broyait du noir. Lorsqu'elle le rejoignait, c'était comme si le soleil lui apparaissait. J'étais presque épouvanté qu'un homme pût adorer ainsi une autre personne [4]. »

Le maître d'hôtel, V. J. Hale, remarqua l'énervement du Duc pendant qu'il jouait au solitaire en l'attendant. Puis, dès qu'elle arrivait, « à le voir trottiner vers elle, on avait du mal à croire qu'il avait été roi [5] ».

De loin et sans l'avoir jamais rencontré, Havelock Ellis, qui faisait autorité dans le monde sur la psychologie du sexe, analysa ainsi les motifs du comportement du Duc. « J'ai toujours pensé, eu égard à l'apparence très juvénile d'Edouard, qu'il était d'une certaine manière différent de la plupart des autres hommes... Pour moi, c'est l'évidence même. Le visage d'Edouard est plus enfantin que celui de ses frères plus jeunes qui semblent avoir un air beaucoup plus normal. Si Edouard est légèrement différent de la plupart des hommes, il a fort bien pu éprouver de plus grosses difficultés à trouver une femme qui lui convienne que n'importe quel homme parfaitement normal. Mrs. Simpson est assurément une femme très exceptionnelle. Elle paraît supérieurement intelligente. Elle possède sans doute une personnalité rare. Elle est séduisante. Je crois fort possible qu'Edouard trouve le vrai bonheur auprès de la femme qu'il aime. Ce sont deux personnes d'expérience [6]. »

« Il se fiait toujours à elle », raconta Hale. « Il disait " N'est-ce pas votre avis, chérie? " sur les choses à propos desquelles il voulait avoir son opinion, et j'avais l'impression qu'il voulait avoir son opinion sur tout [7]. »

Le 12 mai, toutefois, il ne sollicita l'opinion de personne. Il annonça à Wallis qu'il suivrait à la radio la retransmission de la cérémonie du couronnement de son frère.

On ne saurait dire que ce furent les heures les plus heureuses de la vie de Wallis, assise auprès de lui avec leurs amis, en train d'écouter tous ensemble dans un profond silence le reportage de la cérémonie traditionnelle. Wallis ne détacha ses yeux de l'ancien roi que pour regarder au plus profond d'elle-même. Sans elle, il serait à l'abbaye de Westminster, la cérémonie aurait été pour lui, il aurait été proclamé roi et empereur. Sans elle...

Le Duc devina le désarroi de Wallis. Il lut dans ses yeux la culpabilité, les questions, la tristesse. En ce qui le concernait, il lui était plus facile de dissimuler : il avait été éduqué pour cela. Pourtant il ne sut pas maîtriser quelques crispations nerveuses en écoutant la radio. Mais ne s'était-il pas mis d'accord avec lui-même quand il avait pris sa décision? A cet égard, il n'était pas un homme compliqué.

Pour Wallis, il en allait autrement.

Enfin, une bonne nouvelle : malgré l'interdiction des évêques, un ecclésiastique anglais se propose pour célébrer le mariage religieux. C'est le révérend Robert Anderson Jardine, de Darlington, commune industrielle de l'Angleterre du Nord. Lorsqu'il avait lu un article annonçant qu'il n'y aurait pas de cérémonie religieuse au mariage du Duc de Windsor, « je suis allé dans mon jardin et je me suis réfugié dans la vieille tente de l'Armée où j'avais l'habitude de préparer mes sermons du dimanche. A genoux, j'ai prié du plus profond de mon cœur; en me relevant, ma conviction était faite : voici un homme qui a besoin de quelque chose, et je le lui donnerai [8] ».

« Le Duc tenait énormément à un mariage religieux qui fût béni par l'Eglise », nota son écuyer Dudley Forwood. « Quand il apprit que le Révérend Jardine s'était offert, il fut transporté de joie... Vous ne pouvez pas imaginer l'idéalisation et la dévotion extraordinaire dont le Duc entourait son mariage. Il voulait que ce fût une union modèle. Le caractère sacré du mariage était pour lui un article de foi [9]. »

Sentiments naturels. Les cérémonies religieuses des mariages royaux auxquels il avait assisté l'avaient beaucoup impressionné. De plus, il n'avait jamais été marié...

Bien que Wallis eût l'air de planer en vaquant à tous les détails d'organisation et de mise au point, la tension s'inscrivait sur ses traits; des amis qui la virent à ce moment-là la trouvèrent « loin de sa meilleure forme [10] ».

Il y avait beaucoup à faire. Il fallait du temps pour créer et confectionner une robe nuptiale et un trousseau. Les dessins, les choix, les essayages. Et Wallis avait toujours eu le souci de la perfection. L'arrangement des fleurs, l'emploi des couleurs, le menu, les vins, la marque du champagne, la disposition des invités, l'horaire et la logistique des deux cérémonies. Le monde était aux aguets, et tout était si loin de ce qui aurait été possible. Mais, surtout, Wallis voulait paraître splendide.

Mainbocher arriva avec des croquis pour sa robe de mariée et son trousseau. Le couturier Edouard Molyneux avait dit de Wallis « qu'elle avait un flair indiscutable pour s'habiller... Tout ce qu'elle porte a un cachet personnel [11] ».

Pour la robe de mariée, Mainbocher envoya à Candé une essayeuse six samedis de suite, et il vint lui-même la veille de la cérémonie procéder à une dernière inspection.

La couleur de la robe en crêpe de soie se situait quelque part entre un bleu moyen et un bleu pastel. « Je l'ai appelé le bleu Wallis, un bleu dont il n'y eut jamais un échantillon disponible pour personne », déclara-t-il plus tard [12]. En dépit du secret observé sur la couleur et le modèle, il y eut une fuite, et la robe de Wallis fut aussitôt copiée aux Etats-Unis et fabriquée en grande série presque en même temps qu'elle était portée par la mariée.

La robe était un deux-pièces avec une jupe longue, moulante, et un corsage sous une veste qu'en principe on n'enlevait pas. Les lignes étaient d'une simplicité austère, coupées à ras du cou. La veste corsetée se fermait par neuf petits boutons recouverts.

Schiaparelli, qui avait beaucoup travaillé à Londres pour Wallis, exécuta son trousseau. Presque toutes les robes étaient bleues (la couleur de prédilection du Duc) et de conception classique. Aucune n'eut de décolleté profond à cause des clavicules saillantes, et Wallis préférait l'effet des formes moulantes. Elle choisit entre autres un négligé en lamé saphir et argent, une robe du soir exotique en organdi blanc avec, en impression, deux homards rouge vif, une robe de dîner qui était un fourreau noir brodé de fleurs en strass de couleur et de paillettes d'or, quelques robes de crêpe noir imprimé de tortues et de fleurs, deux tailleurs de tweed bleu ciel, un ensemble pour l'après-midi qui se composait d'une redingote en tweed bleu avec des boutons qui représentaient des dauphins et un papillon sur le revers, et d'une robe de crêpe imprimé de volubilis blancs.

Son coiffeur parisien ayant commis la gaffe de révéler à la presse qu'elle projetait de se faire teindre les cheveux en un bleu assorti à sa robe, elle lui infligea un démenti catégorique et changea d'artiste capillaire. Herman Rogers, son agent de liaison avec les journalistes, leur apprit qu'elle avait maintenant une bague de fiançailles en platine et émeraudes. Les bars de la région proposèrent un nouveau cocktail, à base de gin et de cordial, qu'ils baptisèrent « Mon Ciel Bleu ». Des restaurants et des hôtels de Touraine se mirent à confectionner des plats « à la Mme Simpson ». Photographes et reporters attendaient le long de la clôture pour essayer d'apercevoir les deux fiancés au cours de leur promenade quotidienne bras dessus bras dessous. Mais ils couraient aussi autour du terrain de golf pendant que le Duc jouait, et ils « troublaient sa concentration ».

Dans leur ensemble, ils notèrent que le Duc avait beaucoup rajeuni, que ses poches sous les yeux s'étaient dégonflées, que ses cheveux dorés ébouriffés et son hâle rehaussaient l'éclat et la vivacité de ses yeux bleus. Le Duc fit d'ailleurs savoir publiquement qu'il « se sentait au septième ciel ».

Et puis, un « moment terrible [13] ».

Il apprit de Londres que Walter Monckton, porteur d'une mauvaise nouvelle, allait arriver à Candé. Nul ne savait mieux que Monckton la passion avec laquelle le Duc s'intéressait au titre royal de sa femme.

Placé devant l'ultimatum qu'elle ne pourrait pas partager son rang en qualité de reine, il avait renoncé à la couronne; mais il ne pouvait pas renoncer à sa naissance royale ou au droit d'être appelé « Son

Altesse Royale », qui en était le corollaire. A ses yeux, la plus élémentaire courtoisie commandait qu'elle partageât ce titre.

Selon une ancienne coutume, la femme du Duc devait bénéficier du même rang et de la même préséance sociale que lui. Duchesse de Windsor, Wallis devait donc logiquement occuper le rang qui se situait juste derrière ses deux belles-sœurs, les duchesses de Gloucester et de Kent, et se faire appeler comme elles « Son Altesse Royale ». Deux épouses des frères d'Edouard avaient été des bourgeoises, et elles jouissaient de ce privilège qui, automatiquement, leur conférait le droit de recevoir saluts et révérences. Ces politesses traditionnelles n'auraient pas été du goût des hautes sphères de l'Empire britannique qui non seulement n'aimaient pas Wallis, mais la haïssaient.

George VI fut troublé. Il savait que son frère considérerait comme une offense mortelle que fussent déniés à Wallis les titres appropriés à sa nouvelle condition : pour le Duc, ce refus ferait de sa femme une épouse de deuxième classe. Le roi comprenait et mesurait fort bien l'intensité des sentiments de son frère à ce sujet, et il ne les aurait sûrement pas contrariés; mais il s'agissait d'une décision du Cabinet, et d'une décision solidement fondée sur l'hostilité obstinée des Dominions. Le Canada et l'Australie notamment estimaient que cette femme ne devait pas être appelée « Son Altesse Royale ». Il en fut donc ainsi décidé dans le décret dit de dépossession de 1937. Publié dans l'officielle *London Gazette,* il stipulait que le Duc « avait le droit de détenir et de posséder pour lui seul le titre, le nom et les attributs d'Altesse Royale, de sorte que sa femme ou ses descendants éventuels ne détiendraient pas lesdits titre, nom et attributs ».

« Lui seul » : c'était le grand mot légal. Le Duc y vit un geste mesquin, misérable, un coup bas qu'il ne pardonnerait ni n'oublierait jamais. Il n'existait aucun précédent à cela en Angleterre. Le *Burke's Peerage,* bible anglaise du rang social, qualifia plus tard la loi de 1937 d' « acte de discrimination le plus flagrant dans toute l'histoire de notre dynastie [14] ».

« Jusqu'à ce jour-là, il n'avait pas éprouvé la moindre déception », nota son écuyer Dudley Forwood. « Il refusait absolument de voir que la femme qu'il aimait au point de la trouver si parfaite pouvait sembler imparfaite à d'autres. Il ne comprenait pas qu'on pût ressentir pour elle autre chose que de l'admiration. Voilà pourquoi le Duc n'admit pas qu'un frère auquel il était tout dévoué pût accepter que fût dénié à sa future femme ce qu'il considérait comme essentiel à leur mariage et à leur bonheur futur. Ce fut un coup terrible, dont il souffrit beaucoup. Et sa tristesse fut d'autant plus grande qu'il aimait bien sa famille [15]. »

« Voilà un joli cadeau de mariage », dit-il à Monckton [16].

« Le Duc fut sur le point de renoncer à son propre titre royal plutôt que d'en porter un que ne partagerait pas sa femme », dit Monckton,

« mais avec l'aide de Wallis je le détournai de cette décision. Ç'aurait été un camouflet public pour le roi, et sacrifier quelque chose pour bien peu [17] ».

Beaucoup de personnes qui n'étaient pas en cause trouvèrent le décret indigne, mais sans importance. Pourquoi le Duc lui accordait-il tant d'intérêt? N'était-ce pas, de sa part, une faiblesse? S'il était vraiment un monarque aussi émancipé qu'il voulait le faire croire, à quoi bon se soucier de cet accessoire de la royauté? Oh, bien sûr! Seulement, ces gens-là n'avaient jamais été rois.

Ce qu'ils ne comprenaient pas, c'était que le Duc estimait que sa future femme — cette femme qu'il aimait plus que tout — venait de recevoir un affront. Et il en voulut à Baldwin. Il en voulut à son frère. Il en voulut même à sa mère. Une sorte de mur de Berlin s'édifia à partir de ce moment-là entre sa famille et lui.

Wallis déploya beaucoup d'efforts pour l'apaiser. Mais elle ressentit cruellement dans son for intérieur le fait d'être cataloguée parmi les déchues de la société. Elle apprit que le décret enchantait une grande partie de la cour, que cette joie était partagée par la nouvelle reine et approuvée par la reine mère. La royauté était très à cheval sur les règles et Wallis les avait enfreintes. Qu'elle payât le prix de cette infraction, soit! Mais pourquoi, pourquoi avaient-ils fait cela au Duc huit jours avant le mariage? N'auraient-ils pu attendre? Voilà ce qu'elle trouvait de plus abominable.

Et tout de même, pourquoi lui manifestaient-ils, à elle, autant de rigueur? Si elle l'avait voulu, elle aurait pu susciter des difficultés considérables. Or c'était elle qui avait soufflé au Duc l'idée d'un mariage morganatique. C'était elle qui l'avait adjuré de ne pas abdiquer. Et elle avait offert de se retirer. Elle aurait renoncé à lui. Avec constance elle lui avait demandé de ne pas prendre d'initiatives inutilement provocantes. Si elle avait joué le rôle d'une femme fatale assoiffée de revanche, elle aurait pu lui insuffler une haine qui aurait divisé le pays et anéanti la monarchie. On pouvait lui reprocher d'avoir écouté l'amour du Prince de Galles, d'avoir accepté ses propositions, d'avoir demandé le divorce, mais ensuite en quoi était-elle à blâmer? Elle n'aurait pu se montrer plus correcte, plus impeccable, plus digne.

Elle avait heureusement des soucis plus immédiats. Et l'arrivée de tante Bessie lui fut d'un grand secours. Elle prit en main l'aménagement des dix chambres d'invités, elle décida de la disposition des places, elle mit au point les décorations du château, elle composa le menu du déjeuner de mariage. Il fallut faire réparer l'orgue de la bibliothèque, et le grand piano fut retiré pour faire de la place.

Les journalistes ne cessaient de téléphoner. Wallis ne répondait jamais, mais survenait toujours pour savoir qui appelait et, le cas échéant, disait à la personne qui répondait : « Faites attention et soyez gentil. Untel est très important [18]. »

Herman Rogers voyait la presse, dehors, deux fois par jour, et il passait la majeure partie de son temps à démentir des bruits en circulation. Non, la Duchesse n'était pas morte; non, elle ne porterait pas de diadème en diamants pour la cérémonie, mais elle aurait un chapeau de paille bleue, agrémenté de tulle; oui, Wallis avait légalement abandonné le prénom « Bessie » et le nom « Simpson »; non, le Duc ne tricotait pas un chandail bleu pour Mrs. Warfield; non, il ne savait pas si Mrs. Warfield avait fait broder sur ses dessous les initiales « HG » (Her Grace [19]).

Rogers négocia aussi avec le maire de Monts pour obtenir que la cérémonie civile eût lieu à l'intérieur du château et non dans le bureau du premier magistrat de la commune. Le maire, Charles Mercier, était un médecin de campagne de quarante-six ans; avec ses lunettes, sa moustache et sa myopie, il se montra extrêmement bienveillant. Quinze jours avant la noce, le Duc et Wallis signèrent un contrat de mariage sous le régime de la séparation de biens.

Des amis américains de Wallis, Mr. et Mrs. Grafton Minot, habitaient un château des environs, et ils invitèrent à dîner Wallis et le Duc. L'hôte leva son verre à leur bonheur. Juste à ce moment-là un éclair foudroya la centrale électrique, et la salle à manger fut plongée dans l'obscurité. Quel présage! songea Wallis toujours superstitieuse.

Et puis elle fut entraînée dans la frénésie de la dernière semaine. Sa célèbre énergie ne l'avait pas abandonnée. Chaque fois qu'elle entrait dans une pièce, son maître d'hôtel trouvait qu'à côté d'elle tout le monde avait l'air épuisé.

Antonio Magnagnini vint de Paris la coiffer, et il disposa ses cheveux en ondulations qui remontaient au lieu de descendre. L'alliance en or gallois avait été faite par un bijoutier parisien sur le modèle porté par les reines d'Angleterre. Elle reçut sa lingerie rose et bleue. Le linge de table couleur pêche et les draps de même teinte lui furent livrés aux armes du Duc.

Ils signèrent le panneau de bois qui se trouvait à côté de la cheminée de la bibliothèque : « Edouard-Wallis-1937 ». Enfin ils posèrent pour les photographes; l'un d'eux leur demanda d'avoir l'air heureux. « Nous sommes toujours heureux », répondit-elle.

Mises à part les tâches assignées à tante Bessie, Wallis voulut régler tous les détails de ses noces, et elle ne permit même pas à la dévouée Katherine Rogers de s'en mêler.

Le Révérend Jardine, le « pasteur des affligés », le prêtre rebelle qui avait déclaré à la presse qu'il n'écouterait pas d'autres voix que sa conscience, arriva à Candé. « Le miracle de Monts [20] », écrivirent les journalistes.

Serrant chaleureusement la main du Révérend Jardine, le Duc lui demanda en souriant : « Pourquoi n'aurions-nous pas droit à une cérémonie religieuse? Nous sommes deux chrétiens [21]. »

« Que pouvais-je répondre? » raconta Jardine plus tard. « Je crois qu'une boule s'est logée dans ma gorge quand j'ai vu l'émotion de cet ex-roi à qui était dénié le droit de tout homme, monarque ou fils du peuple, de recevoir la bénédiction de Dieu pour le jour de ses noces.

« Comme je gardais le silence, il m'a expliqué qu'ils avaient essayé de trouver quelqu'un pour célébrer le mariage religieux, mais que leurs efforts avaient été vains [22] ».

« Vous excuserez mon langage, Jardine », poursuivit le Duc, « mais vous êtes le seul qui ayez eu le culot de faire ça pour moi [23] ».

Lorsque le Duc commença à discuter de la cérémonie, Jardine l'interrompit. « Sir », lui dit-il, « nous ne pouvons pas en parler en l'absence de Mrs. Warfield. C'est son mariage autant que le vôtre [24] ».

Après le dîner, le Duc et Wallis offrirent à Jardine une paire de boutons de manchette en or, gravés à leurs initiales, et ils lui exprimèrent une nouvelle fois leur gratitude profonde.

Le pasteur ayant besoin d'un autel, on apporta dans le salon de musique un coffre du vestibule; c'était un meuble très finement sculpté dont le devant était occupé par une rangée de grosses femmes nues. Wallis aurait voulu une nappe d'autel pour les recouvrir, mais elle se souvint d'une nappe à thé déjà emballée au fond d'une malle de linge. Sa femme de chambre se plaignit de toutes les complications qu'entraînait une noce et déclara qu'elle ne se marierait jamais. Mais Wallis la rassura : « Oh, ce n'est pas toujours aussi difficile — à condition de ne pas épouser l'ex-roi d'Angleterre [25]! »

Pendant qu'on étalait la nappe, George Allen, l'avoué du Duc, entra triomphalement avec deux chandeliers qu'il avait dénichés dans une chambre.

« Non, ne les mettez pas là », lui dit Wallis. « Nous en aurons besoin ce soir pour la table du dîner [26]. »

Dans la pagaille, quelqu'un renversa une lampe italienne qui se fêla. Très contrarié, le Duc essaya de la réparer.

Le maire de Monts tenait à une répétition générale du mariage parce que Wallis ne comprenait pas très bien le français, et il voulait lui faire entrer chaque mot dans la tête afin qu'elle sût quand prononcer la bonne réponse. Le français du Duc n'était guère meilleur.

Quelques invités commencèrent à arriver : Randolph Churchill, fils de Winston; le major Edward D. Metcalfe que le Duc et ses amis appelaient « Fruity », qui avait servi le Duc aux Indes et au Japon quand Edouard était Prince de Galles, avant de devenir son écuyer, et qui serait le témoin du Duc, la femme de « Fruity », Lady Alexandra, fille du marquis Curzon de Kedleston. Parmi les autres qui étaient en route, il y avait les Rothschild, Mr. et Mrs. W. C. Graham, consul d'Angleterre à Nantes, Lady Walford Selby, femme de l'ambassadeur d'Angleterre à Vienne, Hugh Lloyd Thomas, premier secrétaire de l'ambassade à Paris. Au total les invités seraient au nombre de seize.

C'était en vérité un mariage peu banal pour un homme qui, six mois plus tôt, avait été roi d'Angleterre et empereur des Indes, régnant sur 500 millions de sujets disséminés à travers une trentaine de millions de kilomètres carrés du globe.

Devant la cour, la foule grossissait. Une vieille paysanne portant la coiffe traditionnelle en dentelle se lamenta : « Personne d'ici ne verra la cérémonie, même pas moi [27]. »

Les policiers arboraient des uniformes neufs et des bottes cirées. Des patrouilles de motards sillonnaient les routes. Des stands qui vendaient du café et des bananes firent des affaires d'or. Toutes les maisons des environs étaient pavoisées de drapeaux français et anglais. Sur l'une d'elles il y avait une pancarte : BONHEUR A WINDSOR ET A MRS. WARFIELD [28].

De bonne heure, le jeudi 3 juin, une camionnette et une voiture chargées de valises et de malles quittèrent le château pour la gare afin de mettre les bagages dans un train à destination de l'Autriche.

Le léger ciel bleu était sans nuages, et la journaliste Inez Robb écrivit : « Il doit y avoir une pépite de vérité dans le vieil adage selon lequel " heureuse est la mariée que salue le soleil [29] ". » La cérémonie civile était fixée à dix heures et demie; plusieurs centaines de personnes, dont un colporteur chinois qui essayait sans succès de vendre des bretelles et des ceintures, s'étaient massées à l'extérieur de la clôture. Une Anglaise arriva avec trois caisses de champagne, très décidée à faire sauter les bouchons dès que les deux époux auraient prononcé leurs vœux.

A l'intérieur, tout était prêt. De grands vases de pivoines rouges et blanches décoraient les deux bouts de la table du mariage, devant laquelle étaient disposées quatre chaises pour la mariée, le marié, Herman Rogers et le major Metcalfe. Une autre table était garnie de fleurs et d'une brochette de drapeaux américains. Sur les murs, un tableau de la Résurrection et trois peintures de chevaux. Le salon mesurait douze mètres sur six; le tapis se composait de petits motifs rouges, verts et bleus. Sur la grande cheminée, côté sud, trônait un énorme bouquet de pivoines. Des fleurs rouges, jaunes et blanches, autour d'un vase de lis, garnissaient une troisième table sous la fenêtre. Les rideaux des fenêtres étaient en soie jaune; un lustre de cuivre était suspendu au centre du plafond. Les invités avaient pris place sur plusieurs rangs de chaises; quelques journalistes s'assirent sur un côté. Le soleil pénétrait à flots dans la pièce.

Pendant que le Révérend Jardine s'habillait, quelqu'un frappa à sa porte pour demander s'il n'avait pas vu Mrs. Warfield.

« Les journaux relatèrent qu'elle arriva avec trois minutes de retard à la cérémonie civile », nota Jardine. « Elle n'était pas en retard. Pendant qu'on la cherchait partout, elle s'était tranquillement assise dans un coin sans se rendre compte qu'on l'attendait [30] »

Premier acte : le mariage civil dans le grand salon. Le maire de Monts, un peu emprunté, tripotait nerveusement son écharpe tricolore à glands d'or. Il donna lecture des articles du code, informa la mariée qu'elle devait obéir à son mari et dit au mari qu'il devait assurer la subsistance de sa femme. Ils dirent « oui », puis signèrent le registre des mariages et le registre du consul britannique. Le Duc se frotta méditativement le menton, puis noua et dénoua ses doigts derrière son dos; ses yeux pétillaient de surexcitation.

« J'ai attendu mon tour après la cérémonie civile », raconta Jardine. « Puis j'ai traversé la bibliothèque où les domestiques du château se tenaient debout autour de la porte ouverte pour ne rien perdre du spectacle; j'ai franchi cette porte, je suis entré dans le salon de musique rempli d'invités, je me suis avancé vers la table sainte, et je me suis incliné très bas afin de prier pour cet homme et cette femme qui allaient bénéficier du rite complet de l'Eglise d'Angleterre [31]. »

Le grand organiste français Marcel Dupré joua en sourdine du Bach, du Schumann, et une fugue de sa composition. Puis retentit la marche nuptiale tirée du *Judas Maccabée de Händel*, et le Duc et son témoin s'avancèrent vers l'autel. Deux minutes plus tard, Dupré attaqua sa propre marche nuptiale et Wallis se dirigea à son tour vers l'autel au bras d'Herman Rogers. Il n'était que juste qu'il conduisît la mariée vers son mari : elle était restée si longtemps sous sa garde personnelle!

La robe de Wallis effleurait le parquet. Son « quelque chose de vieux » était une dentelle ancienne cousue dans ses dessous; le « quelque chose de neuf » était une pièce d'or frappée pour le couronnement d'Edouard VIII, avec le profil de l'ex-roi, qu'elle avait glissée dans le talon de sa chaussure; le « quelque chose d'emprunté » était un mouchoir de tante Bessie; le « quelque chose de bleu » était sa robe de mariée.

Sur l'autel improvisé, il y avait deux coupes d'argent anciennes, remplies de muguet, et une croix d'or de soixante centimètres qui provenait d'un temple protestant des environs. Deux candélabres de cinq cierges chacun se dressaient derrière l'autel; mais, sur l'autel même, la croix était flanquée de deux grands chandeliers. Des guirlandes de fleurs faisaient le tour de la nappe, et des clématites d'un vert crémeux très rare parfumaient le salon.

Le couple s'agenouilla sur deux coussins de satin blanc.

Le Révérend Jardine lut le service d'une voix forte. Le Duc, en jaquette et pantalon rayé, semblait parfaitement à l'aise. Toute nervosité avait disparu. Il avait l'air très jeune et incroyablement heureux. Le moment venu, cependant, il répondit « Je le veux » sur un ton si aigu et si déterminé que tout le monde tressaillit. En revanche, ce fut à voix basse que Wallis promit « d'obéir à son mari, de l'aimer, de l'honorer et de le servir ».

L'un des assistants remarqua qu'elle avait alors dédié au Duc un « petit sourire timide ». Selon un autre, ce sourire semblait vouloir dire : « Ouf! J'ai réussi [32]. »

Le seul représentant de la presse française, le futur ministre des Affaires étrangères Maurice Schumann, se rappela « le léger frémissement qui parcourut les petits groupes d'invités » quand le pasteur déclara : « Quiconque a une objection à formuler doit parler maintenant ou se taire pour l'éternité [33]. »

Jardine demanda ensuite aux assistants de prier le Tout-Puissant pour « attirer sa bénédiction sur cet homme et cette femme », et il ajouta sa propre prière : « Puissent-ils demeurer ensemble dans l'amour parfait et dans la paix. »

A l'orgue, Dupré joua : « O Amour parfait. »

Les deux mariés n'échangèrent pas de baiser.

Les invités défilèrent pour les féliciter. Chacun avait à résoudre son problème de s'incliner ou de faire la révérence à la Duchesse. Monckton n'en eut aucun. « Je m'incline facilement », disait-il [34].

Après la cérémonie, Wallis demanda à Jardine d'écrire quelque chose sur son livre de prières. Jardine, suivi du Duc, se dirigea vers une table.

« Me tournant vers le Duc », expliqua Jardine, « je lui ait dit : " Que dois-je écrire? Son Altesse Royale la duchesse de Windsor, ou simplement la Duchesse de Windsor? " »

« Ecrivez », répondit-il, « la Duchesse de Windsor ».

« J'ai hésité. Voyant cela, le Duc se reprit. " Ecrivez Son Altesse Royale [35] ". »

Ce qu'il fit.

Tout le monde se rassembla dans la grande salle à manger pour le déjeuner. Le maître d'hôtel se rappela plus tard que la Duchesse avait opté pour un buffet au lieu d'un repas assis, afin que les invités ne s'attardassent pas trop longtemps. Le gâteau de noce à six étages mesurait un mètre de haut, n'avait pas de fruits et « ne rappelait pas du tout les puddings de Noël ».

Le témoin du Duc, le major Metcalfe, porta un toast : « Longue vie et bonheur à Son Altesse Royale le Duc de Windsor et à sa femme [36]. » Tout le monde vida sa coupe de champagne, puis Wallis découpa le gâteau. La première tranche alla à tante Bessie qui était l'unique parente présente.

« Contrairement à la plupart des mariées qui entament le gâteau et laissent aux autres le soin de continuer », dit Jardine, « la Duchesse passa un bon quart d'heure à couper des tranches pour ses invités et des amis absents. J'eus droit à une grosse part parce que la Duchesse tenait absolument à ce que ma femme et ma famille pussent y goûter [37] ».

« Nous avions du Lanson 1921 comme champagne », précisa Hale, « mais le Duc n'en voulut pas. Il se contenta d'une tasse de son thé

3·6·37

Déjeuner

Caviar - Blinis

Langouste - froide

Homard - américaine

Navarin aux légumes

Fricassée de volaille

Jambon d'York

Parfait de foie gras

Salade Russe

Coq en Pâte

Gateau Breton

Napolitain

Fruits Rafraichi

Fraises des Bois

Omelette Norvegienne

Earl Grey [38]. » L'ambiance n'était nullement cérémonieuse. La terrasse était pourvue d'un grand store, et Wallis demanda qu'il fût baissé. Le Duc se précipita pour l'arranger pendant que les domestiques le regardaient sans bouger.

Huit ans plus tôt, alors qu'il était Prince de Galles, il avait déclaré : « Pendant douze heures chaque jour, je dois être ce que les autres veulent que je sois. Le reste de mon temps, je peux être moi-même. Si je me mariais, je passerais le reste de mon temps à être ce que ma femme voudrait que je sois [39]. »

Et telle était toujours son intention.

La plupart des invités partirent au début de l'après-midi. Walter Monckton prit Wallis à part. « Je lui ai dit qu'en Angleterre beaucoup de gens ne l'aimaient pas parce que le Duc, pour l'épouser, avait renoncé au trône, mais que si elle le rendait heureux toute sa vie, tout changerait; que par contre s'il était malheureux, elle pouvait s'attendre au pire. Elle m'a écouté gentiment, et m'a répondu : “ Walter, croyez-vous que je n'aie pas déjà réfléchi à tout cela? Je pense que je pourrai le rendre heureux [40] ”. »

30

Wallis connaissait son avenir. Tant qu'ils seraient en vie, le monde attendrait en se posant la question : « Seront-ils heureux? »

Leur drame s'atténuerait, s'effacerait ou prendrait de l'éclat à des degrés divers et à des époques différentes. C'était pourtant une histoire unique que la leur, dans la grande Histoire; elle resterait gravée dans le cœur de ses témoins, de tous ceux qui avaient écouté, lu, pleuré ou ricané. Et, toujours, il y aurait cette question plus ou moins informulée : « Seront-ils heureux? »

« Il plaît à beaucoup de gens de penser que la Duchesse a fait une bonne affaire en épousant l'ancien roi d'Angleterre », nota Forwood, l'écuyer du Duc. « Ils ne se rendent guère compte que cette femme intelligente, de son côté, s'est consacrée à faire de cette union une réussite. Elle est entrée dans le mariage en se disant que c'était pour de bon, quelles qu'aient pu être ses appréhensions [1]. »

Elle ne manquait pas d'appréhensions. Elle savait que leur union serait perpétuellement placée sous miscroscope, que des millions de curieux accueilleraient allègrement l'annonce d'une rupture. Après l'idylle du Prince Charmant, la tragédie grecque, n'est-ce pas? Mais elle savait aussi que leur couple pouvait compter sur un nombre égal de partisans qui leur voudraient du bien. Notamment toute une génération de femmes entre deux âges pour lesquelles Wallis représentait une espérance nouvelle dans la vie. Dans toutes les langues, des articles de presse s'intitulaient LE BONHEUR COMMENCE A QUARANTE ANS. Ils disaient tous la même chose : « Elle a fait de la liaison amoureuse d'une femme de quarante ans quelque chose de digne et d'important. »

Une Japonaise philosopha : « Si une femme a été aimée, haïe et enviée, sa vie valait la peine d'être vécue [2]. »

Lorsqu'ils quittèrent Candé après la cérémonie, Herman Rogers supplia en vain les journalistes : « Ne les suivez pas! »

Juste avant leur départ, le maire de Monts regagna précipitamment sa mairie pour aller chercher quelque chose : il avait oublié de leur remettre l'indispensable livret de famille!

Ils descendirent à Venise, mais pour quelques heures seulement. Ils nourrirent les pigeons de la place Saint-Marc et se promenèrent en gondole, puis ils reprirent le train pour l'Autriche. Il était près de minuit quand ils arrivèrent à destination; le préfet du lieu les attendait avec un bouquet de roses rouges et blanches et un petit discours de bienvenue. Il y avait aussi une cinquantaine de garçons et de filles en costume villageois, des journalistes et des photographes. La police avait prévenu que tous ceux qui prendraient des photos auraient leurs appareils confisqués pendant une semaine. Cette menace ne dissuada personne.

Enfin, le Duc et la Duchesse prirent place dans une voiture qui grimpa vers un ancien château situé en altitude au milieu des lacs et des sommets des Alpes. La lune de miel commençait, l'ancienne coutume de boire du miel pendant le temps d'une pleine lune. Pour Wallis, toute une éternité s'était écoulée depuis la dernière fois où ils s'étaient trouvés seuls tous les deux.

Le château de Wasselerleonburg datait du XIIIe siècle; il possédait une grande cour pavée, un beau jardin, une petite chapelle, quarante chambres. Il avait dû être reconstruit en 1747, et on lui avait récemment adjoint un court de tennis et une piscine.

Pour ceux qu'intéresse ce genre de détails, précisons que les bagages atteignirent le total de 266 unités, dont 186 malles; la plupart arrivèrent avant les nouveaux mariés.

Selon la petite histoire, le Duc franchit le seuil sans trébucher en portant sa femme dans ses bras. Les superstitieux y virent le présage d'un bonheur certain et durable pour tous deux.

Et le bonheur, en effet, fut au rendez-vous. Ils firent de longues promenades à pied, mais la Duchesse laissa le Duc pratiquer l'alpinisme; lorsqu'il parvint au sommet d'une montagne rocheuse qui s'appelle le Dobratsch, il lui adressa des signaux avec une petite glace de poche. Surtout, ils se redécouvrirent l'un l'autre.

« Je croyais fermement que les couples mariés devaient se promettre, le plus tôt possible, de ne jamais discuter d'un problème à propos duquel il n'y avait plus rien à faire », confia ultérieurement la Duchesse. « Autrement ce problème risquait de devenir un fantôme qui les hanterait jusqu'à la fin de leurs jours [3]. »

Evidemment ils ressassèrent la crise de l'abdication pendant leur lune de miel. Evidemment ils décidèrent de ne jamais plus en discuter ensemble. Et non moins évidemment ce souvenir les hanta jusqu'à la fin de leurs jours.

C'était fatal; ils seraient à jamais enchaînés à la même lourde pierre.

Le Duc avait demandé à la presse de respecter leur voyage de noces, et les journalistes les laissèrent tranquilles. Le *New York Times* du 6 juin publia cependant un entrefilet sur leur emploi du temps du premier dimanche de leur vie conjugale : « Vêtu d'une culotte tyrolienne en cuir, de bas blancs et d'une chemisette, il a arrosé les fleurs du jardin. Le matin il avait soigneusement examiné le court de tennis et tondu le gazon... La Duchesse a supervisé la préparation d'un dîner autrichien. » L'article ajoutait qu'ils buvaient tous deux de la bière autrichienne.

Ce qui n'empêchait pas le Duc et la Duchesse de mener une existence très britannique. Le Duc avait son écuyer anglais et l'omniprésent détective de Scotland Yard, David Storier. Storier remplaçait souvent le valet de chambre autrichien, apportait au Duc son thé du matin et l'aidait à s'habiller. Il lui procura même une version artisanale du bain turc que le Duc avait apprécié à Jermyn Street, à Londres. Storier faisait bouillir une marmite électrique pleine d'eau, la plaçait sous une chaise, faisait asseoir le Duc sur la chaise, puis l'enveloppait de serviettes jusqu'à ce qu'il commençât à suer abondamment. Storier passait aussi pour être « la garde-robe ambulante » du Duc [4]. De deux immenses poches intérieures de sa veste, il pouvait tirer à la demande n'importe quoi : une pomme, de l'aspirine, ou divers sous-vêtements.

Le Duc et la Duchesse apprirent sans joie, mais sans étonnement, que le film de leur mariage ne serait pas projeté en Angleterre.

Commentaire du *Daily Express* :

« Il faudra que vous alliez en France ou en Amérique — ou peut-être en Russie — pour les voir. Que de blagues on raconte ici sur la liberté! Pas de censure, pas de dictature, pas de je ne sais quoi, et pourtant le peuple anglais impérial est toujours traité comme une race mentalement déficiente... »

Le Révérend Jardine eut aussi des ennuis quand il regagna son église de Darlington. Le conseil municipal démissionna. Les gens, s'ils le croisaient dans la rue, détournaient la tête pour ne pas le saluer. L' « Establishment » le harcela tant et si bien qu'il partit pour Los Angeles.

Le Premier ministre Stanley Baldwin se retira de la vie publique sur ces mots : « J'ai eu mon heure. Je vais me mettre à l'ombre [5]. » Pour le peuple anglais, c'était un grand homme qui avait compris ce que désiraient ses compatriotes pendant la crise de l'abdication, qui avait agi selon leurs désirs, et qui avait sauvé le principe de la monarchie constitutionnelle. Pour l'histoire, il reste le politicien qui ne sut pas préparer l'Angleterre à la guerre imminente contre l'Allemagne.

Après avoir prononcé son discours au Parlement sur la crise, il avait confié à un ami : « J'ai obtenu un succès, mon cher Nicolson, au moment où j'en avais le plus besoin. Maintenant il est temps que je parte [6]. »

Pendant les fêtes du couronnement, Baldwin fut parfois plus applaudi que Georges VI.

Au moment de préparer sa liste des cartes de vœux de Noël, Baldwin dit à Lord Monckton qu'il allait en envoyer une au Duc de Windsor, ainsi conçue : « Je ne voudrais pas que notre vieille amitié périsse de ma propre main. » Il ajouta : « Bien sûr, elle regardera par-dessus son épaule et s'écriera : ' Ce vieux saligaud! Jetez-moi ça au feu! ' Mais je dois accepter ce risque-là [7]. »

Risque était le mot juste. Le Duc pardonnerait beaucoup de choses à Baldwin, mais jamais son refus d'accorder à Wallis le titre d'Altesse Royale qu'elle méritait.

Le jour du mariage Windsor, Ernest Simpson avait dîné incognito dans un restaurant réputé de Londres. Un ami commun lui dit négligemment qu'il avait bavardé la veille avec Wallis.

« Oh, vraiment? » répondit Simpson en souriant. « Et comment va-t-elle? Très bien, j'espère [8]? »

Pendant que le Duc et la Duchesse étaient en Autriche, Simpson gagna un procès en diffamation contre une grande dame de la société anglaise qui avait dit dans un salon que « Simpson avait accepté une forte somme d'argent pour prix de son silence [9] ».

Et à San Diego en Californie, le commandant Earl Winfield Spencer déclara, au sujet de sa première femme : « C'est une charmante personne, intelligente, spirituelle et de bonne compagnie. ' Stimulant ' est peut-être l'épithète qui convient le mieux à son charme. Quel que soit l'avenir qu'elle choisisse et où que cet avenir l'emporte, je lui souhaite le meilleur. Elle gardera toujours mon respect et mon admiration... C'est une femme extrêmement séduisante, qui possède une force de caractère dont je n'ai jamais vu l'équivalent chez une autre personne [10]. »

Peu de femmes ayant deux fois divorcé peuvent se vanter d'avoir conservé autant d'affection et d'estime de leurs anciens maris.

Le Duc aurait dit à Baldwin lors de l'abdication : « Maintenant je suis heureux pour la première fois de ma vie, et je vous prie de me laisser tranquille. » L'important n'est pas qu'il ait ou non prononcé cette phrase : l'important est qu'elle correspondait exactement à ses sentiments. Il était heureux pour la première fois et il voulait vraiment qu'on le laissât tranquille.

Wallis aussi. Plus tard, elle définit l'amour en usant de mots tels que « passion désintéressée », « félicité », « bonheur ». Et elle ajouta : « Voyez-vous, je ne pense pas que l'amour puisse mourir. Il change de régime, il s'attendrit, il s'élargit. Il peut s'émousser provisoirement à la suite d'une dispute ou d'un malentendu. Mais s'il est sincère dès le début, il a une âme [11]. »

Le seul test du véritable amour, dit-elle aussi, c'est le temps.

Du temps- elle en aurait.

31

L'automne de 1937 ne fut pas une lune de miel pour tout le monde. Le Japon avait envahi la Chine en juillet et « la croquait comme un artichaut, feuille à feuille [1] », pour reprendre le mot de Churchill. Malgré les vœux pieux en faveur de la non-intervention, l'Espagne était devenue le champ de bataille où s'affrontaient, d'un côté l'Allemagne et l'Italie, de l'autre la Russie. La ville basque de Guernica fut rayée de la carte par des escadrilles hitlériennes. Pourtant un manuel anglais d'instruction militaire de cette année-là contenait encore cette phrase : « Les règles pour les opérations sur le terrain de la cavalerie montée sont en général applicables aux régiments de véhicules blindés. »

Les manœuvres diplomatiques de l'Angleterre s'inspirèrent du même principe. Le timoré Arthur Neville Chamberlain, homme d'affaires de Birmingham, avait succédé à Stanley Baldwin au poste de Premier ministre, et il estimait qu'il pourrait négocier avec Hitler. La France craignait davantage la menace grandissante de l'Allemagne, mais elle se fiait béatement à la Ligne Maginot. Elle continuait aussi à faire fond sur sa cavalerie et disait, en rejetant les propositions de Charles de Gaulle pour la création d'une force mobile de chars d'assaut : « Le pétrole est sale, le crottin de cheval ne l'est pas. »

Les populations de France et d'Angleterre semblaient penser qu'une nouvelle guerre était impossible et, dans leur majorité, refusaient de s'y préparer. Les Anglais se passionnaient davantage pour le Lambeth Walk, danse qui faisait rage dans toutes les couches de la société.

La politique de Chamberlain se résumait en un mot : apaisement. Le peuple anglais y était tout à fait favorable. Un autre praticien de l'apaisement s'appelait Charles Bedaux; c'était lui qui avait prêté son château aux Windsor pour leur mariage. Très remuant, Bedaux était un homme trapu qui ne manquait pas de charme personnel; ce citoyen américain d'origine française avait gagné des millions dans le monde entier par ses études de temps et de mouvement en vue d'utiliser la main-d'œuvre dans un système de « développement accéléré [2] ». Les nationaux-socialistes, une fois arrivés au pouvoir, fermèrent ses bureaux en Allemagne, et Bedaux tenait absolument à les rouvrir. Son meilleur ami au sein du gouvernement allemand était le Dr. Robert Ley, chef du Front du Travail.

Bedaux proposa au Duc d'effectuer en Allemagne un voyage d'études sur les conditions de logement et de travail, ce qui piqua automatiquement la curiosité du Duc.

Bedaux possédait aussi un château en Hongrie qu'il utilisait comme rendez-vous de chasse, et il y invita les Windsor. Wallis et Fern, la femme majestueuse et sophistiquée de Bedaux, s'entendaient fort bien. Charles Bedaux informa le Duc qu'il avait déjà contacté ses amis allemands au sujet du voyage projeté, et que sa visite les intéresserait beaucoup.

Bedaux se rendait pleinement compte des possibilités de propagande qu'offrirait une pareille tournée du Duc en Allemagne, et il espérait que les nazis lui en sauraient gré au cours de ses futures négociations commerciales avec eux. De son côté le Duc ne vit pas dans ce voyage autre chose qu'une distraction et un changement de décor. Il aimait l'Allemagne dont il avait conservé d'excellents souvenirs, et il adorait parler l'allemand. Quant au national-socialisme, en quoi pouvait-il le préoccuper à présent qu'il n'était plus un personnage officiel? Bedaux lui affirma, de surcroît, que son voyage revêtirait un caractère strictement privé et que le gouvernement hitlérien ne le patronnerait pas.

Après trois mois passés dans un château silencieux, Wallis aussi aspirait à un changement. Sa naïveté politique était aussi grande que celle du Duc. Après tout, son mari était maintenant un citoyen comme les autres et il avait très envie de partir. Même si elle avait eu des doutes sur l'opportunité de ce déplacement, elle aurait hésité à le dissuader de faire la première chose dont il avait envie depuis leur mariage.

Le Duc dit à Bedaux qu'il pouvait donner suite à son projet. En attendant, les Windsor se rendirent à Paris; ils descendirent à l'Hôtel Meurice, et ils se mirent en quête d'un logement dans la capitale.

Leur appartement de neuf pièces à l'hôtel donnait sur le jardin des Tuileries; le Duc l'avait déjà occupé quand il était Prince de Galles; ils furent d'autant plus pressés de trouver une demeure bien à eux.

Pendant qu'ils cherchaient l'oiseau rare, à Berlin Bedaux mettait au point les derniers détails du voyage avec le Dr. Ley.

« Les rois vivent peut-être dans des palais de verre », écrivit Walter Monckton, « mais ils peuvent constamment disposer des meilleurs avis sur tous les problèmes. Il fut difficile de convaincre le peuple anglais que le Duc avait beaucoup plus de mal, en raison de la position qu'il avait occupée et des conseils dont il avait été entouré, à conserver un jugement équitable et mesuré alors que les ministres responsables n'étaient plus en contact avec lui et qu'il était environné d'amis qui, pour telle ou telle raison, vivaient à l'étranger très à part de la société anglaise et des intérêts britanniques. Avec quelqu'un comme le Duc, si prompt à s'emballer et si impressionnable, ce fut toujours pour moi un sujet d'inquiétude [3] ».

Le Duc avait jugé inutile de faire part de son prochain voyage à son frère ou au gouvernement de Londres mais il rencontra Beaverbrook à Paris et il lui en parla.

Beaverbroock fut consterné. Il dit au Duc qu'il serait accusé de s'immiscer dans la politique extérieure de son pays, qu'une telle visite en un moment pareil susciterait dans l'opinion des sentiments désobligeants à son égard puisqu'il nouerait des relations avec Hitler et les nationaux-socialistes. La publicité qui en résulterait ne pourrait que favoriser la cause du fascisme, et non la cause de la démocratie britannique. Si le Duc avait envie de changer d'air, pourquoi n'irait-il pas d'abord aux Etats-Unis? Il se fit pressant : « Mon avion personnel est à Paris. Permettez-moi de le renvoyer pour aller chercher Churchill et l'amener ici. »

Le Duc refusa. L'abdication ne l'avait pas changé. Seuls l'intéressaient les avis qui confirmaient ses opinions personnelles.

Bien résolue à ne plus exercer d'influence négative, la Duchesse se rangea du côté de son mari. Même au milieu des plaisirs de leur lune de miel, elle avait vu germer en lui les graines de l'ennui et de l'insatisfaction. Le Duc avait besoin de se sentir utile : quoi de plus normal pour un homme? Et puis, enfin, elle ne voyait vraiment pas pourquoi elle lui déconseillerait un voyage d'études.

Les Windsor partirent pour Berlin au début d'octobre. Robert Ley, le chef du Front du travail, les attendait sur le quai de la gare. Il y avait aussi le troisième secrétaire de l'ambassade de Grande-Bretagne; il leur annonça qu'ils ne verraient pas l'ambassadeur qui avait quitté Berlin à l'improviste, et que le chargé d'affaires avait été prié par le Foreign Office de ne rien faire qui pût passer pour une reconnaissance officielle de leur séjour. Le chargé d'affaires était sir George Ogilvie-Forbes qui avait bien connu le Duc lorsqu'il était Prince de Galles; il lui offrit plus tard, officieusement, de l'aider « dans la coulisse... de tout son possible [4] ».

Les Allemands avaient tout réglé et ne souhaitaient l'aide de personne.

Ils connaissaient aussi leur visiteur. Ils possédaient sur lui un gros dossier qui, en grande partie, plaidait en sa faveur.

La suggestion du Duc (encore Prince de Galles à l'époque) que des soldats anglais se rendissent en Allemagne pour fraterniser avec leurs anciens ennemis avait si fort impressionné Adolf Hitler qu'il avait personnellement accueilli le premier contingent britannique. Le Prince à son tour, la veille de la mort de son père, avait informé l'ambassadeur d'Allemagne qu'il espérait inviter à dîner les soldats allemands qui allaient arriver.

Lorsque Edouard succéda à son père, l'ambassadeur d'Allemagne, Hoesch, avait envoyé le rapport suivant à son ministre des Affaires étrangères :

« Par mes courriers précédents, vous savez que le roi Edouard, sur un plan très général, éprouve une chaleureuse sympathie pour l'Allemagne. J'ai acquis la conviction, au cours de fréquentes et souvent longues conversations avec lui, que cette sympathie est solidement enracinée et assez forte pour résister aux influences contraires auxquelles elle est souvent exposée... Je suis persuadé que cette attitude amicale envers l'Allemagne pourrait exercer le moment venu une certaine influence sur la conception de la politique étrangère britannique. En tout cas, nous devrions pouvoir faire fond sur le fait que le trône anglais est occupé par un souverain qui ne manque ni de compréhension à l'égard de l'Allemagne, ni du désir de voir s'établir de bonnes relations entre l'Allemagne et la Grande-Bretagne [5]. »

Ribbentrop avait déjà dit directement à Hitler en 1936 : « Si le roi devait donner son appui à l'idée de l'amitié anglo-allemande, sa grande popularité pourrait contribuer à réaliser une entente [6]. »

Ribbentrop s'attribua aussi le mérite d'avoir téléphoné à Hitler pour lui conseiller que la presse allemande ne soufflât mot de l'affaire Simpson — ce qui fut fait.

Ribbentrop expliqua plus tard à Hitler que les véritables motifs de la récente crise n'étaient ni d'ordre constitutionnel ni d'ordre moral, contrairement à ce qui avait été annoncé. Le principal mobile de Baldwin était purement politique : en bref, il avait voulu neutraliser les forces germanophiles qui cherchaient par l'intermédiaire de Mrs. Simpson et de l'ancien roi, à inverser le cours actuel de la politique britannique et à mettre sur pied une entente anglo-allemande. Selon un autre rapport, Herr Woermann aurait déclaré que Ribbentrop « avait fondé toute sa stratégie sur le rôle que Mrs. Simpson jouerait vraisemblablement dans les affaires anglo-allemandes. Sa disparition de la scène l'a complètement désorienté, et il envisage à présent l'avenir avec une grande anxiété ».

Le même témoin ajoute que Ribbentrop lui aurait dit que « le Führer était très affligé par la tournure des événements en Angleterre, car il considérait l'ancien roi comme un homme selon son cœur, qui comprenait le Führerprinzip et était prêt à l'introduire dans son pays ».

Mais Hitler avait antérieurement pris connaissance d'un document encore plus révélateur, sur lequel était inscrit UNIQUEMENT POUR LE FÜHRER ET LE MEMBRE DU PARTI V. RIBBENTROP [7]. Il émanait du duc de Cobourg, petit-fils de la reine Victoria. Né en Angleterre, il fut élevé à Eton jusqu'à ce qu'il eut hérité de son titre allemand à l'âge de seize ans. Le duc de Cobourg était le chef de la maison de Saxe-Cobourg-Gotha qui avait contracté des alliances matrimoniales avec presque toutes les familles royales d'Europe. Cousin germain de George V, il portait l'uniforme national-socialiste, et on l'appelait le duc nazi. Son rapport avait trait aux trois entretiens qu'il eut avec son cousin Edouard VIII.

D'après ce rapport, le roi aurait dit qu'une alliance anglo-allemande était une nécessité urgente pour sauvegarder une paix durable en Europe, que la Société des Nations était une farce, et qu'il espérait concentrer entre ses mains les affaires du gouvernement anglais.

« A ma question : une entrevue entre Baldwin et Adolf Hitler serait-elle désirable pour les futures relations anglo-allemandes? », relatait Cobourg, « il m'a répondu par les mots suivants : "Qui est le roi ici? Baldwin ou moi? Moi, je désire parler à Hitler, et je le ferai, ici ou en Allemagne. Dites-le-lui, je vous prie [8]. " »

Lorsque ce rapport Cobourg fut publié une génération plus tard, sir Harold Nicolson le commenta ainsi : « Cobourg était un affreux snob qui songeait surtout à impressionner Hitler par ses hautes relations. A coup sûr, Edouard a estimé que son rôle dans la vie était d'aider son pays à conclure une entente avec l'Allemagne, et j'ai souvent discuté avec lui de la praticabilité de l'affaire, étant donné la nature du régime. Ce qu'il redoutait, c'était la guerre.

« Peut-être croyait-il plus qu'il n'aurait dû en la probité allemande, et peut-être s'exagérait-il ses chances d'influer sur le cours des événements. Mais il n'a pas été le seul dans ce cas. Il se montrait d'une franchise absolue avec tout le monde au sujet de ses opinions, et il n'y avait rien en elles de déshonorant ni d'anticonstitutionnel [9]. »

On peut émettre des doutes sur le rapport Cobourg, mais rares sont ceux qui nieraient l'existence de la sympathie et du dessein. Edouard VIII était incontestablement pro-allemand.

Un an après, le duc de Cobourg donna un dîner au Grand Hôtel en l'honneur des Windsor, et il devint le premier personnage royal à reconnaître le droit de la Duchesse au titre de « Son Altesse Royale ».

Le carton de Wallis à sa table portait les initiales allemandes de « S.A.R. ». Il s'assura que le Duc et la Duchesse avaient bien compris la nature de ce geste. Le Duc en fut tout aise, la Duchesse y attacha moins d'importance. Elle fut surtout impressionnée par le fait qu'elle était la seule femme à ce dîner Cobourg, et que les hommes lui témoignaient une attention flatteuse.

Un fonctionnaire de la Chancellerie saxonne donna spontanément la nouvelle que Berlin avait informé toutes les autorités locales de s'adresser à la Duchesse par les mots : « Votre Altesse Royale ».

Les Allemands savaient que le meilleur chemin pour obtenir les bonnes grâces du Duc passait par la femme qu'il aimait. Ils n'ignoraient pas l'intérêt qu'elle portait à la belle porcelaine, et ils veillèrent à ce que son programme comportât une visite des usines de Meissen qui fabriquaient la porcelaine de Dresde. Des gardes d'honneur et des foules soigneusement alignées se trouvaient toujours aux gares de chemin de fer et chantaient « Nous voulons voir la Duchesse » [10].

Les seuls points noirs dans le dossier nazi du Duc étaient son amitié avec les Rothschild et le recours à un otologiste juif pour ses maux d'oreilles. Julius Streicher, grand-prêtre de l'antisémitisme en Allemagne nationale-socialiste et directeur de *Der Stürmer*, s'était livré à ses habituelles diatribes dans son journal; on jugea préférable de ne pas l'inviter aux cérémonies officielles pour les Windsor.

Ceux-ci n'auraient pu avoir le moindre reproche à adresser à leurs hôtes. Des journalistes américains observèrent que le Duc répondait parfois aux applaudissements de la foule par le salut hitlérien. Mais au programme de leur tournée officielle ne figuraient évidemment pas les minorités persécutées, les arrestations de masse, les camps de concentration ni les tortures. Les Windsor ne virent que l'énergie et le zèle au travail d'un peuple conduit par des dirigeants fanatiques.

A l'un des meetings organisés à Leipzig par le Front du Travail du Dr Robert Ley, le Duc déclara : « J'ai parcouru le monde et mon éducation m'a familiarisé avec les grandes réussites de l'humanité, mais jusqu'ici je n'avais pas cru possible de voir ce que j'ai vu en Allemagne. On ne peut pas l'expliquer, c'est un miracle; on commence seulement à le comprendre lorsque l'on se rend compte que derrière tout cela il y a un seul homme et une seule volonté. »

Ces propos ne faisaient pas du Duc un national-socialiste. C'était un homme qui admirait la puissance et les résultats. Il avait été un roi et un empereur qui avait régné, mais n'avait pas gouverné. Il aurait beaucoup aimé gouverner, diriger. Il en avait le désir, et peut-être le voulait-il. Il y rêva assurément. Or ici, dans cette Allemagne qu'il affectionnait, il voyait se réaliser son rêve de puissance; il en fut étourdi.

Cela ne veut pas dire qu'il serait devenu un jour national-socialiste ou fasciste. Il était foncièrement un homme bon dont les sympathies allaient naturellement aux malheureux et aux pauvres. Les méthodes spécifiques des nazis, à mesure qu'il en prenait connaissance, lui répugnaient. Et on put le constater dans la suite.

William L. Shirer, correspondant d'un journal américain à Berlin, et Randolph Churchill, fils de Winston, se joignirent au groupe des Windsor. Shirer remarqua que leur guide était « l'un des authentiques bandits nazis, le Dr. Ley ». Il écrivit aussi : « J'ai vu aujourd'hui Mrs. Simpson pour la première fois; elle m'a paru très jolie et séduisante... Quelle bizarrerie que le Duc vienne en Allemagne où les syndicats ont été détruits, juste avant de se rendre en Amérique! Il a été bien mal conseillé [11]. »

Ley ne plut pas à Wallis. Elle le trouvait désagréable et grossier.

Et puis elle n'aima pas la façon dont il les exhibait dans les rues, assis entre eux dans le fond d'une Mercédès découverte.

Wallis préférait de beaucoup le maréchal Göring. Il les invita à prendre le thé dans sa résidence de campagne et les accueillit avec effusion dans son uniforme blanc constellé de décorations. Les Göring firent visiter à Wallis toute la maison, y compris le gymnase où il y avait une machine à masser d'Elizabeth Arden.

Toujours revêtu de son uniforme à médailles, Göring chaussa une « paire de patins à roulettes pour faire une démonstration de ses talents à la Duchesse souriante » [12]. Ensuite il leur montra toute une série de jouets dans le grenier : l'un d'eux était un petit avion qui, attaché à un fil, traversait la pièce en lâchant de petites bombes en bois.

Wallis aperçut une chose qui l'intrigua, et elle demanda au Duc de poser une question à Göring. Il s'agissait d'une carte où l'Autriche était représentée comme une province allemande. Le Duc interrogea donc Göring qui répondit avec un large sourire que c'était une carte nouvelle et que, puisqu'il était certain que l'Autriche voudrait bientôt faire partie de l'Allemagne, il s'était épargné le souci de devoir en acheter une autre quand l'événement se produirait.

Ce fut au Platzl, grande brasserie de Munich, que les Windsor passèrent leur meilleure soirée. La salle était bondée. Le Duc avala trois pots de bière et grimpa sur sa chaise pour prononcer un petit discours en allemand et dire combien il aimait Munich. Plusieurs centaines de Bavarois en culotte de cuir se mirent à taper sur les tables avec leurs chopes et à hurler leur approbation quand il s'affubla d'une fausse moustache. Ils chantèrent en chœur, et le Duc reprit avec eux les refrains allemands. Finalement, le Duc reçut une « ovation à laquelle seuls les anciens rois de Bavière auraient pu prétendre » [13]. Et la Duchesse emporta de cette soirée pas comme les autres le souvenir de « délicieuses petites saucisses blanches » [14].

Hitler leur fit savoir qu'il souhaitait leur offrir le thé à Berchtesgaden le lendemain après-midi. Il mit à leur disposition son train spécial, puis une voiture les conduisit par une route escarpée jusqu'à son « nid d'aigle ».

La maison était pourvue d'un grand vestibule d'où l'on avait une vue magnifique sur les Alpes autrichiennes. Les journalistes étrangers s'étonnèrent que les Windsor n'eussent pas été invités à déjeuner bien qu'ils fussent arrivés à treize heures, et que Hitler les fît attendre plus d'une heure avant de les recevoir. Il introduisit d'abord le Duc dans son bureau, pendant que Rudolf Hess tenait compagnie à Wallis. Elle trouva à Hess de la prestance et du charme. Ils bavardèrent pendant une heure, puis Hitler sortit avec le Duc; ce fut lui qui anima la conversation.

« Le Duchesse ne participa que par intermittence à l'entretien », raconta plus tard l'interprète Paul Schmidt, « et toujours avec une grande discrétion, lorsque était abordé un problème social d'un intérêt particulier pour les femmes. Elle était habillée avec simplicité. Elle produisit une impression durable sur Hitler » qui dit à Schmidt : « Elle aurait fait une bonne reine [15]. »

« Je ne parvenais pas à détacher mes yeux de Hitler », écrivit Wallis. Elle remarqua ses mains longues et minces, et elle sentit l'impact d'une « grande force intérieure ». Ce qui la frappa surtout, ce furent ses yeux, « véritablement extraordinaires : vifs, ne cillant jamais, magnétiques, brûlant de la même flamme que j'avais déjà vue dans les yeux de Kemal Atatürk » [16].

Lorsqu'ils partirent, Hitler les salua d'un bras levé; le Duc lui répondit par le même geste.

Wallis essaya d'apprendre de quoi Hitler et le Duc avaient parlé. Le Duc se borna à dire que Hitler avait longuement discouru sur ce qu'il avait fait pour l'Allemagne et sur ses raisons de détester le bolchevisme.

Plus tard, le Duc qualifia aussi les yeux de Hitler de perçants et magnétiques.

« J'avoue franchement qu'il m'a roulé. Je l'ai cru quand il m'a déclaré qu'il ne recherchait pas la guerre avec l'Angleterre... Je reconnais maintenant que, comme trop d'autres personnes bien intentionnées, j'ai laissé mon admiration pour le bon côté du tempérament allemand obscurcir ce qu'on lui faisait faire de mauvais. J'ai pensé que la tâche immédiate de ma génération consistait à empêcher un nouveau conflit entre l'Allemagne et l'Occident qui pouvait anéantir notre civilisation.

« Eh bien, je me suis trompé [17]. »

Faisant le bilan de la visite des Windsor, les diplomates étrangers estimèrent qu'elle avait été davantage un cortège triomphal qu'un voyage non officiel. Les Allemands avaient présenté le Duc comme un ami des travailleurs, en donnant à entendre que c'était la raison pour laquelle il avait été chassé de son trône. Leur propagande souligna que le Duc avait trouvé dans le Troisième Reich un système à son goût.

Selon des rapports ultérieurs, Hitler aurait déclaré à ses intimes que, s'il avait passé une heure avec le Duc pendant la crise de l'abdication, il aurait réussi à le convaincre de ne pas renoncer au trône. Hitler trouvait que, en sa qualité de roi et avec ses idées, il avait des responsabilités à assumer, non seulement envers son pays, mais envers l'Europe.

32

Le Duc et la Duchesse refusèrent tout d'abord de croire que leur voyage en Allemagne avait été un fiasco et qu'ils avaient été « roulés » ou « utilisés ». Ils ne voulurent pas davantage comprendre qu'une nouvelle vague de ressentiment contre eux déferlerait en Angleterre et dans d'autres pays. Leur enthousiasme et les diverses émotions fortes qu'ils avaient vécues les aveuglaient encore.

La Duchesse était ravie parce qu'elle n'avait jamais été comblée jusqu'ici de tant d'honneurs officiels. Certes, pendant la croisière du *Nahlin*, elle avait rencontré des rois et bénéficié en Turquie d'un accueil de reine. Mais sa réception par les Allemands avait été extraordinaire, parfaitement orchestrée par des foules impressionnantes, des ovations, des gardes d'honneur, des défilés. Ils n'avaient tous cherché qu'à lui plaire. De ce fait, elle avait éprouvé une incroyable sensation de puissance, et c'était une sensation qu'elle aimait. Elle confia un jour à une amie qu'elle avait espéré faire la connaissance d'Eva Braun, la maîtresse d'Hitler, mais qu'elle ne la rencontra jamais.

Le Duc avait déjà effectué un millier de visites officielles. Un an plus tôt, celle-ci ne l'aurait guère troublé. Mais il n'était plus une personnalité royale, et il avait passé quelques mois en Autriche à méditer sur son avenir. Dans une interview, il avoua : « Par mon retrait de la position élevée que ma naissance m'avait destiné à occuper, j'étais devenu une sorte d'étranger, un homme à part [1]. »

Cela étant, le voyage en Allemagne avait revêtu une importance qui dépassait l'événement en soi. Il lui rappela ce qu'il était. Et la reconnaissance par les Allemands de Wallis comme Altesse Royale, avec autant d'honneurs et de courtoisie, le remplit de satisfaction. Il se sentit « restauré » aux yeux de sa femme.

L'incroyable fut qu'il ne put ou ne voulut pas admettre que leur voyage avait donné lieu à une propagande catastrophique. Comment pouvait-il avoir ignoré les agissements de l'Allemagne nazie et la menace qu'elle faisait peser sur le monde? Comment pouvait-il avoir cru que le spectacle savamment programmé de l'énergie et du rendement représentait toute la vérité sur l'Allemagne? Pourquoi n'avait-il pas eu la curiosité d'essayer d'équilibrer ce qu'il avait vu avec les tares évidentes du système et de la société fascistes?

Et, surtout, pourquoi Wallis et lui furent-ils si complètement captivés par Hitler?

Le Duc ne demandait qu'à croire ce qu'il avait envie de croire. L'Allemagne et son peuple composaient une grande partie de son héritage familial. Il aimait ce pays et ses habitants; il s'y sentait à l'aise. Sans doute ne connaissait-il pas grand-chose aux doctrines nationales-socialistes de race et de haine, et il y croyait encore moins. Son milieu social ne craignait ni ne comprenait la menace de l'Allemagne nazie. Churchill était une exception; or combien l'écoutaient?

La réaction de Wallis fut encore plus compréhensible. En politique, elle était au moins aussi naïve que le Duc. Son éducation officielle s'était arrêtée à Oldfields, où les étudiantes s'intéressaient moins aux idées qu'aux bonnes manières et à la religion. C'était dans les journaux, les magazines et les propos de cocktails qu'elle avait puisé sa connaissance du monde.

La vérité était que Hitler avait subjugué le Duc parce qu'il possédait le plus fort magnétisme des deux, et qu'il avait fasciné Wallis parce que les tempéraments dynamiques l'avaient toujours fascinée. Avec le Duc, c'était elle qui menait la barque, et elle le savait. Il faisait sa loi des désirs de sa femme. Peut-être n'avait-elle pas délibérément choisi ce rôle, mais c'était celui qu'il préférait. Par conséquent, lorsqu'elle se trouvait en face d'un homme fort et dominateur, elle vibrait. Kemal Atatürk avait provoqué en elle la même sensation, et Atatürk ne régnait que sur un territoire infime par comparaison avec Hitler. Sa réaction était donc prévisible : elle fut avant tout affective, car Wallis n'avait pas l'esprit bourré de faits (qu'elle ne connaissait pas) ni de principes (qu'elle ne comprenait pas).

Encore sous le charme, ils eurent tendance à ignorer les critiques. Leur voyage en Allemagne avait provoqué un refroidissement dans leurs relations avec Beaverbrook, un silence de la part de Churchill. Herbert Morrison, député et président du Conseil de Londres, écrivit non sans rudesse : « Les anciens rois ont à choisir : ou s'effacer des yeux du public, ou empoisonner l'atmosphère. Ce choix est peut-être pénible pour un homme de son tempérament, mais le Duc de Windsor serait bien avisé d'opter pour l'effacement [2]. »

S'effacer? Voilà qui n'était pas dans le style du Duc. S'effacer, autant dire mourir d'ennui. Le Duc et la Duchesse avaient envie, l'un comme l'autre, d'agir, de faire quelque chose. Le Duc souhaitait se bâtir une position importante. Il ne savait pas très bien laquelle, mais il continuerait à chercher jusqu'à ce qu'il l'eût découverte.

Wallis était également décidée à l'aider à se trouver lui-même. Peut-être fut-elle à l'origine d'un projet de voyage aux Etats-Unis. Là aussi, il pourrait étudier les conditions de travail et de logement. Tout en discutant avec Bedaux en Hongrie du voyage en Allemagne, ils lui avaient demandé de préparer également une tournée en Amérique. Toujours très bien organisé, Bedaux avait immédiatement informé l'ambassade des Etats-Unis à Budapest que le Duc et la Duchesse arriveraient à New York le 11 novembre à bord du *Bremen,* et que le Duc serait heureux d'être reçu par le Président pour discuter avec lui de questions sociales. Le Duc, ajouta-t-il, diffuserait aussi de Washington un message d'un quart d'heure au peuple américain, et ils voyageraient tous les deux dans un Pullman privé.

Bedaux voulait savoir rapidement si le Président recevrait le Duc et si le gouvernement américain assurerait une protection policière. Bedaux fit remarquer que le Duc allait visiter l'Allemagne sur l'invitation de Hitler et que le gouvernement allemand avait mis à sa disposition deux avions et huit voitures.

Wallis était absolument enchantée par la perspective de ce séjour qui durerait cinq semaines. Baltimore figurait évidemment sur l'itinéraire. Quelle tournée triomphale! Elle avait quitté les Etats-Unis avec très peu d'argent, le cœur brisé par un roman d'amour qui avait mal tourné, et elle allait y revenir comme l'une des femmes les plus enviées du monde. L'attente lui parut interminable.

Les arrangements se firent au pas de charge. Le président Franklin D. Roosevelt invita le Duc et la Duchesse à prendre le thé à la Maison-Blanche. George Summerlin, chef du protocole au Département d'Etat, les accueillerait à leur arrivée et resterait auprès d'eux jusqu'à leur départ. Le gouvernement offrait son entière coopération et toutes les facilités nécessaires pour la tournée envisagée.

L'écuyer du Duc rédigea même une note de sept pages à l'intention du personnel du paquebot allemand *Bremen* : le Duc et la Duchesse seraient servis dans le salon rouge, salle à manger particulière qui leur serait réservée sur le pont du Soleil; il leur faudrait pour le thé un mélange anglais spécial, ainsi que de l'eau potable de Londres; d'autre part, la cuisine était avertie que le Duc préférait des plats « bourgeois », tels que des steaks, des côtelettes et du poulet pour le dîner, apprêtés à la française sans moutarde, et qu'il ne buvait que de l'eau minérale avant l'heure des cocktails; il aimait bien aussi des canapés de pâté de foie, du jambon de Westphalie et du fromage fondu sur toast. Au dîner, il boirait volontiers du bordeaux rouge, mais ni vins blancs ni champagnes; après le dîner, il apprécierait un cognac avec son café.

La note précisait encore que la Duchesse partageait les goûts alimentaires de son mari, mais qu'il lui plaisait beaucoup d'avoir des fleurs sur sa table et dans sa chambre — n'importe quelles fleurs sauf des roses. Le Duc préférait des œillets rouge foncé pour le revers de son veston.

Au moment où tout semblait réglé, les difficultés commencèrent.

La personnalité de Bedaux fut la première pierre d'achoppement. Son nom soulevait la réprobation des travailleurs américains. Ils considéraient ses sociétés d'experts en management comme des systèmes de rendement déguisés qui auraient pour effet de convertir une main-d'œuvre en automates. De plus ses convictions nationales-socialistes les prévinrent contre lui. Cette sorte de malédiction générale épouvanta Bedaux.

Il regagna en hâte les Etats-Unis. Le hasard voulut que Ernest Simpson se trouvât sur le même paquebot pour réaliser ses propres projets d'avenir : dans moins de trois semaines, le 19 novembre exactement, Simpson épouserait Mary Kirk Raffray au cours d'une cérémonie intime à Fairfield dans le Connecticut.

Pendant ce temps, le Duc et la Duchesse s'occupaient à Paris. On les vit effectuer de longues promenades dans la forêt des Fontainebleau. Ils recevaient des piles de lettres, et ils répondaient à toutes, même aux correspondants qui écrivaient « Cher roi ». Ils aimaient beaucoup explorer en voiture la campagne en compagnie de leurs deux terriers à poil dur. Et ils préparèrent leurs bagages pour leur voyage de cinq semaines en Amérique.

Le Duc décida de faire acte de présence au déjeuner de la presse anglo-américaine à Paris. Il avait d'abord accepté à la condition qu'il n'aurait pas à prononcer de discours, mais les vives réactions provoquées par son voyage en Allemagne l'incitèrent à présenter sa défense.

« Quelques récents exposés inexacts concernant la Duchesse et moi-même nous ont causé des soucis et un embarras considérables; ils pourraient avoir des conséquences dangereuses... Notre voyage en Allemagne a été très intéressant, et nous attendons maintenant avec impatience notre prochaine visite aux Etats-Unis, ainsi que toutes autres occasions d'étudier les conditions de l'industrie et du logement dans les principaux pays du monde. »

Le Duc estima alors utile d'ajouter : « Je suis maintenant un homme marié très heureux, mais ma femme et moi ne sommes pas disposés à mener une existence de loisirs purement inactive qui ne nous satisferait pas. Nous espérons et estimons que, le moment venu, l'expérience que nous aurons acquise dans nos voyages nous permettra, si nous sommes équitablement traités, d'apporter une certaine contribution, en tant que personnes privées, à la solution de quelques-uns des problèmes vitaux qui, aujourd'hui, hantent le monde [3]. »

A la même période, la visite prévue des Windsor aux Etats-Unis créait une véritable consternation en Grande-Bretagne. L'ambassadeur d'Angleterre à Washington, l'Hon. sir Ronald Lindsay, rentra de Londres avec des instructions nouvelles et alla s'entretenir avec le Sous-Secrétaire d'Etat Sumner Welles. Le rapport confidentiel de Welles au Secrétaire d'Etat fut fort explicite.

> L'ambassadeur m'a indiqué qu'avant son départ d'Angleterre il avait été invité à passer quelques jours chez le roi et la reine d'Angleterre. Il m'a dit que, comme je le savais sans doute, les relations entre le roi actuel et le duc de Windsor avaient été toujours très étroites et que, pendant les années de jeunesse du roi actuel où il avait souffert de difficultés d'élocution, celui qui était alors Prince de Galles avait pris sur lui de protéger et de soutenir son frère, et que pour cette raison le roi actuel éprouvait un sentiment très naturel de reconnaissance et d'affection particulières pour le duc de Windsor. D'un autre côté, ils estimaient tous deux qu'en ce moment où le nouveau roi se trouvait dans une situation délicate et s'efforçait de conquérir l'affection et la confiance du peuple de son pays, sans posséder le magnétisme populaire du duc de Windsor, il était particulièrement malheureux que le duc de Windsor se plaçât dans une position où il semblait vouloir se mettre en vue. L'ambassadeur a poursuivi en me disant qu'il avait trouvé dans l'ensemble de la classe dirigeante de l'Angleterre un sentiment très véhément d'indignation contre l'attitude du duc de Windsor, sentiment fondé en partie sur le ressentiment consécutif à l'abandon de ses responsabilités, et surtout sur l'apparente inélégance de son comportement actuel à l'égard du roi son frère. L'ambassadeur a précisé que dans les milieux de la Cour, au Foreign Office, chez les dirigeants des partis politiques, ce sentiment avait pris des proportions incroyables. L'ambassadeur a ajouté une chose intéressante, à savoir que l'indignation s'est récemment approfondie parce que les actifs partisans du duc de Windsor en Angleterre sont ces éléments connus pour avoir des inclinations envers les dictatures fascistes, et parce que le récent voyage du duc de Windsor en Allemagne ainsi que l'accueil ostentatoire que lui ont réservé Hitler et son régime ne pouvaient s'expliquer que par un empressement, de la part du duc de Windsor, à se prêter à ces tendances. L'ambassadeur a exprimé l'opinion personnelle que le duc de Windsor lui-même n'était probablement pas au courant des sentiments à cet égard, qui auraient été exploités à son insu.
>
> ... Les Anglais désiraient surtout, m'a-t-il dit, que les autorités du gouvernement britannique ne fissent rien qui permettrait au Duc de Windsor de se parer de l'auréole du martyre [4].

Peu après sa visite à Sumner Welles, l'ambassadeur d'Angleterre annonça que sa femme et lui donneraient un dîner à l'ambassade en l'honneur du Duc et de la Duchesse, le lendemain soir de leur arrivée à Washington.

Pendant ce temps, les ennuis de Bedaux s'aggravaient. C'était comme si tous les syndicats américains poussaient subitement le même cri de colère nationale. La situation empira au point que les directeurs des quatre sociétés d'experts en management de Bedaux en Amérique invitèrent leur patron à se retirer à la fois de ces compagnies et de la tournée des Windsor.

Bedaux s'exécuta. Ses neuf jours en Amérique lui avaient révélé l'étendue de sa catastrophe personnelle. « Ce qui le rendit malade », écrivit Janet Flanner dans le *New Yorker,* « ne fut pas d'être traité de fasciste dans quarante-huit Etats; ce fut son échec — le premier échec de sa carrière. Il avait perdu... son orgueil; la réussite était son élément naturel, et la vanité essentielle à sa bonne santé ».

Bedaux câbla au Duc.

« Sir, la probité et l'amitié m'imposent de vous informer qu'en raison d'attaques erronées lancées ici contre moi, je suis convaincu que votre voyage prévu serait difficile sous ma conduite... »

Cette affirmation restait au-dessous de la vérité. Le voyage était devenu impossible parce qu'il l'avait organisé. William Green, le président de l'American Federation of Labor, annonça certes que les travailleurs feraient bon accueil au Duc puisque Bedaux ne participerait pas à sa tournée aux Etats-Unis. Mais c'était trop tard. Et le préjudice trop grand. Le Duc envoya un télégramme de regrets au Président des Etats-Unis. La dernière fois qu'il s'était rendu à la Maison-Blanche, il avait déjeuné avec le président Calvin Coolidge, et auparavant il était allé voir Woodrow Wilson malade.

La réaction de la presse fut si vigoureuse que l'ancien roi se crut obligé de publier un communiqué : « Le Duc répète catégoriquement que rien ne justifie une allégation qui le représenterait comme l'allié d'un quelconque système industriel, ou comme le partisan ou l'adversaire d'une quelconque doctrine politique et raciale. »

Le Duc encaissa difficilement cet affront public, mais il n'avait qu'à s'en prendre à lui-même : il avait commis une erreur de jugement. Pour Wallis, l'annulation du voyage en Amérique fut un coup très dur. Elle y avait placé tant d'espoirs! Elle s'était si longtemps sentie cernée, assiégée, recluse, qu'elle entrevoyait ce retour au pays comme l'occasion de retrouver sa liberté, de rire et de bavarder avec de vieux amis, de savourer à fond sa position nouvelle dans la société. Or voilà qu'inexplicablement ce rêve s'écroulait...

« Le meilleur conseil que les amis du Duc peuvent lui donner est de se retirer de l'arène publique », déclara le *Daily Express* de Beaverbrook.

Wallis lut cet éditorial avec autant d'étonnement que d'inquiétude. Si son mari devait vraiment se retirer de l'arène publique, où pourrait-il aller? Que pourrait-il faire? Et, s'il n'était pas heureux, comment pourrait-elle être heureuse?

33

Un hôtel n'est pas un foyer, et Wallis s'assigna comme tâche numéro un de trouver une maison et d'en faire un foyer. Puisque le Duc voulait habiter la campagne et qu'elle préférait la ville, elle commença sa chasse au logis d'une façon quelque peu décousue. Entre-temps elle essaya de créer une impression de confort intime et d'ordre dans leur « suite » de l'hôtel Meurice.

« Elle avait un petit livre doré sur lequel elle écrivait ses commentaires et ses reproches au sujet des repas », raconta son maître d'hôtel Hale qu'elle avait emprunté aux Bedaux. « Elle rectifiait constamment certaines choses : par exemple, elle ne pouvait pas supporter de voir trop de nourriture servie sur une table.

« Le Duc et la Duchesse faisaient chambre à part et prenaient séparément leur petit déjeuner. Il avait un faible pour des harengs et des œufs mais elle n'avait pas de préférence. Ils passaient la matinée chacun de leur côté. Elle tenait beaucoup à être tranquille le matin. S'il entrait dans sa chambre en passant, elle l'en faisait déguerpir aussitôt [1]. »

Wallis consacrait la majeure partie de ses matinées à ses soins de beauté et à son intérieur. Après le masseur et le coiffeur, elle conférait avec Hale sur le menu du dîner, la liste des invités et les problèmes du personnel. Hale était le porte-parole de la domesticité quand celle-ci avait des revendications à formuler. Elles étaient rares car la Duchesse était une patronne attentive et pleine d'égards.

« Elle était toujours très bonne et généreuse envers le personnel », dit Hale. « Chaque fois que nous voyagions, elle s'assurait que nous étions bien installés dans les meilleures chambres. Le personnel savait toujours ce qu'elle voulait et nous savions ce que nous avions à faire. Elle avait le compliment facile. Ainsi elle me disait : 'Le dîner s'est très, très bien passé, Hale [2] '. »

Le Duc et la Duchesse recevaient en effet à dîner deux fois par semaine en moyenne; il y avait rarement plus de seize convives. Les autres soirs, ils sortaient presque toujours.

« Ils mangeaient peu au déjeuner », dit encore Hale. « Et quand ils dînaient en tête-à-tête, le menu était très simple. Le dîner était toujours servi à huit heures et demie, après un bref intermède pour les cocktails [3]. »

En sus de Hale et de deux chauffeurs, le personnel se composait de deux valets de pied, d'un chef et de deux aides-cuisiniers, d'une femme de chambre personnelle et d'un valet de chambre personnel, et de deux bonnes. Il fut par la suite complété de quelques unités, notamment d'une bonne chargée exclusivement de la porcelaine fine et d'un pâtissier. Il ne semble pas qu'il y ait eu de grands changements dans la domesticité.

Si aucun homme n'est un héros pour son valet de chambre, on peut en dire autant de la maîtresse de maison pour son maître d'hôtel et les autres domestiques. Les femmes ne peuvent pas abuser leur personnel. Chez la Duchesse, les gages n'étaient pas plus élevés que dans les autres maisons et, dans certains cas, ils l'étaient moins. Mais les serviteurs restaient parce que son charme n'était pas qu'épidermique, parce que son naturel n'était pas truqué, parce que l'intérêt qu'elle leur portait était sincère. Le portrait de son caractère n'aurait pas été complet sans ces détails d'apparence insignifiante.

Pendant son séjour à Paris, Wallis eut un autre aperçu de ce que leur vie aurait pu être lorsqu'elle fut invitée en novembre 1937 à inaugurer une vente de charité pour l'Eglise épiscopalienne anglaise du Christ à Neuilly. Lorsqu'elle arriva avec le Duc, les applaudissements furent maigres. La colonie anglaise était venue en masse par simple curiosité. Mais ce qui plut à Wallis, et au Duc en particulier, ce fut qu'après sa brève allocution les applaudissements se firent très enthousiastes.

Pour prononcer son premier petit discours public, la Duchesse s'aida de quelques notes : « Nous sommes sensibles à l'accueil que vous nous avez réservé. Nous sommes heureux d'assister à la réunion de votre communauté à laquelle nous souhaitons beaucoup de succès. En déclarant ouverte cette vente de charité, je voudrais adresser mes compliments à tous ceux qui y ont travaillé et qui lui ont apporté leur contribution; je suis sûre qu'ils seront généreusement récompensés de leurs efforts [4]. »

Quatre phrases, ni littéraires ni très profondes, mais exactement importantes pour eux deux. Elles rompirent la glace. Ravi, le Duc la félicita, car c'était la première fois qu'il avait eu la possibilité d'exhiber sa femme devant une assistance britannique.

Et l'opinion générale fut que la Duchesse était « charmante » qu'elle « avait l'air intelligente », qu'il y avait « dans les yeux un agréable mélange d'humour et de gentillesse », et que sa voix était « douce et mélodieuse, sans le moindre accent américain [5] ».

Le Duc et la Duchesse firent le tour des stands; leur bonne humeur et leurs éclats de rire achevèrent de créer une excellente atmosphère; ils achetèrent de la confiture et des pickles et ils rentrèrent chez eux tout ragaillardis, Après tant de déboires publics, ce petit succès leur parut d'autant plus merveilleux.

C'est à cette époque-là que quelqu'un demanda à Wallis quelle impression elle aurait si la couronne royale avait été posée sur sa tête.

« Exactement celle que l'on a au cours d'un atterrissage forcé », répondit-elle [6].

Walter Monckton était celui de leurs amis fidèles qui venait le plus souvent les voir. Il devina aisément que le Duc « se battait contre les barreaux » et qu'il était de plus en plus irrité par « l'ambiguïté de sa position [7] ». Monckton trouva aussi que Wallis, dans son subconscient, ne se résignait pas à l'idée que le Duc était devenu un personnage moins important en l'épousant.

Une partie du problème était que plusieurs de leurs amis anglais les évitaient parce qu'une visite aux Windsor « pourrait être mal interprétée par la famille royale ». Monckton réussit néanmoins à décider quelques-uns d'entre eux à venir à Paris. « Leurs visites furent les bienvenues et améliorèrent l'ambiance [8]. » L'un des hôtes des Windsor à l'hôtel Meurice fut le Premier ministre Neville Chamberlain.

Etant donné que le Duc ne représentait plus pour lui une menace, Chamberlain pouvait maintenant se montrer condescendant et même bienveillant. D'ailleurs les deux hommes étaient liés par leurs dispositions communes envers l'Allemagne hitlérienne : l'un comme l'autre étaient partisans d'un apaisement afin d'éviter la guerre. Hale remarqua la prudence du Premier ministre dans ses conversations avec le Duc : dès que Hale entrait dans la pièce, le Premier ministre se taisait, même au milieu d'une phrase, et il ne recommençait à parler que lorsque le maître d'hôtel repartait.

Ce que le Duc attendait surtout de Chamberlain et du gouvernement anglais, c'était qu'ils lui accordassent l'autorisation de rentrer en Angleterre avec sa femme. Il voulait retrouver ses racines : une maison anglaise avec un jardin anglais, et un poste de responsabilité. Mais il ne reviendrait pas si sa femme ne recevait pas les honneurs qui lui étaient dus en tant qu'Altesse Royale.

Chamberlain lui promit de réfléchir et d'en délibérer dès son retour.

L'image de marque de Wallis ne s'améliora pas quand des journaux racontèrent qu'elle avait placé sur la tablette de sa cheminée cinq photos : une du Duc et de la Duchesse, une de la reine Mary et trois d'Adolf Hitler. Celle de la reine Mary était encore plus incroyable que les portraits de Hitler. Les personnes qui connaissaient les rapports de la reine mère avec sa bru s'en amusèrent beaucoup. Mais bien entendu il se trouva des naïfs pour prendre ce ragot au sérieux.

Les ornements qu'en tout cas elle avait disposés sur sa coiffeuse étaient des souvenirs de leur idylle : un bouquet de fleurs accompagné de la carte aux armoiries royales, un éventail, des fragments d'une lettre, la première invitation officielle qu'elle avait reçue du Prince de Galles, une paire de gants blancs et une paire de bas de golf qu'il avait portés à l'un de leurs week-ends à la campagne.

Et puis, en février 1938, la Duchesse bénéficia d'une nouvelle publicité lorsqu'elle figura pour la deuxième année consécutive au palmarès des femmes le mieux habillées du monde. Comme si elle avait voulu le prouver, elle assista à la réception d'adieu de l'ambassadeur des Etats-Unis à Paris, William C. Bullitt, en arborant une simple robe de crêpe blanc, à peine décolletée en carré. Sa robe frôlait le parquet en plis droits plaqués; elle était garnie de deux bandes de broderie d'or qui partaient de la taille et s'incurvaient sur les hanches. Wallis s'était parée du dernier cadeau du Duc : un diadème de diamants et d'émeraudes. Un fil mince de diamants et d'émeraudes autour de la gorge complétait l'ensemble.

Cet hiver-là, Wallis avait déniché une résidence à Versailles qui plut finalement au Duc : le château de La Maye, luxueusement meublé, possédait un domaine étendu, des courts de tennis, un parcours de golf et une piscine. Les Windsor embauchèrent une douzaine de serviteurs supplémentaires et quatre cuisiniers; la Sûreté française coopéra de nouveau avec Scotland Yard pour leur sécurité. Lorsque leur bail de six mois vint à expiration, ils repartirent pour la Côte d'Azur où ils signèrent un bail de dix ans pour La Croe, la villa à laquelle avait déjà pensé Wallis pour la cérémonie du mariage. Wallis la fit peindre en bleu et blanc et entreprit de réunir un mobilier assorti.

Ce fut là qu'ils passèrent la Noël de 1938 et qu'ils donnèrent leur première grande soirée qui se déroula dans la plus franche gaieté, quoique le Duc eût perdu l'argent que Wallis lui avait donné pour régler les musiciens. Depuis cet incident, elle prit en mains toutes les transactions financières.

Elle aimait beaucoup raconter une anecdote sur le Duc. Le 25 décembre au matin, ils se rendirent à l'église et, au milieu du service, le Duc murmura, assez fort pour être entendu de ses voisins : « Chérie, combien avons-nous donné à ces gens-là? »

Wallis aurait pu être heureuse à La Croe. La sérénité semblait possible avec les terrasses qui descendaient vers la mer, le grand confort de la maison, un climat extrêmement agréable, leurs amis des alentours. Mais elle le sentait mélancolique, mal à l'aise, et elle réagissait en conséquence non sans être consciente de son impuissance. Elle s'était donnée à lui totalement, mais comment lui donner de l'importance dans le monde? Il avait été instruit et éduqué pour être roi. Et elle savait aussi qu'il considérait la France comme un intermède, une escale. Il restait très décidé à revenir en Angleterre.

Le romancier Somerset Maugham les recevait fréquemment dans sa villa mauresque de Saint-Jean-Cap-Ferrat, entourée de lauriers-roses rouges et blancs, face à un panorama de phares clignotants. Lorsque les Windsor venaient dîner chez lui, Maugham prévenait les autres convives. « Il nous disait que le Duc serait très fâché si la Duchesse n'était pas traitée avec respect », nota l'un des invités [9].

« Les voici. Elle, je dois le dire, paraît remarquable pour son âge. Elle se coiffe différemment. Son front s'en trouve dégagé et ses cheveux retombent en boucles sur la nuque. Cela lui donne un air placide et moins tendu. Sa voix aussi a changé; elle mélange maintenant l'accent de Virginie et les intonations d'une duchesse des pièces de Pinero. Il entre à son tour. Il a toujours la même démarche balancée d'un marin, et il ajuste son nœud de cravate. Il est en pleine forme. On sert les cocktails et nous restons debout autour de la cheminée. Un silence, puis : ' Je m'excuse si nous sommes un peu en retard ', dit le Duc, ' mais Son Altesse Royale ne pouvait pas s'arracher à notre villa. ' Bien. Il l'a dit. Les trois mots tombent dans notre cercle comme trois pierres dans un étang. Son (sursaut) Altesse (frémissement) Royale (et pas un œil n'ose en regarder un autre).

« Et puis, le dîner. Deux cyprès et la lune. Je suis assis à côté de la Duchesse. Il est placé en face d'elle. Ils s'appellent le plus souvent « chérie » et « chéri ». Moi j'appelle le Duc « Votre Altesse Royale » le plus souvent, et « Sir » tout le temps. Elle, je l'appelle « Duchesse ». Impossible de se soustraire au charme du Duc, ni à sa tristesse, bien qu'il se soit montré assez gai.

« Ils ont une villa et un yacht; ils tournent en rond. Il travaille le jardin. Mais quel pathétique dans la façon dont il est sensibilisé par elle! D'après ce qu'elle m'a dit, il est très clair qu'elle espère rentrer en Angleterre. Quand je lui ai demandé pourquoi elle n'achetait pas une maison qui fût bien à elle, elle m'a répondu : ' On ne sait jamais ce qui peut arriver. Je ne voudrais pas passer toute ma vie en exil [10] '. »

C'est peut-être son maître d'hôtel de l'époque qui a le mieux révélé le fond des sentiments de Wallis à l'égard de La Croe : « Jamais dans ma vie je n'ai autant travaillé. Je n'ai pas tardé à découvrir que la Duchesse considérait la villa moins comme une demeure que comme la scène sur laquelle elle présentait un spectacle ininterrompu d'hospitalité et de divertissements. Elle était le metteur en scène; j'étais son régisseur. Le jour de mon arrivée, j'ai trouvé des téléphones intérieurs non seulement à l'office, non seulement dans ma chambre à coucher, mais aussi dans ma salle de bains et mes cabinets. Il était clair que, lorsque la Duchesse tenait à entrer immédiatement en communication avec le personnel à n'importe quel moment, elle voulait bien dire *à n'importe quel moment* [11]. »

Monckton, qui leur avait rendu visite à La Croe pendant l'automne, constata à quel point le Duc était malheureux dans son nouveau rôle :

il le trouva tendu, irritable, prompt à montrer de l'humeur. Le Duc ne parla à Monckton que de son retour en Angleterre. Ils grimpaient tous les deux dans sa chambre, en haut de la maison, d'où la vue était superbe sur les arbres du jardin et la Méditerranée en contrebas; là, le Duc composa avec Monckton des lettres au Premier ministre, au roi et à sa mère.

A son retour, Monckton séjourna à Balmoral avec le roi, la reine et le Premier ministre. Il communiqua d'abord à Chamberlain le plaidoyer du Duc.

« Le Premier ministre estima que la meilleure solution était que le Duc de Windsor fût traité le plus tôt possible comme un frère cadet du roi qui pourrait décharger ce dernier de quelques fonctions royales. Bien que n'étant pas désireux de voir le Duc rentrer en Angleterre dès novembre 1938 (ce que souhaitait le Duc), George VI ne se déclara pas fondamentalement opposé au point de vue du Premier ministre. Mais à mon avis la reine ne se gêna pas pour proclamer son hostilité à toute attribution au Duc d'un secteur de travail effectif. Je sentis alors que, comme toujours, elle estimait devoir se tenir sur ses gardes parce que le Duc de Windsor, que ses autres frères avaient toujours respecté, était une personnalité séduisante et dynamique qui pourrait servir de point de ralliement à tous ceux qui auraient envie de critiquer le nouveau roi [12]. »

Monckton transmit la mauvaise nouvelle au Duc et lui suggéra de retarder son retour. Une lettre plus officielle du Premier ministre Chamberlain, entortillée dans un langage très diplomatique, exprima la crainte qu'une telle visite ne « provoquât des controverses animées ». Chamberlain insinua que le bon moment n'était « pas encore venu » mais que, lorsque la situation serait propice, il lui « enverrait un signal amical ».

Ce fut alors que Wallis décida qu'il leur fallait une demeure plus permanente à Paris. Elle en trouva une boulevard Suchet, avec des fenêtres qui donnaient sur le Bois de Boulogne, et elle signa un long bail. C'était une maison lumineuse, gaie, avec une cour agréable, le sol dallé de marbre et un petit ascenseur. Comme La Croe, elle possédait une baignoire dorée. Ce n'était pas la résidence de campagne que le Duc aurait souhaitée, mais une fois de plus il se plia aux désirs de sa femme.

Wallis surveillait l'irritabilité grandissante du Duc. Il était plus que jamais enclin à dire dans une soirée ce qui lui passait par la tête, et Wallis dans ces cas-là s'approchait de lui et murmurait : « Voyons, chéri... » Aussitôt il se calmait.

Parmi les bruits qui circulaient à cette époque, celui qui se répandit avec le plus d'insistance fut que Wallis était enceinte. Elle commença à recevoir des cadeaux contenant des chaussons et de la lingerie pour bébés. Et chaque fois qu'elle sortait de chez elle, des curieux l'applaudissaient.

La cantatrice Grace Moore créa une tempête dans un verre d'eau lorsque des photographes la surprirent en train de faire la révérence à la Duchesse. A son retour aux Etats-Unis, Grace Moore déclara aux journalistes : « Pour moi, la Duchesse est assurément une personne royale. Il y a longtemps que la Duchesse aurait été considérée comme telle si elle avait été Anglaise au lieu d'être Américaine. Après tout, la Duchesse a donné le bonheur et le courage de ses convictions à un homme, ce qui est plus que ce peuvent faire la plupart des femmes. Rien que pour cela, elle mérite une révérence. »

En juin 1939, Wallis eut quarante-trois ans; le Duc lui offrit une broche de rubis et d'émeraudes, avec un bracelet assorti. Précédemment, il lui avait donné une peau de renard platine nouvellement créée par Molyneux.

Mais le monde ressemblait de moins en moins à l'ambiance de luxe dans laquelle ils vivaient tous deux. Le *Blitzkrieg* hitlérien se déchaînait en Europe. Les Allemands avaient absorbé l'Autriche au printemps précédent, ainsi que Göring l'avait prédit avec tant d'assurance. Lorsque Hitler ordonna ensuite à la Tchécoslovaquie de capituler, le Premier ministre Chamberlain prit l'avion pour la première fois, son parapluie en guise de rameau d'olivier. A son retour de Munich, Chamberlain déclara : « Je ne doute pas, quand je regarde en arrière, que ma visite à elle seule a empêché une invasion pour laquelle tout était prêt. » Le Duc de Windsor fut au nombre de ceux qui l'approuvèrent et applaudirent. L'un de ses amis, Lord Castlerosse, écrivit avec enthousiasme : « Grâce à Chamberlain, des milliers de jeunes hommes vont vivre. Je vivrai. » En ce qui le concernait, il avait raison; mais tort pour les autres.

Tous les Anglais ne se rangèrent pas du côté de Chamberlain. Anthony Eden avait démissionné du gouvernement en disant : « Nous ne devons pas acheter la bonne volonté. » Et *The Week* demanda pourquoi Chamberlain avait « tendu ses quatre joues » à Hitler. Après avoir annexé la Tchécoslovaquie, l'Allemagne tourna ses regards vers la Pologne.

Le Duc et la Duchesse effectuèrent un déplacement qui les éloigna de leur univers irréel de réceptions et de plaisirs; ils allèrent visiter à Verdun les champs de bataille de la Première Guerre mondiale. Le Duc décida de prononcer un discours en faveur de la paix; diffusé de Verdun par radio, il s'adressait surtout aux Etats-Unis en tant que première puissance mondiale. Le Duc n'avait sûrement pas oublié le soldat sans visage dont il avait baisé le front.

« Je parle simplement en soldat de la dernière guerre, dont la prière la plus fervente est qu'une folie aussi cruelle et aussi destructrice ne s'abatte plus jamais sur le genre humain. »

Il invita de façon pressante les chefs des nations à enterrer leurs « jalousies et suspicions » afin de négocier par des concessions mutuelles [13].

La Duchesse était assise auprès de lui lorsqu'il prit la parole à la radio d'une voix nette et bien timbrée. Il avoua plus tard qu'elle l'avait aidé à rédiger son allocution, tout comme elle l'avait également aidé à composer certains de ses discours quand il était roi.

L'idée de ce discours avait enthousiasmé Wallis parce que son mari se sentirait redevenu un homme d'une certaine importance qui avait son mot à dire sur les événements du monde. Mais son discours n'eut pas plus d'effet qu'une plume dans le vent. En Angleterre, il ne fut pas jugé favorablement. Pendant que le Duc parlait, le roi et la reine faisaient route vers les Etats-Unis, et de nombreux Anglais s'imaginèrent que le Duc avait cherché à occuper le devant de la scène.

Les sentiments ne s'améliorèrent pas à la nouvelle que les Windsor dînaient cette même semaine avec l'ambassadeur d'Allemagne à Paris, le comte Johannes von Welczek. Et le Duc n'arrangea pas les choses en déclarant que les Welczek étaient leurs amis « depuis longtemps ».

Fin août, le Duc apprit sans vouloir le croire que l'Allemagne avait signé avec la Russie un pacte de non-agression. Il revint avec Wallis à La Croe où le monde lui parut encore plus irréel. Il se tint alors en relations téléphoniques presque quotidiennes avec Monckton, dont George VI avait fait son conseiller juridique et son agent de liaison avec le Premier ministre.

« Le Duc était fermement hostile aux gaspillages et aux horreurs de la guerre; il estimait qu'il fallait chercher le moyen de l'éviter absolument », nota Monckton. « Nous ne pensions ni l'un ni l'autre qu'elle était fatale. Presque le dernier jour, le Duc envoya un télégramme à Hitler dont je n'ai jamais fait mention : en tant que citoyen du monde, il lui demandait de ne pas plonger le monde dans la guerre. Hitler lui répondit qu'il n'avait jamais voulu de guerre contre l'Angleterre et que, si elle éclatait, ce ne serait pas sa faute. Pendant les vingt-quatre ou quarante-huit heures qui précédèrent le conflit, je fus très occupé à parler régulièrement au Duc à partir du 10 Downing Street et à insister pour qu'il rentrât en Angleterre, en procédant dans ce but à toutes sortes d'arrangements difficiles [14]. »

Le Duc considéra alors que les circonstances lui étaient assez favorables pour qu'il pût poser de nouvelles conditions. Il ne reviendrait pas en Angleterre si sa femme et lui n'étaient pas logés à Windsor ou dans un autre château royal. Ses exigences étant jugées inacceptables, Monckton annula ses projets.

Les Allemands attaquèrent la Pologne le 1er septembre à l'aube. Hitler avait la conviction que la Grande-Bretagne, une fois de plus, reculerait. Il se trompait. Après un délai de trente-six heures, le gouvernement britannique lança un ultimatum qui accordait deux heures aux Allemands pour quitter le territoire polonais. La Deuxième Guerre mondiale avait commencé.

C'était le 3 septembre. Alors, le Duc n'imposa plus de conditions. Il ne voulut plus que servir sa patrie.

Ce fut au Premier ministre Chamberlain de décider des conditions du retour. Le Duc ne pourrait rentrer en Angleterre que s'il consentait à accepter d'être nommé haut commissaire adjoint au Pays de Galles, ou officier de liaison auprès de la Mission militaire britannique N° 1 en France.

Le roi proposa son avion personnel à son frère, mais Wallis refusa la voie des airs. Ils reçurent alors des instructions pour se rendre sur la côte de la Manche. Wallis empaqueta ses objets de valeur dans du papier brun et des boîtes en carton qui remplirent le fourgon du train et que rejoignirent leurs trois fox-terriers Preezi, Detto et Pookie. Après diverses consignes aussi secrètes que compliquées, ils se dirigèrent vers Cherbourg où les attendait le destroyer *Kelly* sous le commandement du cousin du Duc, Lord Louis Mountbatten. Le fils de Winston Churchill, Randolph, représentait son père qui était Premier Lord de l'Amirauté.

Ils appareillèrent vers dix heures du soir; la nuit était aussi sombre que celle où, trois ans plus tôt, il avait abandonné son trône et son pays. Ses sentiments étaient mélangés et il n'espérait pas grand-chose. Il dit à Wallis qu'il ne savait pas du tout comment évoluerait la situation.

Les doutes n'épargnaient pas non plus Wallis. Elle n'avait pas escompté un pareil retour en Angleterre. Elle avait espéré y rentrer la tête haute. Or elle revenait furtivement, un peu comme une pécheresse réfractaire. La famille royale n'avait pas fait de préparatifs pour les recevoir ou les loger. Elle était toujours une hors-la-loi. Elle avait rendu son mari heureux pendant quelque temps, mais elle connaissait les tourments qui l'assaillaient, et elle savait qu'elle en était la cause. Comment pourrait-il maintenant ne pas éprouver de regrets? Comment pourrait-il maintenant ne pas lui adresser des reproches? Dans le sombre silence de cette nuit-là, quelle espérance pouvait-elle avoir?

34

Fruity Metcalfe et sa femme, Lady Alexandra, que les Windsor appelaient « Baba », firent le voyage de Portsmouth pour accueillir leurs amis. A bord du destroyer, ils découvrirent qu'aucun ordre n'avait été donné pour recevoir et loger les Windsor en Angleterre. Churchill avait prévu une garde d'honneur de marins, et l'amiral les avait invités à passer la nuit à l'Amirauté. Mais il n'y eut pas d'émissaire de la famille royale pour les saluer, et pas la moindre proposition en vue de leur séjour. Wallis trouva que l'accueil de l'amiral et de sa femme avait été « terriblement poli [1] ».

Le Duc et la Duchesse acceptèrent l'hospitalité des Metcalfe dans le Sussex, à South Hartfield Manor. Le Duc voulait absolument voir le roi.

« De longues discussions assez fastidieuses ont précédé le rendez-vous du roi avec son frère », raconta Monckton. « J'ai finalement réussi à les faire aboutir en excluant les femmes; j'ai expliqué à Alec Hardinge que nous nous épargnerions beaucoup d'ennuis s'il s'agissait d'un tête-à-tête entre hommes [2]. »

Ce nouveau rejet de Wallis par la famille royale mit le Duc en colère. Tout geste de nature à la vexer le rendait furieux. Le grand désir de sa vie était de la maintenir sur un piédestal; or voici qu'elle était humiliée par un affront supplémentaire qu'il n'avait pu parer. En somme, si le Duc voulait servir de quelque façon dans cette guerre, il fallait qu'il se présentât devant son frère et le gouvernement comme un petit garnement, chapeau bas. Monckton lui recommanda de ne pas aborder le sujet de Wallis avec le roi et de ne soulever aucun autre problème difficile. En rechignant, le Duc accepta.

Wallis eut-elle envie d'exploser? La famille royale l'avait mortifiée; elle aurait pu faire une scène, et verser quelques larmes au besoin. Mais dans ce cas, le Duc se serait emporté, il aurait renié tous les siens et quitté immédiatement l'Angleterre avec elle. Or Wallis savait à quel point son mari tenait à servir sa patrie à n'importe quel poste. Autrement, il aurait l'âme d'un vaincu, et leur vie commune deviendrait un enfer. Alors elle arbora le sourire Wallis, elle fit fuser le rire Wallis, elle piqueta leur intimité des saillies Wallis. Tout parut possible.

« Je suis allé avec le Duc en voiture au palais de Buckingham », écrivit Monckton. » Le commandant Campbell l'a salué à la porte royale et l'a conduit chez son frère. Moi, je me suis installé dans le salon des écuyers où j'ai attendu une heure. J'étais très anxieux. Et puis, les deux frères sont descendus côte à côte. Le roi s'est avancé vers moi pour me murmurer : « Tout s'est bien passé, je crois. » Le Duc l'a observé d'un œil méfiant et, après, m'a demandé ce qu'il m'avait dit. Je le lui ai répété. Il a admis que tout s'était effectivement bien passé parce que, suivant mon conseil, il avait laissé de côté toutes les questions litigieuses [3]. »

Entre les deux postes qui lui étaient offerts, le Duc avait opté pour le haut commissariat au Pays de Galles. Peut-être parce qu'il estimait qu'il pourrait se rendre plus utile avec des civils; peut-être était-il simplement très désireux de recommencer à vivre en Angleterre; et peut-être pensait-il qu'un poste de liaison en France le séparerait davantage de Wallis qu'une mission au Pays de Galles. Le roi avait accepté son choix et promis de conférer sur ce sujet avec son gouvernement.

Le gouvernement eut une optique différente. La présence du Duc en Angleterre pendant la durée des hostilités détournerait du roi l'attention du public. Et le roi n'avait vraiment pas besoin d'un concours de popularité avec son frère. Chef de l'état-major impérial, le maréchal sir Edmund Ironside informa le Duc de sa nomination à la mission militaire britannique en France.

Wallis resta dans le Sussex avec Baba Metcalfe lorsque le Duc effectua de courts voyages à Londres pour se préparer à ses nouvelles fonctions. Quelques personnes le reconnurent et le saluèrent, mais beaucoup s'en dispensèrent.

Avant de partir, le Duc alla voir Winston Churchill afin de le remercier d'avoir dépêché Mountbatten avec un destroyer pour donner un peu de style à son retour.

Il savait que Churchill avait désapprouvé sa visite à Hitler et son discours de Verdun, mais leurs liens personnels les attachaient encore très solidement l'un à l'autre.

Le Duc voulut accomplir un autre pèlerinage. Il se rendit à son cher Fort Belvedere. Pèlerinage douloureux, sûrement! Il était jardinier, et il savait à quoi pouvait ressembler un jardin non entretenu. Il était romantique, et son imagination suppléa au vide avec des souvenirs poignants.

Avant de regagner la France, le Duc aurait souhaité faire la tournée des garnisons anglaises en emmenant sa femme. Le secrétaire à la

Guerre Leslie Hore-Belisha transmit personnellement au roi la requête du Duc.

« Le roi fut extrêmement embarrassé. Il redoutait que si la Duchesse se rendait aux postes de commandement elle ne fût l'objet de réceptions hostiles, notamment en Ecosse. Visiblement fort ennuyé, il marcha de long en large dans son bureau [4]. »

Hore-Belisha persuada le Duc que l'opinion publique serait beaucoup plus impressionnée s'il occupait immédiatement le poste qui venait de lui être assigné.

Comme le Duc était encore maréchal de l'Armée de terre, ce qui provoquait quelques complications militaires, il accepta volontiers le grade inférieur de général de brigade. Le siège de la mission britannique se trouvait à Vincennes, auprès de l'état-major général français. Les Windsor décidèrent de ne pas rouvrir leur maison, et Wallis s'installa dans un hôtel de Versailles.

Le Duc passant une grande partie de son temps à l'extérieur, Wallis redécouvrit la solitude. Elle se sentait à la dérive, coupée de ses amis, étrangère à la société, et terriblement frustrée. Elle vivait parmi un peuple en guerre qu'elle connaissait très peu et dont elle ne parlait presque pas la langue. Elle ne participait même pas non plus au travail de son mari. Elle se reprochait son inutilité.

Une fois encore ce fut Lady Mendl, l'ex-Elsie de Wolfe, femme de l'attaché de presse anglais à Paris, qui vint à son secours.

Lady Mendl avait été l'une des premières amies de Wallis à Londres à l'époque Simpson; elle lui avait beaucoup appris sur le style et la façon de s'habiller. Energique septuagénaire, Lady Mendl avait monté l'Œuvre de guerre du Trianon qui distribuait des vêtements, du linge et divers articles aux soldats français, et elle invita Wallis à en assumer la présidence d'honneur. La Duchesse tint une conférence de presse. « Nous avons obtenu de grosses quantités de laine et nous allons ouvrir des ateliers à Versailles et à Paris. Quelques employées salariées travaillent pour le comité, mais des milliers de femmes dépourvues de moyens viennent nous réclamer de la laine qu'elles emportent chez elles afin de confectionner des chandails, des écharpes et des bas.

« Nous achetons d'autres articles, et notre comité va envoyer des paquets standards qui ont reçu le nom de Colis de Versailles Trianon. Chaque colis contient un chandail tricoté à col roulé, un passe-montagne tricoté, deux paires de chaussettes, deux grands mouchoirs, du savon, des gants de laine, du papier hygiénique, de la poudre anti-puces, de l'aspirine, de la quinine, un laxatif, des cigarettes et du chocolat. »

Le Duc se livra à quelques travaux au crochet pour les soldats mais, afin d'éviter les explications, la Duchesse les présenta comme son propre ouvrage. Elle créa aussi un nouveau type de gants de tranchées à fermeture éclair, qui permettait à un soldat d'actionner la détente de son arme en cas d'urgence. Elle proposa enfin aux femmes de limiter les couleurs dans leurs vêtements pour économiser des produits chimiques qui pouvaient être nécessaires à l'effort de guerre.

L'important était justement qu'elle participât à cet effort de guerre, même pour une partie minuscule. Elle consacrait ses journées à collecter le contenu des colis et à les préparer; elle tirait de son travail une évidente satisfaction.

Celle du Duc n'était pas aussi grande. On lui faisait jouer un rôle de représentation sans importance réelle. Il effectua quelques visites sur le front, mais c'était un drôle de front parce que c'était une drôle de guerre.

Les Français avaient construit le long de la frontière allemande une série de fortifications les plus onéreuses du monde, reliées entre elles par des trains souterrains et équipées à peu près de tout, salles de cinéma compris. On appelait l'ensemble la Ligne Maginot. Les forts étaient censés « arrêter les Allemands » — en admettant qu'ils attaquassent par-là. La réputation d'invincibilité de la Ligne Maginot avait endormi le peuple et les généraux français. Les Français n'avaient qu'à demeurer tranquilles et à attendre, puis détruire. Comme les Anglais, les responsables du haut commandement français sous les ordres du généralissime Gamelin en étaient restés à la guerre de 1914. Mais après tout la France disposait de plus de cent divisions sous les armes et Winston Churchill lui-même avait dit : « Grâce à Dieu, nous avons l'armée française [5]! »

En revanche, l'armée allemande du front de l'ouest était fort exposée. Sa Ligne Siegfried n'était pas achevée et, face aux Français, elle ne pouvait leur opposer que vingt-cinq divisions de réservistes qui n'avaient de munitions que pour trois jours de combats. La Luftwaffe ne possédait plus qu'une maigre réserve de bombes, le reste ayant été lâché au-dessus de la Pologne. Si les Français avaient attaqué en force à ce moment-là, ils auraient pu arriver au Rhin en quinze jours et probablement gagner la guerre. Mais Gamelin conserva ses forces armées immobiles, alignées sur toute la longueur des frontières. Plus tard, Paul Raynaud dit de Gamelin : « Il aurait pu faire un bon préfet ou un excellent évêque, mais il n'était pas un meneur d'hommes [6]. »

Au cours de l'une de ses tournées, le Duc de Windsor s'arrêta à un fort de la Ligne Maginot. Les officiers tirèrent quatre coups de canon et sablèrent le champagne avec lui.

La drôle de guerre dura près de neuf mois. Un correspondant de guerre anglais qui circulait sur le drôle de front remarqua un jeune soldat allemand qui, torse nu, se lavait sans prendre la peine de s'abriter. Il demanda à la sentinelle française pourquoi elle ne tirait pas sur lui. La sentinelle, déconcertée par cette question, répondit : « Ben voyons, si nous tirons, ils riposteront [7]! »

La menace des raids aériens ayant disparu, Paris redevint très animé. Maurice Chevalier tint la vedette dans *Paris sera toujours Paris,* et les réfugiés les plus chic regagnèrent la capitale parce qu'ils s'ennuyaient trop en province.

Wallis aussi rentra à Paris. Elle rouvrit sa maison du boulevard Suchet et s'engagea dans la Croix-Rouge française. Les organisations de volontaires comptaient plus de femmes qu'elles n'en avaient besoin, et Fabre-Luce écrivit approximativement, non sans cynisme : « Plus de vingt mille infirmières réclamaient des blessés. Certaines donnèrent l'impression de croire que les autorités militaires manquaient à leur devoir en ne les leur fournissant pas [8]. » Plusieurs amies de Wallis « en robes noires toutes simples » se postèrent dans le hall de l'hôtel Ritz avec des troncs métalliques afin de quêter pour l'assistance aux réfugiés et la cantine du soldat; lorsque les billets et les pièces tardaient trop à tomber dans les fentes, elles allaient relever leur moral dans la salle à manger du Ritz en buvant des cocktails et en déjeunant.

Wallis fut désignée pour livrer tous les dix jours du plasma sanguin et des pansements aux hôpitaux qui se trouvaient derrière la Ligne Maginot. Elle avait pour « chauffeur » la comtesse de Ganay, dite « Pinky ». Le trajet étant long, elles partaient à l'aube et rentraient à la tombée de la nuit; mais leur travail effectif n'était pas très fatigant.

Paris connut des alertes aériennes; Wallis refusa de descendre dans les abris où, disait-elle, elle « souffrirait de claustrophobie ». Et elle ajoutait : « Quand on fait la guerre, il faut en accepter les risques. Se faire tuer par une bombe, c'est un peu comme périr dans un accident de voiture tout en sachant très bien conduire. Une sorte d'acte de Dieu, qui est imprévisible et contre lequel il n'y a pas grand-chose à faire [9]. »

Wallis continuait cependant à s'occuper de la collecte et de la distribution des colis pour les soldats. Avec Lady Mendl, elle s'était adressée aux Etats-Unis pour avoir de la laine et des effets en laine. Le résultat de leur démarche fut une avalanche incroyable de produits destinés aux combattants. Wallis annonça aussi que le Duc et elle allaient transformer leur villa d'Antibes en maison de convalescence pour officiers américains et canadiens. Elle engagea un médecin et six infirmières, dont Katherine Rogers. Les transports seraient confiés à Herman Rogers. Mais ce projet ne se matérialisa jamais. Par contre, Wallis concourut à l'organisation d'un groupe financier qui convertit le bal Tabarin en une immense cantine servant des repas chauds aux nécessiteux de Montmartre.

L'hiver en France fut le plus froid depuis cinquante ans. La Manche avait été prise par les glaces devant Boulogne. La guerre était devenue une bataille contre l'ennui.

Le Duc fit un saut à Londres pour tenter d'obtenir une mission plus importante. Mais l'Angleterre semblait elle aussi paralysée par la drôle de guerre. Les enfants avaient été envoyés hors de Londres et le black-out était fidèlement observé, mais beaucoup s'interrogeaient sur la nécessité de mesures pareilles puisque les seules victimes anglaises de la guerre avaient trouvé la mort dans des accidents de la circulation dont le black-out était responsable. Des avions britanniques survolèrent l'Allemagne, mais uniquement pour lancer des tracts de propagande.

Le Duc, qui n'avait reçu à Londres nulle proposition encourageante, rentra à Paris d'une humeur exécrable.

Dans des documents allemands saisis plus tard, on trouva un rapport du ministre d'Allemagne à La Haye, le comte Julius von Zech-Burkersroda. Le Duc de Windsor y était dépeint comme étant très mécontent de son petit poste d'officier de liaison et discutant des plans alliés conçus pour mettre en échec une invasion de la Belgique par les Allemands.

Le comte affirmait aussi : « Il semble exister autour du Duc quelque chose qui ressemble au début d'une fronde. Fronde qui pour le moment, bien entendu, n'a pas encore son mot à dire, mais qui pourrait acquérir une certaine importance dans des circonstances plus propices. »

Le Duc fut ultérieurement accusé d'avoir « bavardé imprudemment ou délibérément à Paris... et en une occasion au moins il discourut sur des plans secrets ».

Le Duc démentit tout en bloc.

Dans l'espoir d'améliorer son humeur, Wallis organisa un réveillon de Noël où Noel Coward joua au piano « Tropical Heat Wave ». Le Duc exécuta son numéro personnel en descendant l'escalier en kilt et en soufflant dans sa cornemuse.

Le Duc recommença à pratiquer le golf. La Duchesse se laissa absorber par les détails de ses diverses occupations pour se convaincre qu'elle se rendait « plus utile » qu'elle ne l'avait jamais été. Elle traversait des événements jusqu'ici inconnus. Son chef et son maître d'hôtel avaient été mobilisés, et sa femme de chambre la quitta pour rejoindre sa famille. Quelques mois plus tôt, ces départs auraient soulevé des tempêtes; à présent ils lui parurent peu dignes d'intérêt. L'époque était à l'incertitude, et Wallis s'en accommoda.

Les Français avaient oublié que la guerre était un orage. L'oubli était d'autant plus facile que l'hiver glacial avait été remplacé par un printemps superbe. Les marronniers des Champs-Elysées se paraient déjà de feuilles; les monuments gris prenaient des couleurs opalescentes sous le soleil. Le Grand-Palais avait un calendrier bourré d'expositions pour le mois d'avril, et les courses avaient repris à Auteuil. Certes, les pâtisseries de Paris fermaient maintenant trois jours par semaine; et il y avait des jours sans viande, des jours sans sucre et même des jours sans alcool. Et on trouvait plus difficilement d'exquis chocolats. Mais les vitrines de Cartier, de Van Cleef et Arpels étincelaient de bijoux. Et les badauds se promenaient paisiblement.

Depuis neuf mois, l'armée française observait un silence et une immobilité d'airain derrière la Ligne Maginot, comme si la guerre était un mauvais rêve qui se dissiperait parce que « le temps travaille pour nous ». Elle attendait sans réfléchir, sans s'inquiéter, après la conquête de la Pologne par les soldats allemands.

« L'attitude relativement passive des Français pendant l'hiver 1939-1940 », écrivit plus tard le général Guderian, « nous incita à conclure que nos adversaires ne tenaient guère à faire la guerre. »

Les Allemands y tenaient davantage. Ils avaient un programme précis et des tactiques bien arrêtées pour surprendre l'univers.

L'orage éclata, et la Seconde Guerre mondiale commença pour de bon.

Les Français et les Anglais avaient concentré leurs forces sur les frontières de Belgique et de Hollande; ils escomptaient que les Allemands procèderaient à un mouvement classique d'enveloppement à partir du nord et à travers les plaines belges. Il n'en fut rien. Les divisions blindées allemandes s'élancèrent dans la forêt des Ardennes jugée impraticable, donc non défendue. Les chars hitlériens s'enfoncèrent dans le Luxembourg et escaladèrent les hauteurs boisées pour s'emparer des ponts de la Meuse au point faible des lignes alliées.

Pendant que les parachutistes allemands tombaient du ciel sur la Hollande et attiraient vers le nord les réserves françaises, les nazis massèrent sept divisions blindées sous la protection de centaines de chasseurs-bombardiers, ainsi que plusieurs douzaines de divisions d'infanterie; ils ignorèrent la Ligne Maginot, au sud-est et foncèrent vers l'ouest en direction de la Manche sur un terrain idéal pour les chars d'assaut afin de déborder toute l'armée alliée.

En moins d'une semaine, le front avait été rompu et disloqué; trois semaines plus tard, l'armée française était en complète déroute, et l'armée anglaise se précipitait vers la mer en abandonnant tout son matériel.

Une paralysie nationale envahit la France.

Paris était en pleine panique. Le seul souci du Duc était Wallis. Il la voulait loin, en sécurité quelque part. En ce qui le concernait personnellement, son poste était à la mission militaire à Paris, et il serait obligé de le rejoindre. Mais il tenait à ce que Wallis ne fût ni exposée ni compromise. Ils optèrent pour Blois, où Wallis et Brownlow avaient passé la nuit au cours de leur randonnée vers Cannes en 1936. Elle eut le même chauffeur, George Ladbrooke. Les Windsor partirent si précipitamment qu'ils oublièrent d'avertir Fruity Metcalfe qui était devenu l'écuyer du Duc.

Une douzaine de millions de réfugiés cheminaient sur les routes de

France — dans quelles conditions! A Blois, le patron de l'hôtel installa deux matelas dans un salon pour le Duc et la Duchesse. Ils repartirent le lendemain matin pour Biarritz. L'Hôtel du Palais était aussi encombré que celui de Blois, mais une chambre fut trouvée pour Wallis.

Lorsque le Duc repartit pour Paris, Wallis s'aperçut qu'elle était une pensionnaire très indésirable : la radio allemande avait non seulement annoncé son arrivée à Biarritz, mais révélé le numéro de sa chambre d'hôtel.

Quelques jours plus tard le Duc revint avec Ladbrooke. Sa tâche officielle était terminée, et les Allemands allaient descendre au pas de l'oie les Champs-Elysées. L'armée française s'était effondrée; les Anglais préparaient leur brillante évacuation à Dunkerque. Comme le dit néanmoins Churchill, « on ne gagne pas de guerres par des évacuations ».

Le 29 mai 1940, les Windsor arrivèrent à La Croe. Les nouvelles étaient toujours aussi mauvaises. Le 10 juin, le gouvernement français quitta Paris. Le même jour, l'Italie déclara la guerre à la France — véritable « coup de poignard dans le dos », déclara le président Roosevelt. La catastrophe était partout. La retraite des troupes françaises prit l'aspect d'un cortège funèbre. De leur villa, le Duc et la Duchesse entendaient le tonnerre des grosses pièces d'artillerie. Ils apprirent que les Italiens attaquaient sur la lisière de la Riviera française.

Il fallait reprendre la fuite pour aller plus loin. Le consul d'Angleterre à Nice avait des papiers pour franchir la frontière espagnole; il invita le Duc et la Duchesse à se joindre à lui. Le Duc accepta.

Wallis fit ses adieux à ses amis, à ses domestiques, à sa villa. Sa vie avait été un recueil de souvenirs. Ils emplirent une remorque avec les objets qu'ils purent emporter; le reste demeura sur place. Wallis se retourna pour dédier à La Croe un dernier regard noyé de larmes; son calme l'avait abandonné. Le jardinier s'approcha, lui remit un gros bouquet de fleurs. C'était le 19 juin. Son anniversaire.

35

Quels que fussent ses défauts, Hitler était un grand imaginatif. Son ministre des Affaires étrangères Ribbentrop rivalisa souvent avec lui dans le fantastique. Mais il faut dire qu'en 1940 l'impossible et le réel se confondaient presque. Les armées allemandes avaient envahi l'Europe en balayant tout sur leur passage avec une rapidité incroyable. L'invasion de la Grande-Bretagne paraissait imminente. Certes Dunkerque avait été un miracle anglais, mais symbolisait aussi une défaite massive. Dans sa prose vibrante, Churchill promettait de combattre l'ennemi sur les plages (« et avec des tessons de bouteilles si nous n'avons rien d'autre »), mais le fait était là : l'Angleterre avait l'air incapable de résister à l'assaut total que les Allemands prévoyaient dans leur « opération Otarie ».

Persuadés que l'Angleterre serait conquise avant peu, Hitler et Ribbentrop estimèrent indispensable d'installer sur le trône britannique un roi et une reine qui seraient deux marionnettes dont ils tireraient les ficelles; ils pensèrent aussitôt au Duc et à la Duchesse de Windsor.

Hitler avait fixé à la mi-septembre l'opération Otarie, c'est-à-dire l'invasion de l'Angleterre; il tenait donc à avoir le plus tôt possible sous la main ses marionnettes royales.

Le 11 juillet 1940, la conversation suivante fut enregistrée entre le ministre allemand des Affaires étrangères Joachim von Ribbentrop et le chef du contre-espionnage de la Gestapo Walter Schellenberg.

> Mon cher Schellenberg, vous vous faites une idée complètement erronée de ces choses-là, et aussi des motifs réels de l'abdication du Duc. Le Führer et moi-même avons analysé les faits en 1936. Le fond de l'affaire, c'est que le Duc, depuis son abdication, a été placé sous l'étroite surveillance du Service secret britannique. Nous savons quels sont ses sentiments; c'est presque comme s'il était prisonnier de ces agents. Chaque tentative qu'il a effectuée pour se libérer, quelque discret qu'il ait été, a échoué. Et nous savons par nos rapports qu'il nourrit

toujours la même sympathie à l'égard de l'Allemagne et que, dans des circonstances favorables, il ne serait pas opposé à échapper à son environnement actuel : il a les nerfs à vif.

Nous avons appris qu'il a même envisagé d'aller vivre en Espagne, et que, s'il s'y rendait, il serait disposé à manifester son amitié pour l'Allemagne comme il l'a fait dans le passé. Le Führer estime que cette disposition d'esprit est extrêmement importante, et nous avons pensé que, avec votre connaissance de l'Occident, vous pourriez être la personne la plus apte à procéder à une sorte de contact exploratoire avec le Duc — en tant que représentant, bien entendu, du chef de l'Etat allemand. Le Führer considère que, si l'atmosphère semble propice, vous pourriez faire au Duc une offre matérielle. Ainsi nous serions prêts à déposer en Suisse pour son usage personnel une somme de cinquante millions de francs suisses — s'il consentait à faire un geste officiel qui le dissocierait des manœuvres de la famille royale anglaise. Evidemment, le Führer préférerait qu'il vive en Suisse, mais tout autre pays neutre conviendrait du moment qu'il ne se situerait pas hors de l'influence économique, ou politique, ou militaire du Reich allemand.

Si le Service secret britannique essayait de contrecarrer le Duc dans un arrangement de ce genre, les ordres du Führer sont que vous fassiez échouer les plans des Anglais, même au péril de votre vie, et, le cas échéant, en employant la force.

Il faut que le duc de Windsor, quoi qu'il arrive, soit conduit sain et sauf dans le pays de son choix. Hitler attache une très grande importance à cette opération, et il est arrivé à la conclusion, après avoir mûrement réfléchi, que si le Duc devait se montrer hésitant, il ne verrait pas d'objection à ce que vous aidiez le Duc à prendre la bonne décision par contrainte — soit par des menaces soit par la force si les circonstances le commandent. Mais il entrera aussi dans vos responsabilités de veiller en même temps à ce que le Duc et sa femme ne soient pas exposés à un danger personnel.

Dans un proche avenir, le Duc compte recevoir une invitation à chasser chez quelques amis espagnols. Cette chasse devrait vous procurer une excellente occasion pour établir un contact avec lui. A partir de là, il pourra être immédiatement conduit dans un autre pays. Tous les moyens qui vous seront nécessaires pour l'exécution de cette mission seront mis à votre disposition. Hier soir j'ai encore discuté à fond de toute l'affaire avec le Führer, et nous avons décidé de vous laisser les mains libres. Mais il exige que vous le teniez au courant par des rapports quotidiens, de la marche de l'affaire [1].

Schellenberg réclama de plus amples détails quant à l'emploi éventuel de la force.

« Ma foi », répondit Ribbentrop, « le Führer estime qu'il faudrait employer la force surtout contre le Service secret britannique, et contre le Duc seulement dans la mesure où son hésitation pourrait être fondée sur une psychose de peur qu'une action énergique de notre part l'aiderait à surmonter » [2].

Ribbentrop précisa aussi que « les cinquante millions de francs suisses ne représentaient nullement un maximum, le Führer étant prêt à aller au-delà » [3].

Alors Ribbentrop appela Hitler par téléphone, et il donna un second écouteur à Schellenberg pour qu'il ne perdît rien de la conversation.

Hitler écouta le compte rendu de Ribbentrop, qu'il ponctua par de brefs : « Oui... Bien entendu... D'accord. » Il ajouta : « Schellenberg ne doit jamais perdre de vue l'importance des dispositions d'esprit de la Duchesse, et il faut qu'il essaie dans toute la mesure du possible d'obtenir son appui. Elle exerce une grosse influence sur le Duc [4]. »

Le voyage du Duc et de la Duchesse vers l'Espagne avait été pénible. Les Français avaient dressé des barrières sur les routes principales afin de contrôler l'identité des automobilistes. La France s'était effondrée, mais la bureaucratie n'avait pas flanché. Se présentant en français comme le Prince de Galles et demandant poliment qu'on le laissât passer, le Duc contourna tous les obstacles. Mais à la frontière le Duc et la Duchesse se virent refuser l'entrée par le consul d'Espagne qui redoutait des ennuis possibles pour son gouvernement. Tout de même, le consul accepta que le Duc téléphonât à l'ambassadeur d'Espagne en France, et tout s'arrangea.

Wallis découvrit pour la première fois à quel point son mari était incapable de se passer de valet de chambre. Celui du Duc était parti de Cannes pour l'Angleterre. Son linge et ses vêtements étaient dans un désordre invraisemblable, et, lorsqu'elle voulut s'en occuper, il lui opposa un refus indigné.

L'ambassadeur d'Angleterre à Madrid était sir Samuel Hoare que le Duc considérait encore comme un ami, bien qu'il ne l'eût pas beaucoup aidé pendant l'abdication. Hoare les installa au Ritz, leur offrit une réception à l'ambassade, et leur raconta ce qui se passait.

Le Duc ne dissimula pas ses sentiments à l'égard de la guerre. Il dit à l'ambassadeur américain Alexander Weddel que le plus important consistait à y mettre un terme « avant que des milliers d'autres fussent tués ou mutilés pour sauver la face à quelques politiciens ».

« Au cours des dix années dernières, l'Allemagne avait totalement réorganisé sa société pour se préparer à cette guerre », expliqua le Duc à Weddel. « Les pays qui refusèrent d'accepter une telle réorganisation de la société et les sacrifices qui l'accompagnaient auraient dû conduire leur politique en conséquence et éviter ainsi de dangereuses aventures. Il déclara que cette opinion s'appliquait non seulement à l'Europe, mais aussi aux Etats-Unis », rapporta Weddel [5].

Winston Churchill connaissait exactement les sentiments du Duc à l'encontre de la guerre. Il savait que le Duc pensait que l'alliée naturelle de la Grande-Bretagne était l'Allemagne et non la France. Il n'ignorait pas les sympathies du Duc pour le peuple allemand et la nation allemande. Il avait été très renseigné, jusque dans les moindres détails, sur le voyage des Windsor en Allemagne nationale-socialiste, ainsi que sur les impressions personnelles qu'ils avaient retirées de leur face à face avec Hitler. Churchill savait aussi avec quelle mesquinerie l' « Establishment » britannique avait traité le Duc et suscité sa colère. Hitler avait beaucoup d'imagination, mais Churchill encore plus. Il perçut tous les dangers de la nouvelle situation. L'Espagne de Franco était très amie de l'Allemagne nationale-socialiste. En Espagne, le Duc se trouvait à la merci d'un enlèvement par les nazis. Le Duc était un homme extrêmement émotif, et ses amis franquistes, agissant en agents hitlériens, pourraient se montrer très persuasifs. Il était difficile de prévoir à quelles tentations il serait soumis, ou quelle pourrait être sa réaction. Aux mains de Hitler, le Duc risquait d'être un outil de propagande qui pèserait lourd.

Nouveau Premier Ministre de Grande-Bretagne, Churchill estima que la situation était d'une importance primordiale. Il voulut faire rentrer au plus tôt les Windsor en Angleterre. Il notifia à l'ambassadeur Hoare de prévenir le Duc qu'il leur envoyait deux hydravions à Lisbonne pour les ramener en Angleterre. Churchill ajouta qu'il avait pris ses dispositions pour qu'ils logent dans la résidence du duc de Westminter.

Wallis était prête à partir. Dieu sait si elle détestait l'avion, mais elle ne souleva aucune objection. Elle était lasse de fuir un lieu pour un autre, de faire et de défaire ses bagages dans la précipitation et l'incertitude. Elle désirait s'établir quelque part, et autant que possible n'en plus bouger. Elle savait que le Duc souhaitait désespérément rentrer en Angleterre et qu'il ne serait jamais vraiment heureux s'ils n'y retournaient pas. Alors pourquoi ne pas partir maintenant? Une fois qu'ils seraient en Angleterre, les choses pourraient évoluer vers une sorte de normalisation, d'acceptation générale. Avec Churchill à la tête du gouvernement, ils avaient meilleure chance de reprendre place dans la vie britannique. Sûrement, il confierait au Duc une responsabilité importante. Et, cela étant réglé, le problème de titre personnel de Wallis se résoudrait plus aisément. Peut-être que la famille royale, puisque le roi devenait plus populaire et ne craignait plus la rivalité du Duc, s'attendrirait et la recevrait.

Mais le Duc ne l'entendait pas de cette oreille. Avant de consentir à regagner l'Angleterre, il avait besoin de savoir deux choses précises : quel genre de poste lui serait dévolu, et comment sa femme serait traitée.

Ayant eu vent des plans de départ, l'ambassadeur d'Allemagne en Espagne, Eberhard von Stohrer, adressa un câble « strictement confidentiel » à la Wilhelmstrasse pour dire que le ministre espagnol des Affaires étrangères « sollicitait un avis en ce qui concernait sa façon d'agir envers le Duc et la Duchesse de Windsor ». Le ministre espagnol des Affaires étrangères avait reçu « certaines informations... selon lesquelles nous pourrions être intéressés par la prolongation du séjour ici du Duc de Windsor, et peut-être par la possibilité d'établir un contact avec lui » [6].

La réponse de la Wilhelmstrasse ne tarda pas : « Est-il possible en premier lieu de retenir en Espagne pendant une quinzaine de jours le Duc et la Duchesse de Windsor avant de leur accorder un visa de sortie? Il faudra en tout cas veiller absolument à ce que cette suggestion n'ait pas l'air d'émaner de l'Allemagne [7]. »

Le mois de juin en Espagne est toujours très chaud, mais le Duc était trop agité pour faire la sieste. Wallis se trouva entraînée dans un circuit touristique et un tourbillon mondain qui semblaient ne jamais devoir cesser. Pendant qu'ils attendaient leurs visas de sortie et les câbles de Churchill, ils virent plusieurs de leurs amis espagnols dont la plupart étaient de hauts fonctionnaires de l'administration Franco. Ils dînèrent un soir avec un général de l'aviation espagnole et l'infant Alphonse, cousin du Duc; tous deux passèrent la soirée à insister sur l'invincibilité des Allemands, à citer des statistiques relatives aux chars d'assaut et aux avions. Un autre soir, la sœur du duc d'Albe, Doña Sol, les accueillit par le salut fasciste [8].

Les Allemands avaient même décidé le gouvernement espagnol à offrir aux Windsor à titre gracieux le palais du Calife à Ronda pour une période indéterminée.

Pendant ce temps, le ton des câbles entre Churchill et le Duc tournait à l'aigre : Churchill avait une guerre à gagner, et voici que le Duc de Windsor se préoccupait de l'accueil que la société réserverait à sa femme!

Wallis était capable d'influer sur les opinions de son mari en de nombreux domaines, mais elle ne pouvait rien obtenir de lui quand elle était personnellement en cause. Sur ce point précis il se montra intraitable. Il voulait que sa femme fût l'égale, socialement, des épouses de ses frères. Il est possible que Wallis n'ait pas déployé beaucoup d'énergie pour le faire changer d'avis, parce qu'elle se jugeait digne de cette reconnaissance officielle.

« Windsor a déclaré au ministre des Affaires étrangères qu'il ne rentrerait en Angleterre que si sa femme était reconnue comme appartenant à la famille royale et s'il était nommé à un poste militaire ou civil d'importance » [9], relata un autre rapport à la Wilhelmstrasse.

Selon le même rapport, il y avait fort peu de chances pour que les Anglais acceptent les conditions du Duc. Il ne se trompait pas. Il ajoutait que le Duc avait vigoureusement exprimé ses sentiments d'opposition à la guerre avec l'Allemagne au ministre espagnol des Affaires étrangères. Là encore, pourquoi ne pas douter de sa véracité? Le Duc ne se gênait guère pour dire tout haut ce qu'il pensait, et très certainement il n'était pas devenu un partisan de la guerre à outrance.

Cette attitude faisait-elle de lui un homme déloyal? Sa sympathie pour l'Allemagne et les Allemands ne l'empêchait pas d'être toujours un Anglais. Il était impétueux, il était parfois niais et il se trompait souvent, mais il avait été élevé dans l'histoire et les traditions de l'Angleterre, et celles-ci s'étaient gravées dans son esprit et son caractère.

De plus, il était un soldat, et un ordre était un ordre. Le 4 juillet 1940, Churchill lui câbla sa nomination au poste de gouverneur et de commandant en chef aux Bahamas en ajoutant : « Personnellement je suis sûr que c'est la meilleure issue dans la situation douloureuse où nous nous trouvons tous. En tout cas, j'ai fait de mon mieux [10]. »

Le câble coupa court à toute velléité du Duc de se rendre à Londres afin de se battre en personne pour sa propre cause. Aussitôt, il répondit qu'il acceptait sa nomination, « parce que je suis certain que vous avez fait de votre mieux pour moi dans une situation difficile. J'envoie demain en Angleterre le major Phillips, et je vous serais reconnaissant de le recevoir personnellement pour lui expliquer certains détails » [11].

Un câble « top secret » partit aussi de Downing Street pour Roosevelt; il exposait les soucis que les récentes activités du Duc de Windsor avait causés à Sa Majesté et au gouvernement de Sa Majesté. « Bien que son loyalisme soit irréprochable, il est toujours dans les remous d'une intrigue nazie qui cherche à nous créer des difficultés [12]. » Le câble mentionnait aussi la nomination, que le gouvernement de Londres estimait de nature « à plaire au Duc et à sa femme ». Avant la transmission, les mots « et à sa femme » furent supprimés.

Le Duc et la Duchesse, pour attendre la suite des événements, étaient allés à Lisbonne.

Le Duc connaissait, bien entendu, l'ambassadeur de Grande-Bretagne au Portugal, sir Walford Selby. Ce dernier avait prévu qu'ils logeraient chez un banquier portugais, le Dr. Ricardo de Espirito Santo e Silva, propriétaire d'une maison en stuc rose sise au bord de la mer. Sir Walford avertit le Duc que les hydravions étaient prêts et qu'ils pourraient décoller le lendemain matin. Le Duc expliqua une fois de plus que, guerre ou pas, il ne s'en irait que si ses conditions concernant le statut de la Duchesse étaient acceptées.

L'échange animé de câbles chiffrés imposa à la Duchesse une nuit blanche car elle aida son mari à formuler ses réponses. Puisque le Duc s'était engagé et qu'il était résolu à ne pas céder, puisqu'elle l'approuvait dans le fond de son cœur, elle lui fit part de ses suggestions. Elle reconnut plus tard, cependant, qu'il avait mal choisi son moment : le point d'honneur qu'il mettait dans cette affaire était tellement peu de chose quand son pays luttait pour sa vie!

Churchill tout particulièrement y vit une mesquinerie incroyable. Cette controverse non seulement refroidit ses sentiments envers son ancien souverain, mais elle détruisit pratiquement leur amitié. Ils n'éprouveraient plus jamais la même cordialité chaleureuse l'un pour l'autre.

Le 9 juillet, le ministre espagnol des Affaires étrangères dit à l'ambassadeur d'Allemagne « que le Duc de Windsor avait demandé qu'un agent de confiance partît pour Lisbonne parce qu'il pourrait lui remettre une communication pour le ministre des Affaires étrangères » [13]. Le même jour, la presse anglaise rendit publique la nomination du Duc aux Bahamas.

Le Duc et la Duchesse ne se gênèrent pas pour exprimer leur déplaisir. « Sainte-Hélène, modèle 1940 », déclara la Duchesse à une amie. Et lorsque le journaliste Walter Kerr félicita le Duc en lui disant que les îles Bahamas avaient une importance considérable, le Duc le toisa : « Citez-m'en une », dit-il.

Le mécontentement des Windsor aiguillonna l'intrigue nazie.

De son ministre à Lisbonne, Ribbentrop reçut un nouveau rapport : « Comme nous en ont informés confidentiellement des Espagnls de l'entourage du duc de Windsor, la nomination du Duc au gouvernement des îles Bahamas a pour but de le maintenir loin de l'Angleterre, car son retour encouragerait fortement les amis anglais de la paix. »

En tout cas, le Duc était furieux contre l' « Establishment » britannique, et Ribbentrop le savait. Il câbla à l'ambassade d'Allemagne à Madrid pour souligner la nécessité de ramener le Duc en Espagne, loin des agents anglais « qui essaieront de lui faire quitter Lisbonne le plus tôt possible et, s'il le faut, par la force ».

« A notre avis, il faut donc nous hâter », écrivit Ribbentrop. « D'ici, il semblerait préférable que de bons amis espagnols du Duc l'invitent, avec sa femme bien entendu, pour un bref séjour de huit ou quinze jours en Espagne sous des prétextes qui sembleraient plausibles à la fois au Duc, aux Portugais et aux agents anglais. Autrement dit, il faut que le Duc et la Duchesse, ainsi que les Anglais et les Portugais, croient qu'ils reviendront au Portugal... Une fois qu'ils seront en Espagne, le Duc et la Duchesse devront être persuadés ou contraints de rester en territoire espagnol. En prévision de cette dernière solution, nous devons conclure avec le gouvernement espagnol un accord stipulant que, en raison des obligations de neutralité, le Duc sera interné, puisque le Duc en tant qu'officier anglais et membre du corps expéditionnaire britannique doit être traité comme n'importe quel militaire en fuite qui a franchi la frontière... En tout cas, à la première occasion propice en Espagne, il faudra informer le Duc que l'Allemagne souhaite la paix avec le peuple anglais, que la clique Churchill s'y oppose, et que le Duc ferait bien de se tenir prêt pour des éventualités nouvelles. L'Allemagne est résolue à contraindre la Grande-Bretagne à la paix par tous les moyens en son pouvoir et, lorsque ce sera fait, elle se conformerait volontiers à tout désir exprimé par le Duc, notamment en vue de l'accession au trône du Duc et de la Duchesse [14]. »

Ce fut à ce moment-là que Ribbentrop se mit en rapport avec Schellenberg, le chef du contre-espionnage allemand. Schellenberg se rendit aussittôt à Madrid pour y voir l'ambassadeur d'Allemagne. Stohrer lui rapporta qu'il s'était entretenu avec le ministre espagnol de l'Intérieur, Ramón Serrano Suñer, beau-frère de Franco, et qu'il avait sollicité « son appui personnel et celui du généralissime » pour le projet Windsor. Puisque le Duc réclamait au Portugal un émissaire de confiance, ils convinrent de lui envoyer le marquis de Estella, Miguel Primo de Rivera, « ami de longue date du Duc [15] ». Rivera inviterait le Duc et la Duchesse à venir chasser en Espagne. Il partit pour Lisbonne « après s'être entretenu avec Franco [16] ».

Schellenberg s'était déjà précipité à Lisbonne. Il recruta un ami japonais pour obtenir des renseignements précis sur la résidence des Windsor : combien d'issues, quels étages habitaient-ils, quelles mesures de sécurité avaient été prises, qui étaient les domestiques, etc.

« En quarante-huit heures, j'avais tissé un filet à mailles serrées autour de la résidence du Duc », raconta Schellenberg. « J'avais même réussi à remplacer des gardes de la police portugaise par mes gens. J'avais pu également noyauter la domesticité avec des informateurs. Cinq jours plus tard, j'étais au courant de tout ce qui se passait dans la maison et des moindres propos échangés à table [17]. »

Le situation de l'Angleterre, de plus en plus mauvaise, stimulait les efforts de Schellenberg.

L'Angleterre restait toute seule pendant l'été de 1940. Les Espagnols allaient probablement exiger Gibraltar ou demander aux Allemands de les aider à conquérir ce rocher. La France de Vichy subissait toutes sortes de pressions pour que Pétain déclarât la guerre à l'Angleterre. Le débarquement hitlérien en Angleterre semblait imminent. Les Iles britanniques ne pouvaient compter que sur 500 canons de campagne et, au maximum, sur 200 chars moyens ou lourds. La territoriale ne disposait que de fusils.

En sus des problèmes urgents qu'il avait à résoudre pour la défense de son pays, le Premier Ministre Winston Churchill dut s'occuper de demandes câblées par le Duc de Windsor; celui-ci réclama notamment que son ancien domestique Fletcher fût démobilisé pour l'accompagner aux Bahamas. Churchill répliqua par un autre câble : « Je regrette qu'il ne puisse être question de démobiliser des soldats pour servir de domestiques à Votre Altesse Royale. Une telle mesure soulèverait une désapprobation générale en des temps comme ceux-ci, et je rendrais un bien mauvais service à Votre Altesse Royale en la recommandant [18]. »

Le Service secret britannique avait intercepté des rapports et des câbles allemands, et Churchill avait été mis au courant des intentions allemandes à l'égard des Windsor : les convaincre ou les kidnapper.

Wallis et le Duc discutèrent abondamment des Bahamas. Pour le Duc, cette désignation était un exil, un poste insignifiant loin des théâtres de la guerre. Mais Wallis avait lu tous les câbles de Churchill; elle avait deviné que le Premier Ministre était allé à la limite de ses possibilités et qu'ils ne pouvaient rien espérer de mieux pour l'instant. Plus pratique que son mari, elle commença à s'adapter à la perspective des Bahamas. Le poste avait des avantages : le climat, la proximité des Etats-Unis, la chance de pouvoir faire quelque chose d'intéressant.

Certes il n'était pas digne de son mari, mais il valait mieux qu'une sinécure comme celle d'officier de liaison dans une mission militaire. Elle essaya d'apaiser le Duc en lui livrant ses réflexions; elle y parvint en partie, mais il n'était toujours pas disposé à capituler.

Rivera arriva. Il eut avec le Duc de longues conversations qui furent toutes communiquées fidèlement aux Allemands.

« Il a appris sa nomination de gouverneur des Bahamas par une lettre très froide et catégorique de Churchill, avec comme instructions de partir immédiatement rejoindre son poste. Churchill a menacé W. d'une comparution en conseil de guerre pour le cas où il refuserait ce poste (ceci semble avoir été transmis seulement par voie orale au Duc [19]). »

Rivera rapporta ensuite que le Duc avait obtenu un délai parce qu'il attendait des effets et des objets de sa maison de Paris. Bien qu'il eût renoncé à toutes ses tâches militaires, « le Duc voyait dans sa nomination la reconnaissance du statut d'égalité de sa femme [20] ».

Rivera eut bientôt d'autres rapports à faire transmettre à Ribbentrop :

> Le Duc s'est exprimé très librement. Au Portugal il avait presque l'impression d'être prisonnier. Il était entouré d'agents, etc. Politiquement il s'éloignait de plus en plus du roi et de l'actuel gouvernement anglais. Le Duc et la Duchesse redoutaient moins le roi qui était complètement idiot (*reichlicht töricht*) que la reine rusée qui intriguait adroitement contre le Duc et particulièrement contre la Duchesse...
>
> Le Duc envisageait de faire une déclaration publique dans laquelle il désavouerait l'actuelle politique britannique et romprait avec son frère...
>
> Le Duc et la Duchesse ont été extrêmement intéressés par la communication secrète que le ministre de l'Intérieur a promise au Duc... Le Duc et la Duchesse ont dit qu'ils désiraient beaucoup revenir en Espagne et ils ont exprimé leurs remerciements pour l'hospitalité proposée. Leur crainte que le Duc ne fût traîté en Espagne en prisonnier a été dissipée par l'émissaire de confiance qui, en réponse à une question, a déclaré que le gouvernement espagnol consentirait certainement à autoriser le Duc et la Duchesse à résider dans le Sud (que le Duc semblait préférer), par exemple à Grenade ou Malaga, etc. [21].
>
> Lorsque Rivera a conseillé au Duc de ne pas aller aux Bahamas, mais de revenir en Espagne, puisque selon toute vraisemblance le Duc serait appelé à jouer un rôle important dans la politique anglaise et peut-être à remonter sur le trône, le Duc et la Duchesse ont manifesté ouvertement leur étonnement. Ils ont paru l'un et l'autre complètement paralysés par les conceptions conventionnelles, car ils ont répondu que, selon la Constitution anglaise, cela ne serait pas possible après l'abdication.
>
> Lorsque l'émissaire de confiance a fait part de son espoir que le cours de la guerre pourrait entraîner des changements même dans la Constitution anglaise, la Duchesse est devenue très pensive [22].

C'était compréhensible. L'idée ne se situait pas hors de portée de son imagination. Elle n'était pas inconcevable. Le Duc et elle avaient souvent parlé ensemble de la puissance qu'ils avaient vue en Allemagne. La rapidité de l'invasion de la France par les armées hitlériennes les avait atterrés mais non surpris. Ils connaissaient l'état d'impréparation de la Grande-Bretagne. La Manche semblait se rétrécir chaque jour. Les nazis avaient fait tout ce qu'ils avaient annoncé qu'ils feraient. L'événement pouvait se produire. Il paraissait presque probable. Etait-il possible qu'elle pût encore être reine d'Angleterre? Pourrait-elle accepter cette accession dans des circonstances pareilles?

Hitler s'impatientait. « Le Führer ordonne qu'un enlèvement soit organisé tout de suite », câbla Ribbentrop à Schellenberg [23]. Utilisant un second émissaire de confiance, cette fois-ci une femme, Schellenberg fit exposer son plan au Duc et à la Duchesse : ils partiraient officiellement pour prendre quelques jours de vacances en montagne dans un secteur favorable à la chasse et proche de la frontière espagnole. Schellenberg enverrait du monde pour garantir leur sécurité du côté portugais, pendant que Rivera attendrait du côté espagnol avec un nombre égal d'amis dévoués. Puisque le Duc et la Duchesse avaient remis leurs passeports à la légation anglaise, il faudrait « se concilier » le fonctionnaire portugais de service à la frontière. Dans l'éventualité où le Service secret britannique déciderait une action imprévue, « des préparatifs sont faits pour que le Duc et la Duchesse puissent gagner l'Espagne par avion [24] ».

Il est difficile de dire jusqu'à quel point le Duc et la Duchesse réfléchirent sérieusement aux propositions allemandes. Le Duc reconnut plus tard qu'il avait parlé à des émissaires nazis, et il ajouta : « A aucun moment l'idée de me soumettre à leurs suggestions ne m'a effleuré; je les ai traitées avec le mépris qu'elles méritaient [25]. » Le Foreign Office précisa de son côté : « Son Altesse Royale n'a jamais varié dans sa fidélité à la cause britannique [26]. »

Les offres des Allemands, en tout cas, durent grossir dans l'esprit du Duc l'image qu'il se faisait de sa propre importance et elles accrurent aussi ses velléités d'indépendance. Il avait pris ses dispositions pour traverser l'Atlantique à bord d'un paquebot américain qui faisait escale à New York. Il s'agissait évidemment d'un désir de Wallis. Avant de s'installer à Nassau, elle souhaitait se replonger dans l'atmosphère familiale de paix, de souvenirs et d'amitiés américains.

Cette décision provoqua une émotion considérable au Foreign Office et des échanges de messages entre le Premier Ministre et Lord Lothian, ambassadeur de Grande-Bretagne à Washington.

Lothian câbla : « Plus je réfléchis, et plus je suis convaincu qu'il serait très indésirable que Son Altesse Royale passe par les Etats-Unis en se rendant aux Bahamas... S'il s'arrête à New York, il y aura obligatoirement un grand déploiement de publicité dont une part importante sera sans aménité et produira un effet déplorable dans les circonstances actuelles [27]. »

Lothian reproduisit quelques commentaires négatifs de la presse américaine sur la nomination du Duc de Windsor, dont un éditorial de *Press* de Cleveland qui dépeignait le Duc sous les traits d'un « directeur d'une station d'hiver de super-luxe » et exprimait l'espoir qu'il ne se livrerait pas à des intrigues profitables aux nazis [28].

Le Duc s'insurgea violemment contre le refus de son projet de transport par le gouvernement britannique; il câbla à Churchill : « J'ai déjà perdu suffisamment mon temps et je découvre, au Colonial Office, une attitude analogue à celle que j'ai vue à l'œuvre dans mon dernier poste. Vous prie instamment d'approuver les dispositions que j'ai prises; sinon je serai obligé de reconsidérer ma position [29]. »

Pendant ce temps, Schellenberg tentait d'exercer une influence décisive sur les Windsor. Connaissant la profonde aversion du Duc pour ses gardes secrets, « je me suis donc arrangé pour qu'un haut fonctionnaire de la police portugaise avertisse le Duc que la garde portugaise devrait être renforcée car il savait de bonne source que le Duc était surveillé. Le soir même j'ai manigancé un incident dans le jardin de la villa du Duc; des pierres ont été lancées contre les fenêtres; à la suite de quoi la garde portugaise a procédé à une fouille approfondie de la maison, ce qui a causé beaucoup de perturbations. J'ai fait circuler le bruit parmi les domestiques de la villa que le Service secret britannique était à l'origine de l'incident. Ils ont reçu des ordres pour que le séjour du Duc devienne le plus inconfortable possible et qu'il soit de plus en plus disposé à partir [30] ».

Schellenberg fit aussi porter à la Duchesse un bouquet de fleurs avec le message suivant : « Méfiez-vous des machinations du Service secret britannique — un ami portugais très attaché à vos intérêts [31]. »

D'autre part il informa la police et le Duc — par des amis communs — que la police secrète britannique avait logé une bombe à bord du navire du Duc, dans l'intention de la faire exploser avant son arrivée et d'attribuer l'attentat aux Allemands. Par l'intermédiaire de Rivera, Schellenberg accusa de nouveau les agents secrets anglais de préparer l'assassinat du Duc aux Bahamas, ou durant son voyage, parce que le gouvernement redoutait son retour à la tête d'un nouveau mouvement en faveur de la paix. Sur un ton dramatique, Rivera adjura le Duc de ne pas exposer sa vie et de séjourner en Espagne.

« Cela paraît fantastique », dit plus tard Monckton du complot, « mais il a réussi à impressionner le Duc et la Duchesse. Ils le considéraient comme leur ami et ils connaissaient son rang dans le gouvernement franquiste, qui lui permettait d'avoir accès à toutes sortes de sources [32] ».

Schellenberg avait encore un autre « vilain tour » dans son sac. Il s'agissait de tirer quelques coups de feu sur la fenêtre de la chambre de la Duchesse, mais il y renonça finalement « parce que l'effet psychologique aurait été seulement de l'encourager à partir [33] ». Il se contenta de lui envoyer un autre message anonyme, l'avertissant que leurs vies étaient en danger à cause des Anglais.

Churchill était préoccupé. Les agents secrets anglais découvraient de plus en plus de fragments du plan allemand d'enlèvement. Il avait câblé au Duc : « Le gouvernement de Sa Majesté ne peut pas donner son accord à une escale de Votre Altesse Royale aux Etats-Unis à ce moment critique. Sa décision doit être acceptée. Il devrait être possible de prévoir des dispositions, si nécessaire, pour que la Duchesse aille des Bermudes à New York en invoquant son état de santé, et de toute façon il lui sera toujours facile d'y aller de Nassau par mer ou par air [34]. »

Pour que la pilule soit moins amère, Churchill avait ajouté qu'il était parvenu à triompher des objections du ministère de la Guerre en ce qui concernait la démobilisation de Fletcher « qui vous sera envoyé sans tarder [35] ». Des arrangements analogues étaient en cours pour transporter de Londres à Lisbonne la femme de chambre de Wallis.

Le prétexte officiel des Anglais était que, puisque le Duc avait été nommé commandant en chef des Bahamas, sa présence sur un bateau américain pourrait être interprétée comme une violation de la loi de neutralité des Etats-Unis. En guise de compromis, les Windsor se rendraient aux Bermudes à bord du navire américain, y débarqueraient et monteraient sur un bateau canadien qui les conduirait à Nassau. La compagnie de navigation recevrait un dédommagement spécial pour effectuer le détour.

Le Duc consentit à ce nouvel arrangement mais ajouta fermement : « En ce qui concerne le refus d'une escale aux Etats-Unis en ce moment critique, je suppose qu'il ne s'applique qu'à la période consécutive aux événements de novembre. Puis-je par conséquent obtenir la confirmation que la politique du gouvernement de Sa Majesté ne consistera pas à m'empêcher de fouler le sol américain pendant la durée de mon mandat aux Bahamas? Autrement, je ne me sentirais pas en mesure de représenter le roi dans une colonie britannique aussi géographiquement proche des Etats-Unis si je devais être toujours empêché d'aller dans ce pays [36]. »

Churchill accepta que le Duc pût se rendre dans l'avenir aux Etats-Unis.

Pour accélérer les choses, Churchill dépêcha au Duc et à la Duchesse son émissaire personnel, leur ami et conseiller Walter Turner Monckton, qui avait pour mission de les persuader de partir immédiatement pour les Bahamas. Monckton était en même temps le directeur général du ministère anglais de l'Information. Son arrivée réconforta grandement le Duc et la Duchesse. Enfin ils avaient un ami auquel ils pouvaient se fier sans la moindre réserve. Ils le mirent au courant des propos de Rivera relatifs à un enlèvement et à un assassinat possibles.

Monckton demanda à voir Rivera, et il le pria de lui fournir une preuve matérielle. Si Rivera pouvait lui en présenter une seule, Monckton accepterait de ne pas laisser partir le Duc pour les Bahamas. Rivera lui répondit qu'il lui faudrait dix jours au moins pour la lui apporter. Monckton refusa de retarder aussi longtemps le départ. A la requête du Duc, Monckton avait entre-temps câblé à Londres pour réclamer à Scotland Yard un détective qui accompagnerait le Duc pendant son voyage. Rivera insinua que ce ne serait pas suffisant : que se passerait-il si la police secrète anglaise attendait le Duc aux Bahamas dans l'intention de le tuer là-bas et d'imputer l'attentat aux Allemands? Après s'être consultés, le Duc et la Duchesse insistèrent pour que Monckton obtînt de Scotland Yard l'envoi d'un second détective qui les accueillerait lors de leur arrivée dans les îles. Monckton accepta et, de plus, promit au Duc qu'il resterait au Portugal après leur départ pendant que Rivera essaierait de trouver la preuve matérielle du complot. S'il la lui fournissait, il ferait stopper le navire aux Bermudes.

Finalement, Monckton dit au Duc et à la Duchesse que Churchill avait réuni assez de renseignements pour être convaincu qu'un projet d'enlèvement existait bel et bien, mais qu'il était d'origine allemande.

C'en fut trop pour Wallis : les espions et les contre-espions, les menaces, la peur... Elle avait confiance en Rivera, mais elle croyait davantage en Monckton. Elle se déclara prête à partir.

Le Duc aussi. Monckton lui avait bien présenté son message. La Grande-Bretagne se battait pour son existence même, et il fallait que le Duc accomplisse son devoir.

« Devoir » : un mot important pour le Duc. Un mot qui avait été déterminant dans sa famille. Le devoir avait régi son existence, sauf lorsqu'il avait pris la décision complexe d'abdiquer. L'insistance têtue qu'il mettait sur des vétilles pouvait paraître ridicule au Premier Ministre — et elle l'était certainement alors que son pays luttait le dos au mur — mais pour le Duc ces vétilles étaient des accès de fierté. Elles le rendaient plus important à ses yeux, et peut-être estimait-il qu'aux yeux de sa femme elles le faisaient paraître plus viril. Son grand souci était toujours Wallis. L'opinion de Wallis, les réactions de Wallis, les désirs de Wallis. S'il prêta une oreille à des agents nazis, ce fut vraisemblablement parce que leurs propositions flattaient son amour-propre et que la Duchesse mesurait mieux l'importance internationale de son mari.

Cela traduisait une certaine faiblesse en lui, peut-être même une instabilité émotionnelle. Il est difficile, cependant, de concevoir sa participation à toute cette intrigue comme quelque chose d'intrinsèquement pervers. Le mal requiert un homme plus complexe. Or le Duc était foncièrement simple, cordial, direct.

Selon Rivera pourtant, « le Duc hésita jusqu'au dernier moment. Le navire dut retarder son départ parce qu'il ne se décidait pas encore. L'influence du conseiller juridique du Duc, sir Walter Turner Monckton, fut encore une fois assez forte pour le déterminer à quitter le Portugal pour les Bahamas [37] ».

La dernière action de Schellenberg fut une tentative de sabotage de leur fourgon à bagages pour que l'appareillage n'eût pas lieu à l'heure prévue. Mais cette ultime manœuvre ne réussit pas mieux que le reste du complot.

Selon Rivera, le Duc lui aurait déclaré qu'il n'existait aucune perspective de paix pour le moment, mais que la situation de l'Angleterre n'était pas du tout désespérée. « Par conséquent, le Duc ne devait pas maintenant, par des négociations conduites contrairement aux ordres de son gouvernement, donner prise à la propagande de ses adversaires anglais, qui risquait de le priver de tout prestige à l'époque où il pourrait agir. Si l'occasion s'en présentait, il pourrait même agir des Bahamas [38]. »

Le ministre d'Allemagne à Lisbonne, le baron Oswald von Hoyningen-Huene, adressa son rapport personnel à son ministère des Affaires étrangères. Il contenait la réponse du Duc à un message de Ribbentrop aux termes duquel, dès que l'Allemagne aurait contraint l'Angleterre à faire la paix, l'Allemagne « serait disposée à collaborer très étroitement avec le Duc et à éliminer les obstacles à tout désir qu'exprimeraient le Duc et la Duchesse ». La réponse du Duc, selon Hoyningen-Huene, fut un hommage au désir de paix du Führer « qui coïncidait exactement avec son propre point de vue. Il avait la conviction profonde que, s'il avait été couronné, la guerre n'aurait jamais été possible... Il était également persuadé que le moment de se mettre en vedette n'était pas encore venu, puisqu'il n'y avait toujours pas en Angleterre de tendance favorable à un rapprochement avec l'Allemagne. Cependant, dès que se modifierait cet état d'esprit, il ne demanderait pas mieux que de rentrer immédiatement. Ou bien l'Angleterre ferait appel à lui, ce qu'il considérait comme tout à fait possible, ou bien l'Allemagne exprimerait son désir de négocier avec lui.

« Dans l'un ou l'autre cas, il était prêt à consentir n'importe quel sacrifice et à être disponible sans la moindre ambition personnelle. Il demeurerait en communication régulière avec son ancien hôte, et ils étaient convenus d'un mot de code, à la réception duquel il retraverserait aussitôt l'Atlantique [39]. »

On peut supposer certes que les fonctionnaires allemands pimentaient leurs rapports d'une certaine dose d'exagération et qu'ils songeaient surtout à se faire valoir aux yeux de leurs supérieurs. Mais même si l'on n'en croit qu'une partie, il n'est pas possible de considérer le Duc comme un ingénu politique; encore pourrait-on le ranger dans la catégorie des politiques amateurs. La Duchesse, toutefois, était probablement les deux. Toutes ces manœuvres et intrigues dépassaient son éducation, son expérience, son savoir. D'instinct elle plaça sa confiance en Monckton, tout comme le Duc, ce qui entraîna leur décision finale. Si Monckton n'était pas venu, le résultat aurait été moins sûr car, à la base de tout, il y avait l'orgueil de l'ex-roi et son amour pour sa femme.

Juste avant d'embarquer sur le paquebot américain *Excalibur,* ils virent arriver la femme de chambre de la Duchesse, Mrs. E. V. Fyrth, qui les accompagnerait. La Duchesse se déclara satisfaite de leur ensemble de six cabines et de leur véranda, isolées du reste du navire.

Le Duc se sentit une fois de plus vaincu. La bataille d'Angleterre avait commencé. Pendant qu'il se prélassait dans sa chaise-longue sur la véranda du paquebot, Hitler avait dicté la directive N° 17 qui recommandait l'intensification de la guerre aérienne contre l'Angleterre. Pour la gagner, la Luftwaffe disposait de 1 015 bombardiers, de 346 bombardiers en piqué, de 933 chasseurs et de 375 chasseurs lourds. Le bombardement aérien précéderait l'opération Otarie. Sur un total de mille pilotes anglais, près d'un quart allaient trouver la mort ou être blessés en quinze jours. Londres serait bombardée, bombardée encore, bombardée toujours — une ville en feu.

Pendant cette période de courage et d'épreuves sur le front intérieur, le Duc mènerait la vie facile d'un commis-voyageur de l'Empire britannique. Il avait l'impression d'être mis sur la touche.

La Duchesse réagit différemment. La Grande-Bretagne n'était pas sa patrie. Elle l'avait très mal traitée et avait traité son mari encore plus cruellement. Les Anglais lui plaisaient, mais elle ne les aimait pas. Elle était navrée de leurs misères et elle déplorait cette guerre, mais ce n'était pas sa guerre. Les Etats-Unis étaient toujours neutres. Elle avait participé à l'effort de guerre en France, mais les Français lui avaient témoigné de la compréhension et de la bonté. Si elle s'affligeait, c'était uniquement pour communier avec son mari. Elle ne pensait plus maintenant qu'au lendemain.

4

36

L'*Excalibur* bénéficia d'une mer d'huile et d'un ciel sans nuages; c'était exactement ce qu'il fallait aux Windsor pour essayer d'oublier la tension des semaines précédentes. La perspective des Bahamas commença à leur paraître plus souriante bien avant leur arrivée. Ils prenaient des bains de soleil, ils se promenaient sur le pont, ils tentaient d'imaginer leur avenir.

L'annonce officielle de Downing Street était ainsi conçue : « *Il a plu au roi de nommer Son Altesse Royale le Duc de Windsor* (suivaient divers titres et décorations) *gouverneur et commandant en chef des îles Bahamas* [1]. »

Son « sous-royaume » se composait en réalité de 29 îles, 661 îlots, 2 387 récifs de corail et sablonnières, et de 80 000 habitants environ.

Les Windsor débarquèrent aux Bermudes avec leurs trois fox-terriers, des bagages pour trois camions, une machine à coudre, une remorque, deux sacs de golf avec les clubs, deux caisses de champagne, deux caisses de gin et deux caisses de porto, plus le personnel [2].

Les Bermudes furent davantage une partie de plaisir qu'un intermède. Ils procédèrent même à quelques achats (des balles de golf, pour lui une veste de polo, des chaussures et des caleçons de bain, pour elle des pull-overs). Devant une boutique, Wallis admira un ensemble de porcelaine peinte de poissons des Bermudes mais, comme il coûtait cher, elle dit au marchand : « Il faut que d'abord je demande la permission à mon mari [3]. »

Le dimanche, ils ne se rendirent pas à l'église pour le service. L'évêque anglican qui devait officier était allé chez le marchand de journaux arracher du mur leur photo ornée de cette légende : « Ils sont heureux maintenant. » « C'est une honte qu'on les exhibe dans un lieu public! » tonna l'évêque [4].

Au cours de leur bref séjour, les Windsor tinrent leur première conférence de presse commune. Le Duc refusa de donner son opinion sur la guerre. « Ce n'est pas le bon moment », dit-il. Mais Wallis accepta de parler en son nom personnel : « Quand on vit dans cette guerre, on s'habitue à tout. On ne sait jamais rien, et ce n'est pas savoir qui est le pire. Lorsqu'on est prié de partir, on part, et on part très vite [5]. »

Ils déclarèrent qu'ils espéraient faire bientôt un tour aux Etats-Unis; le Duc n'y était pas allé depuis seize ans, et Wallis depuis huit. « Il faut que je voie ma famille », ajouta-t-elle [6].

Non, ni l'un ni l'autre ne connaissaient les Bahamas; mais le Duc se rappelait que, « quand j'étais roi », le gouverneur lui avait adressé une carte de Noël représentant sa nouvelle piscine sur les carreaux de laquelle figurait le monogramme « E. R. VIII ». « Il est assez drôle que j'aille maintenant me baigner dans cette piscine », dit le Duc sans sourire [7].

Toujours pratique, Wallis termina la conférence de presse par ces mots : « Nous espérons que beaucoup d'Américains viendront aux Bahamas [8]. » Elle se mettait déjà au travail.

La population des Bahamas était très occupée à préparer un « jour de réjouissances » pour l'arrivée des Windsor : des parades avec des chars et des costumes symbolisant des éléphants, des félins, des paons, des sirènes, des vaudous, et bien entendu des danses comme la rumba, le tap et le jitterburg. Les hommes étaient particulièrement surexcités parce qu'ils allaient voir « Mrs. Simpson », cette femme « qui le rendait heureux [9] ».

Après un voyage en zigzag à partir des Bermudes sous l'escorte d'un croiseur anglais destiné à les protéger contre tout navire allemand qui rôderait dans la région, ils accostèrent au quai Prince-George, attendus par la garde d'honneur, le Conseil exécutif local, des rues parées de drapeaux et de fleurs, et une multitude de curieux dont certains n'avaient pas hésité à grimper aux casuarinas de Rawson Square. Sur l'une des banderolles, ils purent lire : CHRISTOPHE COLOMB 1492; WINDSOR 1940 [10].

Le Duc était en uniforme kaki de général de brigade anglais, et Wallis portait un bouquet de petits hibiscus roses que lui avait offert la fille d'un membre du Nassau Garden Club.

Comme il faisait plus de 35°, la chemise du Duc fut bientôt trempée de sueur quand ils traversèrent à pied la place pour se rendre à la Chambre du Conseil législatif où le Duc devait prêter serment. Il lui fallut toute son éducation royale pour ne rien perdre de son maintien par cette chaleur. Son humeur était à la résignation plus qu'à la joie.

Pour Wallis, ce fut malgré tout une journée exceptionnelle. L'épouse d'un gouverneur n'était pas une reine et l'archipel n'était pas un empire, mais la fille de Baltimore était à présent la femme la plus importante de ce royaume. Son statut fut clairement proclamé en ce premier jour, puisqu'elle reçut des honneurs jamais accordés jusqu'ici à l'épouse d'un gouverneur des Bahamas; d'habitude, les épouses des gouverneurs s'asseyaient à côté des autres fonctionnaires de la colonie. Mais pour cette inauguration, une estrade spéciale avait été dressée à mi-hauteur entre le plancher et le trône du gouverneur; son dais était recouvert d'un drap rouge, et elle prit place sur un majestueux fauteuil tapissé de cuir rouge.

L'estrade du Duc, un peu plus élevée, était abritée par un dais orné d'une couronne dorée. Nu-tête et nerveux, le Duc tripotait le mouchoir qu'il avait gardé dans sa manche gauche. Le président du tribunal, en robe et portant perruque conformément à la tradition, lui fit prêter serment, et le Duc promit de « bien et fidèlement servir Sa Majesté le roi George ». Lorsqu'il officialisa son geste en signant le document, Wallis vit tomber sur le papier des gouttes de sueur qui maculèrent sa signature au point de la rendre méconnaissable.

Dans son discours, le Duc fit une allusion sans équivoque à sa femme. « Je suis infiniment content que la Duchesse soit avec moi pour partager le plaisir de ma première visite à ces îles [11]. »

La classe sociale supérieure aux Bahamas était de race blanche et collet monté. Le gouvernement britannique avait envoyé des instructions précises pour que Wallis ne fût pas appelée « Votre Altesse Royale » mais « Votre Grâce », et que les femmes ne lui fissent pas la révérence. A la réception officielle qui succéda à la prestation de serment, une seule la fit. Une autre eut l'air de vouloir l'imiter, mais elle se ravisa.

A la fin de la cérémonie, pour le *God Save the King,* le Duc salua. Aux dires de certains, le visage de la Duchesse à ce moment-là exprima une grande tristesse.

A la réception, il y avait des Noirs importants, dont Etienne Dupuch, directeur et rédacteur en chef de la *Daily Tribune* de Nassau. Petit, sec et nerveux, brusque et énergique avec des yeux pétillant d'esprit, Dupuch déclara plus tard que les Noirs étaient partagés entre deux sentiments : ils trouvaient que le Duc aurait dû demeurer roi et ne pas se marier, mais ils étaient ravis de les avoir aux Bahamas parce que leur présence signifiait plus de touristes et plus de dollars.

Et puis, le Duc et la Duchesse firent leur première apparition mondaine officielle à l'Emerald Beach Club. Dans son discours de bienvenue, le président du club, sir Frederick Williams-Taylor, omit de citer la Duchesse. Dissimulant sa colère sous un air glacé, le Duc se leva pour dire que le président lui avait précédemment soumis son texte, que celui-ci contenait une allusion à la Duchesse, et qu'il se demandait si sir Frederick l'avait oubliée parce que la lumière était mauvaise.

C'était une omission à laquelle le Duc, lui, se refusa. Prononçant son propre discours, il cita le plus gracieusement du monde la femme de sir Frederick, « Lady Jane », la plus haute autorité mondaine reconnue de la colonie.

Pour accroître la gêne au dîner de ce soir-là, un toast fut porté au Duc, et la Duchesse de nouveau passée sous silence. Wallis se leva avec les autres convives; le Duc lui dit : « Vous n'avez pas à vous mettre debout pour moi, ma chérie. »

« C'est un plaisir de me mettre debout pour vous », répondit-elle en souriant [12].

Pour réparer la gaffe, un toast distinct fut porté à la Duchesse. Dans une brève réponse, elle s'excusa en expliquant qu'elle n'avait pas l'habitude de prononcer ce genre de petits discours parce que, généralement, les toasts étaient portés en même temps à elle et à son mari et qu'il répondait pour les deux.

Après cette soirée, le gratin de la société des Bahamas ne commit plus d'erreurs. On apprit vite que le Duc fronçait les sourcils quand il entendait appeler sa femme « Votre Grâce », et que les domestiques et ses collaborateurs avaient été discrètement invités à l'appeler « Votre Altesse Royale ». Les Anglais de l'archipel s'y refusèrent mais transigèrent en l'appelant « Duchesse ». Les photographes qui auraient voulu faire poser le Duc tout seul s'attirèrent cette réplique : « Je préfère être photographié avec ma femme. Nous formons une équipe [13]. »

Wallis, quant à elle, prit une initiative de nature à montrer qui était désormais la maîtresse officielle des îles. Elle inspecta la résidence repeinte et retapissée du gouverneur. L'élite locale guettait ses commentaires. Elle se contenta de dire qu'elle la trouvait belle, mais sur un ton qui indiquait qu'elle n'était guère impressionnée.

La propriété était ravissante : un jardin de quatre hectares dans le centre de Nassau, à trois pâtés de maisons à l'est de Bay Street, mais face à la mer et entouré par des haies touffues de bougainvillées violettes, avec de magnifiques arbres à gomme et de gigantesques palmiers royaux. Le château avait été construit en 1801; il y avait sept chambres à coucher, six salles de bains et vingt-quatre autres pièces, dont les Chambres du Conseil exécutif, le bureau du secrétaire privé et une grande salle de bal. Un fonctionnaire du gouvernement l'y ayant conduite pour procéder à une visite plus complète, Wallis conserva un visage inexpressif pendant toute la tournée et elle ne dit rien avant de lâcher, à la fin, cette remarque : « Mais que c'est primitif! »

En réalité, la résidence avait été restaurée à plusieurs reprises; une fois après un ouragan, et une autre juste avant l'arrivée des Windsor. L'Assemblée avait voté un crédit de 7 000 dollars pour la remise en état, mais les salles de bains étaient des monuments d'antiquité. Les placards étaient aussi peu nombreux que minuscules. La petite cuisine avait un fourneau qui fonctionnait au bois. Il n'y avait pas de buanderie : on lavait et on battait le linge sur les rochers d'un ruisseau. Et les termites abondaient. L'intérieur avait été repeint en émail bleu « si brillant qu'on pouvait voir toutes les ombres sur les murs ». La chambre de Wallis avait été décorée en organdi blanc qu'elle jugea « trop fillette ».

Le vif mécontentement de la Duchesse à propos de la résidence du gouverneur et de l'intense chaleur incita aussitôt le Duc à passer à l'action. Il câbla au secrétaire aux Colonies pour proposer que la Duchesse et lui aillent passer deux mois au Canada dans son ranch en attendant que la résidence du gouverneur fût restaurée convenablement. Lord Lloyd répondit que, si les Windsor repartaient si tôt après leur arrivée, « cela non seulement décevrait inévitablement les habitants de la colonie, mais pourrait créer dans l'opinion un certain sentiment d'anxiété et de doute. » Il leur suggérait de retarder leur départ de plusieurs mois. « Mais si la Duchesse est éprouvée par la chaleur, il n'y a évidemment aucune raison pour qu'elle ne s'absente pas pendant quelques semaines [14]. »

Le problème fut résolu. Le Duc et la Duchesse n'envisageaient plus de se déplacer si ce n'était pas ensemble.

La Duchesse ne tarda pas à faire venir de Baltimore une décoratrice de ses amies, Mrs. Winthrop Bradley, et l'architecte américain Sidney Neil. Son premier geste fut de décrocher un portrait de trois mètres de haut de la reine Mary qui trônait dans la salle à manger. Elle n'avait pas envie de contempler sa belle-mère tous les soirs à dîner. Elle finit cependant par le replacer.

Pendant que les travaux s'effectuaient, les Windsor allèrent s'installer dans l'une des plus belles maisons de l'île dont les propriétaires étaient Mr. et Mrs. Frederick Sigrist. Elle était située dans le quartier élégant de Prospect Hill, le plus élevé de Nassau, et la vue sur la mer et le jardin y était magnifique. Bien que de style colonial espagnol avec de la pierre blanche, un vieux toit de tuiles et de vastes patios, son intérieur était typiquement anglais : des meubles Chippendale anglais, des tableaux anglais, des objets anciens anglais; il y avait même un jardin anglais taillé dans la brousse. Immédiatement, le Duc se sentit chez lui.

Les deux tâches les plus importantes qui attendaient le Duc étaient le développement des ressources agricoles de l'archipel afin qu'il pût mieux se suffire à lui-même, et la nécessité d'accroître le tourisme. L'Assemblée tenait ses sessions d'octobre à mars, mais le gouverneur ne pouvait pas proposer des lois : il avait seulement le pouvoir de leur opposer son veto. Il disposait cependant d'un Conseil exécutif de neuf membres — les dirigeants blancs de l'île — et le Duc gouvernait avec leurs conseils.

Toujours débordant de vitalité, le Duc s'attela promptement à son travail. Il avait le droit de gracier des criminels, mais il ne pouvait pas suivre ses impulsions naturelles en faveur du bien-être social. Des instructions royales limitaient strictement ses initiatives; néanmoins son autorité était considérable auprès des dirigeants de la communauté qui pouvaient décider et exécuter.

Il commençait sa matinée par dicter du courrier. Ses lettres n'étaient plus destinées à des chefs d'Etat pour des propos protocolaires, mais le plus souvent à des experts locaux au sujet du sérieux déclin de l'industrie des éponges ou d'une mauvaise récolte des agaves. Il dressait la liste et l'horaire de ses rendez-vous de la journée, et il la faisait porter par son secrétaire à la Duchesse pour avoir son approbation et ses commentaires. La plupart de ses rendez-vous avaient lieu avec des fonctionnaires du gouvernement pour des questions de budget ou de politique. Il avait à rédiger des rapports pour son supérieur direct, le Secrétaire d'Etat aux Colonies. Lorsqu'il passait la garde en revue au cours de cérémonies, il arborait son uniforme colonial à casque blanc.

Il disposait de deux aides de camp, de trois secrétaires, d'un secrétaire privé, d'un valet de chambre, d'un maître d'hôtel, de dix domestiques et d'un détective de Scotland Yard qui le suivait partout, même s'il se rendait en un point quelconque à bicyclette.

Comme toujours, les Windsor passaient la matinée isolés du monde, chacun dans son appartement. « La Duchesse est la seule personne qui puisse me parler avant le petit déjeuner », déclara-t-il un jour [15]. Et la Duchesse profitait rarement de ce privilège.

Ils se levaient tous les deux de bonne heure. Le Duc n'éprouvait pas le besoin de dormir beaucoup, et la Duchesse ne pouvait jamais passer de longues nuits. C'est le matin, surtout en été, que le temps est le plus agréable, avant l'arrivée de la grosse chaleur. Les vents alizés procurent aux Iles Extérieures de l'est un climat presque parfait pendant toute l'année. Mais Nassau, la capitale, est sise sur l'île de New Providence, une île « Intérieure ». Si son climat est idéal en hiver, il l'est beaucoup moins en été parce qu'elle est entourée par les eaux chaudes et peu profondes du Grand Banc des Bahamas.

Pour fuir la chaleur, le Duc acheta un petit yacht à moteur qu'il baptisa *Les Gémeaux* puisque Wallis était née sous ce signe du zodiaque. Ils visitèrent ensemble les nombreuses Iles Extérieures dans l'espoir de mettre au point des programmes d'utilité publique. C'est au cours de cette tournée que le Duc et la Duchesse découvrirent — non sans surprise — sur Cat Island trois sortes de « toilettes » : WOMEN, MEN et GENTLEMEN.

Il fallut du temps à Wallis pour faire sentir et accepter sa présence. Dans la « haute » société des Bahamas, on ne se gênait pas pour évoquer en le noircissant son passé de Baltimore, et on attendait avec impatience ses écarts de conduite.

Wallis veilla à décevoir les mauvaises langues. Elle redécora la résidence du gouverneur avec un goût parfait. Comme la plupart des articles ou objets qu'elle commandait venaient des Etats-Unis, elle disait qu'elle faisait son « shopping par correspondance ». Le dallage du grand hall fut agréable et solide. Le papier mural rustique à la française transforma la bibliothèque en un havre de paix. Une firme locale teignit le tapis de la salle à manger en vert clair. Les sièges furent tapissés et recouverts de façon à compléter la douceur des tonalités. Le Duc voulut qu'un portrait de Wallis par Gerald Brockhurst fût le point de mire du salon. La carnation était réussie, mais le reste ne flattait guère la Duchesse.

L'appartement de Wallis au premier étage comprenait trois pièces : une chambre à coucher, un cabinet de toilette et une salle de travail, décorés de son bleu préféré. Ses initiales « WW » s'entrelaçaient en collier sculpté sur son bureau peint en bleu. Ses rideaux étaient blancs avec une frange bleue. Une quinzaine de photos du Duc garnissaient les murs, ainsi qu'un modèle de broderie qu'une vieille femme avait envoyé et qui portait une couronne avec ces mots : « Le Garçon Qui Etait Né Pour Etre Roi. »

De l'autre côté se trouvait l'appartement du Duc; le lit d'angle avait un cadre de bambou; d'ailleurs tous les meubles, y compris un grand bureau, étaient en bambou. Les canapés confortablement incurvés étaient recouverts d'un chintz lumineux. Les fenêtres avaient une forme arrondie, et les murs tilleul ajoutaient à l'ambiance des tropiques — à ceci près que l'un d'eux était tapissé de motifs de ski. De grandes cartes des Bahamas les décoraient, et seize photographies de la Duchesse y étaient suspendues.

La cuisine et les salles de bains avaient été modernisées. Wallis avait commandé deux réfrigérateurs spacieux. Un chef français faisait route vers Nassau.

« Comprenez-moi », expliqua Wallis à Adela Rogers St. John. « Je suis obligée de lui créer une maison. Voilà pourquoi j'ai tout refait ici, afin que nous puissions y vivre agréablement comme si nous habitions vraiment chez nous. Toute sa vie il a voyagé et, au retour, un palais n'est pas forcément une maison. La seule qu'il se soit jamais fait arranger pour son usage personnel était Fort Belvedere; il a dû la quitter; vous ne savez pas ce que ce départ lui a coûté! Il faut absolument que je lui fabrique un foyer... »

Il leur arrivait aussi de bien rire. Margaret Case Harriman a raconté qu'une touriste américaine se promenait à pied près de Nassau lorsqu'elle aperçut la Buick des Windsor, conduite par un chauffeur, qui descendait la route; le Duc et la Duchesse étaient assis à l'arrière. De la Buick sortaient des bruits semblables à « des mugissements de vaches à l'agonie », précisa plus tard la touriste. « Et ces cris étaient entrecoupés par les supplications d'une voix féminine : « " Non, chéri! Arrêtez-vous! Assez! " »

« C'était la Duchesse de Windsor. Le Duc avait les yeux qui lui sortaient de la tête, les joues gonflées, et il lui donnait une sérénade avec sa cornemuse [16]. »

Quiconque dînait chez eux les entendait s'appeler presque constamment « chérie » et « chéri ». D'après une secrétaire qui travailla pour lui, il lui arrivait d'être en train de dicter et, brusquement, d'entendre la voiture de la Duchesse qui remontait l'allée; alors il se levait aussitôt, disait à sa secrétaire que c'était tout pour la journée, puis il courait à la fenêtre pour crier : « Chérie, chérie, je suis ici. » Ou bien : « Chérie, chérie, venez ici. » De toute façon, c'était toujours : « Chérie, chérie [17]... »

Le plus grand petit problème, peut-être, auquel la Duchesse se heurta à Nassau fut les insectes. Il y en avait partout, et elle les haïssait. Une amie lui demanda un jour si elle n'avait pas la rougeole. « Il n'y a même plus de place sur mes chevilles pour une seule marque supplémentaire », disait-elle. Elle était couverte de piqûres de stimulies assez petites pour passer à travers une moustiquaire. Elle avait une horreur encore plus grande des cafards et des lézards, qui foisonnaient dans la chaleur humide. Un domestique qu'elle avait fait monter chez elle un matin alors que son visage était couvert de crème et qu'elle avait encore des papillotes dans les cheveux se rappelle le cri de désespoir qu'elle poussa : « Oh! Une fourmi dans mon cold-cream de quarante dollars [18]... »

« Je n'ai jamais aimé la chaleur », dit-elle à un journaliste. « Mon séjour à Nassau ressemble à une cure permanente d'amaigrissement [19]. »

Elle leva un doigt en souriant : « Bientôt je ne serai pas plus grosse que ça. Mais je donnerais n'importe quoi pour pouvoir aspirer une bouffée — une seule! — d'air frais [20]! »

Le grand désir de Wallis de revoir les Etats-Unis se réalisa plus tôt que prévu. Une dent de sagesse la faisant beaucoup souffrir, elle partit avec le Duc pour l'hôpital de Miami en décembre 1940. Des milliers de personnes les attendaient au débarcadère. Malgré sa joue enflée, Wallis « avait le teint frais » et « était très en beauté »; elle bavarda avec les journalistes en riant aux éclats. C'était le quatrième anniversaire de l'abdication de l'ex-roi, mais aucun des reporters n'eut le mauvais goût de s'en souvenir.

L'opération fut plus sérieuse et difficile que prévu. Inquiet, le Duc faisait les cent pas dans la salle d'attente comme un futur papa. Leurs trois terriers, l'écuyer du Duc, deux domestiques, un détective de Scotland Yard et vingt-sept valises ou malles les avaient accompagnés.

Ce petit voyage avait en réalité un double but. Depuis plusieurs mois, le Duc et Wallis avaient décidé qu'il serait plus logique que le Duc servît comme ambassadeur de Grande-Bretagne aux Etats-Unis. Puisqu'ils étaient tous les deux immensément populaires en Amérique, Wallis lui serait encore plus utile dans son propre pays que partout ailleurs. Leur visite tombait en outre à merveille : l'ambassadeur anglais en poste à Washington venait de mourir, la veille de l'opération de Wallis.

Dès qu'elle se sentit mieux, le Duc se mit en rapport avec le président Franklin D. Roosevelt qui pêchait non loin sur le croiseur *Tusca-*

loosa. Le Président consentit à lui accorder un rendez-vous et il lui envoya un avion. Ils ne s'étaient pas vus depuis 1919, lorsque le Duc était Prince de Galles, et Roosevelt, « un compagnon gai et plein d'esprit », Secrétaire adjoint à la Marine. Les deux hommes discutèrent de bases navales et de la guerre, et le Duc ne fut certainement pas intimidé lorsqu'il énonça sa proposition.

Evidemment, Roosevelt ne pouvait pas s'engager à l'appuyer. De retour en Floride, le Duc lâcha une allusion à la presse en indiquant qu'il accepterait sûrement le poste d'ambassadeur « si je pensais que ce fût avantageux pour nos deux pays ».

Tout cela demeura sans effet. En premier lieu, les chances du Duc pour le poste étaient minces. Son voyage dans l'Allemagne de Hitler avait été entouré de trop de publicité; et puis il y avait eu la controverse aigre-douce avec Churchill au sujet des Bahamas; enfin le gouvernement britannique ne tenait pas du tout à accorder au Duc une position d'importance internationale; sur ce point la reine Elizabeth se montra encore plus intransigeante que le roi, car sa rancune contre le Duc et la Duchesse n'avait jamais désarmé.

Lorsque fut révélée la visite du Duc au président Roosevelt, les porte-parole du Foreign Office manifestèrent leur vertueuse indignation. Ils dirent, plus ou moins en privé, que le Duc était maintenant gouverneur d'une petite colonie britannique et qu'il n'avait pas plus d'autorité pour parler au nom du gouvernement anglais que n'importe quel fonctionnaire de dernière classe.

La désignation de Lord Halifax comme nouvel ambassadeur aux Etats-Unis suivit presque aussitôt.

Quand Wallis fut rétablie, les Windsor s'attardèrent assez longtemps pour qu'elle s'achetât plusieurs robes d'après-midi dont les prix s'échelonnèrent de 12,50 à 25 dollars; et le Duc trouva le temps de jouer au golf avec deux célèbres professionnels, Sammy Snead et Gene Sarazen.

Pour leur départ, l'orchestre de l'Université de Miami se livra à une démonstration d'amitié aussi sonore que chaleureuse. Ils avaient bien besoin de toutes les acclamations qu'ils pouvaient recueillir.

Leur voyage de retour se déroula dans une ambiance luxueuse, à bord du grand yacht de leur nouvel ami, Axel L. Wenner-Gren. La femme de Wenner-Gren venait de Kansas City, mais la personnalité de ce multi-millionnaire suédois était très discutée. Il s'occupait beaucoup d'armements et, autrefois ami du maréchal Göring, il avait des liens étroits avec les nationaux-socialistes. Par la suite, les Anglais et les Américains l'inscrivirent sur leur liste noire. Wenner-Gren, qui avait monté une cannaie à Bimini, dit un jour à Etienne Dupuch qu'il était un industriel si international qu'il « passait pour un espion dans tous les pays où il allait [21] ».

Plut-il au Duc à cause ou en dépit de ses activités? Nul ne le sait. Ce qui est sûr, c'est que le Duc le favorisa. Il favorisa aussi Harold

Christie, le plus gros promoteur immobilier de la colonie, qui siégeait au Conseil exécutif du Duc. Christie se fit une fois accompagner par le directeur du *Chicago Tribune*, le colonel McCormick, qu'il souhaitait présenter aux Windsor; auparavant, il leur avait téléphoné pour savoir s'ils le recevraient car aucun journaliste américain n'avait autant tonitrué que McCormick contre la Grande-Bretagne et les Anglais.

« La Duchesse le connaissait par cœur », raconta Christie. « Elle déploya sur lui tout son charme, et elle l'ensorcela si bien qu'il repartit rayonnant [22]. » Le colonel dit plus tard à Christie que ce n'était pas la famille royale anglaise qu'il détestait, mais simplement quelques politiciens anglais.

Christie n'oublia jamais non plus une réponse du Duc lorsqu'il l'avait invité à un pique-nique : « Parlez-en à la Duchesse. Si cela lui fait plaisir, cela me fera plaisir. »

Si une phrase pouvait résumer leur union, c'était bien celle-là : « Si cela lui fait plaisir, cela me fera plaisir... »

A une réception, quand le Duc se levait pour partir, tout le monde s'apprêtait à l'imiter. Mais si Wallis s'amusait et n'avait pas envie de rentrer, elle restait assise; alors le Duc se rasseyait, et tout le monde en faisait autant.

Un de leurs amis trouvait la Duchesse plus fascinante que le Duc, parce que la vie du Duc avait été stylée de telle sorte que l'on pouvait toujours prédire comment il réagirait devant n'importe quelle situation. « Tandis que, les manières de Wallis étant moins policées, nul ne pouvait jamais être absolument sûr de ce qu'elle ferait [23]. »

Plusieurs contredirent cette opinion. Sauf lors de quelques petites fêtes ou danses, la Duchesse conservait soigneusement son maintien, sa dignité, son mode habituel de comportement.

Un Américain de passage aux Bahamas, qui l'avait connue en Chine et ne l'avait pas revue depuis lors, s'émerveilla de la retrouver aussi « parfaitement habillée, parfaitement gracieuse, parfaitement calme, parfaitement achevée [24] ».

Certaines femmes de la bonne société locale avaient cependant le sentiment que « nous étions pour elle des provinciales; elle ne nous témoignait pas de cordialité, et nous ne lui en témoignions pas davantage ». Une autre ajouta : « Elle n'avait pas de grands airs ni de prétention, et elle pouvait se montrer amicale jusqu'à un certain point, mais il existait un degré de familiarité que personne aux Bahamas n'a jamais franchi. Personne ne se serait aventuré à l'appeler par son prénom [25]. »

Wallis avait toutes les qualités, tous les problèmes et toutes les responsabilités d'une femme qui possède une grande force de caractère. Elle connaissait les devoirs qui lui incombaient, et elle les accomplissait sans se plaindre. Mais elle tenait à certains droits : avoir une vie privée, des préférences, voire des complaisances, et elle supportait les habitants des Bahamas dans l'intérêt de son mari, mais elle ne voulait pas cultiver leur amitié. Elle préférait les Américains.

Inattentive à la satisfaction et même au plaisir que lui procurait son travail, elle était vraiment atteinte du mal du pays.

« N'oubliez surtout pas de dire bonjour à New York pour moi! » cria-t-elle à une amie américaine qui repartait pour les Etats-Unis [26].

37

Dès que Wallis arriva aux Bahamas, elle biffa sur le papier à lettres officiel « Résidence du gouverneur » pour inscrire à la place « Ile d'Elbe », chaque fois qu'elle écrivait à des amis. Son humeur se modifia lorsqu'elle fut absorbée par son travail et les responsabilités inhérentes à sa position, mais elle ne se sentit jamais complètement chez elle. Et elle ne pouvait faire autrement que de voir la tristesse envahir de plus en plus son mari à mesure que la guerre se prolongeait.

Il lisait des récits ayant trait à la bataille d'Angleterre, à son frère le roi qui travaillait dans une usine d'aviation, à la guerre-éclair engagée en Russie par l'Allemagne, au général Rommel qui livrait une guerre de mouvement aux troupes anglaises de l'Afrique du Nord. Le monde vivait dans la tourmente pendant qu'il jouait au golf tous les après-midi.

Wallis réclama un changement de décor : pourquoi pas un voyage aux Etats-Unis? Le Duc l'approuva sur-le-champ, et ils projetèrent ensemble un itinéraire qui passerait par Washington, Baltimore, New York et le ranch du Duc au Canada qui avait une superficie de seize cents hectares.

Mais le Duc dut attendre le mois de septembre 1941 pour recevoir l'autorisation officielle indispensable.

A cause de la guerre, il n'était pas question pour eux de disposer d'un navire, et Wallis survécut à son premier voyage en avion. A Miami ils louèrent un train Pullman privé que leur fournit l'un de leurs nouveaux amis, Robert Young, président de la New York Central Railroad. Les accompagnèrent, comme d'habitude, leurs domestiques, leurs trois terriers et 146 bagages. Leur wagon particulier comprenait deux chambres à coucher attenantes (chacune ayant un lit trois-quarts), une salle à manger, un salon et un autre compartiment. Le wagon voisin contenait des chambres pour le reste de leur escorte. Et, comme d'habitude, ils avaient emporté leurs propres draps de soie.

De Miami, ils partirent d'abord pour le Canada par le Midwest. Un employé des chemins de fer qui traversa leur wagon surprit le Duc dans leur salon privé : il embrassait la Duchesse sur l'oreille et il lui tapotait doucement la croupe.

Tout en s'occupant — avant tout — de la Duchesse, le Duc gardait l'œil ouvert sur ceux qui les entouraient. Un ingénieur des chemins de fer ayant un orgelet, le Duc s'empara précipitamment de sa « trousse Windsor », comme il l'appelait; c'était une musette remplie de « toutes les sortes de remèdes possibles et imaginables ».

Les Windsor se changeaient dans le train plusieurs fois par jour; ils s'habillaient pour dîner, témoignaient de la cordialité et de la considération à tout le monde, mais les curieux étaient absolument bannis de leur intimité.

Le Duc fut enchanté de ce voyage parce qu'il avait ainsi plus de temps à consacrer à Wallis. A Nassau, il était obligé de la partager avec une douzaine d'autres activités. Ici, c'était presque une nouvelle lune de miel. Pour Wallis, c'était le changement de décor dont elle avait envie et besoin. Elle avait très bien tenu sa partie aux Bahamas comme épouse du gouverneur. Elle s'était rendue accessible à beaucoup sans cesser de l'être au Duc. S'il était mélancolique, elle lui redonnait courage. S'il s'ennuyait, elle était son délassement et sa ressource. A présent elle ne voulait plus que se détendre : plus de devoirs, plus de responsabilités, plus d'yeux pour la surveiller. Ouf!

Le ranch canadien du Duc étant en pleine activité près des contreforts des Montagnes Rocheuses, il se plongea dans la vérification de son fonctionnement. Il y avait près de quinze ans qu'il s'y était rendu pour la dernière fois. Il n'eut pas le temps d'en faire le tour à cheval, mais il visita deux centres d'instruction de pilotes, et il alla tirer quelques canards.

Wallis n'était pas faite pour la vie de ranch. Elle n'aimait pas les chevaux et elle détestait la chasse. Elle appréciait la valeur des gens rudes, mais elle préférait les gens spirituels, brillants ou blasés, et elle était impatiente de retrouver ses Etats-Unis.

Tante Bessie et dix mille personnes les attendaient quand ils descendirent du train à la gare de l'Union de Washington. Ils devaient déjeuner avec le Président et sa femme à la Maison-Blanche, mais le frère de Mrs Roosevelt était mort quelques heures avant leur arrivée, et ce déjeuner fut annulé. Ils virent tous deux le Président seul pendant une demi-heure après avoir subi le tir de barrage des photographes. « Plus de vagues! » dirent-ils en riant [1].

Le Duc effectua sa tournée de rendez-vous officiels, pendant que Wallis restait avec tante Bessie et allait voir Mrs. George Barnett, les Rogers, ou recevait d'autres amis à l'ambassade de Grande-Bretagne. Elle avait beaucoup de choses à leur raconter. Elle put leur parler des Bahamas et de son travail dans l'archipel dont elle tirait une fierté considérable. Les frustrations et les chagrins dont elle avait pu souffrir, elle les garda dans le secret de son cœur. Elle ne souffla mot de l'impression qu'elle avait d'être mise sous microscope quand tout le monde la guettait pour voir si elle buvait un ou deux cocktails à une réception, pour compter le nombre de militaires avec lesquels elle dansait à la cantine. Peut-être leur fit-elle part de son ardent désir de rentrer aux Etats-Unis pour s'y établir de façon permanente.

C'était très agréable : il y avait foule partout où allaient les Windsor; des curieux se tenaient même en équilibre instable aux fenêtres ou sur les toits.

L'étape suivante fut Baltimore. La fille de Biddle Street revenait avec un ex-roi et empereur, pensez donc! Une amie de la famille donna une autre explication : « L'une des raisons pour lesquelles Wallis fit venir le Duc à Baltimore en 1941 fut qu'elle tenait à lui montrer qu'elle aussi avait une bonne famille et qu'elle avait reçu une bonne éducation [2].

« Il est vrai que Wallis avait beaucoup de parents à Baltimore », continua cette femme, « qu'elle plaisait à tous et qu'ils la traitèrent bien lorsqu'elle vint parce qu'elle était de leur race, mais elle n'était réellement aimée par personne de ma connaissance [3] ».

En regardant quelques anciennes photos de Wallis jeune fille, sa cousine Mrs. George Barnett dit à une invitée :« Oh, elle n'a jamais été une beauté! Trop de mâchoire, vous ne trouvez pas? Et puis toutes les dames Montague étaient célèbres pour leurs mains et leurs pieds. Sa mère, Alice, avait des chevilles très fines. J'ai toujours pensé que Bessie Wallis avait hérité les siennes — et ses mains — de la famille de son père. Ils étaient dans les chemins de fer [4]. »

Bien que son retour à Baltimore provoquât de gros titres dans la presse nationale, le *Times* de Bel Air (Maryland) en rendit compte comme s'il s'agissait d'une mondanité banale :

> LA NIÈCE DU GÉNÉRAL WARFIELD EST SON INVITÉE POUR LE WEEK-END
>
> Le général Henry Mactier Warfield, de Salona Farms dans le pays de chasse de Harford entre Fallston et Timonium, aura pour hôtes du week-end sa nièce, l'ex-Miss Wallace *(sic)* Warfield et son mari. Ils viennent de leur ranch au Canada et de Washington pour regagner les Bahamas.
>
> La nièce du général Warfield a épousé le duc de Windsor qui fut autrefois Prince de Galles et roi d'Angleterre. Le Duc est un fervent du cheval, et il occupe une position importante dans le gouvernement anglais de Nassau, île des Bahamas au large de la côte orientale de Floride.

En route vers le Maryland, Wallis confessa que sa surexcitation ne faisait que croître. « Quelle aventure pour moi [5]! »

Leur train arriva à la petite gare de Timonium où les attendait le grand et digne oncle Warfield; avec sa moustache blanche, il avait tout à fait l'air du général qu'il était bel et bien. Wallis était toute tremblante, paraît-il, quand il lui baisa galamment la joue.

« Avec un geste plus éloquent que ses paroles noyées sous les hourrahs de la foule », écrivit Inez Robb, « elle présenta à son oncle et à sa cousine l'homme qui avait renoncé à son héritage pour l'épouser. Le Duc, avec une impatience presque enfantine, ne demandait visiblement qu'à conquérir le général [6]. »

Salona Farm était une grande ferme blanche située sur un domaine de 160 hectares, distante de quelques kilomètres seulement du collège d'Oldfields, de la résidence d'été de sa grand-mère à Manor Glen, et de la maison de l'oncle Emory à Pot Spring.

A Salona, Wallis put montrer fièrement au Duc les témoignages de sa propre ascendance, c'est-à-dire les portraits de ses ancêtres qui recouvraient les murs. Ses proches remarquèrent que sa façon de parler avait légèrement changé, mais non ses attitudes. Elle gesticulait encore avec les paumes levées en l'air, parfois en tendant le bras.

Le Département d'Etat et les Anglais avaient importuné le général Warfield par toutes sortes d'instructions concernant le protocole, mais il décida de laisser les Windsor agir à leur guise. Sa fille veilla à ce que figurassent au dîner les plats traditionnels du Maryland comme le poulet frit et les rissoles de crabe.

Il semble surprenant que Wallis n'ait pas trouvé le temps d'aller faire un tour à Oldfields; elle n'y revint jamais. Le collège avait-il été rayé de ses souvenirs? Ou était-il trop « simple » pour être exhibé à son royal époux?

A moins qu'il ne restât plus rien à y voir. Pour elle, Oldfields n'était pas un site : c'était des êtres humains, et ils avaient disparu. La plus intime de ses amies d'alors, Mary Kirk, qui s'était mariée avec Ernest Simpson et avait donné le jour à un fils, mourut en ce mois d'octobre. Simpson les avait envoyés aux Etats-Unis, à l'abri de la guerre, et Mary Kirk découvrit alors qu'elle était atteinte d'un mal incurable. Dans un geste très churchillien — une récompense de la générosité et du sacrifice de Simpson — le Premier Ministre avait pris des dispositions pour que Mary et son fils puissent rentrer à Londres par avion, afin que Mary passe avec son mari les derniers mois qui lui restaient à vivre. Elle mourut pendant que Wallis se trouvait à Baltimore.

Tous les souvenirs de Wallis ressuscitèrent pêle-mêle. Après un paisible week-end en famille, le maire de Baltimore fit défiler les Windsor en un long cortège de voitures roulant au pas de l'Hôtel de Ville au Country Club. La police chiffra à 200 000 personnes le nombre des badauds massés sur le parcours et applaudissant à tout rompre.

« C'est sa fête », déclara une femme. « Ce doit être merveilleux d'avoir autant de gens qui font le pied de grue pour vous apercevoir [7]. »

Oui, ce fut sa fête. Son heure de triomphe absolu. Baltimore n'avait jamais rien vu de comparable. Une vraie parade de héros sous une pluie de confettis.

Le cortège passa par le croisement de Biddle Street et de Calvert

Street. Elle lança un coup d'œil à la maison où elle avait vécu ses années de fillette. Un coup d'œil lui suffit. La maison s'était dégradée, et les environs ne ressemblaient plus à ce qu'ils avaient été.

La police était au premier rang. Les autorités de l'Etat de Pennsylvanie avaient été averties qu'un ancien malade mental qui avait voulu apporter des fleurs à la Duchesse en Europe s'était mêlé à la foule.

Au Country Club, le Duc et Wallis se tinrent sur la véranda. Plus de huit cents personnes faisaient queue pour saluer, regarder, serrer une main, sourire, dire quelques mots. Une femme commença à demander à Wallis si elle se souvenait d'elle mais, avant même qu'elle eût fini sa phrase, Wallis la serra dans ses bras et l'embrassa. « C'est ma première institutrice », expliqua Wallis au Duc. « Miss Ada O'Donel. Elle dirigeait une école maternelle ici. » Pour un journaliste qui écoutait, elle ajouta : « Vous avez bien compris le nom? Ada O.Donell [8]. »

« Elle ne pourra sûrement pas saluer autant de gens! » cria une voix dans la foule. « J'en connais qui se vanteront de lui avoir serré la main, alors qu'ils ne l'auront pas fait [9]. »

La musique attaqua « There'll Always Be an England », et la belle-fille du maire, la cantatrice Rosa Ponselle du Metropolitan Opera, chanta « Home Sweet Home ». Des curieux notèrent que Wallis l'écouta avec ferveur et qu'elle avait les yeux humides.

Ce n'était pas étonnant. Parmi les nombreux inconnus qui lui souhaitaient du bonheur, il y avait de vieux amis qui réapparaissaient comme des fantômes du passé. Elle se laissa aller à plaisanter, à rire, à se rappeler des histoires et des noms. Quelqu'un l'entendit évoquer ses anciens camarades qu'elle appelait « garçons et filles », comme s'ils étaient tous redevenus enfants. Elle ne cessait de répéter deux phrases : « Pardonnez-moi si je ne reconnais pas toutes mes camarades de classe », et « Je suis si heureuse d'être revenue ici. »

Pour la cérémonie, Wallis avait choisi une robe blanche courte et bordée de noir au cou; un magnifique bracelet de diamants encerclait l'un de ses poignets gantés; elle portait aussi des boucles d'oreille en diamant, une cravate de zibeline, et deux orchidées offertes par le maire.

« Elle a tout ce qu'il faut pour arriver », murmura un badaud [10].

Aurait-t-elle pu rêver que le jeune Prince de Galles dont elle avait glissé la photo dans son carnet de collégienne partagerait un jour son oreiller et son cœur? Aurait-elle pu rêver que cette ville formidable serait à ses pieds? Aurait-elle pu rêver que le Maryland l'accepterait comme la reine non couronnée du monde?

Tout l'après-midi, le Duc et Wallis avaient été vibrants, chaleureux, animés. Et puis l'orchestre joua le *God Save the King;* alors leurs physionomies s'éteignirent; le Duc se tint, rigide, au garde-à-vous; peu à peu cependant, ils se remirent à sourire et à rire.

Après Baltimore, New York leur parut bien terne. Ils descendirent au Waldorf Astoria, et ils allèrent rendre visite à la Société anglaise des Secours de guerre et aux « Colis pour l'Angleterre ». Des curieux les regardèrent bouche bée; quelques-uns applaudirent. Mais si Wallis avait « les yeux brillants » et si elle était « gaie », c'était encore un effet de l'accueil de Baltimore.

Un barman de l'hôtel, Ray Swanson, n'oublia pas leur séjour. « Quand ils buvaient, je les regardais. Il y en avait toujours un qui caressait la main, le bras ou le dos de l'autre. C'était évident : ils s'aimaient, et ils s'aimaient beaucoup [11]. »

Un peu plus tard, Wallis reçut chez elle une cousine qui l'entendit rire sous la douche. La cousine voulut savoir ce qu'il y avait de si drôle.

« Oh, rien du tout », répondit Wallis. « J'étais en train de penser à mon ancienne existence à Baltimore. Et maintenant, regardez-moi [12]! »

38

Le Duc et la Duchesse reprirent l'avion sous une pluie battante, au début de novembre 1941, pour rentrer aux Bahamas. Si le bonheur avait été du voyage, l'époque ne fut pas toute à la joie. A Baltimore, un médecin avait diagnostiqué des ulcères à l'estomac de la Duchesse, et il l'avait priée de revenir avant un mois pour déterminer s'il y avait lieu de procéder à une intervention chirurgicale. Elle refoulait trop de choses au-dedans d'elle-même.

Le monde éprouvait une sympathie naturelle envers le Duc parce qu'il avait tout sacrifié à l'amour d'une femme. Mais relativement peu nombreux étaient ceux qui songeaient au poids de la croix que portait Wallis, à la tension ininterrompue sous laquelle elle vivait, et au prix dont elle payait ce mariage. Le Duc n'eut jamais d'ulcère; la Duchesse ne se débarrassa jamais des siens.

Après dix-huit mois de restaurations, la résidence du gouverneur allait être prête. En attendant, les Windsor avaient quitté la maison de Sigrist afin de s'installer à Westbourne, la propriété de l'entrepreneur le plus remarquable et le plus riche de l'île, sir Harry Oakes.

Pour le Duc et la Duchesse, sir Harry était un homme fruste et généreux. Il avait débuté dans la vie comme instituteur et arpenteur dans le Maine aux U.S.A. Il préféra bientôt se faire chercheur d'or, et il découvrit son filon mère dans l'Ontario, au Canada; cette mine d'or devint la deuxième par ordre d'importance de tout l'hémisphère ouest. Oakes valait net plus de 200 millions de dollars, et c'était assez pour que l'on tolérât ses manières et son langage grossiers. Harold Christie l'avait persuadé de venir s'établir à Nassau, et Oakes ne tarda pas à devenir propriétaire d'un tiers de l'île. Il aménagea un terrain d'aviation et un parcours de golf, il créa des lignes de cars et des hôtels. Il n'aimait rien tant que de conduire un bulldozer pour défricher ses propres terres. Il devint citoyen anglais, dota de nombreuses œuvres de charité, puis le « prospecteur Cendrillon » devint baronet, le plus riche de tout l'Empire britannique.

Il plaisait énormément au Duc par son naturel, son énergie, ses idées. Sir Harry fit de son mieux pour rendre leur séjour agréable.

Mais le 7 décembre 1941, Pearl Harbor changea tout. Lorsque le Premier Ministre Churchill téléphona au président Roosevelt cette nuit-là, Roosevelt lui dit : « Hé bien, nous voilà sur le même bateau, maintenant. »

L'entrée des Etats-Unis dans la guerre signifiait entre autres choses que les Bahamas ne seraient plus un lieu de plaisir pour touristes américains. Or l'accroissement du tourisme à lui seul avait remboursé le salaire annuel de 12 000 dollars du Duc. La fin du tourisme provoqua une augmentation du chômage. Peu ou mal payés, des ouvriers suscitèrent des émeutes au début de 1942, et le Duc se sentit contraint de faire une démonstration de force. Puis les salaires montèrent légèrement, ce qui rétablit le calme.

La seule chose que le Duc ne tenta pas de modifier fut la barrière de la couleur : aux Bahamas, aucun homme de couleur ne pouvait assumer de responsabilités politiques. Etienne Dupuch rappela que le Duc, lorsqu'il était Prince de Galles, avait jadis recommandé aux Australiens de maintenir une politique d'immigration réservée aux seuls Blancs. Mais Dupuch rapporta aussi un incident en sens inverse qui s'était produit chez lui. Le Duc, qui était venu le voir, disparut brusquement. Dupuch le retrouva dans la cuisine où il était en train de couper du pain pour le plus jeune fils du Noir.

Le Duc n'ignorait pas qu'une partie des dirigeants Noirs ne l'aimait guère. Lorsque l'une de ses secrétaires lui montra la liasse quotidienne des coupures de presse, il demanda : « Mais où sont les critiques? » La secrétaire lui expliqua qu'elle avait lu des articles défavorables, mais qu'elle n'avait pas pensé qu'il désirait les voir. « Dorénavant, vous les joindrez au reste », dit-il. « Ce sont les plus intéressants [1]. »

En revanche, le Duc n'admettait pas que l'on critiquât sa femme.

Au cours de leur voyage aux Etats-Unis, Wallis avait émis devant un journaliste une opinion que Dupuch trouva désobligeante sur le costume des femmes indigènes aux Bahamas. Elle avait aussi patronné de sa signature une marque de cigarettes américaines, en stipulant que sa rémunération irait à la Croix-Rouge des Bahamas. Dupuch estima que ce patronage était déplacé. Il rédigea donc un éditorial contenant quelques légères critiques.

Jusqu'à ce moment, Etienne Dupuch s'était cru en bonne posture pour être anobli. Il avait personnellement beaucoup travaillé pour collecter des fonds, des conserves alimentaires et de la ferraille à destination de l'Angleterre en guerre, et ses compatriotes s'attendaient à ce qu'il fût royalement récompensé. Le Duc lui dit d'ailleurs qu'il

« aurait bientôt quelque chose pour lui ». C'était la phrase caractéristique qui annonçait des honneurs.

Dupuch savait que s'il critiquait Wallis, le Duc annulerait la distinction prévue. Sa vanité lutta contre sa probité et, finalement, la probité l'emporta. Il publia l'éditorial.

Le jour de sa parution, le Duc convoqua Dupuch et, en présence de la Duchesse, déclara qu'en Grande-Bretagne la presse ne critiquait jamais la famille royale.

Dupuch se borna à lui répondre : « Je ne vous critique pas en votre qualité de membre de la famille royale. Je critique le gouverneur des Bahamas et sa femme [2]. »

Le Duc fut si ému par cette réplique qu'il sortit de la pièce, « ... et la Duchesse me reconduisit poliment par la petite porte du côté est de la résidence du gouverneur ».

« On n'attrape pas les mouches avec du vinaigre, Mr. Dupuch », dit-elle sèchement avant de refermer la porte.

« Duchesse, je n'essaie pas d'attraper des mouches [3]. »

Dupuch reconnaît volontiers que la Duchesse travailla énormément pendant les cinq années qu'elle passa aux Bahamas. Non contente d'être présidente active de la Croix-Rouge, elle construisit un centre de puériculture à Blue Hill Road avec de l'argent provenant d'une caisse privée que contrôlait le Duc. Depuis très longtemps on avait beaucoup parlé de la fondation éventuelle de ce centre, mais ce fut la Duchesse qui fit aboutir le projet. Ce premier centre fut une telle réussite qu'elle en commanda un second, à l'autre extrémité de l'île, et fournit même aux infirmières des bicyclettes et des automobiles. Et elle ne faisait pas de la figuration lointaine : elle y allait souvent. Chaque établissement soignait une centaine de bébés par jour.

Le travail de Wallis dans les centres de puériculture nous remet en mémoire la réputation qu'elle avait de ne pas s'intéresser aux enfants. Ce fut peut-être vrai pendant quelque temps; mais aux Bahamas elle démontra la fausseté de ces allégations. Elle aimait bien « ses » enfants. Elle connaissait leurs noms et leurs histoires. Elle passait avec eux beaucoup de temps. Un temps qu'elle aurait pu consacrer à mille autres choses, mais c'était celle-là qui lui plaisait le plus.

Ce sont parfois les femmes les moins faites pour être mères qui se montrent les plus maternelles.

Wallis inaugura aussi une classe de travaux d'aiguille pour une centaine de femmes indigènes; elle entendait par là stimuler l'industrie locale des broderies. De plus elle administra le Dundar Civic Center, institution sans but lucratif qui favorisait les vocations et servait de bureau de placement dans l'archipel.

Elle trouva également le temps d'aider l'YWCA (Association chrétienne de jeunes femmes) et l'IODE (Ordre indépendant des Filles de l'Empire), ainsi que le Nassau Garden Club. Elle trouva des subsides pour un programme dit de « repas sur roues » et qui consistait à livrer des repas à des familles nécessiteuses. Le Duc créa un Fonds de la Duchesse de Windsor pour fournir des infirmières, du lait concentré et des médicaments aux malades et aux pauvres des Iles Extérieures.

L'entrée en guerre des Etats-Unis provoqua chez Wallis un redoublement d'activité. Quelques mois après Pearl Harbor, des sous-marins allemands détruisirent cinq bateaux en dix jours près de Nassau. La Duchesse et sa Croix-Rouge accomplirent beaucoup d'heures supplémentaires de travail pour procurer à des centaines de rescapés des vêtements, de quoi manger, un abri et des réconforts personnels. Peu après, un violent incendie s'étant déclaré dans Bay Street, Wallis se précipita vers l'immeuble de la Croix-Rouge que les flammes léchaient déjà. Avec quelques autres personnes, elle organisa tout de suite une chaîne de seaux d'eau et parvint à ralentir les progrès du feu — le temps que fussent sauvées la plupart des provisions de toutes espèces que contenait le bâtiment. C'était le genre de choses qui suscitait l'admiration des indigènes. « Nos rapports n'étaient guère chaleureux », déclara un dirigeant Noir, « mais tant qu'elle fut ici, elle travailla beaucoup et elle fit quantité de bonnes choses [4] ».

La guerre conduisit aux Bahamas des milliers d'officiers et de soldats de la Royal Air Force qui s'entraînaient à la garde des côtes. L'aviation américaine y envoya aussi un groupe d'instruction, et des Rangers vinrent y compléter leur formation de commandos. Wallis décida Frederick Sigrist à faire don du Bahamian Club, ancien casino, à la cantine qu'elle avait organisée.

Elle collecta des fonds dans des ventes de charité et des cocktails; elle offrit ses services à la cantine et s'engagea comme cuisinière pour confectionner des plats de snack. Plus tard, elle estima à 40 000 le nombre d'œufs au jambon qu'elle avait préparés en trois ans. Elle était infatigable. L'un de ses critiques les plus acerbes admit que « quiconque participait à la cuisine de la cantine méritait la Victoria Cross tant il y faisait chaud [5] ». Non seulement il n'y avait pas d'air conditionné, mais le secteur des cuisines était très mal ventilé et ne possédait pas de fenêtres. Or personne ne détestait la chaleur plus que Wallis.

Ce fut là que sa détermination, son énergie, sa résistance à la fatigue lui rapportèrent de gros dividendes sous forme d'éloges unanimes.

Elle passait ses matinées aux centres de puériculture et à la Croix-Rouge, les après-midi à la cuisine de la cantine, et souvent ses soirées à danser avec les militaires.

Lorsqu'elle dansait à la cantine, Wallis se détendait complètement. Plus question de grands airs, de dignité; plus besoin de se surveiller. Si elle était plus âgée que la plupart de ses cavaliers, rares étaient ceux qui le remarquaient ou s'en souciaient. Elle débordait d'entrain. Elle était inégalable dans le charleston.

Le Duc était jaloux du temps qu'elle passait à la cantine, mais elle ne lui donna jamais le moindre sujet de plainte. Il était tout bonnement jaloux du temps qu'elle passait loin de lui. Dans le flot des Américains de passage, arriva l'acteur Sterling Hayden; il était grand, blond, et très beau. Il existe une photo révélatrice où l'on voit Wallis levant les yeux vers lui avec un air extasié, et le Duc tout à côté, visiblement renfrogné.

En ces temps de ségrégation, elle fonda une cantine à part pour les membres indigènes de la Force de défense des Bahamas. Elle organisa une équipe de premiers secours où toutes les volontaires étaient des femmes d'affaires. A la cantine, ses 150 volontaires accomplissaient en alternance leurs tâches de serveuses, cuisinières et hôtesses.

« Je n'ai jamais autant travaillé dans ma vie », déclara Wallis ultérieurement. « Je ne me suis jamais sentie plus utile. » Elle était éreintée mais ragaillardie. « Il faut toujours que je m'occupe. Je n'aurais pas pu rester aux Bahamas à ne rien faire [6]. »

C'était sans doute exact. Sa vie avait été une succession de coiffeurs, de manucures, de couturiers, de réceptions, de plaisirs. Maintenant elle avait un but, elle avait des gens qui comptaient sur elle, elle regardait des constructions qui sans elle n'auraient jamais existé, elle voyait chaque jour des enfants qui sans elle n'auraient jamais été soignés.

Les journées du Duc n'étaient pas aussi occupées que celles de Wallis. Et son travail ne lui semblait pas aussi important. Il avait l'impression d'être une figure de proue à pouvoirs limités. L'après-midi il jouait au golf, ou il allait pêcher à Andros Island, ou il effectuait des tournées d'inspection. Parce que la guerre devenait de plus en plus dure et cruelle, il éprouvait une irritation croissante à se voir écarté ou ignoré. Pourtant Downing Street ne l'avait pas complètement oublié; le gouvernement commença à redouter que des Allemands ne débarquent d'un sous-marin aux Bahamas pour enlever le Duc et la Duchesse. A tout hasard il dépêcha sur place une compagnie de Highlanders qui pourraient servir de corps de garde. Leur arrivée plongea le Duc dans un abattement encore plus profond.

Et puis son frère préféré, George, le duc de Kent, périt dans un accident d'avion.

En dépit de son animosité envers presque tous les siens, le Duc était incapable d'oublier les liens d'autrefois, et il gardait dans sa chambre des photographies de famille. La Duchesse ne parvenait pas toujours à cacher ses propres sentiments. Lorsqu'un photographe fit poser le Duc à côté d'un portrait de sa mère, le Duc demanda à la Duchesse : « Ne pourrions-nous pas avoir une meilleure photo de ma mère, chérie? »

Wallis répondit d'une voix terne et sèche : « Non. C'est la meilleure, chéri [7]. »

Ne sachant que trop à quel point son mari souffrait de sa rupture avec sa famille, Wallis écrivit un jour à la reine Mary. L'effort dut être terrible. Si la reine mère avait donné à son David les premières tendresses dont il avait besoin, il aurait été plus fort. Si elle lui avait accordé la sympathie et la compréhension dont il avait besoin pendant et après l'abdication, il aurait été moins malheureux. Si elle avait consenti à reconnaître la femme de son fils, elle l'aurait rendu follement heureux.

Si Wallis se força à écrire, ce fut en partie parce qu'elle se sentait la cause de cette rupture, mais surtout parce qu'elle aimait son mari. S'il était plus heureux, elle le serait aussi.

Sa lettre, courtoise et déférente, exprimait ses regrets de s'être interposée entre la mère et le fils. Elle informait la reine mère que l'évêque de Nassau serait bientôt à Londres; peut-être désirerait-elle lui parler de son fils?

La reine Mary convoqua effectivement l'évêque. Elle ne répondit jamais à la Duchesse, mais rédigea une lettre à son fils, qui contenait « d'aimables pensées pour votre femme [8] ». Le Duc fut surpris. Il aurait été encore plus étonné et profondément touché si Wallis l'avait mis au courant de sa démarche.

Le Duc était le plus impulsif des deux, mais la Duchesse pouvait être plus impérieuse que lui si c'était nécessaire. En beaucoup de domaines, elle avait manifestement le dernier mot. Un journaliste local avait préparé un article pour un magazine américain, avec des photographies qui représentaient le Duc et la Duchesse luxueusement installés dans la résidence restaurée du gouverneur. Lorsqu'il les présenta au Duc, le visage de celui-ci s'éclaira. « Je vais les montrer à la Duchesse », dit-il. Lorsqu'il revint, il avait un air solennel. « Je regrette, mais nous ne voulons pas de cela [9]. »

La Duchesse lui avait rappelé que le monde était en guerre; ne serait-il pas déplacé de les montrer tous les deux en pleine somptuosité pendant que l'Angleterre brûlait?

Une secrétaire se rappelle qu'un jour le Duc composait un discours et que ce texte lui donnait beaucoup de mal. Il téléphona à la Duchesse. « Chérie, pouvez-vous venir ici tout de suite? » Elle arriva très vite dans un froufrou de taffetas noir. « Ce discours est très mauvais », dit-il [10]. La Duchesse s'assit par terre au milieu de ses brouillons, procéda à diverses corrections au crayon puis, trois ou quatre minutes plus tard, tendit le texte au Duc. Il lut ce qu'elle avait fait, l'approuva aussitôt, et le donna à la secrétaire pour qu'elle le dactylographiât.

« J'ai rarement vu dans un mariage l'un des deux époux établir aussi solidement son ascendant sur l'autre », nota un visiteur anglais. Le Duc semblait se rendre à l'avis de sa femme pour tout ce qui avait de l'importance et, même s'il s'agissait d'affaires banales, il répondait souvent : « Je verrai ce que la Duchesse en dira [11]. »

Mais ce même observateur avoua aussi qu'il n'avait jamais vu un mari plus heureux avec sa femme. « Il a l'air de se délecter de la présence de la Duchesse; il se chauffe au soleil de son sourire, il admire sa prestance, il l'écoute parler et sa conversation l'enchante. »

Mise à part sa vie conjugale, le Duc avait de moins en moins de choses à faire, et il s'ennuyait de plus en plus. Wallis confia à un journaliste : « Comment voudriez-vous que le Duc se plaise aux Bahamas? Moi aussi, je désire accomplir tout mon devoir. Mais y a-t-il place ici pour ses grands talents, pour son inspiration, pour la longue instruction qui lui a été donnée? Je ne suis qu'une femme, mais je suis son épouse, et je ne crois pas qu'à Nassau il serve l'Empire comme il le pourrait. »

Dans un monde plongé dans la guerre, le travail d'un ex-roi comptait peu. Si la Duchesse avait espéré déclencher quelque chose, elle échoua. Ils trouvèrent alors de plus en plus de raisons d'effectuer de petits voyages aux Etats-Unis. Le millionnaire de l'aluminium Arthur Vining Davis leur offrit son yacht. La Duchesse alla à Palm Beach afin de voir des machines à soupe pour la cantine de ses militaires. Elle se rendit dans les grands magasins de New York pour essayer de leur vendre des bijoux indigènes des Bahamas. Elle eut affaire, entre autres, à un acheteur qui trouva qu'elle avait dans les yeux « un éclat victorieux ». Avec le Duc, elle visita tante Bessie qui s'était fracturé une hanche, puis ils déjeunèrent avec le Président et Mrs. Roosevelt. Le Président les étonna beaucoup parce qu'il avait invité aussi Herman et Katherine Rogers. Roosevelt avait connu Herman à Hyde Park où ils étaient voisins.

Les Rogers raccompagnèrent les Windsor à Nassau; Wallis se rendit compte alors que des amis intimes lui avaient beaucoup manqué. Elle avait noué des relations avec la classe mondaine des Bahamas et gagné son estime, mais elle n'avait réellement rien tenté pour conquérir l'amitié de ces gens-là.

Plus tard, tante Bessie vint passer quelques jours à Nassau; Doc Holden, de Palm Beach, également; d'autres encore. Mais leurs meilleurs amis, toujours présents, étaient leurs chiens. Tout en les aimant énormément, Wallis ne renonça jamais à son sens de l'humour. Les trois terriers du début étaient devenus cinq : quatre de race pure, et un bâtard. Le bâtard avait la manie d'aboyer, et il faisait peur à l'une des secrétaires. Un jour, cette secrétaire excédée cria à son adresse : « Si tu me mords, petit bâtard, je te jure que je te mordrai aussi! »

Se retournant, la secrétaire vit la Duchesse qui, en souriant, observait la scène. « Vous avez raison », approuva la Duchesse. « Dépêchez-vous de mordre ce petit bâtard [12]! »

Contrairement à la secrétaire, Wallis n'avait jamais peur des chiens. Ce qui lui faisait peur et horreur, c'étaient les orages. Or, pour les Windsor, le pire des orages tropicaux allait survenir, et ils ne pourraient se réfugier nulle part.

39

La nuit du 7 juillet 1943 fut très éprouvante, ponctuée de fréquents coups de tonnerre et d'éclairs. Aux premières heures du matin, on frappa avec insistance à la porte de la chambre du Duc. C'était une intervention sans précédent. Le Duc passa sa robe de chambre, ouvrit la porte et se trouva nez à nez avec son écuyer, le major Gray Phillips. La Duchesse s'était réveillée, et elle tendit l'oreille pour savoir ce que disaient les deux hommes; elle n'entendit distinctement qu'un seul mot : « assassinat ».

Horrifié, le Duc rentra précipitamment pour lui apprendre ce qui était arrivé : Sir Harry Oakes avait été découvert dans son lit, roué de coups et couvert de brûlures.

La veille au soir, Oakes avait réuni quelques amis chez lui. Sa femme étant absente, Harold Christie avait été invité à passer la nuit dans sa propriété. Etienne Dupuch devait arriver de bonne heure dans la matinée pour jeter un coup d'œil sur les moutons primés de Sir Harry. Vers sept heures, Dupuch téléphona de son journal pour avertir qu'il se mettait en route.

Ce fut Harold Christie qui répondit.

« Je pars », dit Dupuch.

« Harry est mort... il a été assassiné! » cria Christie au téléphone.

« Vous rigolez! » s'écria Dupuch.

« Non, non, non! Je ne plaisante pas. Harry est mort, je vous dis! Je viens de le découvrir mort dans son lit [1]. »

Dupuch tira les vers du nez de Christie et câbla aussitôt l'information à destination du monde entier.

Nul ne connaît la teneur des propos qu'échangèrent ce matin-là le Duc et la Duchesse dans leur chambre, mais il prit ensuite deux décisions qui furent deux erreurs.

En premier lieu, il exerça son pouvoir de censure conformément à la loi sur les pouvoirs de guerre en cas d'urgence, et il interdit que toutes les informations relatives au crime fussent diffusées hors des Bahamas. Le Duc ignorait que c'était trop tard. Dupuch avait déjà divulgué l'histoire, et le monde voulait en savoir plus.

Dans la matinée, le Duc s'entretint aussi avec la police locale, Harold Christie et les médecins; il put se faire une idée à peu près nette de ce qui s'était passé. Son écuyer avait tout de suite parlé d'un « assassinat ». Harold Christie également. Un examen rapide révélait des violences terribles. Il y avait quatre blessures distinctes à la tête au-dessus de l'oreille gauche, et des cloques « humides » et « sèches » sur le corps donnaient à penser que Oakes avait été brûlé pendant qu'il vivait encore. Détail grotesque : le corps était couvert de plumes d'oreiller qui avaient adhéré aux cloques.

Ailleurs, n'importe quel gouverneur de colonie aurait appelé Scotland Yard. Etant donné la stature internationale de Oakes, cette décision allait de soi. Le Duc commit là sa seconde erreur. Il téléphona au capitaine Edward Walter Melchen, chef du service des homicides au Département de la police à Miami. Melchen lui avait été assigné comme garde du corps lors de ses séjours à Miami. Il dit à Melchen qu'un éminent habitant des Bahamas s'était apparemment suicidé et il lui demanda s'il ne pouvait pas prendre l'avion afin de vérifier tous les détails de façon à ne laisser subsister aucun problème.

Il ne communiqua à Melchen ni le nom du défunt ni aucun autre renseignement.

Plus tard, le Duc expliqua qu'il avait fait appel à la police de Miami parce que la police locale n'aurait pas été à la hauteur, en particulier pour relever les empreintes digitales. Melchen et son adjoint, le capitaine James Otto Barker, débarquèrent dans l'après-midi, mais ils n'avaient pas amené leur matériel pour les empreintes.

« Santa Claus est mort. » Voilà ce que rapporta au début de la matinée, directement au Duc, l'un des médecins qui avaient examiné le cadavre, le Dr Hugh Quackenbush. Maintenant, le Dr Quackenbush soutient qu'il pensa d'abord à un suicide à cause du trou derrière l'oreille gauche et parce que Oakes était gaucher. Il expliqua les brûlures en les présentant comme une tentative maladroite pour maquiller le suicide en meurtre. Ce fut seulement après une radiographie que Quackenbush comprit qu'il y avait eu quatre fractures du crâne et pas de balle, et qu'il s'agissait d'un assassinat. Quackenbush se rappela que le Duc aurait dit : « Dans l'intérêt de Lady Oakes, j'espère que c'est un meurtre; dans l'intérêt de la colonie, j'espère que c'est un suicide. »

Mais qui aurait voulu maquiller un suicide en meurtre?

Pourquoi le Duc n'avertit-il pas la police de Miami que ce pouvait être un assassinat, et pourquoi ne lui donna-t-il pas plus de détails?

Pourquoi un expert en empreintes digitales arriva-t-il sans son matériel?

Pourquoi un gouverneur anglais appela-t-il Miami et non Scotland Yard?

Et qui avait assassiné sir Harry Oakes?

Ce ne furent là que quelques-unes des questions que l'on se posa tout d'abord. Et puis on s'en posa d'autres. On parla de la Maffia, d'or volé, d'empreintes digitales truquées, d'un chef de la police locale qui aurait été muté à Trinidad immédiatement après le crime. « Le crime du siècle », s'empressa de déclarer la presse mondiale.

Des personnalités locales ne tardèrent pas à reprocher au Duc d'avoir convoqué la police de Miami sous l'influence de la Duchesse. Puisqu'il se soumettait à son opinion sur les choses les plus insignifiantes, sûrement l'avait-il consultée. Wallis pouvait avoir une préférence normale pour l'efficacité américaine. Si c'était le cas, alors pourquoi pas le F.B.I. au lieu des détectives de Miami? Une intervention du F.B.I. aurait-elle demandé plus de temps?

En dépit de sa générosité, sir Harry avait été un homme d'affaires impitoyable qui s'était fait de nombreux ennemis. « Il y a tant de suspects que je ne saurais par lequel commencer », déclara un habitant des Bahamas [2].

Melchen interrogea des témoins pendant que le spécialiste en empreintes, Barker, demeurait sur les lieux du crime. La confusion s'accrut quand Barker révéla qu'il n'avait pas pensé à apporter sa caméra spéciale. S'il avait consulté la police de Nassau, il aurait découvert qu'elle disposait d'une caméra pour photographier les empreintes digitales.

Le lendemain, le Duc se rendit sur place, et il s'entretint seul avec Barker. Deux heures plus tard, la police se dirigeait vers la maison du comte Marie Alfred Fouquereaux de Marigny qui fut accusé de meurtre sur la personne de son beau-père.

Tout le monde à Nassau savait que sir Harry détestait le comte. Celui-ci avait divorcé pour épouser en secondes noces la fille de sir Harry, alors âgée de dix-huit ans. Les altercations entre les deux hommes avaient été fréquentes et violentes. Grand, élancé, beau garçon, le comte qui avait trente-six ans proclama son innocence.

La preuve indirecte était accablante. Le capitaine Barker s'efforça de la matérialiser grâce à une empreinte qu'il affirmait avoir relevée sur un paravent chinois de la chambre où le cadavre avait été découvert. L'avocat de la défense produisit le paravent devant le tribunal. Sa surface était recouverte d'un motif compliqué de chiffres et de dessins; la défense n'eut aucun mal à démontrer qu'il n'y avait pas un seul endroit sur le paravent où s'adaptait l'empreinte digitale; l'empreinte n'avait pu être relevée que sur fond lisse et nu. Ce que la défense insinuait par là, c'était que Barker l'avait obtenue sur un verre que Marigny avait tenu pendant son interrogatoire après le crime. Barker donc aurait fabriqué une fausse preuve. Il y avait eu des empreintes sanglantes sur le paravent chinois, mais elles avaient été effacées par des policiers qui déclarèrent que ce n'étaient pas celles de Marigny et que, par conséquent, « elles n'auraient fait que brouiller les pistes ».

L'effondrement de la preuve par les empreintes digitales démolit le dossier de l'accusation. Le jury acquitta le comte de Marigny. Le mystère de ce décès demeura inexpliqué.

Bien plus tard, un détective privé du nom de Marshall Houts déclara qu'il s'agissait d'un crime de la Maffia. Professeur de droit criminel, ancien coroner, juge et agent du F.B.I., Houts fonda sa thèse sur des renseignements fournis par des informateurs secrets. Houts soutint qu'un représentant de la Maffia avait contacté Harold Christie en lui disant que ses patrons construiraient un hôtel de luxe avec un casino si le gouvernement des Bahamas leur accordait le monopole des jeux; ils étaient disposés à verser un million de dollars ou un pourcentage sur les bénéfices. Christie vit dans cette proposition l'inauguration possible d'une nouvelle ère touristique pour les Bahamas et il rallia le Duc à cette idée.

Le Duc connaissait l'importance du tourisme pour les Bahamas. En outre, la Duchesse et lui aimaient le jeu. Ils avaient souvent fréquenté Monte-Carlo. La Duchesse avait même installé des tables de jeux dans sa cantine. Elle dut se déclarer elle aussi favorable au projet, mais il est vraisemblable qu'ils ignoraient tout de la présence de la Maffia dans les coulisses.

Encouragé par l'approbation du Duc, Christie aurait persuadé sir Harry Oakes — selon Houts — de participer. Marché conclu. Puis Harry aurait réfléchi que cette nouveauté risquait de nuire au paradis actuel, et il se serait ravisé.

Toujours selon Houts, trois hommes de la Maffia seraient arrivés par mer le soir du crime; à l'issue de la petite fête chez sir Harry, Christie et Oakes les aurait rencontrés après leur débarquement. L'un des trois maffiosi frappa Oakes avec une manivelle à quatre dents, puis ils déclarèrent à Christie, bouleversé, que Oakes avait seulement perdu connaissance. Ils se rendirent ensuite à la maison de Oakes en camion et hissèrent le corps jusqu'au premier étage. On avait d'ailleurs constaté des traces de boue et la présence de débris dans l'escalier.

Ils dévêtirent Oakes, lui passèrent un pyjama, répandirent de l'essence sur une torche improvisée, brûlèrent le lit, le corps et la moustiquaire, puis déchirèrent un oreiller pour faire adhérer les plumes au cadavre brûlé. Ils menacèrent Christie du même sort s'il bavardait, et ils lui ordonnèrent d'informer le Duc qu'ils seraient parfaitement capables de torturer et de mutiler la Duchesse avant de la tuer, car c'était ce qui arrivait aux gens qui trahissaient leurs accords avec la Maffia.

Telle est l'histoire que Houts soutira à ses informateurs.

Si elle est exacte, elle explique pourquoi le Duc hésita pendant trois heures avant d'appeler la police de Miami. Elle expliquerait aussi pourquoi il ne téléphona ni à Scotland Yard ni au F.B.I., et pourquoi le chef de la police locale fut rapidement exilé à Trinidad; elle expliquerait enfin la mort mystérieuse de quelqu'un qui vint enquêter sur le crime plusieurs années plus tard.

En de nombreuses occasions, le Duc avait administré la preuve de son grand courage. Peu après avoir été proclamé roi, il aperçut lors d'un défilé un pistolet dont le canon brillait dans la foule; très calme, il dit à l'officier qui l'accompagnait : « Nous avons tout juste vingt secondes à vivre, je suppose [3]. » Mais cette menace de la Maffia, tout horrible qu'elle était, ne l'aurait pas intimidé si elle n'avait visé que lui. Visant sa femme, elle l'affola.

Houts ne fut pas le seul à admettre la thèse d'un crime de la Maffia. Depuis longtemps des bruits circulaient au sujet de négociations en cours pour un établissement de jeux. Christie avait connu de nombreux maffiosi à l'époque de la prohibition où il avait gagné beaucoup d'argent. Et plusieurs détails relatifs au cadavre, aux blessures, au sang, à la traînée du corps dans la maison, cadrent parfaitement avec la théorie de Houts.

Mais d'autres hypothèses se répandirent. Ainsi, Oakes aurait été tué au cours d'un cambriolage. Quelques jours avant son assassinat, il avait fait venir chez lui des coffres remplis de pièces d'or; or l'or n'était plus là quand son corps avait été découvert. On s'aperçut plus tard qu'une famille d'agriculteurs sur une île voisine dépensait de grosses sommes pour acheter du matériel. Cette famille prétendit avoir trouvé de l'or dans une grotte.

Dans la suite, les autorités s'opposèrent à plusieurs tentatives de l'extérieur pour que le dossier fût rouvert. Le meurtrier ne fut jamais identifié, et l'affaire fut classée.

Il y eut cependant quelques « additifs ».

Le comte de Marigny fut expulsé. Quelques années plus tard, la fille de sir Harry Oakes fit annuler leur mariage et épousa le fils de l'ambassadeur d'Allemagne à Lisbonne, le baron von Hoyningen-Huene.

Le capitaine Barker fut radié de l'Association américaine de l'anthropométrie. Beaucoup certifièrent qu'il entretenait des liens étroits avec la Maffia. Finalement, il rentra dans son pays pour y être abattu à coups de fusil.

L'Honorable Harold G. Christie poursuivit son existence de luxe et devint sir Harold Christie.

Et le Duc de Windsor décida de ne pas terminer son mandat de cinq ans; il démissionna au printemps 1945 de son poste de gouverneur des Bahamas.

Ç'avait été trop bizarre, trop affreux. Les Windsor préférèrent partir. Pendant le procès, ils voyagèrent aux Etats-Unis. Ils avaient vécu assez longtemps sous les projecteurs de l'actualité; ils n'éprouvaient nulle envie d'être mêlés à la publicité qui entoura cette affaire criminelle.

Après l'épisode déchirant de l'abdication, ils avaient espéré mener une vie tranquille où la part des plaisirs et des satisfactions aurait été belle. Au lieu de cela, des crises successives avaient découpé leur existence en dents de scie. Il y avait eu leur désastreux voyage en Allemagne, le scandale Bedaux aux Etats-Unis, les intrigues des espions en Espagne. Et maintenant, cet assassinat aux Bahamas... Chaque événement avait révélé des erreurs de jugement et certaines faiblesses, et les avait un peu diminués. Des millions d'hommes et de femmes les avaient placés sur un piédestal, mais ce piédestal s'effritait à la base. Un mythe qui s'écroule lentement est peut-être plus terrible qu'un mythe qui se fracasse d'un seul coup.

Lorsqu'il était roi, David disposait des meilleurs cerveaux de l'Angleterre pour le conseiller. Il avait beau être têtu, il écoutait leurs avis et les suivait souvent. Après l'abdication, les amis de confiance se firent rares. Il s'appuya alors de plus en plus sur sa femme. Mais elle n'était pas faite pour ce genre de situations politiques et de relations publiques. Et les Bahamas furent le point culminant d'un cauchemar.

Le Duc finit par se libérer de ses mauvais souvenirs aux Bahamas, et il eut même des mots affectueux pour évoquer les années qu'il y avait passées. Un vieil ami qui le voyait souvent à Paris déclara : « Il me demandait toujours des nouvelles des Bahamas. Wallis, pas une seule fois [4]. »

5

40

« Où qu'aillent le Duc et la Duchesse, le monde y court [1]. »

Il en fut ainsi pendant de nombreuses années.

Le prestige est quelque chose de fragile et de provisoire que peu des gens possèdent au sommet de leur vie. Mais le Duc et la Duchesse l'avaient acquis une fois pour toutes et ils le conservèrent longtemps après avoir déserté les manchettes de la presse. Non pas simplement parce qu'ils représentaient une page de l'Histoire, ou parce que le monde a un faible pour les amoureux, mais aussi parce qu'ils tenaient l'un et l'autre à leur vie privée. Ils étaient bienveillants, prévenants, et ils avaient de très bonnes manières, mais ils n'étalaient jamais leur existence sous les yeux du public. La Duchesse ressentait encore plus que le Duc le besoin d'avoir une vie privée, et cela corsait le mystère, multipliait le prestige.

En 1946, Wallis avait cinquante ans. On associe rarement cet âge-là avec le charme, surtout chez une femme. Mais sa peau était toujours magnifique, et son allure incomparable. Un étranger lui aurait donné dix ans de moins, mais Wallis se fâchait quand quelqu'un abordait ce sujet. Elsa Maxwell lui demanda un jour pourquoi elle consacrait autant de temps et de soins à des choses aussi frivoles que ses toilettes. Elle répondit : « Mon mari a renoncé à tout pour moi; si tous les regards tournent dans ma direction quand j'entre quelque part, mon mari peut se sentir fier de moi. C'est mon devoir numéro un [2]. »

Elle l'avoua plus tard : elle ne pouvait pas s'empêcher de le regarder, de se souvenir, et de penser : « Quel dommage! » Et, d'une voix dure, elle ajouta : « Je crois toujours qu'ils auraient pu se conduire différemment. »

L'atmosphère de mystère qui entourait les Windsor était si tenace que la presse fit grand cas du fait que le Duc avait démissionné de son poste aux Bahamas plusieurs mois avant l'expiration de son mandat de cinq ans. En réalité, mandat n'est pas le terme qui convient : on sert selon le bon plaisir du souverain. La presse cita divers motifs. Le Duc avait démissionné, en partie parce qu'il ne voulait pas mettre le gouvernement dans l'obligation de se demander ce qu'il allait faire de lui, et aussi pour ne pas risquer d'avoir à refuser publiquement un autre poste qui pourrait lui paraître inacceptable. De son côté, Wallis n'était pas disposée à passer un nouvel été brûlant aux Bahamas. « Nous avons été tellement dévorés par les moustiques pendant nos cinq années de Nassau », racontait-elle avec une mine sinistre, « que les insectes n'ayant plus de sang à sucer ont fini par aller ailleurs, découragés ».

Arrivés à New York en mai 1945, ils y demeurèrent jusqu'en septembre. Là ils se sentirent libres, déchargés de toutes responsabilités. Ils firent des emplettes, rendirent visite à des amis, passèrent de longs week-ends à Long Island, prirent des bains de soleil et nagèrent dans les Hampton, allèrent au théâtre et à quantité de réceptions.

La guerre en Europe avait prit fin le 8 mai 1945 avec la capitulation sans conditions de l'Allemagne, mais la guerre dans le Pacifique n'était pas encore terminée. Le monde changeait de façon tourbillonnante, les lignes du futur se dessinaient mal. L'avenir des Windsor était imprévisible.

« Nous voilà revenus là où nous en étions en 1938 », dit le Duc à Inez Robb. » Quand nous nous sommes mariés, nous avons loué deux maisons pour prendre le temps de réfléchir. Nous voulions découvrir où nous aimerions vivre et ce que nous avions envie de faire. »

« Et puis, la guerre nous a rattrapés », ajouta la Duchesse.

« En vérité, nous n'envisageons pas d'acheter une maison quelque part pour le moment », continua le Duc. « Il est très difficile de savoir où s'établir maintenant. Mais je suis un grand admirateur du pays de la Duchesse [3]. »

Le Duc donna à entendre ailleurs que leur avenir restait en suspens pour le cas où le roi lui demanderait d'occuper un autre poste. Ses amis observèrent que le Duc à présent disait « le roi », et non « mon frère le roi ». Peu après leur retour à Paris, le Duc fit un saut en Angleterre. Aux élections générales, le peuple anglais avait préféré les travaillistes à Churchill. Le Duc espérait que le nouveau Premier Ministre, Clement Attlee, pourrait lui offrir un poste à responsabilités plus élevées que les Bahamas.

Il souhaitait encore être un grand ambassadeur de l'Angleterre aux Etats-Unis, un ambassadeur itinérant qui aurait pour mission de développer la bonne volonté anglo-américaine. Il pourrait œuvrer dans l'orbite de l'ambassade, mais sans entrer en conflit avec les responsabilités diplomatiques de l'ambassadeur en poste. Il n'aurait pas forcément besoin de demeurer à Washington, et il ne prononcerait pas de discours, n'apparaîtrait pas en public. L'idée avait plu au roi et à Churchill, mais elle déplut à Attlee. Le nouveau Premier ministre, qui s'était rangé au côté de Baldwin pendant la crise de l'abdication, n'estima pas opportun qu'un proche parent du roi fît partie de l'ambassade de Grande-Bretagne à Washington.

Le Duc précisa qu'il n'était pas venu, « le chapeau à la main, pour quêter du travail »; il demandait pourtant un poste. Le bruit courut qu'il pourrait être nommé vice-roi des Indes, ou remplacer son frère comme gouverneur général de l'Australie. Finalement le ministre des Affaires étrangères Ernest Bevin lui proposa un poste en Rhodésie du Sud. Le Duc ne fut pas flatté par cette offre.

C'est un cauchemar pour une épouse que de voir son mari publiquement humilié et bafoué. L'appui de Wallis à cette époque fut plus sentimental que pratique. Elle chercha à donner de la consistance à des espérances vaines. Peu d'options se présentaient. Le Duc se décida à écrire une lettre irritée à Churchill pour lui dire que, puisque le gouvernement n'avait visiblement pas besoin de ses talents, il chercherait ailleurs à se faire sa place au soleil.

Churchill essaya par la suite de le consoler : « Lorsque j'ai quitté Downing Street, je n'avais même pas une carte de rationnement. »

« Si sa position lui permettait d'aller vendre des réfrigérateurs », disait Wallis de son mari, « il serait formidable [4]. »

Sa cause ne fut pas non plus servie par la presse qui ressuscita de vieux fantômes. Au procès du maréchal Pétain à Paris, Pierre Laval fit état d'une conversation secrète entre lui-même et le Duc pendant la crise éthiopienne. Le Duc démentit. Et les choses ne lui étaient pas davantage facilitées quand des badauds le reconnaissaient et l'applaudissaient à Londres : « Bon vieil Edouard! Nous voulons votre retour! » De nouveau se posa le problème d'une concurrence avec le roi auprès du peuple... Et puis un vol de bijoux vint durcir l'attitude du gouvernement et de la famille royale.

Le Duc et la Duchesse séjournaient à Etnam Lodge, à une trentaine de kilomètres de Londres, chez Lord Dudley. Pendant l'une de leurs absences dans l'après-midi, un « monte-en-l'air » escalada la gouttière et s'empara de bijoux appartenant à la Duchesse qui étaient assurés pour 600 000 dollars. On en retrouva quelques-uns éparpillés sur le parcours de golf de Lord Dudley. Ce cambriolage fit les gros titres de la presse internationale. Malheureusement, le détective de Scotland Yard ne réussit pas à déceler le moindre indice. Un rapport laissa supposer que le voleur avait pu descendre d'un parachute signalé près de Brest. Mais la Météorologie Nationale française identifia le prétendu parachute comme étant un ballon utilisé pour transporter en altitude des instruments météorologiques. La publicité autour de cette affaire convainquit l' « Establishment » qu'il avait raison en refusant au Duc un poste important. Le Duc était resté un sujet trop « brûlant » pour un travail sérieux.

Mais ce qui peinait le Duc encore davantage, c'était le refus obstiné de sa famille à accueillir sa femme. Il n'avait pas vu sa mère depuis le début de la guerre; il avait espéré que ces années d'absence l'auraient incitée à l'indulgence. Il n'en fut rien. Poussé par son inflexible épouse, Elizabeth, le roi manifesta la même implacabilité. Non seulement ils verrouillèrent leurs portes contre la Duchesse, mais ils y ajoutèrent des barres.

Le Duc éprouvait de tels remords au sujet du rang de la Duchesse qu'il se montra encore plus désireux de plaire à Wallis, de satisfaire chacun de ses caprices, de prévenir son moindre souhait. Pour leur dixième anniversaire, le Duc rayonnant déclara à sa femme :

« Dix ans ont passé, mais non le roman d'amour. Il continue et continuera. »

« Je crains que nous ne décevions les espoirs des nombreuses gens qui prédisaient que notre mariage ne durerait pas longtemps », dit la Duchesse en souriant.

« Maintenant, nous sommes tout simplement un couple de quinquagénaires heureux », conclut le Duc [5].

Mais c'était un couple sans foyer. Leur maison de Paris avait été vendue; ils se rendirent avec leur entourage à leur villa louée de La Croe. Leur personnel se composait maintenant d'une femme de chambre française, d'un maître d'hôtel anglais, d'un chef français, d'un jardinier méridional, d'un valet de chambre anglais, d'une secrétaire et d'un boy des Bahamas qui s'appelait Sidney Johnson, qui avait dix-sept ans, et qui fut d'une fidélité exemplaire.

Cet hiver-là, ils retournèrent aux Etats-Unis, et ils prirent l'habitude d'un voyage annuel en Amérique. Un journaliste nota que le Duc, à El Morocco, ne parut même pas voir Lady Furness, pourtant assise non loin. Ce fut l'année où *L'Eventail de Lady Windermere* remporta un gros succès à Broadway; la vedette était Penelope Ward, fille de Mrs. Dudley Ward, autre femme de son passé.

Les Windsor, et notamment la Duchesse, devinrent l'objet de nombreuses sollicitations pour accepter des présidences d'honneur. Wallis se laissa attendrir par une œuvre de lutte contre le cancer, car elle avait eu elle-même une tumeur maligne à l'utérus dont elle s'était parfaitement guérie. Elle fut également enrôlée pour couronner Christina Staguchowicz comme Miss Boy's Club de 1947. La Duchesse posa une couronne de papier doré sur les boucles de la jeune fille et dit aux spectateurs : « Faites attention à sa jolie robe. Ne la chiffonnez pas [6]. »

Dans un scrutin qui réunissait cent représentants de la presse de mode, la Duchesse fut une nouvelle fois proclamée la femme la mieux habillée du monde. Les journalistes estimèrent qu'elle dépensait chaque année un minimum de 30 000 dollars, et peut-être près de 100 000, pour ses toilettes. Le Duc déclara que ces deux chiffres étaient de la pure extravagance. Selon Schiaparelli, Wallis réduisait ses dépenses, non seulement en marchandant les prix, mais en imitant beaucoup de femmes riches qui vendaient à des amies leurs vieilles robes.

Lorsque Wallis se trouva à une réception parisienne face à face avec deux femmes qui portaient la même robe Givenchy que la sienne, elle plaisanta : « Nous avons l'air d'appartenir toutes les trois à la même troupe de music-hall [7]. » La Duchesse reçut aussi des modèles importables, une robe en aluminium par exemple. Elle déçut l'industrie des chapeaux en se coiffant simplement d'une petite toque, et elle provoqua une consternation analogue chez les grands couturiers en se ralliant au combat des Anglaises contre les jupes longues. Plus tard elle prit position en faveur de la mini-jupe parce que, dit-elle, la mini-jupe donnait une certaine idée « du but convoité ». Wallis déclara à une journaliste que sa cape Dior avait déjà trois ans, « et vous me la reverrez trois ans encore. A Paris, les prix sont effrayants. Il faut acheter moins de choses et les porter plus longtemps et plus souvent [8]. »

A l'une de ses arrivées à New York, un reporter lui demanda quelle fourrure elle portait. La voyant hésiter, le Duc répondit : « Du lapin ».

Préparant les bagages pour Palm Beach, sa femme de chambre la prévint : « Madame, certaines de ces robes du soir sont allées avec vous à Palm Beach trois fois déjà. » Wallis se contenta de dire : « J'espère que personne ne se les rappellera [9]. » Elle ajouta que sa philosophie de la mode était : « Quelques bonnes toilettes à la fois, et les porter jusqu'à épuisement. » Elle conservait notamment ses tailleurs pendant plusieurs années. Mais elle n'avait pas une robe de cocktail dans sa garde-robe.

« En réalité », disait-elle, « Je me suis habillée toute ma vie de la même façon classique. Je n'achète que chez les couturiers qui évitent les modes éphémères. Les toilettes sont un investissement ».

« Je sais », confirmait le Duc. « Je paie les factures [10]. »

Un journaliste interviewa une Française qui dirigeait une boutique de lingerie dans la 57e rue à New York. La commerçante affirma que la Duchesse lui avait téléphoné pour lui demander d'apporter sa collection à l'appartement des Windsor au Waldorf Astoria. Elle refusa. Une cliente qui entendit leur conversation lui dit ensuite : « Je croyais que vous auriez considéré comme un grand honneur de servir la Duchesse. »

« Madame », répliqua la Française, « c'est un honneur que je ne puis pas me payer [11]. »

Une résidente américaine à Paris, qui admirait la Duchesse et était cliente des mêmes couturiers, arriva pour un essayage. Juste avant l'heure de son rendez-vous, quelqu'un lui dit que la Duchesse de Windsor attendait.

« Eh bien, je vais partir pour que vous puissiez la servir », répondit l'Américaine.

« Pas du tout! Que la Duchesse attende. Vous, vous réglez vos notes. Elle, non. Elle déclare que nous devrions lui être reconnaissantes de la publicité qu'elle nous fait en s'habillant chez nous [12]. »

On raconta que les Windsor ne payaient ni leurs passages sur les paquebots ni leur appartement dans les tours du Waldorf. La Duchesse elle-même précisa qu'ils réglaient leur séjour au Waldorf, mais qu'ils bénéficiaient d'une « réduction diplomatique ». En admettant même qu'ils ne paient rien, la valeur publicitaire de leur présence valait largement le prix de leur pension. Ils étaient photographiés à chacune de leurs arrivées, et les journalistes précisaient toujours où ils descendaient.

En ce qui concernait les petites boutiques, de nombreux commerçants partageaient l'opinion de la bijoutière Olga Tritt : « La Duchesse a toujours réglé ses factures plus vite que tous mes autres clients [13]. »

Cependant, les médisances allèrent si grand train que la Duchesse se sentit obligée de déclarer à la Presse : « Nous payons nos notes. »

Interrogée sur les « prix spéciaux » qui lui seraient consentis par ses fournisseurs, la Duchesse répondit sèchement : « Toujours! Des prix Windsor! Toujours plus élevés! »

Il est hors de doute que beaucoup d'objets ou d'articles leur furent vendus hors taxes, et il est probable qu'un certain nombre de fournisseurs ne leur envoyaient même pas de factures parce qu'ils estimaient que la publicité consécutive à leurs achats valait bien une perte de gain. Tous ceux qui connaissaient le Duc affirment qu'il payait toujours les notes qui lui étaient présentées.

Les maîtresses de maison ayant reçu les Windsor sont formelles : ils réglaient leurs notes de téléphone et distribuaient des cadeaux ou des pourboires à tous les domestiques avant de partir. Il n'y a pas contradiction entre cela et le fait que le Duc était « très près de ses sous ». Jusqu'à son abdication, il avait ignoré les problèmes d'argent; jamais il n'avait payé une facture ou remis un pourboire : c'était son écuyer qui s'en chargeait. Et jusqu'à la fin de la Seconde Guerre mondiale, un secrétaire de la famille royale gérait encore toutes ses affaires financières. Non seulement il dut apprendre à vérifier les additions au restaurant et à fixer le montant des pourboires, mais il fut obligé de s'occuper de ses écritures financières, de ses comptes, de ses chéquiers, de ses placements. Du coup, il devint pointilleux pour les dépenses, même petites. Quant à la Duchesse, son passé de pauvreté relative lui avait fait prendre conscience de la valeur de l'argent, et elle ne l'oubliait jamais.

Les bijoux qu'elle arborait le plus souvent étaient deux bracelets : l'un, à son poignet gauche, se composait de cœurs en diamants; l'autre, à son poignet droit, de croix en diamants. « Les croix sont celles que j'ai portées », expliquait-elle. « Chacune représente quelque chose, tout comme les cœurs. Plutôt sentimentale dans un monde aussi dur, non? »

L'une des croix aurait pu symboliser tous les ragots qui couraient toujours.

Seuls quelques amis assistèrent à un dîner à Londres, en novembre 1946, que donnèrent l'ambassadeur d'Argentine et sa femme en l'honneur du Duc et de la Duchesse de Windsor. Privilège d'autant plus remarquable que l'ambassadeur s'appelait Felipe A. Espil.

On ne sait évidemment pas ce qu'il pensa de la nouvelle Wallis, ni elle de son ancien amant. Tout ce que l'on peut dire, c'est que les Windsor rendirent aux Espil leur invitation un peu plus tard à Paris.

Cette rencontre, toutefois, n'avait pas de quoi intéresser les journalistes. Un événement monopolisait les gros titres : le mariage de la princesse Elizabeth et du prince Philip en 1947. Le Duc fit clairement savoir qu'il n'y assisterait pas sans sa femme.

« Cette attitude est décente, et beaucoup l'approuvent », écrivit l'*Evening Standard* de Londres dans un éditorial, « car une telle discrimination contre la Duchesse serait insultante. Qu'a donc fait la Duchesse qui permettrait de la ridiculiser de cette manière [14]? ».

Lorsque fut publiée la liste des 2 000 invités au mariage, les noms de l'oncle de la jeune épousée et de sa femme n'y figuraient pas.

Pour les Windsor, ce fut plus qu'une nouvelle rebuffade. Le Duc commença à se rendre compte que sa famille pourrait bien ne jamais accepter sa femme. Alors il insista davantage pour que, chez lui, tout le monde l'appelât « Son Altesse Royale ». Des amies qui téléphonaient souvent se plaignirent à ce sujet à Wallis, qui protesta : « Ce n'est pas moi; c'est lui. Il y tient absolument [15]. »

Wallis admit ensuite qu'il existait un problème dans la différence des titres. « C'est difficile parce que les gens ne savent pas comment faire avec moi. A des réceptions. A tout moment. Ils ne comprennent pas qu'on soit mariée à Mr. Smith et qu'on soit appelée Mrs. Jones. »

En définissant la nature de leurs rapports, la Duchesse disait toujours qu'elle avait donné au Duc toute son affection. Pour elle, ce mot signifiait « soins tendres et aimants ». Il signifiait plus précisément tout faire pour l'entretenir dans sa confiance en lui, le distraire de ses soucis secrets, maintenir une ambiance de chaleur et de gaieté.

C'était plus facile à New York où Wallis ne refusait presque jamais une invitation.

A une soirée, Ethel Merman chanta « Doin' What Comes Naturally », et elle s'aperçut que le Duc joignait sa voix à la sienne pour faire un duo. Il n'avait qu'un filet de voix, mais le rythme était bon et il connaissait toutes les paroles.

Il chanta « Louise » avec Maurice Chevalier, fredonna avec Judy Garland. Et si l'ambiance s'y prêtait, le Duc se laissait volontiers convaincre d'exécuter sa matelote de marin ou de réciter avec les gestes appropriés le numéro de Joe E. Lewis : « Soyez bon pour un canard parce qu'il pourrait être le frère de quelqu'un. »

Cole Porter habitait à un étage voisin dans les tours du Waldorf, qu'il appelait « ma petite pension de famille, simple mais bonne [16] ». Le Duc et Porter ne tardèrent pas à aller ensemble promener leurs chiens, à passer chez l'un ou l'autre pour boire un verre, à se rendre aux mêmes soirées.

A un dîner, la Duchesse eut un mot tout à fait digne d'elle : un convive s'extasiant sur ce qu'avait fait pour les hommes d'un certain âge une idole masculine vieillissante, elle lança cette réplique : « Ce n'est rien à côté de ce que j'ai fait en 1937 pour les femmes d'un certain âge [17]! »

Elle se maquillait encore très peu : suffisamment de rouge pour rehausser la couleur de ses yeux mais pas assez pour rabaisser la douceur pâle de sa peau, puis une toute petite touche de mascara, un soupçon de poudre et une ombre de bleu aux paupières. La Duchesse disait qu'elle s'habillait pour elle et non pour son mari; et le Duc ajoutait qu'il n'oserait jamais lui recommander telle ou telle toilette.

Quand on lui demanda combien de fois par semaine ils sortaient, elle répondit avec un sourire à l'adresse du Duc : « Beaucoup trop. »

Mais pour elle ce n'était jamais trop. Et ils ressentaient autant l'un que l'autre le besoin irrésistible de voyager.

Lady Mendl les invita chez elle à Hollywood, et ils acceptèrent. Les George Baker les invitèrent à chasser le dindon et la caille dans leur plantation de Floride, et ils acceptèrent. Les Arthur Gardner les invitèrent dans leur résidence d'agrément à Palm Beach, et ils acceptèrent. Les Robert Young les invitèrent à Newport, et ils acceptèrent. Ils allaient partout. Evoquant ces déplacements continuels, un journaliste demanda au Duc s'il ne projetait pas de s'établir de façon permanente dans une maison à eux.

Apparemment surpris, le Duc répondit : « Ma maison? Elle est où je suis avec la Duchesse [18]. »

41

« Peut-être la Duchesse de Windsor est-elle la meilleure épouse du monde [1]. »

Peu de femmes en tout cas le prouvèrent plus publiquement ou plus souvent. Dans les réceptions où quelqu'un entraînait le Duc dans un coin pour lui expliquer comment il aurait dû gouverner l'Empire britannique, la Duchesse était la première à remarquer sa détresse et à voler à son secours. Lorsqu'ils déjeunèrent à Mexico avec le Président du Mexique, elle l'avait mis en garde : « Ecoutez-moi, David. On vous offrira de la tequila. Vous feriez mieux de ne pas en boire à cause de l'altitude et parce que vous n'êtes pas habitué à cet alcool [2]. » Et il obéit. Quand ils recevaient, elle le renseignait sur tous leurs convives, elle lui disait de quoi il devait parler et avec qui, elle lui énumérait les sujets à éviter.

Elle lui recommanda discrètement de ne plus s'exprimer en allemand aux dîners parce que personne, sauf les généraux français, ne le comprenait. Elle murmura à un gros industriel : « Je vous en prie, invitez-le à visiter vos usines : il adore voir les choses de près [3]. » Et si, à une soirée, quelqu'un sollicitait la faveur d'une danse, elle répondait : « Attendons un petit moment pour voir si le Duc va danser avec une autre. Sinon il voudra danser encore une fois avec moi [4]. » Elle le surveillait constamment. Un jour où un photographe allait opérer, elle lui chuchota : « Ne dissimulez pas votre tête derrière votre chapeau [5]. »

Lorsqu'il était fatigué, elle le reposait. Lorsqu'il faisait froid, elle s'inquiétait de ce qu'il portait. Lorsqu'il se sentait légèrement souffrant, elle appelait aussitôt le médecin.

Le plus grand désir de Wallis était de lui fonder un foyer, d'avoir une maison bien à eux. A plusieurs reprises, on avait demandé au Duc s'il y avait des raisons pour qu'il ne s'installât pas définitivement en Angleterre, et il avait toujours répondu par la négative. Mais après des séjours répétés, il admit non sans tristesse que sa femme et lui n'y seraient jamais cordialement accueillis. Rien, légalement, ne s'opposait à leur retour, mais l' « Establishment » avait dressé un barrage social qui ne cédait pas.

Au début des années 1950, Wallis se mit sérieusement en quête d'une résidence permanente. « Mon mari a été roi, et j'ai voulu qu'il vive comme un roi », dit-elle. Wallis envisagea même d'acheter le château de la comtesse Du Barry, mais elle réfléchit à la publicité qui s'ensuivrait, et elle estima que le jeu n'en valait pas la chandelle.

La demeure qu'ils trouvèrent finalement appartenait à la Ville de Paris, et de Gaulle l'avait jadis habitée. Le gouvernement français se déclara honoré de la louer aux Windsor moyennant un loyer symbolique.

Les Windsor s'y plurent. Elle avait l'air et le style d'un palais miniature. Une façade en pierre avec de hautes colonnes, un toit d'ardoises, un vestibule de marbre rose et vert sur deux étages. Une entrée gigantesque et une haute clôture à pointes de fer qui entourait toute la propriété. Beaucoup d'espace. Et un petit parc d'un hectare peuplé d'arbres vénérables.

Comme elle était située à la lisière du Bois de Boulogne, au 4 de la route du Champ d'Entraînement, on y respirait davantage une ambiance de forêt que de rue. Et cependant, pour la joie de Wallis, elle ne se trouvait qu'à un quart d'heure de voiture du centre de Paris.

Elle fit suspendre une petite couronne dorée à la lanterne de l'entrée; des fers de lance dorés coiffèrent la grille pour répondre aux armes royales montées sur les murs, et un étendard aux armes du Prince de Galles flotta sur la clôture. De chaque côté de la grande porte du salon, elle accrocha deux portraits en pied du Duc et de sa mère, l'un et l'autre revêtus des robes magnifiques de l'Ordre de la Jarretière. Sur la table de la bibliothèque, elle installa dans des cadres incrustés de joyaux des photographies de l'arrière-grand-mère du Duc, la reine Victoria, de sa grand-mère, la reine Alexandra, et encore une fois de sa mère, la reine Mary. Un tableau représentant le château de Windsor siégeait sur une autre table.

Les valets de pied portaient une livrée bleue et argent aux insignes des grenadiers de la Garde. La première chose que voyaient les invités en entrant était une boîte de dépêches en cuir rouge avec l'estampille : « Le Roi. »

Si elle ne tenait pas à ce qu'il se rappelât trop de choses, elle ne voulait pas que les autres oublient qui il était.

Elle avait personnalisé les pièces. « Je joue tout le temps avec ma maison », dit-elle un jour. Elle fouillait sans relâche pour dénicher de l'ancien authentique. « Je préfère courir les boutiques à manger », expliqua-t-elle à son amie Eleonor Miles, en ajoutant qu'elle préférait aussi les meubles et la porcelaine aux bijoux [6]. Pour le vestibule, elle choisit un globe allemand immense, des consoles du XVIIIe avec des vases d'argent remplis de fleurs — qui se reflétaient dans des glaces octogonales — des chaises chinoises Chippendale à haut dossier, un grand paravent chinois du XVIIIe.

Le salon digne d'un palais donnait sur la terrasse et le parc. Les murs étaient bleu pâle, les moulures à houppes d'argent, le mobilier français du XVIIIe. Une collection extraordinaire de bibelots en or, vermeil, porcelaine et émail, dont plusieurs carlins de Meissen dans toutes les positions, recouvrait les tables. La Duchesse avait placé sous chaque pièce un morceau de feutre taillé à sa forme exacte, de façon à ne pas abîmer la surface des tables. Pour les objets plus délicats, elle posait des empreintes de cire sous leur base afin qu'ils aient plus d'assise.

Pour la salle à manger, elle avait trouvé la boiserie bleu passé du Château de Chanteloup, et de grands panneaux de papier mural chinois à motifs d'oiseaux, de bateaux et d'arbres. Elle les fit restaurer, et fit peindre le plafond de fleurs et de rubans. Elle dessina les sièges en bois vert bleu avec garnitures de damas blanc, et elle éclaira l'ensemble d'un candélabre œuf d'autruche.

Pour les dîners, ils pouvaient choisir entre un service de porcelaine du XVIIIe qui avait appartenu à la reine Alexandra, un Lowestoft avec la couronne et le chiffre de George IV, un Lowestoft ayant en relief des feuilles d'or et les armes royales de Guillaume IV, et un Meissen « Tigre Volant », service de l'Electeur Frédéric-Auguste Ier de Saxe, roi de Pologne, dont le Duc avait hérité.

Dans la bibliothèque qui faisait face à la salle à manger, Wallis avait voulu des lambris jaune et or, dans une alcôve un sofa de soie jaune doublée de velours jaune orangé, des tableaux historiques anglais. Sur un autre sofa jaune qu'elle dessina elle-même, la Duchesse avait posé des coussins de velours rouge tiré de la cape d'un cardinal. Le portrait de la Duchesse en roble bleu foncé, par Brockhurst, était suspendu au-dessus de la cheminée.

Les livres, qui traitaient surtout de l'histoire royale, comprenaient la biographie de Marlborough en quatre tomes par Churchill. L'ancien Premier ministre avait dédicacé les deux premiers au Prince de Galles, le troisième au roi, le quatrième au duc de Windsor.

Le Duc et la Duchesse habitaient l'étage supérieur; un boudoir reliait leurs appartements séparés; il servait de cabinet de travail et de salon où ils se partageaient les journaux, les magazines, le courrier et les ciseaux. Chacun disposait d'un bureau particulier. La Duchesse avait un secrétaire XVIIIe laqué de vert, noir et or, où trônait une photo d'Edouard VIII sur son cheval de bataille à la parade du drapeau. A côté se trouvait un manuel initiant à l'art de conjuguer les verbes français.

Les appartements du Duc étaient pleins de souvenirs de son passé, mais il y avait partout des photos de Wallis. La Duchesse aimait citer la description de tante Bessie : « Exactement la sorte de pièce où tout est suspendu au plancher [7]. » Il avait contracté de bonne heure l'habitude d'étaler ses papiers dans tous les coins imaginables, mais il savait exactement où trouver ce qu'il cherchait. Alors il s'asseyait sur un siège bas et lisait les papiers dont il avait besoin. Si la Duchesse survenait, il lui disait : « Je les aurai bientôt liquidés, chérie. »

L'appartement de Wallis était bleu pâle, bleu gris et mauve; sa chambre à coucher avait de quoi surprendre. C'était là que ceux qui admiraient sa chaleur communicative pouvaient la trouver. Au lieu d'avoir l'aspect quelque peu musée des autres pièces, sa chambre était un refuge douillet; la chaise à porteur et les fauteuils donnaient une impression de douceur et de bien-être; il y avait beaucoup de coussins, dont certains étaient décorés de dessins au crochet de ses carlins, et un autre de ce message : « On ne peut jamais être trop riche ou trop mince. »

Hors de sa chambre, la Duchesse « attrapait des ulcères si quelque chose ne marchait pas ». Elle détestait la poussière ou le désordre.

« Je suis une maîtresse de maison trop tatillonne », disait-elle. « Mes amies ont presque peur de s'asseoir, de peur de déranger l'ordonnance des coussins [8]. »

La maison d'une femme est comme la bibliothèque d'un homme. Elle révèle sa personnalité. Sa résidence parisienne pouvait ressembler à un palais, l'ameublement n'en était pas moins d'une simplicité classique. Elle mettait des fleurs partout, dans des arrangements géants où se mariaient les couleurs vives, qui créaient une atmosphère de chaleur et d'intimité. En dehors de leurs deux appartements en haut, il y avait seulement deux chambres d'amis, séparées par une salle de bains. La salle à manger pouvait contenir vingt-six convives, mais ce nombre était rarement atteint. La Duchesse en préférait huit ou dix : le chiffre parfait, disait-elle. Si elle devait recevoir plus d'invités, elle disposait en général deux tables de huit couverts. Autrement, la conversation aurait été trop difficile.

Après avoir choisi le service pour le repas, elle conférait avec la lingère pour découvrir une sous-nappe en satin appropriée et une nappe de dentelle qui rehausserait la porcelaine, et elle s'assurait que la lingère aplanirait au fer le moindre pli de la dentelle. Elle décidait aussi de l'argenterie, du surtout et de la couleur de l'ensemble. Il lui arrivait de tout prévoir quinze jours à l'avance. Le chef lui remettait ses projets de menu cinq jours avant la réception, et elle les rectifiait conformément aux goûts de ses invités. Avant la mort du Duc, si elle avait envie de faire confectionner un nouveau plat, ils commençaient par le goûter tout seuls.

L'une de ses spécialités était « l'avocat de Tahiti », c'est-à-dire des moitiés d'avocats remplies de rhum et de cassonnade, qui décontractaient des invités un peu guindés. Autre mets de prédilection : un consommé en gelée dont le centre était rempli de caviar coiffé de crème aigre. Ou encore un soufflé de poisson au curry et au chutney dans du beurre. Elle proposait aussi un dessert qu'elle appelait « glace de la baie de Montego » et qui était un sorbet de tilleul ou de citron accompagné de sauce au rhum brûlante. Mais elle gardait jalousement le secret de son « camembert glacé », glace au fromage qui avait un goût de camembert et mélangée à du vin glacé.

« Elle a été la première à servir du champagne avec de la glace », raconta Edmund Bory. « Je connais bien les propriétaires de Moët & Chandon et de Piper Heidsieck; maintenant ils ne boivent plus de champagne qu'avec des cubes de glace dans leurs coupes, et je fais comme eux. Il semble que la glace enlève les acides et les gaz [9]. »

Wallis disait : « On ne réussit pas un plat original si on ne travaille pas avec le cuisinier. »

« Elle sait très précisément ce qu'elle veut », commenta son chef. « Elle est très difficile. Mais c'est bon de travailler pour quelqu'un qui n'accepte que la perfection. Autrement, la qualité se perd [10]. »

Non seulement elle cataloguait ses invités en amateurs de champagne, de bordeaux ou d'alcools secs, et elle les réunissait en conséquence, mais elle tenait à jour un livre où elle inscrivait le menu, les vins, le service de table, les invités, leurs places à table, les divertissements d'après-dîner pour chaque réception. Elle ne voulait absolument pas se répéter.

Lorsque le baron de Cabrol et sa femme passèrent quinze jours chez les Windsor, chaque repas fut servi sur une terrasse différente, dans un décor différent. Wallis leur donna toutes leurs aises. Elle confia un jour à une amie : « Quand on est maîtresse de maison, on ne s'assied que lorsqu'on ne peut pas se tenir debout [11]. »

L'un de ses maîtres d'hôtels, Ernest King, se demanda ce qui se serait passé si elle s'était installée au palais de Buckingham. « Je frémis en pensant au remue-ménage qu'elle aurait provoqué parmi les domestiques, qui n'ont pas la réputation d'être surchargés de travail [12]. »

Chez la Duchesse, le cristal étincelait, le cuir luisait, le mobilier brillait. Au cours d'un repas, ses yeux faisaient signe au maître d'hôtel que des cendriers étaient pleins ou que des verres attendaient d'être remplis. Nous avons déjà dit qu'elle avait un petit livre doré sur lequel elle rédigeait ses commentaires ou ses reproches à propos des repas. Elle justifiait sa rigueur en disant : « J'ai épousé un tireur de cordons de sonnette. »

Le Duc était en effet un tireur de cordons de sonnette quand il s'agissait du service. Etre servi sur-le-champ était une prérogative des rois. Il ne lui semblait pas anormal qu'un chasseur du Waldorf à New York prît l'avion pour la Nouvelle-Orléans afin de lui apporter sa cravate blanche et son habit à queue pour un grand bal. Mais ce n'était pas un gourmet, et il n'aimait guère le vin. Si on lui servait un petit déjeuner copieux qui pouvait se composer de harengs, de hachis de poulet ou d'œufs au jambon, avec un grand verre de jus de pamplemousse et beaucoup de thé, il pouvait parfaitement se passer de déjeuner. S'il était chez lui, il lui arrivait de déjeuner avec des fruits, et sa femme le décidait souvent à manger un pudding au riz ou de la crème au lait en les lui présentant sur une jolie assiette de porcelaine ou de faïence.

Il prenait toujours le thé avant cinq heures, et Wallis s'efforçait d'être là quel que fût son programme. Pour le Duc, c'était le meilleur moment de la journée. Ils se détendaient tous les deux dans le jardin, ou devant une cheminée, ou dans leur confortable petit salon. Un « grand thé » s'accompagnait souvent de sandwiches assortis, de petits carrés brûlants de fromage et de lard fondus, de crevettes non décortiquées, de toasts, de petits fours, de confitures, de marmelades, de gâteaux.

Il le buvait dans une grande tasse avec du lait.

Au dîner, il mangeait des steaks et des côtelettes; il ne supportait pas l'oignon, l'ail encore moins. Il aimait aussi un soufflé de haddock ou de la laitance d'alose cuite dans du lait. Et il était friand d'un dessert, appelé *Rodgrod,* qui se composait de framboises et de groseilles servies avec du lait et dont la reine Alexandra avait rapporté la recette du Danemark.

Aux dîners officiels qu'affectionnait Wallis, le Duc préférait leurs soupers en tête-à-tête du dimanche soir. Il mettait la table — une table de jeu — pendant que Wallis préparait quelque chose de simple dans la cuisine. Elle avait sa manière personnelle de faire cuire le bacon en tranches minces qu'elle passait d'abord au four jusqu'à ce qu'une partie de la graisse fût fondue, puis qu'elle revêtait de cassonnade avant de les réchauffer; quand le sucre fondait, elle les retournait, sucrait l'autre côté et les faisait cuire jusqu'à les rendre croustillantes. Quelquefois, ils mangeaient sur des plateaux devant leur écran de télévision.

Wallis se contentait de thé et de toasts pour le petit déjeuner, mais elle emportait un peu de potage dans une bouteille thermos ou un morceau de poulet si elle devait être chez le coiffeur à l'heure du déjeuner. Elle ne pouvait pas supporter de voir des graines de tomate : quand elle en apercevait une seule, elle était capable de renvoyer tout un plat à la cuisine.

Elle aussi aimait bien les dîners simples : côtelettes d'agneau aux épinards, du gibier ou une volaille rôtie, un poisson grillé, ou du foie de veau au jus de citron; beaucoup de salade et de fruits, mais pas de pain ni de pommes de terre. A mesure que les années passaient, ils mangeaient de moins en moins.

« Il ne voulait pas engraisser, et elle ne voulait pas engraisser », déclara l'un de leurs bons amis. » Quand on a combattu la graisse pendant quarante ans, on se met tout naturellement au régime [13]. »

Cette maison au Bois de Boulogne donnait au Duc tous les agréments qu'il pouvait désirer, sauf celui auquel il tenait le plus : un jardin. Elle contenait des serres où Wallis cultivait des orchidées en pots; elle était entourée de vieux chênes; la pelouse était bien tondue; mais le Duc ne disposait pas d'un coin de terrain où il aurait pu créer et bricoler.

Il l'acquit au Moulin. Le Moulin de la Tuilerie n'était qu'à vingt minutes de leur hôtel particulier par la route, mais l'impression de dépaysement était aussi forte que lorsqu'il passait du palais St. James à Fort Belvedere. Quand il avait quitté l'Angleterre, c'était le Fort qu'il avait regretté le plus. Le vieux Moulin serait son nouveau Fort.

« En premier lieu, il y avait la vallée paisible et agréable, abritée par des bois de chênes, des marronniers et des sapins d'Ecosse », expliquait le Duc. « Ensuite il y avait l'eau. La Merentaise se sépare en deux petits cours d'eau qui arrosent la vallée et se rejoignent au Moulin même. Et enfin, il y avait le Moulin. »

Le Moulin était un minuscule hameau de quatre bâtiments avec une cour pavée qui datait du XVIIe siècle. Les murs de pierre avaient une épaisseur de soixante centimètres; les poutres solides avaient été équarries à la main. Jadis, le blé y avait été moulu et le grenier était devenu la principale salle de séjour. Il avait été remanié en 1730 et, plus tard, l'artiste Etienne Drian en avait fait sa résidence. Ce fut la première et l'unique demeure que les Windsor achetèrent ensemble.

Les huit hectares étaient en partie entourés de vieux murs. Le jardin parut au Duc « un chaos de choux et de poulets » avec quelques anciens arbres fruitiers moribonds et des arceaux garnis de roses. « Pour la première fois de ma vie, j'avais la chance de pouvoir créer un jardin à mon goût. »

Wallis donna à la maison même un caractère rustique raffiné. Comme il n'y avait pas de salles de bains, elle en fit poser une pour chaque chambre. Elle la compléta par une cuisine moderne, une piscine et une cabane. Le bâtiment principal se composa de dix pièces : une salle à manger, un petit salon, une bibliothèque modeste, un grand salon, deux appartements pour les maîtres et les chambres des domestiques. Pour aller de la chambre du Duc à celle de la Duchesse, il fallait traverser le couloir et monter quelques marches. La chambre de la Duchesse était une longue pièce à poutres basses, peinte en rose et vert clair. La chambre du Duc ressemblait un peu à un grenier; on y trouvait éparpillés des manuels de golf, une photo dédicacée d'Arnold Palmer, de vieux disques de 78 tours de *Carousel*, des feuillets d'une partition de *Gypsy*, des piles d'articles de revue et de coupures de presse dont l'une avait pour titre : LA CRISE QUI ÉBRANLA L'EMPIRE.

Les étables furent transformées en chambres d'amis, et la grange en musée royal du Duc. Des bannières de cornemuse des Highlanders de Seaforth étaient suspendues aux murs, et des tambours de la Garde galloise servaient de tables. C'était là qu'il conservait ses brevets d'officier dans la Marine et l'Armée de terre, les trophées qu'il avait gagnés dans des concours de chasse au sanglier à la lance ou de steeple-chase, un exemplaire de chaque bouton utilisé par l'armée anglaise pendant la Première Guerre mondiale, un poignard recourbé de Gurkha, un thermomètre du sommet de l'Empire State Building, une médaille frappée à l'occasion de sa première visite aux Etats-Unis en 1919, une statuette en bronze représentant un chasseur, les gobelets créés pour son couronnement en 1937, trois balles de golf montées en argent (« les trois fois où j'ai réussi par hasard un trou en un »), une chope commémorative pour Neville Chamberlain lorsqu'il revint de Munich, sur laquelle étaient gravés ces quatre mots : PAIX A NOTRE TEMPS.

« Cette table pourrait vous intéresser » dit le Duc à l'un de ses hôtes en lui faisant visiter son musée. C'était du Chippendale, délicatement sculpté, recouvert de photographies encadrées d'ancêtres royaux. La table portait aussi une petite plaque sur laquelle on lisait :

Sur cette table le roi Edouard VIII
A signé l'acte d'abdication
A dix heures trente du matin, le 11 décembre 1936.

A partir de murs nus et sales, la Duchesse avait donné au Moulin une atmosphère de confort sans cérémonie; elle utilisa généreusement des faïences italiennes à couleurs vives; elle répartit des divans profonds et des fauteuils moelleux; elle aménaga des cheminées avec de très belles pierres; elle posa des rideaux jaune et flamme; elle capitonna des banquettes assez grandes pour une douzaine de personnes; elle choisit comme cendriers des fruits en céramique; elle couvrit les murs de tableaux représentant des fleurs, des légumes et des fruits.

Wallis avait pour l'art abstrait un penchant que le Duc ne partageait pas. Un jour elle acheta un tableau qu'elle suspendit dans le vestibule. Le Duc le vit et le tourna la tête en bas. Dans l'après-midi, la Duchesse lui demanda s'il n'avait rien remarqué de nouveau dans la maison.

« Ma foi non », répondit-il.

« Là, juste en face de vous. Ce tableau. »

« Oh, et c'est une peinture abstraite! » commenta-t-il. « Mais elle est à l'envers. »

« Comment pouvez-vous le savoir? » répliqua-t-elle avec une certaine irritation.

« Décrochez-le du mur et regardez la signature [14]. »

Après avoir regardé la signature, puis son mari, Wallis rendit le tableau à l'artiste.

Comme à Paris, sa maison était pleine de fleurs. Partout également il y avait des coussins avec des messages brodés qui accentuaient le côté non conformiste de la résidence d'un ex-roi : « N'expliquez jamais — Ne vous plaignez jamais », « Ne regardez pas maintenant — Quelqu'un pourrait prendre avantage sur vous », « Un chat regarde bien un roi », « Souriez au pauvre mendiant comme vous souririez au plus grand des rois », etc.

Le Duc avait souvent l'air d'un mendiant au Moulin — mais d'un mendiant heureux — lorsqu'il travaillait dur avec trois autres jardiniers pour faire un jardin de rocaille et transformer une cour française envahie par les mauvaises herbes en un jardin anglais enchanteur : une haie de lavande, une roseraie, des plates-bandes de delphiniums géants, le tout bien en vue des portes-fenêtres de la maison. Par contraste avec la géométrie compassée des jardins français, un jardin anglais fait ressortir une prodigalité d'herbe et de fleurs poussant au hasard. Le Duc passa deux années à déployer une activité intense dans son jardin du Moulin, et il maudissait le temps qu'il devait consacrer à d'autres choses.

Un jardin est un goût, expliquait le Duc; or le goût du Duc le prédisposait à la vie privée et à l'intimité. Au Fort, il avait enrôlé des invités pour tailler à la serpe les grands buissons de lauriers afin d'installer un minuscule jardin d'arbustes et de fleurs. A Nassau, il était gouverneur et il ne pouvait pas jardiner lui-même : il y avait des prisonniers pour cela. Mais il préparait les plans de ce qu'il voulait et, quand il quitta les Bahamas, il était très ennnuyé par l'idée que quelqu'un remodèlerait son jardin.

Au Moulin, il remplit peu à peu le vieux jardin clôturé de phlox et de lupins, de chrysanthèmes, d'asters et de roses d'une douzaine de couleurs. Il était très fier de la rose Duc de Windsor, qu'un jardinier anglais avait créée et baptisée de son nom. Sa chambre comptait huit fenêtres : c'était un peu comme s'il couchait dans son jardin. Le long de la cuisine, le Duc aménagea un potager pour sa femme. Au cours des années suivantes, il construisit même une série de petits barrages dans la rivière pour créer des cascades.

Le Duc fut heureux au Moulin. C'était « sa maison », disait Wallis. Ils y passaient des week-ends et des vacances. « Dans un jardin, on est plus près du cœur de Dieu que nulle part ailleurs sur la terre », leur écrivit Mrs. Merriweather-Post. C'était vrai pour lui plus que pour elle. Pour Wallis aucun lieu ne pouvait remplacer les êtres. Pour le Duc, un seul être suffisait à sa vie. Ses liens avec la famille royale étaient rompus. Ses amis fidèles étaient peu nombreux. Wallis était son soleil et sa lune.

« Je trouvais cela touchant », raconta une secrétaire, Dina Wells Hood. « Il observait ses moindres gestes, il réagissait à chaque inflexion de sa voix, il ne tenait pas en place quand elle n'était pas là. Il n'essayait jamais de dissimuler ses sentiments. Plus d'une fois, je l'ai vu la prendre impulsivement dans ses bras et l'embrasser tendrement. Il lui achetait des bijoux merveilleux. Rien n'était trop beau pour elle.

« Quelquefois elle l'appelait de loin, du jardin ou d'une autre partie de la maison. Aussitôt il plantait là ce qu'il était en train de faire. Et j'entendais sa voix qui répondait : " J'arrive, chérie ", ou " Oui, mon amour ". »

« Je l'ai vu, alors qu'il était en train de se faire couper les cheveux dans son cabinet de toilette, se lever d'un bond et courir vers sa femme en laissant le coiffeur bouche bée [15]. »

Une chose l'impatientait, l'irritait même : c'était un retard pour le thé. Un jour, cependant, il oublia d'être de mauvaise humeur quand il entendit la Duchesse éternuer. « Il arriva au pas de course dans le salon. " Dolly! Dolly! J'espère que vous ne vous êtes pas enrhumée! ", s'écria-t-il en l'appelant de ce petit nom intime qui est le diminutif de " darling ". Il fit aussitôt le tour des chambres pour fermer les fenêtres et pour s'assurer que le feu était allumé dans les cheminées de toutes les pièces où elle pourrait avoir à se rendre [16]. »

Jusque dans les dernières années de leur union, s'il allait se coucher avant elle, la Duchesse trouvait souvent, quand elle regagnait sa chambre, une fleur blanche sur son oreiller.

Son énergie à cette époque fut également captée par son autobiographie. Cette œuvre de création lui procura un nouveau but. Wallis continuait à accepter des invitations à des dîners et à des soirées, mais le Duc maintenant avait une excuse pour ne pas sortir. « Ne pouvez-vous répondre " Non " quelquefois? » lui disait-il.

Ils continuaient à se rendre une fois par an aux Etats-Unis au printemps pour quatre mois, et ils effectuaient de petits voyages sur la Côte d'Azur, à Biarritz et à Londres (où Wallis accompagnait rarement son mari).

Ce fut à Biarritz qu'ils firent la connaissance de Jimmy Donahue. James P. Donahue était le fils de leur amie Jessie Woolworth Donahue de Palm Beach, New York et Southampton. Elle avait la réputation de ne jamais boire ni fumer mais de jouer gros. Elle pouvait se le permettre. Mrs. Donahue était la fille de Frank Woolworth, fondateur des magasins à prix unique Woolworth, dont la fortune se chiffrait à 600 magasins et à 78 millions de dollars. En 1950, année où Jimmy rencontra les Windsor pour la première fois, il venait d'hériter de 15 millions de dollars. Il avait alors trente-cinq ans; il était gai, jovial, beau garçon. Wallis était presque de vingt ans son aînée, mais ils avaient beaucoup d'affinités.

Donahue était tout ce que le Duc n'était pas. Le Duc était l'auditeur rêvé des saillies spirituelles de sa femme, mais Jimmy ne manquait pas d'esprit, loin de là! Le Duc, supérieurement organisé, n'était jamais en retard pour ses rendez-vous et ses responsabilités, alors que Jimmy pratiquait l'insouciance et la fantaisie. Le Duc avait ses ladreries, Jimmy dépensait sans compter. Le Duc avait ses habitudes précises, mais Jimmy était un impulsif qui croyait que, tant qu'à faire un geste, il fallait que ce geste fût grandiose.

Jimmy plut au Duc; il plut encore davantage à Wallis.

Elle avait vécu de nombreuses années avec un homme qui l'idolâtrait. Elle lui avait dédié toute sa vie et elle ne s'en plaignait pas. Leur existence s'était déroulée dans un style prévisible; elle avait apprécié le rang social et les changements de décors. Mais elle approchait de cinquante-cinq ans. Elle venait d'apprendre la mort de son premier mari, et cela l'amena à réfléchir à sa condition de mortelle.

D'ailleurs, même au début de son adolescence, elle avait toujours été la première parmi ses amies à vouloir saisir quelque chose de plus, de différent.

Or Jimmy était très différent. Il lui offrait ce dont elle avait le plus besoin : la fantaisie. Pour rendre plus passionnante sa vie bien réglée, elle réclamait de l'inattendu, de l'imprévisible. Un régime d'adoration perpétuelle peut être lassant. Le cocon l'enserrait, elle avait envie de déployer ses ailes. A présent que le Duc était de plus en plus absorbé par son livre et qu'elle refusait de rester chez elle, il lui fallait un cavalier.

Jimmy fut parfait. Il la distrayait de la façon dont elle avait distrait le Duc. « Il me fait rire, il me fait toujours rire », dit-elle à une amie. Surtout il lui apportait de la fantaisie. Si le ciel était nuageux, il disait : « Il y a des nuages là-haut. Fuyons les nuages en faisant quelque chose où il y aurait du soleil. » Ou bien : « Allons quelque part où il n'y aura pas de nuages. » Si le Duc était présent et rappelait que c'était impossible parce que quelqu'un venait dîner, Jimmy était capable de répondre : « Très bien. Préparons-lui un dîner merveilleux, mais n'y assistons pas. »

La Duchesse aimait beaucoup cela. C'était splendide d'être spectatrice et de ne plus être actrice. Et puis, elle découvrit que Jimmy et elle s'électrisaient l'un l'autre. Ils possédaient tous les deux le même genre de caractère, de gaieté, d'imagination.

Il était encore plus épris qu'elle de perfection. Elle assortissait la couleur de ses ronds de table et de sa porcelaine à celle de ses fleurs coupées, mais Jimmy faisait pousser des fleurs qui s'harmonisaient avec les couleurs des pièces où elles paraîtraient. Wallis collectionnait du Meissen, mais Jimmy payait 17 000 dollars une seule pièce et il s'y connaissait mieux qu'elle.

Non seulement Donahue était un interlocuteur débordant d'esprit, mais il parlait couramment une demi-douzaine de langues. Il pouvait aussi bien jouer au piano toute la partition de la *Tosca* que la chanter en français. En dépit de son image de play-boy — qu'il méritait — ses amis le savaient sérieux et fidèle. Il était presque toujours plein d'entrain, mais quelques personnes connaissaient sa morosité profonde parce qu'il se croyait aimé uniquement pour son argent. Depuis qu'il siégeait au haut de l'échelle sociale, il n'était guère impressionné par l'épate. Il « adorait » la Duchesse parce qu'elle était extrêmement « naturelle ».

Jimmy était aussi un cavalier de tout repos : il était homosexuel.

Pas secrètement. Et pas non plus ouvertement. Il ne le criait pas sur les toits. Il ne faisait pas de grâces, il ne minaudait pas. Mais c'était vrai. Tout le monde dans leur groupe le savait. Cependant, Donahue aimait aussi la compagnie des jolies femmes.

Elle se sentit flattée par ses attentions. Il ne lui envoyait pas une douzaine de roses, mais cinq douzaines. Pour lui donner la sérénade à dîner, il n'engageait pas un violoniste, mais tout un orchestre qui les suivait partout où ils allaient. Il était prodigue dans ses cadeaux. Un jour où ils visitèrent un musée et où elle admira un tableau, on entendit Jimmy lui dire : « Vous l'achèterai-je pour Noël? » Elle se contenta de rire et de répondre : « Je préférerais avoir tous les magasins Woolworth de Boston [17]. »

Des amis trouvèrent que Donahue jouait le refrain de la chanson « J'ai dansé avec le garçon qui a dansé avec la fille qui a dansé avec le Prince de Galles. » Dans ce sens-là, on aurait pu évoquer la conquête de Lady Furness par Ali Khan. Mais d'autres, qui connaissaient bien Donahue, affirmèrent qu'il s'agissait de tout autre chose. Certes, il se sentait hissé sur le destrier de l'Histoire sous les projecteurs du monde; mais Wallis l'avait capturé de la même manière que bien d'autres par son charme attentionné.

James Donahue avait ses besoins personnels. Ses 15 millions de dollars et le nom de Woolworth lui donnaient ses entrées partout, mais son homosexualité le traumatisait. Cela expliquait en partie qu'il se fût jadis exhibé avec des danseuses à grand renfort de publicité. Un ami commun soutint même qu'il était mixte. Wallis lui témoigna de la compréhension, sensible et affectueuse; peut-être l'aida-t-elle aussi à avoir plus d'assurance. S'il voulait se sentir plus viril, peut-être réussit-elle à lui en procurer l'impression. C'était un art qu'elle avait beaucoup pratiqué.

Quoi qu'il en fût, Jimmy Donahue ne tarda pas à devenir plus qu'un cavalier : il faisait presque partie de la famille. Les maîtresses de maison comprirent vite que, lorsqu'elles invitaient le Duc et la Duchesse, elles devaient également inviter Donahue. Elsa Maxwell affirma plus tard qu'elle avait reçu plusieurs télégrammes de la Duchesse dans ce sens.

Des amis observèrent que Donahue manifestait constamment le

plus grand respect à l'égard du Duc. Avec sa prodigalité coutumière, il insistait pour régler les additions ou les factures. Il faisait aussi des cadeaux de prix au Duc, par exemple des boutons de manchettes avec saphirs.

« Le Duc se montra très tolérant, peut-être trop », déclara l'un de ses meilleurs amis. « Il était jaloux même lorsqu'il n'avait nul motif de l'être. Il était jaloux de tous ceux avec lesquels elle partageait un peu de son temps [18]. »

Jimmy et Wallis étaient deux noctambules qui aimaient veiller tard. Il y avait longtemps que Wallis n'avait eu ce genre de compagnie. Quelques années plus tôt, Doc Holden avait rendu visite aux Windsor et il avait passé une bonne partie de la nuit à bavarder dans le salon avec Wallis; le Duc s'était fait un devoir de descendre toutes les demi-heures en robe de chambre. Puisque Jimmy tint compagnie à Wallis pendant des années, il n'est pas facile d'imaginer l'étendue et les limites des sentiments du Duc. Certaines personnes, cependant, assurent que Jimmy plaisait autant au Duc qu'à Wallis.

Au début de cette situation peu banale, la Duchesse alla seule à New York pendant l'hiver de 1950. Le Duc avait des affaires à régler en France au sujet de son livre. La presse s'empressa d'envisager une séparation. N'était-ce pas la première fois qu'ils ne voyageaient pas ensemble, sauf lorsque le Duc faisait un saut en Angleterre? Les journaux utilisèrent le mot « fêlure ». S'agissait-il du commencement de la fin du roman d'amour du siècle? Les reporters de New York remarquèrent que Wallis et Jimmy Donahue ne se quittaient pas. Elsa Maxwell avertit publiquement la Duchesse de l'importance des « apparences » et de la « prudence ». Ce fut la première brèche dans leur amitié.

A une réception chez Mrs. Millicent Hearst, Elsa Maxwell se déguisa en diseuse de bonne aventure. En pénétrant dans la pièce obscurcie, Wallis déclara : « Dites-moi le pire. Je peux le supporter. »

Elsa Maxwell prit un accent étranger pour lui répondre : « Oh, il n'y a pas de pire, Madame, parce que votre mari vous aime. Tout ira bien si vous lui rendez son amour. Sinon, je vois des ennuis. De gros ennui [19]. »

Lorsque le Duc, dix jours plus tard, débarqua à New York, Wallis l'attendait à l'appontement depuis une heure sous un vent glacé. Ils se montrèrent beaucoup plus démonstratifs que de coutume dans la manifestation publique de leur affection : ils s'étreignirent et s'embrassèrent plusieurs fois. Lorsque les journalistes les interrogèrent sur la fameuse « fêlure », ils se regardèrent et éclatèrent de rire.

La Duchesse fut hospitalisée en 1951 pour subir une opération dont la nature ne fut pas révélée. Pendant sa convalescence, elle resta à New York, pendant que le Duc l'attendait chez un ami à Long Island. Elle l'avait poussé à y aller en disant qu'elle savait à quel point il avait envie de jouer au golf. Le médecin retarda le départ de Wallis, et la presse annonça qu'on l'avait vue à des réceptions avec Jimmy. Le Duc devint de plus en plus nerveux. L'un des autres hôtes de son ami l'entendit crier au téléphone : « Et je veux que vous soyez ici vendredi, pas plus tard! » C'était la première fois que le Duc se montrait aussi autoritaire et péremptoire avec la Duchesse.

Le trio semblait inséparable. La mère de Jimmy les reçut tous les trois à Palm Beach. Ils voyagèrent même ensemble en Europe. De temps en temps, ils arrivaient à une soirée et le Duc rentrait seul peu après. Lorsque le Duc était trop fatigué pour sortir, la Duchesse s'efforçait de trouver une amie commune qui lui servît de chaperon avec Jimmy. Un jour, une amie refusa de les accompagner; Wallis en fut indignée.

Ils se trouvaient à New York en février 1952 quand George VI mourut. Le Duc assista seul aux obsèques. L'amertume de la reine Elizabeth était, paraît-il, considérable. Cette royauté non désirée, disait-elle, avait raccourci la vie de son mari. Jamais elle ne le pardonnerait au Duc.

Le Duc ne connaissait que trop les sentiments de sa belle-sœur, et il ne s'en souciait guère. Ce qui le tourmentait, comme toujours, c'était Wallis. Il s'accablait de reproches en raison des nouveaux bruits en circulation dans le public. Il faisait remonter l'origine de leurs problèmes au torrent d'indignités que la famille royale avait déversées sur sa femme. Il se blâmait pour son imprévoyance : il aurait dû tenir bon et régler le statut de Wallis avant son abdication. Il savait cependant que tout pourrait s'arranger facilement. La nouvelle reine Elizabeth avait toujours été sa nièce préférée, et elle avait proclamé publiquement qu'il était son oncle préféré. Elle n'avait qu'à inviter à son couronnement le Duc et la Duchesse de Windsor. Toute l'atmosphère s'éclaircirait aussitôt. Les portes de l' « Establishment » s'ouvriraient. Peut-être même pourraient-ils rentrer en Angleterre, revenir dans le pays auquel il appartenait. Bien sûr, il serait heureux n'importe où, avec Wallis, mais il ne pourrait jamais être complètement heureux loin de sa patrie.

La jeune reine Elizabeth, peu sûre d'elle-même, consulta ses conseillers. Les conseillers consultèrent le gouvernement. Le gouvernement dit non.

Le Duc avait souvent déclaré à Wallis : « Nous ne devons pas aller quelque part où nous ne pourrions pas entrer par la grande porte. »

Alors ils regardèrent le couronnement à la télévision avec un petit groupe d'amis. Ils firent l'un et l'autre des commentaires élogieux sur le maintien et la dignité de la jeune reine. Le Duc remarqua que les rites du couronnement, avec les costumes et les bijoux, convenaient beaucoup mieux à une jeune et jolie femme qu'à un homme. Il insista sur la manière dont la reine était assise, les mains croisées devant elle, dans une attitude d'humilité qu'il était bien difficile à un homme d'assumer.

Mais lorsque la couronne fut posée sur la tête d'Elizabeth II, le Duc se tourna vers sa femme, et il passa une main sur ses yeux — le geste de l'homme qui refoule ses larmes.

Margaret Thompson Biddle trouva qu'ils s'étaient conduits avec une dignité extraordinaire pendant cette retransmission télévisée. « Ce sont deux êtres pleins de grandeur, de générosité, de naturel. »

Leur générosité n'allait cependant pas jusqu'au pardon. « Voudriez-vous voir votre famille si elle refusait de voir votre femme? » demanda le Duc à un journaliste [20].

La reine Mary mourut l'année suivante; il retourna à Londres pour ses funérailles. Il avait eu des mots durs sur son compte, mais il avait toujours été entouré de ses photos ou portraits. Ses parents lui avaient témoigné bien peu de tendresse mais, ce peu, c'était elle qui le lui avait donné. Seulement, elle faisait toujours passer la reine avant la mère, et son devoir avant les sentiments — ce dont son fils fut toujours incapable. Lors de l'abdication, sa sympathie n'alla pas à David, mais à son deuxième fils qui serait roi.

Elle avait fait cadeau à David de ses gènes et de son héritage, mais elle ne lui offrit ni intimité ni tendresse — pas assez en tout cas.

Jimmy Donahue cessa de faire régulièrement partie de l'escorte des Windsor même si son apparition avec eux ne constituait jamais une surprise. Un soir, la Duchesse se rendit seule à un bal travesti organisé par Elsa Maxwell au restaurant des Champs-Elysées à Paris. Jimmy Donahue était déjà arrivé, et ils furent photographiés ensemble. Les journalistes notèrent que la Duchesse ne resta pas longtemps et que Mr. Donahue la raccompagna chez elle. Donahue se retrouva avec les Windsor en 1954 pour une croisière en Méditerranée. Les journaux reparlèrent de lui lorsque des voleurs lui dérobèrent six vestes de sport, un rosaire en or, son passeport et 2 000 dollars en billets de banque.

Les observateurs mondains remarquèrent que les apparitions de Jimmy aux côtés des Windsor se raréfiaient. Lorsqu'il était avec eux, son adoration de la Duchesse semblait toujours aussi intense, et elle paraissait lui témoigner autant d'intérêt. Pourtant, il s'était sûrement passé quelque chose; mais quoi? Leurs amis s'interrogèrent. L'hypothèse la plus probable fut que le Duc avait décidé d'intervenir. Aussitôt, on s'empressa d'inviter les Windsor sans Jimmy. Elsa Maxwell se crut obligée de convoquer un photographe à l'une de ses soirées afin qu'il prît une image du Duc et de la Duchesse dansant ensemble, et souriants.

Donahue avait duré longtemps : près de cinq ans. Tout ce qu'il avait pu représenter aux yeux de la Duchesse cessa d'exister. En dépit de toute sa puissante imagination, Wallis était pragmatique. Elle comprit certainement que la situation était devenue intenable. Le Duc avait beau être galant, compréhensif et extrêmement bien élevé, sa tolérance avait des limites.

Donahue disparut des manchettes de la presse, donna de grosses sommes à des œuvres charitables, à des hôpitaux, au Metropolitan Opera. Il confia à ses meilleurs amis que Wallis lui manquait cruellement, mais il ne mentionna jamais le Duc. Un jour, cependant, il affirma avec une véhémence presque belliqueuse dans un petit cercle que le Duc n'était pas homosexuel. Jimmy et les Windsor se revirent très rarement au cours des années suivantes; il organisa quand même une grande soirée en leur honneur dans sa résidence de Long Island. Il continua à voyager avec son entourage, à affréter impulsivement des avions pour se rendre à l'étranger. Mais ses amis remarquèrent chez lui un abattement croissant. Il parlait souvent de son père qui s'était suicidé. Un soir, on le trouva mort : il avait absorbé une trop forte dose d'alcool et de barbituriques.

Intermède étrange pour le Duc et la Duchesse. Dans la suite ils donnèrent l'impression de l'avoir rayé de leurs souvenirs. Ils ne parlèrent plus jamais de Donahue. Leur existence retrouva son rythme et son style familiers. La fantaisie était passée.

42

« Je sais très bien qu'il y a dans le monde quelques personnes qui espèrent encore que notre mariage se défera. Alors, je leur dis : " N'espérez plus ", parce que David et moi sommes heureux... et que nous continuerons à l'être. »

Au Moulin, quelques années plus tard, Wallis disait à un vieil ami : « Vous pensez que j'ai été sa perte, n'est-ce pas? Pourquoi ne me le dites-vous pas [1]? »

La culpabilité à l'égard l'un de l'autre fut le cauchemar de leur existence. Ils l'ensevelissaient le plus profondément possible, mais il refaisait souvent surface pendant les périodes de tension. Et cependant, quand on leur demanda comment ils aimeraient passer le restant de leurs jours, le Duc s'empressa de répondre : « Ensemble. »

Chaque fois qu'on lui posait la sempiternelle question : « Avez-vous regretté d'avoir abdiqué? », il répondait toujours : « Pas une seconde. »

C'est difficile à croire. Mais il est vrai que nul ami du Duc ne se rappelle l'avoir entendu exprimer des regrets. Il avait été éduqué, ne l'oublions pas, à refouler des sentiments auxquels d'autres auraient donné libre cours. Assurément il y eut, dans leur existence de loisirs et d'élégance, de longs passages à vide avec une impression de temps perdu. Wallis avait eu la tâche de remplacer l'Empire britannique, les rendez-vous urgents, les boîtes de dépêches en cuir rouge qui arrivaient par courrier spécial. C'était un travail herculéen et elle y avait excellé. Elle lui avait présenté la confortable coquille extérieure de la vie dans un cadre d'habitudes rassurantes.

« Je ne me suis jamais ennuyé un seul instant avec la Duchesse », proclamait-il souvent [2].

Ils savaient que le monde entier enviait ce qu'ils avaient fait et ce qu'ils possédaient, que certaines personnes avaient même prié pour l'échec de leur mariage. Il y avait là de quoi les attacher encore plus solidement l'un à l'autre.

Etta Wanger, plus jeune d'une génération, dit un jour à la Duchesse que son mari Harry était non seulement son amant mais son ami. « Exactement comme David et moi [3] », répondit Wallis. Dans leur maison, elle pouvait être la puissance et la force; mais le Duc était encore le pivot.

L'exubérante Etta, aussi spontanée que la Duchesse, racontait au Duc une joyeuse blague que Wallis et elle avaient faite à des amies au cours d'un déjeuner, et elle ajouta : « Une comédie formidable! Vous vous seriez cru au Palais [4]. » Elle pensait, évidemment, au Théâtre du Palais à New York. Mais la Duchesse, le Duc et elle-même réalisèrent soudain et en même temps ce qui venait d'être dit, et ils éclatèrent de rire. Un peu plus tard, Wallis ayant appelé son mari Son Altesse Royale, Etta rit de plus belle.

« Qu'y a-t-il de si drôle? » s'enquit la Duchesse.

« Oh, c'est ainsi que ma mère appelait mon père quand il rechignait pour sortir les poubelles. »

Le rire de Wallis fut aussi sonore que celui d'Etta. « Moi aussi, j'ai parfois des difficultés à lui faire faire certaines choses [5] », dit-elle.

Un souvenir d'Etta caractérise assez bien le ton dominant de la vie des Windsor à l'époque. Dans le petit salon qui séparait leurs deux chambres à coucher, il y avait un juke-box miniature que leur avait offert un ami. Ils ne l'avaient jamais fait marcher, car ils ignoraient son mode d'emploi. Etta apporta des disques et réussit à le faire fonctionner. Le premier disque était une chanson; la Duchesse et Etta improvisèrent une danse; le Duc sortit de sa chambre en peignoir de bains.

« J'espérais que vous apparaîtriez en Douglas Fairbanks Jr. », lui lança Etta en continuant de danser avec Wallis.

Le Duc rentra dans sa chambre pour revenir, quelques instants plus tard, en imitant Douglas Fairbanks Jr. [6], puis il se mit à danser avec chacune d'elles à tour de rôle.

« Ils s'aimaient vraiment beaucoup », commenta Etta ultérieurement. « Ce fut un très bon mariage [7]. »

« J'ai une responsabilité, une grande responsabilité », confia la Duchesse à une amie. « Il faut que je lui donne vingt-quatre heures de ma journée à cause de ce qu'il a abandonné pour moi [8]. »

« J'ai eu besoin d'elle pendant toutes ces années », disait le Duc. « Je l'aime et j'ai besoin d'elle maintenant. Je l'aimerai toujours et j'aurai toujours besoin d'elle [9]. »

Lorsqu'ils atteignirent la soixantaine vers 1955, quelques amis pensèrent que Wallis freinerait l'allure et que le Duc chausserait ses pantoufles de velours brodées à ses initiales. Il n'aurait sans doute pas demandé mieux, mais la Duchesse « était toujours si gaie, si gaie, et elle ne voulait jamais s'arrêter ».

Apparemment, il n'y avait plus de groupe de Paris, plus de groupe de New York, plus de groupe de Newport, mais un groupe international qui se déplaçait d'un lieu à un autre selon les saisons et le soleil.

Wallis ne faisait pas totalement partie du groupe « swing », bien qu'elle déployât beaucoup d'efforts. Elle se maintenait à la page pour les styles, la musique, la danse, les potins, les livres. Elle possédait plus de dynamisme que beaucoup de femmes plus jeunes, et sa beauté démentait son âge. Si quelqu'un triompha des ans, ce fut bien elle. Peut-être le montra-t-elle mieux à Palm Beach qu'à Paris parce qu'elle se sentait subitement libérée de la gourme officielle. La frénésie n'entrait dans le tableau que parce qu'elle était sexagénaire. La difficulté d'être « swing » provenait aussi du fait que son rang la situait au-dessus et au-delà du groupe international. Lorsqu'elle arrivait à Palm Beach à la fin de la saison, sa présence ne faisait que prolonger celle-ci.

Elle connaissait son pouvoir mondain; elle l'aimait et elle s'en servait. A Palm Beach, Wallis était Son Altesse Royale. En dépit de toutes ses protestations, elle attachait beaucoup d'importance à ce titre. Lorsqu'une femme du monde ordinaire se déchaîne à une soirée, c'est amusant mais, lorsqu'il s'agit d'une Altesse Royale, l'effet produit est électrisant.

A une réception de Palm Beach, une pluie diluvienne s'abattit sur le toit en plastique qui recouvrait la cour et le déchira. L'orchestre et les invités, trempés et penauds, se réfugièrent sur les côtés. La Duchesse sauva la situation en montant chez elle pour se changer, passer une robe noire, piquer une rose dans ses cheveux, et redescendre pour exécuter un « étourdissant numéro de flamenco ».

Le Duc aussi aimait beaucoup se déchaîner. La Duchesse lui dit de ne pas danser le twist en public parce que ce ne serait pas digne de lui et que, de plus, il avait le dos fragile. Mais lors d'une autre réception à Palm Beach, il se sentit l'âme très « swing » et il entraîna Susie Gardner : « Venez. Allons derrière un pilier afin que la Duchesse ne nous voie pas [10]. » Plus tard, il déclara avec nostalgie que, dès qu'il avait appris à danser le twist, « le twist était passé de mode! »

La famille royale se décida enfin à faire un geste à l'occasion de l'inauguration d'une plaque à la mémoire de la reine Mary. Il ne s'agissait pas d'un mariage royal ni d'un couronnement où l'absence du Duc pouvait s'expliquer. La famille royale et l' « Establishment » n'avaient pas le choix. La présence du Duc était indispensable pour cette inauguration; autrement le gouvernement risquait de provoquer une réaction de colère dans l'opinion. Etant donné qu'il ne voudrait pas venir sans sa femme, ils durent inviter Wallis. Ce fut la première invitation du palais envoyée directement à la Duchesse, sa première reconnaissance officielle par la famille royale après trente ans d'ostracisme. Par une ironie du destin, la reine Mary était devenue le catalyseur de l'indulgence officielle pour le Duc, alors qu'elle avait été la plus impitoyable.

Une photographie de groupe commémora l'événement. L'heure n'était ni aux sourires ni au triomphe. La cérémonie fut simple et les Windsor ne s'attardèrent pas à Londres. Selon le *Burke's Peerage,* vingt-neuf autres duchesses passaient encore avant la Duchesse de Windsor.

Pour les obsèques de la reine Mary, l'*Express* avait écrit dans un éditorial : « C'est l'ardent désir de la nation que le Duc s'établisse ici, dans le pays où il est né [11]. » Il avait effectué plusieurs douzaines de brefs voyages en Angleterre; la Duchesse ne l'avait accompagné que six fois. La reine Elizabeth II avait déjeuné deux fois seule avec lui, et pris une fois le thé en sa compagnie. Le même *Express* si bien disposé ajouta ultérieurement : « On ne lui permet jamais de se sentir ici chez lui. On ne lui tend que rarement la main pour lui souhaiter la bienvenue. Il y a longtemps que les passions se sont éteintes dans l'opinion publique — mais sans doute brûlent-elles encore dans le petit monde des pompes et du protocole. » Une organisation, les Octaviens, avait vainement plaidé la cause du Duc pendant des années en demandant que le Duc soit invité à rentrer, en reconnaissance de ses services passés, et que la Duchesse ne soit pas « reléguée à l'arrière-plan ».

Malgré tous les efforts des amis et malgré les nouvelles dispositions d'esprit, l'invitation ne fut jamais envoyée.

L'attitude de la famille royale se refroidit de nouveau. Elle comptait toujours que les Windsor quitteraient discrètement Paris quand la reine s'y rendrait en visite officielle, ce qu'elle fit en 1957. Les Windsor devaient revenir chez eux à cette époque-là, mais ils prolongèrent leur séjour aux Etats-Unis « pour éviter de causer à la reine le moindre embarras ».

Le Duc ne se remit jamais de son exil. En bavardant avec un ami qui venait d'Angleterre, il lui demanda si un vieux chêne était toujours debout dans le parc de Windsor. L'ami fut déconcerté : il y avait tant d'arbres dans le parc de Windsor! A tout hasard il répondit que le vieux chêne vivait encore. Le Duc poussa un soupir de soulagement, puis il raconta à son visiteur qu'il avait bien souvent joué et pique-niqué sous ses feuillages. La France avait été officiellement généreuse, convenablement discrète et protectrice; mais les Windsor, en dépit des longues années qu'ils y avaient passées, se sentaient toujours des étrangers. Comment auraient-ils pu s'assimiler à un pays dont ils ne comprenaient pas assez la langue pour rire à ses bons mots?

A l'une des résidences qu'ils avaient louée, le Duc alla se présenter au jardinier et lui dit en français : « C'est moi qui suis le Duc de Windsor. » Réponse du jardinier : « Je m'excuse, je ne comprends pas l'anglais [12]. » Le Duc aimait bien raconter cette histoire. Quant à la Duchesse, elle avait ses propres problèmes avec son « français de cuisine ». Elle les appelait ses « problèmes de sexe » parce qu'elle confondait souvent les genres masculins et féminins des substantifs.

Ils n'avaient guère d'amis français. Le gratin de l'aristocratie française les avait ignorés longtemps. Les Windsor n'oublièrent jamais l'affront. Un ami leur demanda un jour : « Si la France vous déplaît à ce point, pourquoi y restez-vous? Même si vous ne pouvez pas rentrer en Angleterre, pourquoi n'iriez-vous pas vous installer aux Etats-Unis? »

« Impossible », grommela le Duc. « Les impôts [13]. »

Les Windsor figuraient parmi les rares personnes dans le monde qui ne payaient pas d'impôts à un gouvernement. Leur allocation royale était dégrevée de taxes en Angleterre, et la France leur accordait le statut diplomatique qui les exemptait totalement d'impôts. Bien que la Duchesse fût Américaine, elle était aussi par son mariage une citoyenne anglaise vivant à l'étranger, et elle échappait pareillement au fisc.

Ils restèrent donc des nomades royaux, et leurs vieux amis se raréfièrent car ils avaient atteint l'âge des funérailles. Robert Young, leur hôte de Palm Beach, se suicida. Lord Dudley mourut, et ils ne retournèrent à Nassau que pour le voir vivre ses dernières heures. Le Duc alla à Londres pour assister au service funèbre de Fruity Metcalfe, qui avait été son témoin à leur mariage. Wallis apprit qu'Ernest Simpson agonisait à Londres; elle lui envoya un bouquet de chrysanthèmes jaune et ambre avec une carte sans en-tête : « De la part de la Duchesse de Windsor. »

Le Duc ne buvait jamais d'alcool avant sept heures du soir. Mais il lui arrivait de rattraper le temps perdu. Au cours d'une traversée de l'Océan, il avait beaucoup trop bu et les marches entre les ponts lui causèrent de sérieuses difficultés. Une passagère l'aperçut et se précipita à son secours. La Duchesse la retint par le bras. « Ne l'aidez pas », dit-elle. « Comment? » s'étonna la passagère; « il va tomber ». Le visage de la Duchesse était tendu; elle répondit : « Non, il se débrouillera. Ne l'aidez pas [14]! » Alors la passagère comprit. L'orgueil du Duc aurait trop souffert si une femme avait volé à son secours.

Son orgueil. Wallis en avait mesuré la profondeur, ainsi que l'étendue de ses points faibles. Elle pouvait être son ancre, son rempart, et elle l'était, mais elle ne pouvait pas constamment siéger au centre de son âme. Elle pouvait lui dire ce qu'il devait faire, et il le faisait; et cependant il fallait lui laisser mener à sa guise une partie de sa vie intérieure à l'intérieur de ses propres limites. Même dans un monde de frivolité vulgaire, il avait besoin d'avoir son sentiment personnel d'intégrité, son propre petit secteur où il décidait et agissait. Dans le cas contraire, il ne serait plus que l'ombre de lui-même, ou le vassal de Wallis, et cela démolirait l'équilibre fragile qui existait entre eux.

En 1964, les médecins découvrirent que le Duc était atteint d'un anévrisme, autrement dit d'une tumeur qui avait la taille d'un petit melon, sur une artère, et qui menaçait de se rompre et de le tuer. Il fallait couper la région enflée et la remplacer par une dizaine de centimètres de tuyau en dacron. Le chirurgien spécialiste était le Dr. Michael DeBakey, et ils allèrent à Houston. Avant de pénétrer dans la salle d'opérations, il embrassa Wallis. Beaucoup de leurs amis dont Marlène Dietrich reprochèrent à la Duchesse de lui avoir fait accomplir le voyage par le train et non par l'avion. Personne ne connaissait mieux que le Duc la peur anormale de sa femme vis-à-vis des avions, et la décision avait été prise par lui autant que par la Duchesse. Ils rentrèrent par la voie des airs; Wallis demeura silencieuse et figée jusqu'à ce que le Duc se penchât vers elle et murmurât : « Laissons le pilote faire son métier. »

Winston Churchill mourut en 1965, alors que le Duc s'embarquait pour l'Angleterre. Ces derniers temps, leur amitié s'était relâchée. Un peu plus tôt, un ami avait informé le Duc que l'état de santé de Churchill s'aggravait, et le Duc avait répondu : « Il a quatre-vingt-sept ans, n'est-ce pas? Je ne l'ai pas revu depuis plusieurs années [15]. »

Certains critiquèrent le Duc parce qu'il n'avait pas pris l'avion pour assister aux obsèques de Churchill. Mais la Duchesse était toujours allergique à l'avion, et il ne voulut pas qu'elle fît la traversée de l'Atlantique sans lui. Comme toujours, les questions protocolaires subsistaient, et leur présence aurait embarrassé la famille royale. Et puis, la réconciliation de Churchill avec le Duc avait été davantage un rapetassage qu'une clémence du cœur. Chacun gardait son résidu personnel d'irritation au sujet de ce que l'autre avait fait autrefois. Le dernier souvenir de la Duchesse au sujet de Winston Churchill se situait au casino de Monte-Carlo; il lui avait dit : « Il vaut mieux que vous ne vous asseyiez pas à côté de moi ce soir : je ne suis pas en veine. »

Les séjours du Duc dans des hôpitaux se multiplièrent. Les effets de l'âge se firent vite sentir après ses soixante-dix ans. Il fut opéré trois fois à Londres pour un décollement de rétine. La jeune reine alla le voir à l'hôpital après l'une de ces opérations. Chaque fois que le Duc était hospitalisé, la Duchesse dormait toujours dans une chambre adjacente afin d'être constamment auprès de lui. Toujours affamée de journaux, elle en lisait au moins six par jour : publications anglaises, américaines, françaises. Elle les lisait à fond, puis elle lui résumait fidèlement la tournure des événements dans le monde. « Voici les nouvelles », disait-elle. Un ami présent remarqua que son résumé était parfaitement complet. Le Duc intervenait alors pour expliquer l'importance de certains entrefilets. Précédemment, il lui avait fait des lectures de journaux, de magazines et de livres. Il avait une mémoire ainsi faite qu'il était capable de se rappeler tous les présidents de la République française dans leur ordre chronologique. Il utilisait cette mémoire solide pour parfaire ses lectures. Il fut très étonné parce que leur amie, la duchesse de Polignac, ne parvenait pas à se rappeler le nom du président de la République qui était tombé d'un train et qui avait couru en pyjama le long de la voie ferrée.

La Duchesse avait conservé une santé extraordinaire. Elle avait été opérée de l'appendicite; elle s'était fait ôter une cicatrice au visage; son ulcère à l'estomac la laissait généralement tranquille; une sérieuse intervention chirurgicale pour un cancer avait pleinement réussi.

Dieu sait comment, elle avait gardé un physique qui semblait défier les années. On murmura qu'elle s'était fait rajeunir le visage. Une amie, pour la convaincre d'en passer par là, aurait usé de cet argument : « Vous vous donnez beaucoup de mal pour vos toilettes. Vous avez votre coiffeur personnel. Vous vous efforcez de paraître toujours à votre avantage. Vous ne songeriez pas à sortir avec une robe chiffonnée. Quelle différence si vous usiez de chirurgie esthétique [16]? »

La Duchesse a démenti qu'elle ait eu recours à cet artifice, et ce démenti a été confirmé par le Dr. Erno Laszlo qui veille sur sa peau depuis vingt-cinq ans. Laszlo, qui compte Greta Garbo parmi ses clientes, croit fermement au traitement par le savon et l'eau, mais son savon coûte dix dollars le pain. Si l'on en croit ceux qui ont interrogé la masseuse de la Duchesse, la peau de Wallis, même à soixante-dix-sept ans, était incroyablement belle, blanche et délicate.

Le monde suivait encore les Windsor où ils allaient, mais les titres des journaux se faisaient plus discrets. Leurs noms restèrent cependant les plus demandés pour figurer au programme des bals de charité. Qu'ils fussent à Biarritz ou à Baden-Baden, à Palm Beach ou à Newport, à New York ou à la Nouvelle-Orléans, leur présence attirait automatiquement la foule à n'importe quelle réception. A La Nouvelle-Orléans pour le Mardi-gras, la Duchesse fit la révérence et le Duc s'inclina très bas devant le roi et la reine du carnaval. Un observateur s'extasia : « Ils ont de la classe [17]! » La photo devint l'illustration de la semaine dans la revue *Life*, mais Wallis ne s'intéressa qu'à une chose : « La verra-t-on en Angleterre [18]? »

Peu à peu ils observèrent certaines haltes dans leur pèlerinage annuel, pour jouir d'un soleil à peu près permanent. Ils avaient toujours été enchantés par l'Espagne. Ils connaissaient bien la famille de Franco, et le Duc était souvent allé chasser avec le Caudillo. Ils possédaient aussi de nombreux amis dans l'aristocratie espagnole. Là, la vie était simple et sans contraintes. Ils achetèrent un terrain d'un hectare et demi à Marbella, station à la mode sur le littoral sud, et ils décidèrent d'y faire bâtir une maison sans chambres d'amis. Wallis engagea un architecte roumain qu'elle avait connu en Chine et qui habitait alors en Tunisie, à Hammamet.

Le problème pour Marbella, était le temps pour s'y rendre. Wallis détestait encore l'avion, et le voyage par le train à partir de Paris demandait trois jours fatigants. En outre, ils éprouvaient des difficultés à s'adapter aux heures tardives du dîner en Espagne et ils ne voulaient pas imposer leurs propres habitudes à leurs amis. Finalement, ils renoncèrent à leur projet.

Il n'était que trop naturel que leur incroyable entente au cours de tant d'années de vie commune fût traversée de quelques orages. Le Duc était prompt à s'emporter, mais Wallis ne fut presque jamais victime de son irascibilité. La Duchesse était réputée pour son sang-froid et la maîtrise de ses nerfs, et ses explosions de colère furent rares. Mais il y eut des exceptions. A l'heure du thé il s'asseyait toujours devant sa propre table pour boire une grande tasse de thé au lait avec des biscuits. En prenant de l'âge, ses mains se mirent à trembler. « Attention, chéri, ne renversez pas votre thé », lui disait-elle. Un jour où un chien heurta la table du Duc et que sa tasse se renversa, la Duchesse se fâcha. « Regardez ce que vous avez fait [19]! » Il s'excusa humblement, accusa le chien. Un autre jour, alors qu'elle était occupée et qu'il vint chez elle avec sa tasse de thé, elle le renvoya sans ménagement : « Allez boire votre thé dans l'autre pièce [20]. »

Au cours d'un séjour chez des amis, la Duchesse s'irrita tellement contre le Duc qu'elle sortit en claquant la porte et courut vers l'ascenseur. L'ami qui était leur hôte se précipita pour apaiser sa colère. Au moment où il la rattrapa, elle pivota sur ses talons et lui administra un vigoureux coup de poing dans l'estomac. Puis, le reconnaissant, elle s'excusa : « Oh pardon, Charles! Je croyais que c'était le Duc [21]. »

Ils présentèrent une image publique plus conforme à leur légende lors de la première d'un film sur la vie du Duc, *Histoire d'un roi.* Jack Le Vien, le producteur, se rappelle le tournage de la scène où la Duchesse déclare que le Duc « est le célibataire le plus désirable de toute l'histoire des hommes ».

« Le Duc était assis à côté d'elle et, lorsqu'elle prononça cette phrase, il baissa timidement la tête [22]. »

Lorsque le Duc enregistra son discours d'abdication, il y avait une douzaine de techniciens sur le plateau, ainsi que la Duchesse. Avant qu'il eût fini, Le Vien remarqua que tout le monde sur le plateau, dont la Duchesse, essuyait des larmes. « A ce moment-là, il avait l'air plus royal que jamais », dit Le Vien [23].

Un bref moment il ne fut plus le doux époux; il était redevenu le roi. Après la scène de l'abdication, les Windsor en discutèrent comme ils l'avaient rarement fait.

« Mais j'avais déjà pris ma décision avant votre départ », lui dit-il.

« Je l'ignorais », répondit-elle. « Vous ne me l'aviez pas dit. »

« Je ne l'avais dit à personne », déclara-t-il avec une note de triomphe dans la voix. « Mais je le savais, là-dedans. » Et il porta un doigt à sa tête [24].

Histoire d'un roi était un film très émouvant, qui évoquait l'époque autant que le héros. Au soir de la première, le Duc embrassa tendrement sa femme et dit à Le Vien : « Jack, j'ai pleuré du début à la fin! » Avec calme, la Duchesse commenta : « Vous voyez tout ce à quoi il a renoncé [25]. »

« J'ai renoncé à bien peu à côté de ce que j'ai reçu », répondit-il [26].

Un technicien qui avait collaboré au film rapporta plus tard qu'une séquence avait été retirée. Elle représentait la maison délabrée de Pennsylvanie où la Duchesse était née. C'était la Duchesse qui avait demandé cette coupure. Le film était à la gloire du Duc, et elle n'y voulait rien qui pût l'humilier.

Quelques membres de sa famille reprochèrent à Wallis son comportement à la fin de la vie de tante Bessie. Cette chère tante Bessie allait être centenaire et la famille organisa une fête d'anniversaire. Bessie avait été la seconde mère de Wallis, et la seule confidente sur laquelle Wallis pouvait toujours compter. Wallis prit ses dispositions pour payer le champagne et le gâteau d'anniversaire, mais elle ne se dérangea pas. Le gâteau avait cent bougies, et les photographes voulurent immortaliser l'événement. Toujours aussi primesautière, tante Bessie leur dit : « Que voulez-vous que je fasse? Que je sorte et que je grimpe à un arbre? Je serai ravie de le faire. »

Quelques mois plus tard, tante Bessie mourut. Wallis se trouvait à New York, dans un hôpital où on devait lui enlever un oignon; elle délégua le Duc pour la représenter à l'enterrement et téléphona à une cousine : « Je vous en prie, occupez-vous du Duc parce qu'il n'est pas habitué à être seul avec la famille [27]. » Certains de ses parents la critiquèrent pour n'être pas allée voir sa tante moribonde avant son opération au pied. Ils constatèrent aussi qu'une autre cousine était venue aux obsèques alors que, la veille, elle avait fait une chute et s'était fracturé la clavicule. Ils murmurèrent que la Duchesse aurait pu retarder l'intervention chirurgicale ou s'appuyer sur une canne.

C'était une affaire de famille et la presse n'en souffla mot. Mais la Duchesse n'en porta pas moins une nouvelle croix.

Le Duc prit place dans le cortège funèbre, avec la cousine Corinne et sa servante dans une limousine de l'ambassade de Grande-Bretagne. Le Duc s'assit sur un strapontin. Il faisait froid, et la grosse cousine Corinne informa le Duc de la nécessité où elle se trouvait de s'arrêter à la prochaine station-service. Le Duc transmit le message au chauffeur qui lui répondit qu'ils roulaient sur une nouvelle autoroute et qu'il n'y avait pas de stations-services sur le parcours. La cousine Corinne ne dit rien mais son visage rébarbatif ne se dérida pas pendant quelque temps. Elle demanda au Duc à qui appartenait la voiture. Le Duc expliqua qu'elle appartenait à l'ambassade de Grande-Bretagne. « Très bien », dit la cousine Corinne. « Si vous n'ordonnez pas au chauffeur de s'arrêter immédiatement, l'ambassade de Grande-Bretagne regrettera fort ce qui va arriver aux si jolis coussins de sa voiture [28]. » Le Duc avertit le chauffeur de cette menace, et le chauffeur consentit à stopper. Aucun arbre, pas le moindre buisson. Heureusement, la servante de

Corinne était deux fois plus forte que sa maîtresse et elle la protégea contre les regards indiscrets du cortège funèbre qui s'était arrêté derrière eux.

Le Duc ne s'en avisa peut-être pas, mais cet incident aurait enchanté tante Bessie. Il avait éprouvé une vive affection pour elle. Comme Wallis, elle était un être très réel dans son monde irréel. Ce monde-là prenait des formes qui, maintenant, lui paraissaient plus étrangères que jamais. Des jupes plus courtes, des explosions de violence plus fréquentes, des haines de plus en plus affreuses, les jeunes qui devenaient incompréhensibles, les bonnes manières et la dignité en voie de disparition...

Ce que Wallis et lui avaient réussi au fil des années était vraiment exceptionnel. Aucun mariage n'avait suscité plus d'opposition ou plus d'envie, et cependant ils avaient su préserver la solidité et la fraîcheur de ses débuts. Ils étaient arrivés à l'époque où ils s'étaient presque fondus en un seul être humain. L'énergie de Wallis avait accru la vitalité du Duc. Ils avaient les mêmes goûts pour les gens et les choses. Et puis ils pouvaient maintenant se comprendre sans recourir aux mots. Un battement de cil, l'ombre d'un sourire, un chuchotement leur parlait davantage que dix volumes.

Clare Boothe Luce discutait de politique étrangère avec le Duc à Paris quand il prit soudain sur un plat d'argent une poignée d'amandes et se mit à les peler tout en continuant de parler. Lorsque toutes les amandes furent pelées, il fit signe à un maître d'hôtel et lui commanda de porter le plat à la Duchesse. Devant l'air surpris de Mrs. Luce, il expliqua : « La Duchesse aime beaucoup les amandes fraîches, mais elle s'abîme les ongles en les pelant [29]. » Quand le maître d'hôtel présenta de la part du Duc le plat d'amandes, la Duchesse dédia à son mari un joyeux sourire reconnaissant.

Le secret de son mariage était qu'il eut toujours l'impression d'être un jeune homme amoureux d'une jeune fille.

Des enfants auraient-ils changé quelque chose? Peut-être. Il aurait pu être jaloux d'eux, comme il était jaloux de quiconque accaparait trop le temps de sa femme — sauf de leurs chiens.

Derrière le jardin du Moulin, il y avait plusieurs petites pierres blanches : les tombeaux de leurs chiens. Pendant longtemps ils avaient eu des terriers à poil dur qu'ils appelaient « petits gangsters ». Un ami donna à Wallis un carlin tirant sur le roux. « Les carlins », lui dit-il, « sont toujours les animaux favoris des rois ». Ils en eurent bientôt cinq. Le Duc et la Duchesse les nourrissaient eux-mêmes pour leur faire suivre un régime qui ne les engraisserait pas.

Quand elle dînait au célèbre restaurant La Grenouille à New York, la Duchesse ne dédaignait pas de ramener au Waldorf les restes de son steak dans un petit sac. Un jour, la presse raconta qu'elle avait passé son après-midi à Palm Beach à acheter des bijoux pour un million de dollars; en souriant, la Duchesse répliqua qu'elle était effectivement allée faire des emplettes, mais afin d'acheter des aliments pour leurs chiens. En dernière analyse, ses chiens lui importaient plus que ses bijoux.

Wallis se rendit à une exposition canine à Londres. « Le Duc a été épouvanté quand il a su que je venais ici », confia-t-elle à une amie. « Comme il connaît ma passion pour les carlins, il a eu très peur que j'en achète toute une maisonnée [30]. »

« Elle eut envie d'acheter une femelle, mais je lui ai conseillé de n'en rien faire », raconta Stanley Dangerfield. « Elle s'est rangée à mon avis. Elle m'a dit : “ Je suppose que cela ne serait pas très raisonnable de donner des émotions fortes à mes vieux garçons [31] ”. » Ils parlaient de leurs carlins comme s'ils étaient des enfants, et ils les aimaient autant. L'une des photos les plus typiques du Duc et de la Duchesse pendant leurs voyages annuels les représente portant chacun un carlin sous le bras. Lorsque l'un d'eux mourait, ils prenaient le deuil.

Le seul exercice physique que pratiqua jamais Wallis fut de promener ses chiens au Bois. « Je suis très paresseuse », expliquait-elle. Elle prétendait qu'en dehors de cette marche, le seul exercice physique auquel elle se livrait était « de déplacer le cendrier d'un centimètre ».

Un jour, un carlin décida subitement de se soulager sur un tapis du Moulin. Le Duc se mit en fureur. De sa voix aiguë, il cria : « Stop! Stop! » En souriant, un ami lui dit : « Vous avez été roi d'Angleterre, mais même un roi ne peut pas empêcher un chien de pisser quand il a commencé [32]. »

Les chiens étaient pour les nerfs de Wallis l'occasion d'une détente, et il lui en fallait une. Elle n'était pas du tout le type de femme capable d'aller sur une plage déserte pour crier, hurler vers la mer, puis de rentrer chez elle soulagée et relaxée. La relaxation était pour elle la chose la plus difficile au monde. Elle était toujours obsédée par le souci de la perfection quand elle sortait : jamais un cheveu déplacé, jamais un pli à ses toilettes. Si elle avait pu laisser ses cheveux voler au vent, ou sa jupe se froisser, ou si elle avait pu crier plus souvent, cela lui aurait fait beaucoup de bien. Au fond, elle était habitée par quantité de frayeurs intimes.

Ainsi elle avait peur d'aller seule quelque part, notamment à New York. Où qu'elle se rendît, des gens la regardaient, et elle se figeait. Dans ces cas-là, elle avait besoin de quelqu'un à qui se cramponner. C'était spécialement vrai dans un ascenseur. Le public n'avait pas oublié, n'oublierait jamais. Wallis dit une fois à une amie avec une envie visible : « Votre mari et vous pouvez aller à Atlantic City chaque fois que vous le désirez et vous amuser beaucoup. Nous, impossible [33]! »

L'un des grands plaisirs du Duc était de pratiquer le golf. Il avait un handicap de 18. Il ne se faisait pas d'illusion sur la médiocrité de son talent, et il disait qu'il était toujours heureux quand il franchissait la barrière des 90, mais que cela ne lui arrivait pas souvent. Il n'était jamais descendu au-dessous d'un 75 à Biarritz.

« Je ne suis pas d'accord avec Bernard Shaw quand il dit que le golf est une merveilleuse promenade gâchée par une petite balle blanche », déclara-t-il. « J'adore frapper cette petite balle blanche. Marcher pour le plaisir de marcher m'assomme. » Il avait une telle passion pour le golf que, d'habitude, la première question qu'il posait en arrivant à Palm Beach était : « Le pro de golf m'attend-il [34]? » Car il lui donnait rendez-vous à l'avance pour ne pas perdre de temps.

Beaucoup de gens affirmaient que le Duc menait une existence vide et dépourvue d'intérêt. La Duchesse finit par se cabrer. Elle déclara que son mari avait été puni « comme un petit garçon qui reçoit une fessée tous les jours de sa vie pour avoir commis une seule faute ». Elle rappela que ses connaissances incomparables et son éducation pour les affaires de l'Etat avaient été tournées en dérision lorsqu'il avait reçu une affectation ridicule pendant la Deuxième Guerre mondiale. Elle reprocha à la famille royale et à l' « Establishment » anglais d'avoir refusé d'utiliser ses nombreux talents en ne lui donnant pas un poste de responsabilité digne de lui.

La première réaction de la presse britannique fut de se hérisser : COMMENT A-T-ELLE OSÉ?

Le député conservateur anglais Charles Curran eut la réplique prompte : « Quel usage a-t-il fait de ces connaissances, de cette éducation, de cette expérience? La réponse est : rien.

« Au lieu d'attendre que l'Angleterre l'emploie, pourquoi ne s'emploie-t-il pas lui-même? Pourquoi s'obstiner à rôder autour du trône qu'il a abandonné?

« Car il aurait pu faire n'importe quoi. Il est riche, en bonne santé, sans enfants. Les soucis d'argent ne pèsent pas plus lourd sur ses épaules que ses soucis de père de famille. Quand il a abdiqué, il était dans la force de l'âge. Il aurait pu mettre son titre dans un tiroir et acquérir les diplômes nécessaires à l'exercice d'une profession. Il aurait pu devenir professeur d'Université, médecin, avocat. Il aurait pu entrer dans les affaires; ou acheter un journal; ou exploiter une ferme; ou s'occuper d'une institution sociale.

« S'il se sentait exilé du pouvoir, il aurait pu chercher à le retrouver de l'autre côté de l'Atlantique. Il aurait pu se faire naturaliser américain et se lancer dans la politique : être candidat au Sénat ou à la mairie de Miami.

« Il aurait pu protéger les arts. Mais alors qu'il aurait pu faire n'importe quoi, il ne s'est consacré à rien. Il a passé un quart de siècle à être la vedette des carnets mondains et à voyager comme une étiquette de valise. »

Curran poursuivit en disant que la vie du Duc était un néant — un néant de luxe doublé de vison. Il n'a ni emploi, ni métier, ni occupations. Il n'est même pas un excentrique. Il mène une existence sans reproche, inoffensive, sans intérêt, inutile.

« Mais la Duchesse se plaint qu'il soit persécuté. C'est un peu comme si elle téléphonait à la Ligue anti-bruit pour se plaindre de la dernière trompette [35]. »

C'était cruel. Mais était-ce la vérité?

En partie. De l'avis de beaucoup, il avait délibérément choisi son genre de vie. Et pourtant!... Son passé, sa dignité lui avaient imposé de sévères limites. L'écho d'une parole de son père vibrait encore dans ses oreilles : « Mon cher enfant, n'oubliez jamais qui vous êtes [36]. » Il n'avait ni le don des sciences ni le don des affaires. Un roi ne peut pas être un vendeur de voitures. Il n'avait été éduqué que pour un seul but et, lorsque l'on a atteint le faîte d'une montagne, on s'aperçoit qu'il n'y a pas beaucoup d'autres montagnes. Curran fait une pétition de principe. Le plus grand blâme incombe au gouvernement qui l'a éduqué et n'a pas su, ou voulu, utiliser cette éducation. Il aurait été un excellent ambassadeur spécial aux Etats-Unis; son pays et lui-même en auraient tiré une égale satisfaction. Il se porta candidat à ce poste — ou à un poste comparable — avec une obstination qui frisait le désespoir. Il voulait travailler. Il voulait servir. Ce fut surtout l' « Establishment » britannique qui décida du genre de vie qu'il mena.

Il s'inclina; que pouvait-il faire d'autre? Et il s'y adapta. Il n'avait rien d'un ambitieux. Il avait beaucoup travaillé, avait consacré les meilleures années de sa vie à servir l'Empire britannique, à se conformer à un programme épuisant de voyages et de cérémonies, et était devenu le Prince de Galles le plus populaire de l'histoire de son pays. Il estimait qu'il avait bien gagné l'argent qu'il possédait. Il estimait qu'il avait mérité des loisirs. Il eut ce qu'il désirait le plus : Wallis. Elle préférait le théâtre du monde; pas lui. Il était parvenu à l'âge des choses simples : le golf et son jardin pouvaient le satisfaire. Ce que d'aucuns appelaient un gaspillage était son plaisir.

D'ordinaire, quand il était mécontent, il se contentait de grommeler. Une fois, cependant, il explosa avec une rare violence. Un ami intime lui demanda s'il projetait de renvoyer au gouvernement anglais ses décorations, ses épées, ses drapeaux et ses plaques. « Je me fiche complètement du gouvernement anglais, s'écria-t-il furieux. Et des Anglais par-dessus le marché! [37] »

Septuagénaire, la Duchesse de Windsor pouvait encore se faire photographier dansant le hully gully et le jerk. Cette femme dont on avait souvent décrit le « sourire menaçant » et la façon dont elle répondait « Pas de commentaires » à des questions indiscrètes s'exprimait à présent plus librement sur divers problèmes. Elle déclara que sa devise était de travailler avec autant d'ardeur que de s'amuser, de rire aussi bruyamment que de pleurer, et de remettre en jeu tout ce que l'on a gagné.

Mais les bals et les réceptions en leur honneur ne diminuaient pas. Le 4 avril 1970, le président et Mrs. Richard Nixon donnèrent une soirée à la Maison-Blanche pour remercier les Windsor de l'hospitalité qu'ils leur avaient accordée à Paris quatre ans plus tôt. Il y avait 106 invités : des membres du Cabinet, des champions de golf, des magnats de l'industrie, des astronautes, des vedettes de cinéma ou de théâtre, des représentants de l'élite sociale. Au menu figuraient un « saumon froid Windsor », mousse de soles et de crevettes moulée en forme d'un écusson royal et entourée de saumon froid, et un dessert aux framboises baptisé « soufflé Duchesse ».

En réponse au toast de Nixon, le Duc déclara : « J'ai eu la bonne fortune qu'une merveilleuse Américaine ait consenti à m'épouser et à me donner trente ans de tendresse, de dévouement et d'amitié, ce que j'ai chéri plus que tout. »

Et c'était vrai. A Palm Beach, Doc Holden avait trois photos de son grand ami : un jeune Prince de Galles, un roi entre deux âges, un portrait récent du Duc — sur lequel le Duc avait écrit : « Les quarante dernières années ont été les meilleures, E. [38]. »

La Duchesse éprouvait le même sentiment. Lorsque quelqu'un la félicita pour l'élévation de pensée avec laquelle le Duc avait parlé d'elle à une soirée, elle répondit : « Vous comprenez maintenant pourquoi je suis tombée amoureuse de lui [39]. »

Plus tard, John Barkham demanda au Duc : « Sir, si vous pouviez tout recommencer, referiez-vous la même chose? » D'une voix ferme et forte, le Duc répondit : Oui, je la referais [40]. »

43

« Je lui disais de fumer moins », expliqua la Duchesse. » Nous avions eu des amis qui étaient morts d'un cancer de la gorge. Il me répondait qu'il s'était mis à fumer beaucoup lorsque, Prince de Galles, il faisait ses tours du monde et prononçait tant de discours. Il était toujours énervé à l'idée de prononcer un discours, et voilà pourquoi il fumait sans arrêt. Il a diminué la dose. Il a commencé à fumer des demi-cigarettes. Mais c'était déjà trop, je suppose [1]. »

Le cancer de la gorge avait été diagnostiqué, mais les médecins se prononcèrent contre une opération. Ils le traitèrent au cobalt, et il y eut une rémission. Ce fut seulement après une intervention chirurgicale pour une hernie, au début de 1972, que les cellules cancéreuses semblèrent se réactiver.

Il fut aussi stoïque devant la mort que devant la vie. Ce qui l'inquiétait le plus était sa femme. Il n'aurait pas voulu que la mort les séparât.

Il avait acheté deux caveaux au cimetière de Green Mount à Baltimore, et certains avancèrent même que la ville leur avait offert de construire un mausolée digne de leur célébrité. Ils avaient décidé de se faire inhumer à Baltimore parce que le Duc craignait que les Anglais ne refusassent d'enterrer sa femme à côté de lui — s'il mourait le premier. Dans sa colère contre ses compatriotes, il estimait aussi que si les Anglais ne voulaient pas recevoir convenablement Wallis de son vivant, ils ne devaient pas la recevoir après sa mort. Le problème souleva de nombreuses discussions dans la famille royale. Elle consentit finalement à ce que le Duc et la Duchesse fussent inhumés en Angleterre dans une propriété de la Couronne. Au lieu du cimetière Saint-George où tant de rois avaient été enterrés, elle choisit Frogmore, dans le domaine du château de Windsor; le terrain jouxtait celui où reposait le duc de Kent, George, son frère préféré. Tout à côté se dressait le mausolée de la reine Victoria et du prince Albert. La question étant ainsi réglée, le Duc renonça à ses caveaux au cimetière de Baltimore *.

La santé de sa femme fut son dernier souci. Depuis longtemps, de bons amis espéraient qu'il mourrait avant elle, puisqu'elle était la plus forte et la plus indépendante des deux. Dans les premiers mois de 1972 en France, le Duc se prépara à son destin. Il connaissait l'amour qu'avait Wallis de la vie, et il lui avait laissé tout ce qu'il fallait pour en profiter : il tenait à ce qu'elle en profitât jusqu'au bout. Même vers sa fin, il se préoccupa davantage de la santé de Wallis que de la sienne propre. Ses douleurs étaient souvent terribles, mais il en parlait peu pour ne pas la peiner. Chaque fois qu'elle était auprès de lui, il reprenait suffisamment de forces pour paraître presque bien. Mais les ravages du mal devinrent de plus en plus visibles. Le signe avant-coureur eut lieu le jour où il renonça à sortir ses chiens.

« Je suis persuadée que la Duchesse ne voulut pas admettre que le Duc se mourait », affirma l'une de ses amies qui séjourna chez elle à cette époque. « Je crois que le choc était trop grand et qu'elle refusa d'en accepter l'idée [2]. »

Comment aurait-elle pu accepter l'idée de la mort du Duc alors qu'il avait été pour elle une raison de vivre aussi péremptoire? Accepter le fait qu'il se mourait, ç'aurait été accepter sa propre agonie. Or, de cela, elle était encore incapable. Elle avait passé toute son existence à se bâtir une façade d'assurance; elle entendait bien la garder intacte.

Il s'agissait de tout autre chose que d'accepter son abdication. L'abdication, elle ne comprit pas. La mort, elle comprenait mais ne voulait pas comprendre. Sa mémoire prenait souvent la tangente, et à présent elle favorisait ses défaillances. Elle ne désirait plus que les bons souvenirs. Et la mort n'était pas belle parce que Wallis voulait obtenir encore davantage de la vie. Elle avait toujours voulu davantage.

Si Wallis semblait refuser d'accepter le fait que son mari allait mourir, la famille royale parut adopter la même attitude. Sam White, le correspondant de l'*Evening Standard* à Paris, en discuta avec un porte-parole du palais de Buckingham qui lui dit : « Vous savez qu'il se meurt, je sais qu'il se meurt, mais NOUS ne savons pas qu'il se meurt [3]. »

Des amis communs multiplièrent les efforts pour qu'intervînt une réconciliation complète entre les Windsor et la famille royale. Ils soulignèrent que se trouverait ainsi exaucé le vœu le plus cher du Duc, et éliminés d'inutiles embarras et malentendus dans la suite. Ce serait un geste simple et généreux, que de reconnaître Wallis comme « Son Altesse Royale ».

La reine Elizabeth II n'avait pas vu son oncle depuis cinq ans. Sa

* Sur les trente-neuf monarques qui ont succédé à Guillaume le Conquérant, cinq seulement sont inhumés en terre étrangère : en France, Guillaume Ier, Henri II, Richard Ier et Jacques II; en Allemagne, George Ier (qui y était né).

visite officielle en France au mois de mai était annoncée depuis longtemps. Il était prévu, comme toujours, que le Duc et la Duchesse s'absenteraient de Paris. Mais lorsque Winston Guest rendit visite au Duc, il comprit qu'il allait mourir. Avant de rentrer à New York, il s'arrêta à Londres pour voir Lord Mountbatten; il lui parla du Duc et le pria de prévenir immédiatement la reine. C'est alors, et alors seulement, que la reine bouscula son programme officiel pour y inclure une visite à son oncle. Vingt minutes après les courses, et juste avant d'assister à une réception. Elle était attendue à un grand bal le soir même.

Le Duc, dans la matinée, se fit faire une transfusion sanguine pour avoir la force de s'habiller et de prendre place sur un fauteuil afin de recevoir sa nièce. Il voulut absolument qu'on retirât de son corps tous les drains pour l'accueillir avec dignité. On ne pouvait pas ôter un tube intraveineux; il le fit recouvrir et le garda. Elle était sa nièce, mais elle était aussi la reine, et c'était une question de bonnes manières, de style, de courage. L'effort fut terrible. Comme il ne pouvait descendre audevant d'elle, ce fut la reine qui monta le voir. Le petit homme mince avait l'air beaucoup plus petit, beaucoup plus mince. Il ne pesait que quarante-quatre kilos. Il eut du mal à parler. Son intelligence et sa mémoire étaient alertes, son maintien impeccable. Il essaya de rendre cette entrevue la moins pénible possible pour sa nièce préférée.

En sortant de sa chambre, la reine dut être frappée par le portrait du Duc dans les robes resplendissantes de l'Ordre de la Jarretière. C'était presque la copie d'un portrait du Duc du temps où il était Prince de Galles, à ceci près que le visage représenté était celui d'un homme de cinquante ans. Exécuté sur l'insistance de la Duchesse, il était le portrait du roi que le Duc aurait pu être. Le prince Philip et le prince Charles avaient accompagné la reine. Wallis remplit son office de maîtresse de maison avec toute la grâce et la dignité qu'on pouvait attendre d'elle. Il n'y eut pas de persiflage ni de paroles mesquines ce jour-là. L'atmosphère était à la courtoisie et à la décence.

Ni la reine ni la Duchesse ne rapportèrent la substance de leur brève conversation. A la grille d'entrée, cependant, un photographe prit une image de la Duchesse faisant sa révérence à la reine et s'efforçant vaillamment de lui sourire.

Sitôt après le départ de la reine, le Duc fut promptement remis au lit, qu'il ne quitta plus. La Duchesse s'installa alors pour la nuit dans le petit salon qui séparait leurs chambres afin de pouvoir toujours accourir à un appel.

Il n'était pas possible de savoir combien de temps survivrait le Duc. Susie Gardner, qui n'avait jamais quitté Wallis depuis l'aggravation de son état, dut finalement regagner les U.S.A. et elle dit au revoir à son vieil ami.

« Pardon, Susie », lui dit-il, « pardonnez-moi d'avoir été malade pendant que vous étiez ici. J'attends toujours vos visites avec tant de plaisir ».

« J'ai pleuré sans arrêt en avion durant tout le vol de retour ». avoua Mrs. Arthur Gardner [4].

La Duchesse ne quitta pratiquement plus la chambre de son mari.

Quarante-huit heures après, il mourut.

Conformément aux dispositions arrêtées antérieurement, l'annonce publique du décès fut faite par le palais de Buckingham.

« Nous apprenons avec un profond regret que Son Altesse Royale le Duc de Windsor est décédé chez lui à Paris, dimanche 28 mai 1972 à deux heures vingt-cinq du matin. »

La Duchesse passa par un état que l'on pourrait qualifier d'hébétude contrôlée. Elle ne pleura pas. Quelqu'un dit qu'elle resta assise comme si elle avait reçu un grand coup sur la tête. Elle semblait refuser d'accepter l'idée qu'il était mort, de même qu'elle avait refusé d'accepter l'idée qu'il se mourait. Si elle avait été sa vie, il avait été son univers. Ils s'étaient rarement séparés pour plus de quelques jours. Elle avait fait de la vie du Duc le but de la sienne. Elle l'avait protégé, elle l'avait soigné, elle surveillait sa façon de s'habiller et la quantité d'alcool qu'il buvait, elle se préoccupait constamment de son régime. Deux bons compagnons, à jamais liés par le nœud Windsor de l'Histoire.

Que cet homme lui manquerait! Son amour avait été aussi pur qu'intarissable. C'était comme se réveiller chaque matin en sachant que le soleil était levé. Comment une femme peut-elle un jour se sentir vieille quand elle se mire dans les yeux de son mari et se découvre aussi jeune qu'il la voit? Pour cet homme, elle était la perfection. Il la voyait comme nul autre ne la vit jamais, ne la verrait jamais. Elle n'aurait plus qu'un miroir, maintenant, et elle vieillirait.

La journée dominicale au Bois tout proche attira la foule habituelle des promeneurs. Une centaine de gens s'amassèrent derrière les barrières mises en place par la police devant les grilles noires de leur hôtel particulier, surmontées du monogramme « ER ». Une pancarte en français avait été apposée pour inviter tous ceux qui désireraient exprimer leurs condoléances à se rendre le lendemain matin à l'ambassade de Grande-Bretagne afin de signer le registre. Ce n'était pas une foule d'affligés, mais de curieux. L'ex-roi avait été pour eux une légende, une manchette de journal. Ils voulaient surtout savoir si la reine viendrait. Voyant tant de monde devant la grille, le conducteur d'une voiture de sport allemande s'arrêta et demanda si c'était bien l'entrée du champ de courses.

A moins de cinq cents mètres de la porte, six matches de football se déroulaient, ainsi qu'une partie de softball entre le Harry's Bar et une équipe rivale. Voilà qui aurait plu au Duc. Quelques hommes âgés jouaient aux boules. Et les courses avaient lieu à Longchamp.

L'un des premiers à franchir le cordon de police le lendemain pour présenter ses condoléances personnelles à la Duchesse fut l'ancien roi Umberto d'Italie. Quelques années auparavant, il avait dîné avec les Windsor à New York, et le Duc avait levé son verre en disant avec une grimace : « A la santé de deux rois [5]. »

Le médecin légiste entra et ressortit. Les pompes funèbres arrivèrent pour préparer une bière provisoire. Une voisine anglaise déposa un petit mot de sympathie : « Nous avons été plusieurs à être très durs pour lui quand il a abdiqué [6]. » Parmi les visiteurs qui vinrent offrir leurs condoléances, il y eut Alexandre, le coiffeur de la Duchesse, et le ministre français des Affaires étrangères Maurice Schumann — seul journaliste français ayant assisté au mariage de Candé. Le président de l'Assemblée Nationale se dérangea lui aussi. Des livreurs apportaient des monceaux de fleurs.

Et puis il y eut des liasses de télégrammes émanant d'amis. Le Premier Ministre de Grande-Bretagne, Edward Heath, câbla : « En tout ce qu'il fit, il chercha à rendre la monarchie moins lointaine et plus en harmonie avec les besoins et les aspirations de son époque. » La reine d'Angleterre ajouta : « Je suis très peinée d'apprendre la mort de mon oncle... Je sais que mon peuple se souviendra toujours de lui avec reconnaissance et une grande affection, et n'oubliera jamais les services qu'il lui a rendus dans la paix et la guerre... Je suis heureuse d'avoir pu le voir à Paris il y a dix jours. »

Elle invita aussi la Duchesse à habiter chez elle, au palais de Buckingham, pendant les obsèques.

Dans l'original de sa résolution de condoléances, la Chambre des Communes n'avait pas mentionné la Duchesse. L'oubli fut réparé à temps, mais l'incroyable est qu'il ait pu être commis.

Wallis se confia aux mains des autres.

Le corps du Duc fut transporté en Angleterre par un avion de la Royal Air Force; ce fut son neveu, le fils de son frère préféré, le duc de Kent, qui l'accueillit. La Duchesse n'accompagna pas le cercueil de son mari. Ses médecins le lui avaient interdit.

Le Duc avait spécifié depuis longtemps qu'il ne voulait pas d'une cérémonie officielle, mais seulement d'obsèques privées. Il resterait exposé pendant deux jours à la chapelle St. George, à Windsor, pour que le public pût défiler et lui rendre hommage. Le service privé à Frogmore serait limité à sa famille et à quelques amis.

Selon une histoire qui circula dans les milieux mondains, le prince Philip aurait dit à la reine : « C'est maintenant le bon moment pour procéder à la petite cérémonie qui fera officiellement de la Duchesse une personne que l'on pourra appeler " Votre Altesse Royale ". »

« Je ne peux pas le faire maintenant », aurait répondu la reine. « Si je le faisais maintenant, elle aurait parfaitement le droit de me cracher au visage [7]. »

La Duchesse arriva vendredi à bord du confortable avion personnel de la reine, avec quelques amis et domestiques. Elle se montra extrêmement charmante et polie avec tout le monde, mais son esprit vagabondait souvent et, à certains moments, elle ne savait plus où elle était ni où elle allait. Lord Mountbatten l'attendait à l'aéroport pour la saluer. Il avait fait partie de la croisière du *Nahlin*, mais il n'avait pas assisté au mariage. Il conduisit directement la Duchesse au palais de Buckingham. Son appartement au premier étage, qui donnait sur le Mall, était d'ordinaire réservé aux chefs d'Etat de passage.

Peu après son arrivée, elle reçut la visite de la reine. Elizabeth II lui dit de se considérer au palais comme chez elle et que, si elle désirait quoi que ce fût, elle n'avait qu'à le demander. Si elle voulait voir la reine, la reine viendrait. Si elle ne voulait pas voir la reine ou personne d'autre de la famille, tout le monde comprendrait. La famille ferait ce qu'elle voudrait. Ce jour-là, la reine déjeuna et dîna avec elle. Le charmant prince Charles, qui se joignit à elles, appela la Duchesse « tante Wallis », et lui déclara qu'il espérait être un aussi bon prince de Galles que l'avait été son oncle David.

Son médecin s'était entremis pour que la Duchesse bénéficiât de plus de calme, mais le calme n'était peut-être pas ce qu'elle souhaitait le plus. Bientôt elle allait le trouver insupportable. La reine lui avait assigné son maître d'hôtel personnel et sa dame d'honneur, et la chère amie de Wallis, Lady Dudley, ne la quittait pas. Les menus des repas avaient été soigneusement composés pour que Wallis pût suivre le régime alimentaire recommandé pour les ulcères.

Son maintien, sa dignité furent tels qu'un domestique avoua plus tard : « Elle aurait pu en apprendre beaucoup à certains de nos maîtres royaux [8]. »

On se demanda si la reine n'annulerait pas le salut au drapeau qui était prévu pour la célébration de son anniversaire officiel en ce samedi. Mais elle décida d'en faire une cérémonie du souvenir pour son oncle. Montant en amazone et portant un brassard noir sur la manche gauche de sa tunique rouge, la reine prit la tête d'un détachement de la Garde à cheval de sa maison pour aller du palais à la place d'armes des Horse Guards.

La cérémonie commença par un roulement de tambours voilés de crêpe noir. Puis la minute de silence. Puis la complainte d'un cornemuseur qui joua *Les Fleurs de la Forêt*. Le prince Charles dit plus tard à Wallis qu'il avait fondu en larmes quand il avait entendu la cornemuse. La Duchesse assista, d'une fenêtre du palais, au début de la cérémonie, et un photographe enregistra l'image dramatique de sa tristesse.

Tout arrivait trop tard. S'il avait pu être auprès d'elle, dans ce même appartement, à cette même fenêtre, pendant ces trois dernières décennies, toute la vie du Duc aurait été transformée. Pourquoi avait-on attendu qu'il fût mort pour avoir ce geste?

Aussitôt après le salut au drapeau, la reine rentra au palais et se rendit chez la Duchesse. Les cérémonies commémoratives au château de Windsor étaient prévues pour le lendemain dimanche. La reine s'aperçut que la Duchesse était à bout de forces. Wallis n'avait pas versé une larme au cours des services des trois derniers jours. Et il était cependant visible qu'il ne lui restait plus une larme à verser. La reine suggéra qu'elle ne quittât pas son appartement. La Duchesse se rallia avec gratitude à cette proposition.

Le samedi fut la pire journée. Wallis était épuisée. Elle se promena dans le jardin du palais. Quelques amis survinrent. Lady Monckton lui dit que, sur son catafalque, le Duc était très impressionnant : « Cela pourrait vous faire du bien d'aller le voir. » Mais Wallis n'avait pas prévu cette visite. Elle souhaitait conserver du Duc le souvenir de l'homme vivant.

Le défilé populaire s'étendait sur près de deux kilomètres aux abords de la chapelle St. George. On remarqua dans la foule un Highlander en kilt; Lord Boothby; vingt-deux girl-scouts américaines en uniforme; l'ambassadeur des Soviets; des femmes avec leurs sacs à provisions qui venaient de faire leur marché; les hauts-commissaires du Bangladesh et du Botswana; des familles entières avec leurs bébés; le Secrétaire pour l'Irlande du Nord. Les uns étaient silencieux et regardaient; les autres sanglotaient.

Une femme s'effondra devant le catafalque en criant : « Au revoir, au revoir! » La baronne Spencer-Churchill, veuve de Churchill, était là, ainsi qu'une gamine de seize ans. Carol Palmer, qui déclara : « C'est par pure estime que je suis venue. Un homme qui renonce à tant de choses pour la femme qu'il aime est fantastique [9]. »

Dans l'après-midi, la reine, le prince Philip et la princesse Anne se rendirent à la chapelle. La reine recommanda que l'hommage public ne fût pas interrompu. Pendant que la foule contournait à pas lents le catafalque, ils se tinrent tous les trois à quelques mètres, en inclinant la tête pendant six minutes de silence.

La Duchesse arriva après le départ de tous, un peu avant que le cercueil ne fût conduit à la chapelle du mémorial Albert, toute proche.

Le prince de Galles et lord Mountbatten l'accompagnaient. Elle examina attentivement les fleurs qui entouraient le catafalque, puis elle se tint seule, immobile devant son mari, pâle et frêle petite silhouette noire. L'émotion la fit vaciller lorsque Lord Mountbatten lui prit silencieusement le bras. A Mountbatten et à l'héritier de la couronne, elle répéta : « Trente-cinq ans! Trente-cinq ans! » Ce jour-là aurait été le trente-cinquième anniversaire de leur mariage [10].

Le service funèbre privé du lundi commença à la chapelle St. George après que le glas eut sonné dans la tour du XIIIe siècle pendant une heure. La reine prit place devant l'autel, Wallis à côté d'elle. Le seul roi présent était un cousin du Duc, Olaf de Norvège, qui avait soixante-huit ans. Wallis le connaissait; il avait plusieurs fois dîné chez eux. Le seul frère encore vivant du Duc, le duc de Gloucester, était malade et alité dans son château.

Le cercueil était drapé de l'étendard personnel du Duc qui avait été suspendu dans leur maison de Paris. Une petite croix de lis blancs choisis par le jardinier du château de Windsor pour la Duchesse avait été posée dessus. L'archevêque de Canterbury, le Dr. Michael Ramsey, donna la bénédiction.

Il y avait une plaque sur le couvercle du cercueil :

« S.A.R. le prince Edouard Albert Christian George André Patrick David, Duc de Windsor. Né en 1894. Mort en 1972. Roi Edouard VIII 20 janvier-11 décembre 1936. »

Lorsque l'archevêque énuméra tous les titres honorifiques du Duc, la Duchesse eut un instant d'émotion; elle dit plus tard à une amie : « On ne décerne plus autant d'honneurs à présent [11]. »

Des gardes gallois en tunique rouge avaient apporté le cercueil, et leur chœur chanta : *Je suis la résurrection et la vie.* A la fin du service, les trompettes officielles attaquèrent la sonnerie aux morts et la diane. Puis la Duchesse, pendant quelques instants poignants, se tint debout sans bouger, recueillie, devant le cercueil.

« Ce fut très étrange », raconta un ami des Windsor qui se trouvait là. « Après le service, nous partîmes tous pour le déjeuner en laissant le Duc seul entre ses quatre Gardes. Puis, après le déjeuner, on l'ensevelit. J'ai trouvé cela extrêmement bizarre [12]. »

Bizarre était le mot. Les quarante invités s'assirent à quatre tables séparées. Très peu d'entre eux pouvaient passer pour des amis de Wallis; les autres étaient des représentants de familles royales étrangères ou des membres de l' « Establishment ». Or ces gens-là l'avaient évincée de la vie et de la société britanniques pendant des années; la plupart avaient évité ou renié le Duc. Wallis avait toujours brillé dans la conversation, mais qu'aurait-elle pu dire à son voisin, le prince Philip, qui n'ouvrit pas la bouche? Elle fut aussi incapable de parler que de manger. Son mari était mort; il restait tout seul dans cette chapelle; et ils se gorgeaient tous de bonne chère avant d'aller s'incliner sur sa tombe. Wallis eut des nausées. Elle voulait s'en aller. Très vite.

Sitôt le corps inhumé, Wallis dit à la reine qu'elle devait repartir immédiatement. La reine lui demanda pourquoi.

« Parce que je veux rentrer chez moi », répondit-elle [13].

Sa résistance allait craquer. La reine le comprit.

Son départ s'organisa précipitamment. Aucun membre de la famille royale ne se dérangea. Seuls étaient présents à l'aéroport le grand chambellan et la dame d'honneur de la reine. Une pairesse qui avait accablé la Duchesse de reproches lors de l'abdication et qui s'était déclarée contre la décision du Duc avoua qu'elle avait eu honte parce que la famille royale n'avait pas jugé utile de venir dire au revoir à cette femme qu'elle avait si mesquinement traitée pendant tant d'années.

En Australie, le *Sun* de Sydney déclara : « Le grand roman d'amour a pris fin [14]. »

C'était une erreur.

Personne ne meurt aussi longtemps qu'il y a des êtres pour aimer et se souvenir.

Épilogue

La solitude, ce n'est pas simplement le problème de demeurer seul; la solitude, c'est le sentiment que personne ne s'intéresse plus à vous.

Après l'abdication, les Windsor avaient appris qui étaient leurs véritables amis. Une poignée seulement osèrent se montrer à leur mariage. Ensuite, l'âge exerça ses ravages parmi leurs intimes et dans la proche famille de Wallis. Enfin, le Duc mort, ceux qui étaient restés fidèles à cause de lui, et non d'elle, firent défection à leur tour. Son dernier cercle d'amis se rétrécit.

« Je suis très seule maintenant », confia-t-elle. « Il me manque terriblement [1]. »

Le vide était en effet immense. Ils avaient si complètement rempli leur vie l'un avec l'autre que ce fut soudain comme si la moitié des ressorts d'une montre s'étaient cassées. « Je n'ai plus personne pour m'expliquer certaines choses, ce qu'il faisait toujours », dit-elle [2].

Plus jamais un être ne s'inquiéterait d'elle. Wallis avait centré sur lui les mouvements de son existence, et il avait constamment dirigé ses propres mouvements pour se trouver là où elle était. « Chérie, êtes-vous ici? » appelait-il dès qu'il revenait du golf. Ou, plus intimement encore : « Dolly... Dolly... où êtes-vous? OU ÊTES-VOUS? »

C'était le passé. Elle était encore entourée de dix-sept personnes dont John Utter, le secrétaire privé du Duc, qui avait travaillé pour le Département d'Etat aux Etats-Unis. Un journal d'échos inventa que la Duchesse se remarierait bientôt avec Utter. Sidney Johnson resta. Wallis conserva aussi son maître d'hôtel, sa secrétaire, sa femme de chambre, d'autres domestiques. Elle disposait encore de sa maison du Bois de Boulogne qui appartenait au gouvernement français. Immédiatement après la mort du Duc, plusieurs personnes avaient écrit au gouvernement pour acquérir cet hôtel particulier, mais le gouvernement annonça que la Duchesse pourrait y demeurer aussi longtemps qu'elle le voudrait. Au début elle avait payé un loyer symbolique parce que les Windsor avaient dépensé beaucoup d'argent pour le redécorer; mais elle fit en sorte que le loyer devînt plus équitable pour le gouvernement français.

Elle ne toucha pas à la chambre de son mari, imitant en cela la reine Victoria qui, jusqu'à la fin de ses jours, avait gardé intacte la chambre du prince Albert après sa mort. Wallis laissa les objets de toilette du Duc à la place qu'il leur avait choisie, ses vingt-trois photos d'elle telles qu'il les avait vues. Une amie affirma que, chaque soir avant de se mettre au lit, elle entrait dans la chambre du Duc et disait : « Bonne nuit, David [3]. »

Après le décès d'un mari, les exécuteurs testamentaires apparaissent souvent avec une mine longue et lugubre pour avertir la veuve qu'il lui faudra réduire son budget. Il ne se passa rien de pareil pour la Duchesse. Les exécuteurs testamentaires l'informèrent qu'elle n'aurait rien à changer à son train de vie.

Ses plus proches amis estimèrent que le Duc lui avait laissé un minimum de plusieurs millions de dollars bien investis, et sans doute une dizaine. Ses bijoux représentaient une autre petite fortune. D'autre part, elle décida de vendre le Moulin. Elle ne pouvait pas supporter d'y revenir; elle l'entendait toujours dire : « C'est moi qui ai tout fait. » Elle aurait voulu en tirer un million de dollars, mais finalement elle le vendit pour beaucoup moins. Il y a de bonnes raisons pour croire que la reine d'Angleterre continua de verser l'allocation royale qui était octroyée chaque année au Duc et qui se montait approximativement à 75 000 dollars.

L'argent n'était plus un souci, mais il ne signifiait pas grand-chose non plus. Approchant de ses quatre-vingts ans, elle avait moins envie de voyager. Les toilettes avaient maintenant perdu de l'importance qu'elle leur avait attachée. A mon âge, disait-elle, on n'achète plus grand-chose de quoi que ce soit.

Elle effectua un bref pèlerinage sentimental à Biarritz où elle avait passé tant d'étés avec le Duc. Le directeur de l'hôtel du Palais avait apposé une plaque commémorant ses clients célèbres, et le duc de Windsor figurait en tête de liste. C'était là qu'ils avaient eu leur premier rendez-vous si remarqué avant la croisière du *Nahlin;* là qu'ils recherchaient les petits bistrots; là, peut-être, qu'ils s'étaient pleinement trouvés l'un l'autre.

C'était triste de l'entendre dire : « Maintenant ce sont mes chiens qui me tiennent compagnie. Mais tout est très différent aussi pour Diamant Noir : j'ai dû fermer la chambre du Duc pour l'empêcher d'y entrer [4]. »

L'autre carlin du Duc, James, mourut peu après son maître. De langueur. Il refusa de manger. C'était toujours le Duc en personne qui lui donnait ses biscuits.

Wallis n'était pas femme à rester longtemps solitaire. Quatre mois après la mort du Duc, on la revit fréquemment à des dîners-soirées aux environs de Paris. Elle avait toujours le même compagnon : un Parisien de vingt-six ans qui s'appelait Claude Roland. Ce choix fut considéré comme sage, car un cavalier plus âgé aurait provoqué des commentaires bien inutiles.

Tout de même, ce n'était plus la même chose. Des amis s'inquiétèrent des défaillances de sa mémoire. D'autres la défendirent en disant : « Bien sûr, sa mémoire n'est plus ce qu'elle était. Est-elle la seule? » Lorsqu'elle recevait à dîner, ses convives veillaient à partir de bonne heure, pour qu'elle puisse se reposer plus longtemps. Elle avait toujours mal dormi; à présent ses insomnies se prolongeaient. Elle n'avait jamais beaucoup mangé; son appétit diminua encore. Des amis trouvèrent qu'elle dépérissait.

La sécurité devint une obsession. Malgré ses grilles à pointes de fer, sa porte gardée et un système électronique à chaque fenêtre, elle plaçait le pistolet du Duc sur sa table de chevet; elle embaucha même un ancien parachutiste français pour faire des rondes dans le jardin. Elle avait aussi un téléphone spécial branché sur le commissariat de police du quartier. Comme elle dormait peu, elle vérifiait souvent si tout son monde était à son poste.

Elle choisit un marbre gallois couleur crème pour le tombeau de son mari, sous un platane. Elle répétait à ses amis : « Vous savez, j'aurai un petit coin pour moi, tout à côté de lui [5]. » Elle avait décidé que sa pierre tombale porterait pour inscription : « Wallis, Duchesse de Windsor. »

Elle sembla se désintéresser peu à peu du monde. Son chef l'informa qu'il avait reçu plusieurs offres, dont certaines émanaient d'amies de la Duchesse, mais qu'il souhaitait cependant rester si elle voulait le garder. Elle répondit qu'elle voulait le garder. Quelqu'un demanda au chef pourquoi il restait; il répondit : Pourquoi irais-je ailleurs? Chaque jour, elle m'apprend tant de choses! »

Elle se tenait encore très droite sur sa chaise. Elle continua de passer ses matinées avec un maquilleur et son coiffeur. Les amis qui venaient dîner chez elle la trouvaient absolument merveilleuse, de neuf à onze heures du soir. Après, elle avait l'air plus lointaine.

Et puis, un matin, elle éprouva des difficultés pour marcher et elle resta au lit. Dix jours s'écoulèrent avant que les médecins décidassent de la faire radiographier; ils découvrirent alors qu'elle s'était fracturée une hanche. L'une des infirmières de l'hôpital fut avertie que sa patiente était très sénile et qu'il faudrait la surveiller de près. « Elle avait l'esprit dérangé. Elle posait quarante fois la même question et ne semblait pas comprendre la réponse: Nous avions attaché un bouton à sa chemise de nuit pour qu'elle puisse éteindre sa lampe, mais elle ne parvenait jamais à le trouver, en dépit de tous ses efforts. Il fallut mettre des planches sur son lit parce qu'elle essayait chaque nuit de se lever. Je me rappelle l'avoir entendue dire une fois que, s'il n'avait tenu qu'à elle, Elizabeth n'aurait jamais été reine d'Angleterre. »

Avec le temps, la fracture se guérit. Sa démarche n'eut plus la même grâce qu'autrefois, mais elle continuait à se mouvoir sans perdre un pouce de sa taille et de sa dignité. Elle finit par émerger, de nouveau, des ombres de son chagrin.

Peut-être trouva-t-elle amusant que Patrick Montague-Smith, directeur de la nouvelle édition du *Debrett's, the Guide to the British Peerage* affirmât sans ambages que le Parlement anglais avait agi d'une manière contraire à la Constitution et à la loi en la privant du titre de « Son Altesse Royale. » Dans la préface de l'édition de 1972 du *Debrett's,* Montague-Smith écrivit : « Nous savons maintenant que l'exclusion de la Duchesse du titre de S.A.R. est le résultat d'un avis rendu par des ministres anglais et de divers pays du Commonwealth. »

Mais elle n'attribuait plus guère d'importance à ce formalisme. La satisfaction qu'elle aurait tirée d'un tel hommage, et le désir qu'elle en avait eu, n'existaient plus. Plus essentielle était la question de savoir si son hôtel particulier au Bois, avec toutes ses chambres et tous les domestiques, n'était réellement pas trop grand pour elle. Elle envisagea de plus en plus de se retirer dans une « suite » d'hôtel. Ses meilleurs amis la mirent en garde contre ce projet. Après l'ambiance d'une grande maison, d'un parc et des serres, ne se trouverait-elle pas trop à l'étroit dans un appartement, et non seulement elle-même, mais ses carlins, Diamant Noir et Gin-Seng? Les carlins furent un argument sans réplique. Elle les aimait maintenant plus que tout au monde.

Elle dit même un jour qu'elle avait envie de léguer son argent à des fondations pour animaux.

Elle avait un tel ressort, une telle faculté de récupération, qu'elle retrouva bientôt toute la vivacité de son intelligence. Même en ses jours de plus grand découragement, elle avait toujours eu l'air tirée à quatre épingles sans qu'un seul cheveu ne fût pas à sa place. Le soir, lorsqu'elle apparaissait maintenant, c'était une entrée de grand style.

Une amie de la Duchesse, Mrs. Gilbert Miller, définit à quoi ressemblait un repas chez elle quand, malade, elle restait dans sa chambre. « Sans elle, c'était comme manger au restaurant. Avec elle, c'était une fête. Elle avait le secret de toujours pétiller [6]. »

Et, une fois de plus, Wallis se sentit prête pour les réceptions, les dîners, les bals.

« Pourquoi n'irions-nous pas quelque part ce soir? » disait-elle pendant un séjour à Saint-Jean-Cap-Ferrat. « Je ne suis pas encore sortie. Que diriez-vous de Monte-Carlo? » Puis elle ajouta en aparté : « J'adore le poker. Je trouve que c'est un jeu passionnant. Et j'aime aussi le chemin de fer, mais je ne mise pas gros. Je pense toujours à ce que je pourrais acheter avec l'argent que je perds. Je déteste perdre [7]! »

Elle avait beaucoup perdu dans la vie, mais elle avait gagné encore plus. Elle aurait pu être reine d'Angleterre. Ou être la femme dans l'ombre du roi, la femme la plus importante de l'Angleterre et, peut-être, du monde. En réalité, elle aurait pu régner sur les diverses classes sociales de l'Empire britannique.

En dernière analyse, qu'avait-elle donc gagné? Dans l'Histoire, une note en bas de page; mais au musée des héroïnes de romans vécus, elle s'était taillé sa propre niche. Quand un monarque avait-il renoncé à son trône pour la femme qu'il aimait? Bientôt il n'y aurait plus ni rois ni trônes mais si, dans un monde en mutation, il restait un peu de place pour les romans d'amour, le sien serait unique.

Au centre de sa coiffeuse, entre plusieurs photographies de son David, elle avait placé un message encadré qu'il lui avait écrit sur son papier à lettres royal :

Il me semble, mon amie, que vivre seul avec vous
Serait mieux que posséder
Une couronne, un sceptre, et un trône.

Remerciements

Un livre, c'est beaucoup de monde.

Ma gratitude va d'abord à la Duchesse de Windsor qui m'a parlé en toute liberté et franchise, alors même qu'elle savait qu'il s'agissait d'une biographie sur laquelle elle n'exercerait aucun contrôle.

Je suis également reconnaissant à Lord Brownlow, l'un des plus chers amis d'Edouard VII qui lui confia sa future femme lorsqu'elle s'enfuit en France pendant l'abdication; Lord Brownlow voulut bien me prodiguer son temps pour me faire part de souvenirs d'une valeur inestimable; Lady Monckton, dont le mari fut pendant la crise le conseiller intime et l'agent de liaison du roi, m'accorda aussi beaucoup de son temps et m'autorisa à puiser dans les carnets personnels de son mari; la plus ancienne amie de la Duchesse, Mrs. Wolcott Blair, qui la connaît depuis sa jeunesse à Baltimore, n'aurait pu se montrer plus coopérative. Cela est spécialement vrai aussi de Diane Vreeland, ancienne directrice de *Vogue* et de *Harper's Bazaar,* dont le concours m'a été très précieux; de Mrs. Arthur Gardner, Lady Dudley, Mrs. Cordelia Robertson, Mrs. Eleanor Miles, Mrs. Elizabeth Schiller Morgan, Edmund Bory, Mrs. Gilbert Miller, David Metcalfe, la princesse de Polignac, Mme Schiaparelli, Mrs Graham Mattison, du baron Cabrol, de Mrs. C. Z. Guest, tous amis proches de la Duchesse et extrêmement complaisants à mon égard. Mon ami Jack Le Vien, producteur d'*Histoire d'un Roi,* mérite des remerciements particuliers.

Une note spéciale de gratitude à Etta Wanger, non seulement amie et admiratrice de la Duchesse, mais écrivain qui a compris mes besoins. Mes remerciements aussi à Nancy Adler qui m'a présenté à elle et qui m'a aidé de bien d'autres façons.

J'ai profondément apprécié la coopération de Mrs. Lelia Noyes Lucas, de Front Royal (Virginie), la plus proche parente vivante de la Duchesse, de Craig et Helen Livingston, et de Mrs. Bessie Pomeroy.

Je suis également reconnaissant aux nombreuses personnes de Baltimore qui ont consenti à fouiller parmi leurs lettres et leurs souvenirs, au directeur d'école George S. Nevens, Jr., et, en particulier, à Mrs. Robert B. Wagner, secrétaire des Anciennes Elèves du collège d'Oldfields, ainsi qu'à diverses condisciples de Wallis Warfield, dont Mrs. Augustine Janeway, Mrs. Harold Kersten, Mrs. Katherine Poole, Mrs. John Tennant, Mrs. Isaac Granger, Mrs. Joseph Hazell.

Bill Boucher III, de Baltimore, mérite une mention particulière parce que c'est lui qui m'a suggéré le titre de ce livre. Je ressens une vive gratitude à l'égard de sa femme Annie, qui m'a facilité tant de rendez-vous et m'a confirmé des faits. Le Dr. Edgar et Phoebe Berman m'ont été aussi d'un grand secours dans mes recherches dans la région de Baltimore.

Earl Price, le bibliothécaire du *News American* de Baltimore m'a été très précieux pour son obligeance qui alla bien au-delà des obligations de son service. Et je remercie pour leur amicale coopération Thomas J. White, Jr., directeur du *News American*, sa secrétaire Olga Tilman, et Price Day, directeur du *Sun* de Baltimore.

Les collaborateurs de la Maryland Historical Society ont droit également à ma reconnaissance, ainsi que le généalogiste réputé William Marye.

Dans la région de Washington, Paul et Shirley Green, comme toujours, m'ont aidé à dépouiller quantité de documents et illustrations. Paul a eu aussi la gentillesse de s'entretenir pour moi avec différentes personnes tant à Washington qu'à Paris. Ma gratitude va de même à Robert Wolfe, chef du service des documents saisis aux Archives Nationales et à son adjoint John Mendelsohn qui fut si patient avec moi. Je remercie aussi Arnold Price, de la division slave à la bibliothèque du Congrès, et Ronald Swerczek, chef du service diplomatique chargé des dossiers au Département d'Etat. Merci également à mes amis Ben Bradlee, directeur du *Washington Post*, et Meg Greenfield, du conseil de direction. Ma chère amie Mrs. Nellie Myers, aidée par Tom Miller, a consacré beaucoup de son temps à fouiller pour moi dans les archives locales. Merci enfin à Joseph Borkin, Frank Waldrop, George Williams, et Kay Halle.

A Palm Beach, en sus du concours central de Mrs. Gardner, Milton « Doc » Holden, l'un des plus vieux et plus chers amis du Duc, a bien voulu me faire part de ses souvenirs. Je remercie aussi Christopher Dumphy et Irvin Larner, ainsi que Lois Wilson, bibliothécaire au *Post-Times* de Palm Beach, qui m'a prolongé son concours bien après que j'eus quitté la région, Elizabeth Crow, bibliothécaire au *Daily News* de Palm Beach, Ellen Robinson.

Aux Bahamas, je suis reconnaissant d'abord à Bill Kalis, directeur du bureau des informations, et à Steve Libby, qui ne m'ont pas ménagé leur indispensable concours. Mrs. Greta Moxley, ancienne secrétaire du Duc, m'a été d'un grand secours. La principale source d'informations utiles fut sir Etienne Dupuch, directeur de la *Daily Tribune* de Nassau. Toujours prêt à m'aider, il m'a accordé beaucoup de son temps. Je remercie également Eileen et Roger Carron, de la *Tribune,* et Mrs. Doris Bullard qui m'a témoigné toute la patience désirable pour trouver les faits dont j'avais besoin.

A Nassau, je dois beaucoup à sir Barkley Ormerod et à Lady Ormerod, dans la maison desquels le Duc et la Duchesse ont vécu quelque temps, à sir Harold et Lady Christie, à Lady Solomon, à sir Roland Symonette, à Mr. et Mrs. Leslie Higgs et, encore une fois, à Lady Dudley, si grande dame et si parfaite hôtesse. Lady Dudley se trouvait auprès de la Duchesse pendant les derniers jours du Duc; elle l'accompagna en Angleterre pour les funérailles. Son mari était l'un des plus intimes amis du Duc.

Beaucoup de personnes, en Angleterre et en France, m'ont rendu de grands services. A Londres, Mrs. Ann Ebner et ma nièce Katherine Pastel ont suivi de près mes recherches aux Archives. L'historien et biographe Allen Andrews et sa femme Joyce m'ont aidé par leur culture et de leur expérience. De même, Howard et Gabrielle Byrne, Michael et Jo Wybrow, David Golding, Herbert Mayes, Vincent Korda et Robert Meusel. Fred Waller, bibliothécaire à l'*Evening Standard* de Londres, mérite une citation spéciale pour le temps et les informations qu'il m'a donnés. V. J. Hale, qui avait été maître d'hôtel chez le Duc et la Duchesse, m'a procuré une foule de détails intéressants. Au Wiener Library Institute of Contemporary History, mes remerciements vont à Janet Langmaid, Mrs. Gita Johnson et Anthony Stoll.

Parmi les personnalités parisiennes envers lesquelles je suis très obligé, je mentionnerai Aline Mosby qui pendant si longtemps a réussi d'excellents reportages sur la Duchesse, Sam White qui est le correspondant à Paris de l'*Evening Standard,* Hebé Dorsey, directeur du *Tribune* de Paris, Peggy Sunde, également du *Tribune,* et Julia Clemenceau qui m'a aidé pour mes rendez-vous d'interviews. Je remercie aussi John Utter, collaborateur de la Duchesse, Herbert Bigelow, et mon cher et vieil ami David Karr pour m'avoir aplani de nombreuses routes. Je n'oublie pas non plus mon amie Mrs. Nina Wallace qui m'a apporté son appui avec une grande bienveillance.

Je dois citer encore Mlle Monique Bonneton, Mrs. Betty Grafstein, Charles Sultner, Lisa, Mrs. Chambers, etc.

A New York, mes bons amis Marvin Sleeper, Ed Cunningham, Stan Swinton et Andrew A. Rooney m'ont aidé, comme d'habitude, chaque fois que j'ai eu besoin d'eux. De même Mr. et Mrs. John McAllister, Mrs. Gloria Schiff, Lewis Ufland, Ed Antrobus, Gretchen Katz, William Henry Sheppard, Ed Plaut, Jane Bradford, Millie Gardner, Neil A. Grauer, Sidney Shore, Irving et Ida Epton, Ruth Tropin, Esme Fink, le Dr. Murray Krim, Charles Ochsenreiter, Peggy Wiener et Joseph Willen.

Ma gratitude à mon vieil ami Mark Senigo, directeur au *New York Times*; à James Petterson, directeur adjoint au *Daily News* de New York; à Joe McCarthy, bibliothécaire au *Daily News*; à Nat Glasser, du National Headline Service; à Arnold Fox, bibliothécaire à l'Associated Press; à Kay Hartley, bibliothécaire à la C.B.S.; et à ma chère amie Olga Barbi, directrice à *Newsweek*.

A Tom Deegan, Billy Baldwin, Alfred Katz, Alan Searle, Susan McCarthy et son père Joe, L. M. Davies, William H. Sheppard, mes remerciements renouvelés pour leur concours. Je remercie aussi Mrs. Marilyn Brown, secrétaire adjointe au tribunal du comté de Fauquier à Warrenton (Virginie); F. W. Roberts, directeur de l'Humanities Research Center à l'Université du Texas, et Jeannette Green qui m'y a préparé des dossiers; Isabel Hamilton, de la Bibliothèque Publique de Nassau, et Elsa Resnick, de la Great Neck Library; Mrs. Robert Shenton, adjointe à la direction de l'Arthur and Elizabeth Schlesinger Library sur l'histoire des femmes en Amérique au Radcliffe College; Mrs. Eleanor G. Horan, administrateur de la collection Edward R. Murrow à l'Université Tufts; Christine Bevan au British Information Service; et Timothy Beard à la salle de généalogie de la Bibliothèque Publique de New York.

Je remercie Tiana Toumayan qui m'a traduit des articles de la presse française; Joanny V. Lang qui a dactylographié tous ces documents; Eve Brown Schimpf; et Margaret W. Littlefield qui m'a procuré une mine d'or de coupures de presse.

J'ai eu la chance de bénéficier de la pleine et constante coopération de l'Oyster Bay Public Library et de son directeur J. Peter Johnson. Comme toujours, Mrs. Christine Lane s'est personnellement employée à rechercher dans les bibliothèques officielles les documents dont j'avais besoin, et elle m'en a même trouvé d'autres que je n'avais pas sollicités et qui se sont révélés très précieux. Je remercie aussi leurs collaborateurs Gene McGrath, Laura Lucchesi, Annette Macedonio, Kenneth Weil et Jane Schwamberger.

Je ne sais pas ce que je ferais sans Mrs. Mari Walker, qui a transcrit mes bandes et traduit mes notes pour tant de mes livres. Elle m'est indispensable.

A Sophie Sorkin, chef du secrétariat, mes remerciements pour sa lucidité et sa bonne humeur; à Gail Greene, pour ses contributions supplémentaires; à Jean Smith pour les frappes du manuscrit; à Louise Fisher pour la préparation du manuscrit définitif; à Eve Metz pour son excellent goût dans la composition de ce livre.

Mes vieux et bons amis Harriett et John Weaver m'ont constamment fourni quantité d'informations; Len Slater m'a communiqué quelques détails importants; Bob et Edna Brigham m'ont procuré des contacts très utiles; ma voisine et amie Irma Remsen m'a aidé de bien des manières.

Je dois aussi remercier Mme Felipe Espil, en Argentine, qui m'a fait parvenir divers renseignements sur son mari.

Betty Copithorne m'a comblé de ses commentaires, excellents comme toujours; je suis également reconnaissant à son mari Bill pour son concours. A mes chers amis Ruth et Larry Hall qui viennent chaque fois que je les appelle — et je les ai bien souvent appelés — mes très profonds remerciements renouvelés. A ma sœur Naomi Van Clair qui a consacré beaucoup d'heures au manuscrit et aux épreuves, à son mari Stanley, à mes nièces Joyce et Audrey, qui l'ont aidée, j'adresse mon affection.

Je voudrais remercier Michael Korda qui m'a suggéré d'écrire ce livre, et spécialement Peter Schwed qui m'a chaleureusement encouragé, et Dick Snyder pour son robuste appui. Mon éditeur et amie Phyllis Grann m'a aidé pour façonner la forme et le fond du livre. Mon agent et ami Sterling Lord a contribué à le maintenir en vie, et Dick Kaplan, directeur du *Ladies' Home Journal* est le grand responsable de sa nouvelle naissance.

Enfin, mes trois grands enfants Maury, Betsy et Tina ont collaboré à toutes les phases de l'ouvrage, depuis les recherches jusqu'aux notes en bas de page; et ma chère femme, Marjorie Jean, a été une fois de plus, avec la patience de Job, ma première lectrice et mon premier éditeur; elle fait corps avec ce livre, comme avec ma vie.

Bibliographie

Parlant de mon livre *Jennie : The Life of Lady Randolph Churchill,* l'historien Martin Gilbert — auteur de la biographie officielle de Winston Churchill — a dit justement que pour être biographe il fallait être à la fois « un détective » et un dramaturge. Il y a cependant une grande différence entre « jouer au détective » avec une femme comme Jennie qui depuis longtemps appartient à l'Histoire, et avec la Duchesse de Windsor qui est très en vie à l'heure où j'écris ces lignes.

Avec Jennie, il s'agissait surtout de trouver des malles pleines de lettres et de documents dans des greniers ou aux archives. Ceux qui la connaissaient bien avaient déjà quitté ce monde, mais j'ai eu la chance de m'entretenir avec son troisième mari peu de temps avant sa mort. Pour la Duchesse, encore si active et si sensible, j'ai multiplié les interviews avec un nombre important des personnes qui forment différentes mosaïques dans son existence. Toutefois, étant donné sa profonde sensibilité, beaucoup de mes interlocuteurs n'ont pas voulu être nommément cités. Dans les notes, j'ai donc été forcé de respecter leurs désirs, et j'ai mentionné ces sources sous l'appellation « Entretien personnel ». Tous ceux que j'ai ainsi cités ont été étroitement mêlés aux scènes décrites.

Encore a-t-il fallu un travail considérable de « détective » pour établir des choses apparemment aussi simples que la date du mariage de ses parents et sa propre date de naissance, tous les détails et toutes les manœuvres de la crise de l'abdication, les dessous du projet allemand d'enlèvement en Espagne, l'assassinat d'Oakes aux Bahamas, etc. J'ai bénéficié pour cela des inestimables ressources contenues dans des documents et des archives, en particulier au Public Records Office de Londres, au British Museum et à l'Institute of Contemporary History; les documents allemands saisis qui se trouvent à la bibliothèque du Congrès U.S. et aux Archives nationales des U.S.A., les dossiers de nombreux journaux et périodiques du monde entier, ont également beaucoup facilité ma tâche.

Plus importants encore ont été les journaux particuliers tenus par exemple par Lord Monckton, Harold Nicolson, Geoffrey Dawson, ainsi que les Mémoires du Duc ou de la Duchesse. Mémoires encore plus intéressants par leurs omissions.

En ce qui concerne les autres livres qui m'ont été spécialement utiles, la liste suivante constitue une bibliographie sélective.

Airlie, comtesse d', *Thatched with Gold,* Londres, Hutchinson, 1962.

Allen, Frederick Lewis, *The Big Change,* New York Harper, 1952.

Andrews, Allen, *Quotations for Speakers and Writers,* Londres, Newnes Books, 1969.

Annual Register, Londres, St. Martins Press, 1936.

Annual Register, Londres, St. Martins Press, 1937.
Arlington, L. C., et William Lewisohn, *In Search of Old Peking,* New York, Paragon, 1967.
Attlee, Clement R., *As It Happened,* New York, Viking, 1954.
Baldwin, Hanson et Shepard Stone, éd., *We Saw It Happen,* New York, Simon and Schuster, 1938.
Balsan, Consuelo Vanderbilt, *The Glitter and the Gold,* New York, Harper, 1952.
Beaton, Cecil, *The Wandering Years,* Boston, Little, Brown, 1961.
Beaverbrook, Lord, *The Abdication of King Edward VIII,* éd. A. J. P. Taylor, New York, Atheneum, 1966.
Beirne, Francis F., *The Amiable Baltimoreans,* New York, Dutton, 1951.
Benson, E. J., *Queen Victoria,* Londres, Longmans, Green, 1935.
Birkenhead, Frederick Winston, *Walter Monckton,* Londres, Weidenfeld and Nicolson, 1969.
Bocca, Geoffrey, *The Woman Who Would Be Queen,* New York Rinehart, 1954.
Bolitho, Hector, *King Edward VIII,* Philadelphie, Lippincott, 1937.
Bove, Charles F., *Paris Surgeon's Story,* Boston, Little, Brown, 1956.
Bredon, Juliet, *Peking,* Shanghai, Kelly & Walsh, 1922.
Bridge, Ann, *Peking Picnic,* Londres, Chatto & Windus, 1967.
Brody, Iles, *Gone With the Windsors,* Philadelphie, John C. Winston, 1953.
Churchill, Randolph S., *Lord Derby,* Londres, Heinemann, 1960.
— *Twenty One Years,* Boston Houghton Mifflin, 1965.
Churchill, Winston S., *The Gathering Storm* (1er vol. *Second World War*), Boston, Houghton Mifflin, 1948.
— *Marlborough : His Life and Times,* Londres, Harrap., 1936.
— *Their Finest Hour* (Vol. 2 *Second World War*), Boston, Houghton Mifflin, 1949.
Considine, Robert B., *It's All News to Me,* New York, Meredith Press, 1967.
Cooper, Diana, *The Light of Common Day,* Boston, Houghton Mifflin, 1959.
Crawford, Marion, *The Little Princesses, New York,* Harcourt Grace, 1950.
De Gramont, Sanche, *The French : Portrait of a People,* New York, Putman, 1965.
Dennis, Geoffrey, *Coronation Commentary,* New York, Dodd, Mead, 1937.
Dodd, William E., Jr., et Martha Dodd, éd., *Ambassador Dodd's Diary* 1933-38, New York, Harcourt Brace, 1941.
Dupuch, sir Etienne, *Tribune Story,* Londres, Ernest Benn, 1967.
Eden, Anthony, *Memoirs : Facing the Dictators,* Boston, Houghton Mifflin, 1962.
Ensor, R.C.K., *England 1870-1914,* Londres, Oxford University Press, 1936.
Fei-Shi, *Guide to Peking,* Pékin, 1924.
Flanner, Janet, *American in Paris,* New York, Simon and Schuster, 1940.
Freemantle, Anne, *Three-Cornered Heart,* New York, Viking, 1970.
Gibbs, sir Philip, *Ordeal in England,* New York, Doubleday, Doran, 1937.
Gordon, Elizabeth, *Days of Now and Then,* Philadelphie, Dorrance, 1945.
Graham-Murray, James, *The Sword and Umbrella,* Ile de Man, Times Press, 1964.
Graves, Robert, et Allen Hodge, *The Long Weekend,* New York, Norton, 1963.
Guedella, Philip, *The Hundredth Year,* New York, Doubleday, Doran, 1939.
Gunther, John, *Inside Europe,* New York, Harper, 1938.
Hagen, Lewis, éd. et trad., *The Schellenberg Memoirs,* Londres, Deutsch, 1956.
Halle, Kay, éd. *The Grand Original : Portraits of Randolph Churchill by His Friends,* Boston, Houghton Mifflin, 1971.
Hesse, Fritz, *Hitler and the English,* Londres, Wingate, 1954.
Hibbert, Christopher, *Edward : The Uncrowned King,* Londres, St. Martins, 1972.
Hoffman, Heinrich, *Hitler Was My Friend,* Londres, Burke, 1955.
Hood, Dina Wells, *Working for the Windsors,* Londres, Wingate, 1957.
Horne, Alistair, *To Lose a Battle,* Boston, Little, Brown, 1969.

Horst, P. *Photographs of a Decade,* éd. George Davis, Locust Valley, N. Y., J. J. Augustin, 1944.

Houts, Marshall, *King's X.* New York, Morrow, 1972.

Inglis, Brian, *Abdication,* New York, Macmillan, 1966.

Jardine, Robert, *At Long Last,* Culver City, Californie, Murray & Gee, 1943.

Jones, Thomas, *A Diary With Letters, 1931-1950,* Londres, Oxford University Press, 1954.

Kavaler, Lucy, *The Astors,* New York, Dodd, Mead, 1966.

Laird, Dorothy, *Queen Elizabeth,* Londres, Holder, 1966.

Leighton, Isabel, éd., *The Aspirin Age 1919-1941,* New York, Simon and Schuster, 1949.

Leslie, sir Shane, *Long Shadows,* Londres, John Murray, 1966.

Lockhart, Aileene, *Cosmo Gordon Lang,* New York, Macmillan, 1949.

Marcuse, Jacques, *The Peking Papers,* New York, Dutton, 1967.

Martin, Kingsley, *The Magic of Monarchy,* New York, Knopf, 1937.

Marwick, Arthur, *Britain in the Century of Total War,* Boston, Little, Brown, 1968.

Maryland Writers Program, *Maryland,* New York, Oxford University Press, 1940.

Maxwell, Elsa, *The Celebrity Circus,* Londres, W. H. Allen, 1964.

— *R.S.V.P.,* Boston, Little, Brown, 1954.

McElwee, William, *Britain's Locust Years, 1918-1940,* Londres, Faber & Faber, 1962.

Minney, R. J., éd., *The Private Papers of Hore-Belisha,* Garden City, N. Y., Doubleday, 1961.

Mitford, Jessica, *Daughters and Rebels,* Boston, Houghton Mifflin, 1960.

Moore, George, *Letters to Lady Cunard 1895-1933,* Londres, Rupert-Hart Davis, 1957.

Muggeridge, Malcolm, *The Sun Never Sets,* New York, Ramdom House, 1940.

Murder of Sir Harry Oakes, The, Nassau, Nassau Daily Tribune, 1959.

Ney, John, *Palm Beach,* Boston, Little, Brown, 1966.

Nicolson, sir Harold, *Diaries & Letters, 1930-1939,* 1er Vol., éd. Nigel Nicolson, New York, Atheneum, 1966.

— *King George* V, Garden City, N. Y., Doubleday, 1953.

O'Connor, Harvey, *The Astors*, New York, Knopf, 1941.

Perrott, Roy, *The Aristocrats,* New York, Macmillan, 1968.

Pope-Hennessy, James, *Queen Mary, 1857-1953,* New York, Knopf, 1960.

Raymond, John, éd., *The Baldwin Age,* Londres, Eyre & Epottiswoode, 1961.

Ribbentrop, Joachim von, *The Ribbentrop Memoirs,* Londres, Weidenfeld and Nicolson, 1954.

St. Johns, Adela Rogers, *The Honeycomb,* Garden City, N. Y., Doubleday, 1969.

Sampson, Anthony, *Anatomy of Britain Today,* New York, Harper & Row, 1965.

Schmidt, Paul, *Hitler's Interpreter,* éd. H. E. Steed, New York, Macmillan, 1951.

Shirer, William L., *Berlin Diary,* New York, Knopf, 1941.

— *The Collapse of the Third Republic,* New York, Simon and Schuster, 1969.

— *The Rise and Fall of the Third Reich,* New York, Simon and Schuster, 1960.

Sitwell, Osbert, *Escape With Me!* Londres, Macmillan, 1949.

Slater, Leonard, *Aly,* New York, Random House, 1964.

Speer, Albert, *Inside the Third Reich,* New York, Macmillan, 1970.

Stevenson, Frances, *Lloyd George,* éd. A. J. P. Taylor, New York, Harper & Row, 1971.

Sullivan, Mark, *Our Times, The War Begins,* New York, Scribner, 1932.

— *Our Times, Over Here,* New York, Scribner, 1933.

— *Our Times, The Twenties,* New York, 1935.

Sulzberger, C. L., *A Long Row of Candles,* New York, Macmillan, 1969.

Sykes, Christopher, *Nancy, The Life of Lady Astor,* New York, Harper & Row, 1972.
Taylor, A. J. P., *Beaverbrook,* New York, Simon and Schuster, 1972.
— *English History,* Londres, Oxford University Press, 1965.
Templewood, vicomte (sir Samuel Hoare), *Nine Troubled Years,* Londres, Collins, 1954.
The Times, A History of, Vol. 4, Londres, The Times, 1954.
Vanderbilt, Gloria and Lady Furness, *Double Exposure,* Londres, Frederic Muller, 1959.
Virginia Writers Project, *Virginia, A Guide to the Old Dominion,* New York, Oxford University Press, 1940.
Wilson, Edwina, *Her Name Was Wallis Warfield,* New York, Dutton, 1936.
Windsor, Duc de, *The Crown and The People,* New York, Funk & Wagnalls. 1954.
— *A King's Story,* New York, Putnam, 1947.
— *Windsor Revisited,* Boston, Houghton Mifflin, 1960.
Windsor, Duchesse de, *The Heart Has Its Reasons,* New York, McKay, 1956.
Wrench, Evelyn, *Geoffrey Dawson and Our Times,* Londres, Hutchinson, 1955.
Young, G. M., *Stanley Baldwin,* Londres, Rupert Hart-Davis, 1952.
Young, Kenneth, *Churchill and Beaverbrook,* Londres, Eyre & Spottiswoode, 1966.
Yule Henry, *The Book of Ser Marco Polo, the Venetian, Concerning the Kingdoms and Marvels of the East,* 2 vol., New York, Scribner, 1926.
Yutang, Lin, *Imperial Peking,* New York Crown, 1961.

Sources

A compléter par la bibliographie

Chapitre 1

1. *Evening Sun* de Baltimore, 4 décembre 1936.
2. Harry Wright Newman, *Herald Tribune* de New York, le 13 décembre 1936; Rosalie Fellows Bailey, *Daily News* de New York le 2 décembre 1936.
3. *Sunday Chronicle* de Londres, 7 décembre 1936.
4. Marye et Culver; George William Montague, *History & Genealogy of Montague Family of America descended from Richard Montague of Hadley, Massachusetts and Peter Montague of Lancaster Co., Virginia* (Amherst, Mass. : Imprimerie de J. E. Williams, 1886).
5. *Herald* de Washington, 9 décembre 1936.
6. Nellie W. Jones, *A School for Bishops : A History of the Church of St. Michael and All Angels* (Baltimore City, 1952).
7. *American* de Baltimore, 21 juin 1896.
8. *News* de Baltimore, 6 juillet 1896.
9. *American* de Baltimore, 5 juillet 1896.
10. *News* de Baltimore, 28 septembre 1896.
11. Elizabeth Gordon Biddle Gordon, *Days of Now and Then.*
12. Entretien avec l'ex-Anne Kinsolving, *Sun* de Baltimore, 23 juin 1973.
13. Duchesse de Windsor, *The Heart Has Its Reasons,* p. 5.

Chapitre 2

1. S. Davies Warfield, *The Passing of Carroll Island* (imprimé à compte d'auteur, 1917).
2. Bocca, *The Woman Who Would Be Queen,* p. 21.
3. *News-Post* de Baltimore, 4 février 1957.
4. *Ibid.*
5. *Ibid.*
6. Gordon, *op. cit.*
7. *News-Post* de Baltimore, 8 février 1957.
8. Charles F. Bove, *Paris Surgeon's Story.*
9. Windsor, *The Heart Has Its Reasons.*
10. Entretien personnel.
11. *Evening Journal* de New York, 6 février 1937.
12. *Ibid.*
13. *Ibid.*
14. Windsor, *The Heart Has Its Reasons,* p. 30.
15. *Ibid.,* p. 22.
16. Entretien personnel.
17. *Ibid.*
18. Entretien personnel.

19. Entretien personnel.
20. *Sun* de Baltimore, 24 juin 1973.
21. Extraits de lettres de Mary Kirk (Radcliffe College, bibliothèque Schlessinger sur l'histoire des femmes en Amérique, A-149).
22. Lucie Lee Kinsolving dans *Oldfields in the Teens,* N° du centenaire d'Oldfields.
23. Entretien personnel.
24. *News-Post* de Baltimore, 1er octobre 1936.
25. *Evening Journal* de New York, coupure non datée.
26. Entretien personnel.
27. Entretien personnel.
28. Windsor, *The Heart Has Its Reasons,* p. 33.
29. L.L. Kinsolving, *loc. cit.*
30. Benedick, Acte II, scène III, cité dans le *New York Times* du 3 juin 1937. Source désignée comme étant la femme d'un officier de marine.
31. L.L. Kinsolving, *loc. cit.*
32. Document encadré dans les dossiers du collège d'Oldfields.

Chapitre 3

1. Mark Sullivan, *Our Times, The War Begins,* p. 18.
2. *Ibid.*
3. *Ibid.*
4. Sullivan, *Our Times, Over Here,* p. 49 note.
5. Entretien personnel.
6. *The Sunday People,* Londres, 29 avril 1973.
7. *News-Post* de Baltimore, 19 décembre 1936.
8. Entretien personnel.
9. Entretien personnel.
10. *The Sunday People, op. cit.*
11. *Ibid.*
12. *Ibid.*
13. Francis F. Beirne, *The Amiable Baltimoreans,* p. 285.
14. Windsor, *The Heart Has Its Reasons,* p. 40.
15. Beirne, p. 109.
16. *Ibid.*
17. Beirne, p. 297.
18. *Sun* de Baltimore, 8 décembre 1936.
19. *News-Post* de Baltimore, 8 février 1957.
20. *News-Post* de Baltimore, 21 novembre 1936.
21. Iles Brody, *Gone With the Windsors* p. 65.
22. Windsor, *The Heart Has Its Reasons.*

Chapitre 4

1. Harold Nicolson, *King George V,* p. 53.
2. James Pope-Hennessy, *Queen Mary,* p. 292.
3. *Ibid.,* p. 291.
4. *Ibid.,* p. 293.
5. *Evening Post* de New York, 22 janvier 1936.
6. Pope-Hennessy, *op. cit.*
7. Comtesse d'Airlie, *Thatched with Gold,* p. 113.
8. Randolph S. Churchill, *Lord Derby,* p. 159.
9. Nicolson, *King George V.*
10. Duc de Windsor, *Windsor Revisited,* p. 33.
11. *Ibid.*
12. Duc de Windsor, *A King's Story,* p. 27-28.
13. Christopher Hibbert, *Edward : The Uncrowned King,* p. 1.
14. Windsor, *A King's Story,* p. 59.
15. *Ibid.,* p. 60.
16. Anthony Gibbs, *The New Yorker,* 3 octobre 1941.
17. *Ibid.*
18. *The New York Times,* 29 mai 1972.
19. Winston S. Churchill, *Marlborough : His Life and Times.*
20. *Evening Post* de New York, 22 janvier 1936.
21. Entretien personnel.
22. Windsor, *A King's Story,* p. 69.
23. *The New Yorker,* 3 octobre 1941.
24. *Ibid.*
25. Kingsley Martin *The Magic of Monarchy,* p. 15.
26. Windsor, *A King's Story,* p. 79.
27. Nicolson, *King George V,* p. 147.
28. Windsor, *A King's Story,* p. 81.
29. *Ibid.,* p. 97.
30. Windsor, *Windsor Revisited,* p. 101.
31. *Ibid.,* p. 77.

32. Windsor, *A King's Story,* p. 88.
33. *Ibid.,* p. 106.
34. *The New Yorker,* 3 octobre 1931.
35. Windsor, *A King's Story* p. 97.
36. Windsor *Windsor Revisited,* p. 80.
37. Inglis, *Abdication,* p. 12.
38. *Ibid.,* p. 13.
39. *Ibid.,* p. 13.
40. *Ibid.,* p. 13.
41. Philip Guedella, *The Hundredth Year,* p. 23.
42. De Witt McKenzie, article de l'Associated Press, 27 octobre 1936.

Chapitre 5

1. Windsor, *The Heart Has Its Reasons,* p. 46.
2. Entretien personnel.
3. *News-Post* de Baltimore, 1er octobre 1936.
4. *News* de Baltimore, 16 septembre 1916.
5. *American* de Baltimore, 26 mai 1946.

Chapitre 6

1. Windsor, *The Heart Has Its Reasons,* p. 51.
2. *Herald* de Washington, 14 novembre 1936.
3. Millay, Edna St. Vincent, *A Few Figs From Thistles* (1922).
4. *Daily Express* de Londres, 12 mars 1958.

Chapitre 7

1. Entretien personnel.
2. Entretien personnel.
3. *Washington Post,* 26 novembre 1942.
4. Entretien personnel.
5. Entretien personnel.
6. Windsor, *The Heart Has Its Reasons,* p. 86.
7. Entretien personnel.
8. Entretien personnel.
9. Entretien personnel.
10. Entretien personnel.
11. Entretien personnel.

Chapitre 8

1. Entretien personnel.
2. Entretien personnel.
3. Entretien personnel.
4. Windsor, *The Heart Has Its Reasons,* p. 106.
5. *Ibid.*
6. *Ibid.*
7. Cecil Beaton, *The Wandering Years,* p. 307.
8. Entretien personnel.
9. *Ibid.*

Chapitre 9

1. Entretien personnel.
2. Entretien personnel.
3. *News-Post* de Baltimore, 28 décembre 1936.
4. *American* de Baltimore, 26 mai 1946.
5. *News* de Baltimore, 28 octobre 1927.
6. Entretien personnel.
7. 15 juin 1924.
8. Article de l'Associated Press 17 octobre 1936.

Chapitre 10

1. Article de l'Associated Press, 17 octobre 1936.
2. Windsor, *The Heart Has Its Reasons,* p. 127.
3. *Ibid.*
4. *Ibid.*
5. Gloria Vanderbilt et Lady Furness, *Double Exposure,* p. 274.
6. *Ibid.,* p. 274.
7. *Ibid.*
8. Windsor, *The Heart Has Its Reasons.*
9. Bocca, *The Woman Who Would Be Queen,* p. 107.
10. Vanderbilt et Furness, p. 275.
11. *Ibid.*
12. Slater, *Aly,* p. 88.

Chapitre 11

1. *The New York Times,* 29 mai 1972.
2. Windsor, *A King's Story,* p. 134.
3. Windsor, *Windsor Revisited,* p. 116.
4. *Ibid.,* p. 101.
5. Comtesse d'Airlie, *op. cit.,* p. 145.

6. *The New Yorker,* 3 octobre 1931.
7. Windsor, *A King's Story,* p. 144.
8. *Ibid.,* p. 134.
9. *The New York Times,* 14 janvier 1970.
10. *Ibid.*
11. Isabel Leighton, *The Aspirin Age,* p. 370.
12. *The New York Times,* 11 décembre 1936.
13. *The New York Times,* 29 mai 1972.
14. Inglis, *Abdication,* p. 23.
15. Nicolson, *King George V,* p. 366.
16. Frederick Winston Birkenhead, *Walter Monckton,* p. 124.
17. Windsor, *A King's Story,* p. 203.
18. *The New York Times,* 29 mai 1972.
19. *News Review,* 10 décembre 1936.
20. *American* de Baltimore, 14 octobre 1934.
21. Entretien personnel.
22. Entretien personnel.
23. Vanderbilt et Furness, p. 177-178.
24. Entretien personnel.
25. Entretien personnel.
26. Slater, *Aly,* p. 87-88.
27. *Ibid.*
28. *Ibid.*

Chapitre 12

1. Ferdinand Kuhn, « Britain : A Story of Old Age », dans Hanson Baldwin et Shepard Stone, éd., *We Saw It Happen,* p. 169.
2. *Ibid.,* p. 174.
3. A. J. P. Taylor, *English History,* p. 298-299.
4. *Ibid.,* p. 285.
5. Hector Bolitho, *King Edward VIII.*
6. Airlie, p. 178.
7. Windsor, *The Heart Has Its Reasons.*
8. Lettres de Kirk.
9. *Ibid.*
10. Edwina Wilson, *Her Name Was Wallis Warfield,* p. 86.
11. Vanderbilt et Furness, p. 275.
12. Windsor, *The Heart Has Its Reasons,* p. 163.
13. *Ibid.,* p. 164.
14. Diana Cooper, *The Light of Common Day,* p. 159-160.
15. Windsor, *The Heart Has Its Reasons.*
16. Entretien personnel.
17. *Ibid.*
18. Vanderbilt et Furness, p. 291.
19. *Daily Herald* de Londres, 16 mars 1959.
20. Vanderbilt et Furness, p. 294.
21. *Sunday News* de New York, 20 septembre 1936.
22. Slater, *Aly,* p. 86-87.
23. Entretien personnel.
24. Windsor, *The Heart Has Its Reasons,* p. 183.

Chapitre 13

1. Entretien personnel.
2. *Ibid.*
3. Entretien personnel.
4. Vanderbilt et Furness, p. 295.
5. *Ibid.,* p. 296-297.
6. *Ibid.,* p. 297.
7. *Ibid.,* p. 298.
8. *Time Magazine,* 14 décembre 1936.
9. Entretien personnel.
10. Entretien personnel.
11. *Liberty,* 23 janvier 1937.
12. Entretien personnel.
13. *American* de Baltimore, 11 mars 1951.
14. Entretien personnel.
15. Entretien personnel.
16. Bocca, *The Woman Who Would Be Queen,* p. 98.
17. Airlie, *op. cit.,* p. 200.
18. *Ibid.*
19. *Sunday News* de New York, 20 septembre 1936.
20. *Evening Post* de New York, 4 octobre 1938.
21. *American* de Baltimore, 14 octobre 1934.
22. Windsor, *The Heart Has Its Reasons,* p. 191.
23. 18 juin 1935. Archives Nationales, Washington, D.C.
24. Windsor, *The Heart Has Its Reasons.*
25. Airlie, p. 197.
26. Entretien personnel.
27. Vicomte Templewood, *Nine Troubled Years,* p. 216.
28. *Time Magazine,* 9 novembre 1936.
29. Entretien personnel.
30. Diana Cooper, p. 159.
31. Harold Nicolson, *Diaries & Letters, 1930-1939,* p. 232.

32. *Ibid.*, p. 238.
33. *Ibid.*, p. 258.
34. Windsor, *The Heart Has Its Reasons*, p. 212.

Chapitre 14

1. Duc de Windsor, *The Crown and The People*, p. 1-2.
2. Taylor, *English History*, p. 398.
3. *Time Magazine*, 23 novembre 1936.
4. Inglis, *Abdication*, p. 45, citant Lord Boothby et Walter Elliott, ministre de l'Agriculture qui l'entendirent.
5. 1er mars 1936, BBC.
6. Inglis, *Abdication*, p. 148.
7. John Gunther, *Inside Europe*, p. 232.
8. *Ibid.*, p. 230.
9. Windsor, *The Heart Has Its Reasons*, p. 216.
10. *Ibid.*, p. 217.
11. Nicolson, *Diaries & Letters*, p. 261-262.
12. G. M. Young, *Stanley Baldwin*, p. 233.
13. Anne Freemantle, *Three-Cornered Heart*, p. 223.
14. Nicolson, *Diaries & Letters*, p. 263.
15. *Ibid.*, p. 255.
16. Birkenhead, *Walter Morckton*, p. 157.
17. *Washington Post*, 20 septembre 1936.
18. *The New York Times*, 3 octobre 1936.
19. Entretien personnel.
20. Entretien personnel.
21. Birkenhead, p. 128.
22. *Time Magazine*, 5 octobre 1936.
23. Cooper, p. 173-174.
24. *Ibid.*, p. 174.
25. *Cavalcade*, 15 août 1936.
26. Windsor, *The Heart Has Its Reasons*, p. 221.
27. Cooper, p. 180.
28. Windsor, *A King's Story* p. 309.
29. Cooper, p. 183.
30. *Sunday News* de New York, 20 septembre 1936.
31. *Ibid.*
32. *Ibid.*
33. *Ibid.*
34. Helen Worden, *World Telegram* de New York, 10 décembre 1936.
35. Entretien personnel.

Chapitre 15

1. *Time Magazine*, 7 novembre 1936.
2. Airlie, p. 199.
3. Windsor, *A King's Story*.
4. Beaton, *The Wandering Years*.
5. *Time Magazine*, 2 novembre 1936.
6. Airlie, p. 197-198.
7. *Ibid.*, p. 198.
8. *Ibid.*
9. *Time Magazine*, 5 octobre 1936.
10. *Ibid.*
11. Beaton, p. 301.
12. *Observer Review* de Londres, 24 juin 1973.
13. Beaton p. 301.
14. *Ibid.*
15. *Ibid.*
16. *Ibid.*
17. *Ibid.*

Chapitre 16

1. Brody, *Gone With the Windsors*, p. 199.
2. David Hume, *History of England*, New York, Harper, 1880.
3. Birkenhead, p. 125.
4. *Ibid.*, p. 126.
5. *Ibid.*, p. 157.
6. *Ibid.*
7. Nicolson, *Diaries & Letters*, p. 269.
8. *Ibid.*, p. 275.
9. Birkenhead, p. 129.
10. *Ibid.*, p. 127.
11. *Literary Digest*, 29 mai 1937.
12. Birkenhead, p. 129-130.
13. Lord Beaverbrook, *The Abdication of King Edward VIII*, p. 130.
14. Inglis, p. 179.
15. Beaton, p. 305.
16. Inglis, p. 74.
17. Gunther, *Inside Europe*, p. 262.
18. *Ibid.*
19. *Ibid.*, p. 266.
20. Young, *Stanley Baldwin*, p. 51.
21. Inglis, p. 73.
22. Churchill, *The Gathering Storm*, p. 216.
23. Inglis, p. 72.
24. Thomas Jones, *A Diary With Letters, 1931-1950*, p. 69.
25. 3 mai 1935.
26. Young, p. 234.

27. Windsor, *A King's Story*, p. 319.
28. *Ibid.*, p. 320.
29. Inglis, p. 69.
30. *The New York Times*, 20 octobre 1936.
31. Lord Rothermere cité dans l'*Evening Journal* de New York, 14 décembre 1936.
32. Walter Winchell, coupure non datée de 1936.
33. Editorial du *Daily News* de New York, coupure non datée.
34. Lettre datée du 15 octobre 1936, signée BRITANNICUS IN PARTIBUS INFIDELIUM dans Evelyn Wrench, *Geoffrey Dawson and Our Times*, p. 339.
35. *Ibid.*
36. *Ibid.*, p. 342.
37. Inglis, p. 151.
38. J. G. Lockhart, *Cosmo Gordon Lang*, p. 106.
39. *Ibid.*, p. 398.

Chapitre 17

1. Entretien personnel.
2. Thomas Watson, cité dans *Time Magazine*, 9 novembre 1936.
3. Jack Beall, *Herald Tribune* de New York, cité dans *ibid.*
4. W. F. Leysmith, *The New York Times.*
5. *The New York Times*, 28 octobre 1936.
6. *Ibid.*
7. *Ibid.*
8. *Ibid.*

Chapitre 18

1. *Time Magazine* 2 novembre 1936.
2. *Ibid.*
3. Inglis, p. 193.
4. Wrench *G. Dawson and Our Times*, p. 343.
5. Airlie, p. 201.
6. *Ibid.*, p. 200.
7. *Ibid.*
8. *Ibid.*
9. Entretien personnel.
10. Entretien personnel.
11. *Daily News* de New York, 17 novembre 1936.
12. Fritz Hesse, *Hitler and the English.*
13. *Ibid.*
14. Cooper, p. 216.
15. Nicolson, *Diaries & Letters*, p. 276.
16. Wrench, p. 344.
17. Templewood, p. 218-219.
18. *Ibid.*, p. 219.
19. *The New York Times*, 19 novembre 1936.
20. Wrench, p. 345.
21. *The Times* de Londres 29 novembre 1955.
22. Beaverbrook, p. 99.
23. *The Times* de Londres, 29 novembre 1955.
24. *Ibid.*
25. Inglis, *Abdication*, p. 210.
26. Windsor, *The Heart Has Its Reasons*, p. 236.
27. *Ibid.*
28. Entretien personnel.

Chapitre 19

1. Windsor, *A. King's Story*, p. 330.
2. Birkenhead, p. 134.
3. Inglis, *Abdication*, p. 212.
4. Windsor, *A King's Story*, p. 333.
5. *Ibid.*
6. Pope-Hennessy, p. 574-575.
7. Airlie, p. 200.
8. *Ibid.*
9. Pope-Hennessy p. 575.
10. Clement R. Attlee, *As It Happened*, p. 123.
11. Nicolson, *Diaries & Letters*, p. 279-280.
12. *Newsweek*, 26 novembre 1936.
13. *Ibid.*
14. *Ibid.*
15. *Ibid.*
16. *Ibid.*
17. Windsor, *The Heart Has Its Reasons*, p. 240.
18. Windsor, *A King's Story*, p. 290.
19. Birkenhead, p. 137.
20. Inglis, p. 267.
21. Windsor, *A King's Story*, p. 343.
22. *Ibid.*
23. *The Sunday Times* de Londres, 24 avril 1966.
24. Inglis, p. 181.
25. *Ibid.* 184.
26. Beaverbrook, p. 55.

27. *Ibid.*, p. 34.
28. *Ibid.*, p. 35.
29. *Ibid.*
30. *Ibid.*
31. *Ibid.*, p. 57.
32. Nicolson, *Diaries & Letters*, p. 280.
33. Article de Margaret Case Harriman, dans Leighton, p. 378.
34. *Ibid.*
35. Marion Crawford, *The Little Princesses*, p. 72.
36. *Ibid.*, p. 80.
37. Leighton, p. 378.
38. Windsor, *A King's Story*, p. 346.
39. Nicolson *Diaries & Letters*, p. 280.
40. *Ibid.*
41. Wrench, p. 346.
42. *Ibid.*, p. 347.
43. Leighton, p. 379.
44. Birkenhead, p. 126.

Chapitre 20

1. *The New York Times*, 4 décembre 1936.
2. *Star* de Washington, 16 décembre 1936.
3. *Ibid.*
4. *Star* de Washington, 19 décembre 1932.
5. *Ibid.*
6. *News-Post* de Baltimore, 9 décembre 1936.
7. Christopher Sykes, *Nancy, The Life of Lady Astor*, p. 376.
8. Nicolson, *Diaries & Letters*, p. 396-397.
9. *Ibid.*
10. *The New York Times*, 16 décembre 1936.
11. Windsor, *The Heart Has Its Reasons.*
12. Wrench, p. 347.
13. *Ibid.*
14. Birkenhead, p. 140.
15. *Ibid*, p. 136.
16. C. L. Sulzberger, *The New York Times*, 31 mai 1972.
17. Inglis.
18. Entretien personnel.
19. *Ibid.*
20. Beaverbrook, p. 70.
21. *Time Magazine*, 7 décembre 1936.
22. *Ibid.*
23. Wrench, p. 349.
24. 10 décembre 1936.
25. Leighton, p. 379-380.
26. 10 décembre 1936.
27. Inglis, *Abdication*, p. 277.
28. *Ibid.*
29. *Star* de Washington, 16 décembre 1936.
30. *Ibid.*
31. *Ibid.*
32. *Star* de Washington, 23 décembre 1936.
33. *Star* de Washington 17 décembre 1936.
34. *Ibid.*
35. *Ibid.*
36. *Star* de Washington, 17 décembre 1936.
37. *Ibid.*
38. *Ibid.*
39. *Ibid.*
40. Newbold Noyes, *Evening Star* de Washington, non daté.
41. Windsor, *The Heart Has Its Reasons.*
42. Wrench, p. 349.
43. Young, *Churchill and Beaverbrook*, p. 238.
44. Windsor, *A King's Story*, p. 359.
45. Entretien personnel.
46. *Ibid.*

Chapitre 21

1. Entretien personnel.
2. *Ibid.*
3. *Ibid.*
4. *Ibid.*
5. *Ibid.*
6. *Ibid.*
7. *Herald* de Washington, 5 décembre 1936.
8. Entretien personnel.
9. *Ibid.*
10. Beaverbrook, p. 78.
11. Entretien personnel.
12. *Ibid.*
13. *The New York Times*, 7 décembre 1936.
14. *Ibid.*
15. Entretien personnel.
16. *Ibid.*
17. *The New York Times*, 7 décembre 1936.

Chapitre 22

1. Windsor, *A King's Story*, p. 361.
2. Young, p. 242.
3. Inglis, p. 303.
4. Kenneth Young, *Churchill and Beaverbrook*, p. 123.
5. Churchill, *The Gathering Storm*, p. 218.
6. Pope-Hennessy p. 577.
7. Birkenhead, p. 142.
8. Beaverbrook, p. 78 note, citation d'après les papiers de Lloyd George.
9. *Ibid.*, p. 73.
10. *The New York Times*, 7 décembre 1936.
11. *The New York Times*, 5 décembre 1936.
12. *Daily Herald* de Londres, 6 décembre 1936.
13. *Evening Journal* de New York, 7 décembre 1936.
14. *Herald* de Washington. 5 décembre 1936.
15. *Time Magazine*, 14 décembre 1936.
16. *Time Magazine*, 16 novembre 1936.
17. Inglis, *Abdication*, p. 323.

Chapitre 23

1. Martin, Kingsley, p. 111.
2. Interview par Clare Boothe Luce, *McCall's*, août 1966.
3. Lockhart, p. 398-399.
4. *Ibid.*
5. *Ibid.*
6. Fremantle, p. 178.
7. *Ibid.*
8. Beaverbrook, p. 77.
9. Entretien personnel.
10. Entretien personnel.
11. Birkenhead, p. 145.
12. *Ibid.*
13. Nicolson, *Diaries & Letters* p. 282.
14. *Ibid.*, p. 282-283.
15. *The New York Times*, 6 décembre 1936.
16. *Literary Digest*, 12 décembre 1936.
17. *Ibid.*
18. *Ibid.*
19. *Ibid.*
20. *Beaverbrook*, p. 80.
21. *Ibid.*
22. Birkenhead, p. 144.
23. *Ibid.*
24. *Evening Post* de New York, 4 décembre 1936.
25. *The Sunday People*, Londres, 6 mai 1973.
26. Entretien personnel.
27. Beaverbrook, *Abdication of King Edward VIII.*
28. *Herald* de Washington 8 décembre 1936.
29. *Time Magazine*, 30 novembre 1936.
30. Birkenhead, p. 145.
31. *Ibid.*, p. 146.
32. *Ibid.*
33. *Ibid.*, p. 145.
34. *Herald* de Washington, 7 décembre 1936.
35. *The Times* de Londres, 3 décembre 1936, éditorial.
36. Entretien personnel.
37. *Herald* de Washington, 8 décembre 1936.
38. Windsor, *The Heart Has Its Reasons.*
39. Martin, p. 111.
40. Nicolson, *Diaries & Letters*, p. 282.
41. Inglis, p. 337.
42. Nicolson, *Diaries & Letters*, p. 284.
43. Beaverbrook p. 109.
44. *Ibid.*
45. Nicolson, *Diaries & Letters*, p. 282.
46. Entretien personnel.
47. *Ibid.*
48. Entretien personnel.
49. *The New York Times*, 9 décembre 1936.
50. *The Times* de Londres, 6 décembre 1936.
51. Tom Driberg, cité dans Inglis, p. 350.
52. Wrench, p. 351.
53. Entretien personnel.
54. *Ibid.*
55. D'une déclaration écrite par Goddard en juillet 1951, dans Beaverbrook, p. 119.
56. Entretien personnel.
57. Beaverbrook, p. 119.
58. Birkenhead, p. 147.
59. Young, p. 243.
60. *Ibid.*
61. Inglis, p. 356.
62. Birkenhead, p. 149.
63. Entretien personnel.
64. *Ibid.*

Chapitre 24

1. Entretien personnel.
2. Nicolson, *Diaries & Letters*, p. 283-284.
3. Birkenhead p. 150.
4. Windsor, *A King's Story*, p. 402.
5. *The New York Times Magazine*, 22 janvier 1939.
6. *World Telegram* de New York, 10 décembre 1936.
7. Birkenhead, p. 150.
8. Windsor, *A King's Story*, p. 406.
9. *Ibid.*
10. *Evening Post* de New York, 4 décembre 1936.
11. Nicolson, *Diaries & Letters*, p. 285-286.
12. Entretien personnel.
13. Birkenhead, p. 148.
14. Entretien personnel.
15. Birkenhead, p. 151.
16. *Ibid*, 152.
17. *Ibid.*
18. *Ibid.*, p. 151.
19. Inglis, p. 365.
20. Randolph Churchill, *American Weekly*.
21. *Ibid.*
22. Birkenhead p. 152.
23. *Ibid.*
24. Entretien personnel.
25. Entretien personnel.
26. Birkenhead, p. 153.
27. *Ibid.*
28. *Daily Telegraph* de Londres, 29 mai 1972.
29. Birkenhead, p. 154.
30. *Ibid.*
31. Young, p. 241.
32. Inglis, *Abdication*, p. 369.

Chapitre 25

1. *Daily Express* de Londres, 4 septembre 1956.
2. *Evening Journal* de New York, 12 décembre 1936.
3. *American* de New York, 9 décembre 1936.
4. *The New York Times*, 11 décembre 1936.
5. Philip Gibbs, *Ordeal in England*, p. 96.
6. Dorothy Laird, *Queen Elizabeth*, p. 154.
7. *The New York Times*, 26 décembre 1936.
8. 11 décembre 1936 Département d'Etat, Archives Nationales, Washington, D.C., 841.001, VIII/77.
9. *The New York Times*, 11 décembre 1936.

Chapitre 26

1. Amiral Fisher, dans Templewood, p. 223.
2. Beaverbrook, p. 109.
3. *The New York Times*, éditorial.
4. *American Weekly*, 9 décembre 1956.
5. Lockhart, p. 405.
6. *Ibid.*
7. *Ibid.*
8. *Ibid.*
9. Inglis, p. 397.
10. *Herald* de Washington, 26 décembre 1936.
11. *The New York Times*, 16 décembre 1936.
12. *Ibid.*
13. Entretien personnel.

Chapitre 27

1. *Time Magazine*, 14 décembre 1936.
2. *News-Post* de Baltimore, 18 décembre 1936.
3. *Herald Tribune* de New York, 21 décembre 1936.
4. Brody, p. 240.
5. *Evening Journal* de New York, 29 décembre 1936.
6. *The New York Times*, 6 février 1937.
7. Elsa Maxwell, *R.S.V.P.*, p. 310.
8. *News-Post* de Baltimore, 11 décembre 1936.
9. *Time and Tide*, reproduit par *American* de New York, 11 décembre 1936.
10. *The New York Times*, 19 septembre 1949.
11. *Sunday News* de New York, 11 décembre 1966.
12. *American Weekly*, 9 décembre 1956.
13. Frances Stevenson, *Lloyd George*, p. 326-327.

Chapitre 28

1. Entretien personnel.
2. Entretien personnel.

3. *The New York Times,* 12 mars 1937.
4. *Washington Post,* 5 mai 1937.
5. *Ibid.*
6. *Ibid.*
7. Entretien personnel.
8. Beaton, p. 305.
9. *Ibid.*
10. *Ibid.*, p. 306.
11. *Ibid.*
12. *The New York Times,* 3 mai 1937.

Chapitre 29

1. Windsor, *The Heart Has Its Reasons,* p. 288.
2. CBS *Person to Person* avec Edward R. Murrow, 28 septembre 1956.
3. Beaton, p. 305.
4. *American* de New York, 3 juin 1936.
5. Entretien personnel.
6. Havelock Ellis, *Herald* de Washington, 16 décembre 1936.
7. Entretien personnel.
8. Jardine, *At Long Past,* p. 54.
9. *Journal American* de New York, 3 juin 1962.
10. Beaton, p. 309.
11. Coupure de presse non datée.
12. Joy Miller, *Today's Women,* AGYS News Features, 6 juin 1962.
13. *American* de Baltimore, 3 juin 1962.
14. *Burke's Peerage,* 1er septembre 1967.
15. *American* de New York, 3 juin 1936.
16. Birkenhead, p. 166.
17. *Ibid.*
18. Beaton, p. 307.
19. *Herald Tribune* de New York, 24 mai 1972.
20. *Times* de Toledo, 2 juin 1967.
21. Jardine, p. 72.
22. *Ibid.*
23. *Ibid.*
24. *Ibid.*, p. 73.
25. Beaton, p. 310.
26. *Ibid.*
27. *The New York Times,* 3 juin 1936.
28. *Ibid.*
29. *Times* de Toledo, 2 juin 1967.
30. Jardine p. 85.
31. *Ibid.*
32. Entretien personnel.
33. *The Times* de Londres, 29 mai 1972.
34. Birkenhead, p. 166.
35. Jardine, p. 88.
36. *Ibid.*, p. 91.
37. *Ibid.*
38. Entretien personnel.
39. *Literary Digest,* N° 14, 1936.
40. Birkenhead, p. 162.

Chapitre 30

1. *Journal American* de New York, 3 juin 1962.
2. *Herald Tribune* de New York 13 décembre 1936.
3. *This Week,* 25 novembre 1956.
4. Windsor, *Windsor Revisited,* p. 198.
5. *Literary Digest,* 29 mai 1937.
6. Nicolson, *Diaries & Letters,* p. 286.
7. Birkenhead, p. 161.
8. *Evening Sun* de Baltimore, 3 juin 1937.
9. *Evening Standard* de Londres, 11 juin 1937.
10. *American Weekly,* 11 novembre 1936.
11. *This Week,* 25 novembre 1956.

Chapitre 31

1. Winston Churchill, *Step by Step,* New York, Putnam, 1939, p. 137.
2. *The New York Times,* 4 novembre 1937.
3. Birkenhead, p. 168.
4. Windsor, *The Heart Has Its Reasons.*
5. *Documents on German Foreign Policy* (DGFP), Londres, Her Majesty's Stationery Office, 1962, p. 1024-1025. Manque télégramme (?) sur page précédente.
6. Ribbentrop, Joachim von, *Ribbentrop Memoirs,* p. 61.
7. James Graham-Murray, *The Sword and Umbrella,* p. 125.
8. *Ibid.*, p. 162.
9. *Daily Express* de Londres, 30 octobre 1962.
10. *The Times* de Londres, 24 octobre 1937.
11. William L. Shirer, *Berlin Diary,* p. 88.
12. Paul Schmidt, *Hitler's Interpreter,* p. 74.
13. *Daily Express* de Londres, 15 août 1958.
14. Schmidt, p. 75.

15. Windsor, *The Heart Has Its Reasons,* p. 300.
16. *Ibid.*

Chapitre 32

1. Birkenhead, p. 169.
2. *Inquirer* de Philadelphie, coupure non datée.
3. *Herald Tribune* de New York, 28 octobre 1937.
4. 2 novembre 1937, Département d'Etat, mémorandum de conversations, dossier confidentiel, Archives Nationales, Washington, D.C., FW 033.4111.

Chapitre 33

1. Entretien personnel.
2. *Ibid.*
3. *Ibid.*
4. *The New York Times,* 20 novembre 1937.
5. *Ibid.*
6. Maxwell, *R.S.V.P.,* p. 300.
7. Birkenhead, p. 168.
8. *Ibid.*
9. Entretien personnel.
10. Nicolson, *Diaries & Letters,* p. 351.
11. *The Sunday People,* Londres, 29 avril 1973.
12. Birkenhead, p. 169.
13. *The New York Times,* 9 mai 1939.
14. Birkenhead, p. 170.

Chapitre 34

1. Windsor, *The Heart Has Its Reasons,* p. 316.
2. Birkenhead, p. 172.
3. *Ibid.*
4. R. J. Minney, *The Private Papers of Hore-Belisha,* p. 238.
5. Chambre des Communes, 23 mars 1933.
6. Alistair Horne, *To Lose a Battle,* p. 118.
7. Rapport par Gordon Waterfield, dans *ibid.,* p. 112.
8. *Ibid.* p. 103.
9. *American* de Baltimore, 24 décembre 1939.

Chapitre 35

1. Lewis Hagen, *The Schellenberg Memoirs,* p. 129-130.
2. *Ibid.,* p. 130.
3. *Ibid.,* p. 131.
4. *Ibid.*
5. *Daily Express* de Londres, coupure non datée.
6. DGFP, N° 2051, 23 juin 1940, p. 2.
7. DGFP, n° 1, 24 juin 1940, p. 9.
8. Windsor, *The Heart Has Its Reasons.*
9. DGFP, N° 2182, 2 juillet 1940 p. 97.
10. Public Record Office, Londres, référence du câble F.O. 371, 24249, 556, câble N° 479, 4 juillet 1940.
11. Câble N° 369, 4 juillet 1940.
12. Câble N° 1447, 9 juillet 1940.
13. DGFP, N° 2298, 9 juillet 1940, p. 187.
14. DGFP, Très Urgent, N° 1023, 11 juillet 1940, p. 187.
15. DGFP, N° 2331, 12 juillet 1940. p. 199.
16. DGFP, N° 2558, 13 juillet 1940, p. 199.
17. Hagen, p. 138.
18. Câble N° 164, 20 juillet 1940.
19. DGFP, Top Secret, N° 2384, 16 juillet 1940, p. 223.
20. *Ibid.*
21. D.G.F.P., N° 2474, 23 juillet 1940, p. 227.
22. DGFP Urgent, Strictement Confidentiel, N° 2495, 25 juillet 1940, p. 290.
23. Hagen, p. 139.
24. DGFP, Très Urgent. Top Secret, N° 2520, 26 juillet 1940, p. 317-318.
25. *Washington Post,* 1er août 1940.
26. *Ibid.*
27. Câble N° 1373, 17 juillet 1940.
28. *Press* de Cleveland, coupure non datée.
29. Câble N° 439, 18 juillet 1940.
30. Hagen, p. 138.
31. *Ibid.,* p. 139.
32. Birkenhead, p. 180.
33. DGFP Très Urgent, N° 808, 2 août 1940, p. 401.
34. Câble N° 478, 24 juillet 1940.
35. *Ibid.*
36. Câble N° 485, 26 juillet 1940.
37. DGFP, Très Urgent, Top Secret, N° 2663, 3 août 1940, p. 409.

38. DGFP, Très Urgent, Top Secret, N° 2598, 31 juillet 1940, p. 377.
39. DGFP, p. 398. Numéro sur page précédente qui manque.

Chapitre 36

1. *The New York Times,* 19 août 1940.
2. *The New York Times,* 8 août 1940.
3. *The New York Times,* 9 août 1940.
4. *News-Post* de Baltimore, 6 janvier 1938.
5. *The New York Times,* 9 août 1940.
6. *Ibid.*
7. *Ibid.*
8. *Ibid.*
9. *Ibid.*
10. *The New York Times,* 17 août 1940.
11. *Ibid.*
12. *Life Magazine,* 23 décembre 1940.
13. *Ibid.*
14. Public Record Office, F.O. 371-24249-556, 24 août 1940.
15. *Life Magazine,* 23 décembre 1940.
16. Leighton, p. 365.
17. Entretien personnel.
18. *Ibid.*
19. United Press International, Nassau, 5 septembre 1940.
20. *Ibid.*
21. Entretien personnel.
22. *Ibid.*
23. *Ibid.*
24. *Life Magazine,* 23 décembre 1940.
25. *Ibid.*
26. UPI, Nassau, 5 septembre 1940.

Chapitre 37

1. *The New York Times,* 26 septembre 1941.
2. Entretien personnel.
3. *Ibid.*
4. St. Johns, p. 466.
5. *New-Post* de Baltimore, 10 octobre 1941.
6. *American* de Baltimore, 12 octobre 1941.
7. *Sun* de Baltimore, 14 octobre 1941.
8. *Ibid.*
9. *Ibid.*
10. *Ibid.*
11. *Post* de New York, non daté.
12. Associated Press Features Service, 14 octobre 1936.

Chapitre 38

1. Entretien personnel.
2. *Ibid.*
3. *Ibid.*
4. *Ibid.*
5. *Ibid.*
6. *Post* de New York, 5 juin 1943.
7. *Life Magazine,* 23 décembre 1940
8. *Ibid.*
9. Entretien personnel.
10. *Ibid.*
11. *Ibid.*
12. *Ibid.*

Chapitre 39

1. Entretien personnel.
2. *Ibid.*
3. *Life Magazine,* 23 décembre 1940.
4. Entretien personnel.

Chapitre 40

1. Elsa Maxwell, *The New York Times,* 29 mai 1972.
2. Entretien personnel.
3. *Daily Mirror* de New York, 8 décembre 1946.
4. Entretien personnel.
5. Inez Robb, *Daily Mirror* de New York, 8 décembre 1946.
6. *The New York Times,* 11 décembre 1947.
7. *Parade,* 20 août 1967.
8. *Women's Wear Daily,* 17 mars 1967
9. *Time Magazine*, 8 avril 1966.
10. *Sunday Globe* de Boston, 6 juin 1971.
11. Helen Wordon, *American Mercury,* juin 1944.
12. Entretien personnel.
13. *Ibid.*
14. « The Londoner's Diary », cité dans le *New York Times,* 3 septembre 1947.
15. Entretien personnel.
16. *Esquire,* janvier 1973.
17. Leonard Lyons *Sunday Express* de Londres, 2 décembre 1962.
18. Brody, p. 4.

Chapitre 41

1. *Women's Wear Daily,* 21 mai 1968.
2. Entretien personnel.
3. *Post* de New York, 3 juin 1972.
4. Entretien personnel.
5. *Ibid.*
6. *Ibid.*
7. *Vogue,* 1er avril 1964.
8. *Sunday Dispatch* de Londres, 12 mars 1939.
9. Entretien personnel.
10. *Ibid.*
11. Entretien personnel.
12. *The Sunday People,* Londres, 13 mai 1973.
13. Entretien personnel.
14. Entretien personnel.
15. Dina Hood, *Working for the Windsors.*
16. *Family Weekly,* 3 juin 1962.
17. Entretien personnel.
18. *Ibid.*
19. Maxwell, *R.S.V.P.* p. 308.
20. Considine, *It's All News to me,* p. 323.

Chapitre 42

1. Entretien personnel.
2. *Post* de Washington, 24 mai 1967.
3. Entretien personnel.
4. *Ibid.*
5. *Ibid.*
6. *Ibid.*
7. *Ibid.*
8. *Ibid.*
9. *Daily Express* de Londres, 3 juin 1957.
10. Entretien personnel.
11. *Daily Express* de Londres, coupure non datée.
12. Entretien personnel.
13. *Ibid.*
14. *Ibid.*
15. *Ibid.*
16. *Daily News* de New York, 3 février 1941.
17. Entretien personnel.
18. *Ibid.*
19. *Ibid.*
20. *Ibid.*
21. *Ibid.*
22. *Ibid.*
23. *Ibid.*
24. *Ibid.*
25. *Ibid.*
26. *Ibid.*
27. *Ibid.*
28. *Ibid.*
29. *McCall's* août 1966.
30. *Evening Standard* de Londres, 7 mai 1956.
31. *Ibid.*
32. *Ibid.*
33. *Ibid.*
34. *Ibid.*
35. *Sunday Dispatch* de Londres, 22 janvier 1961.
36. *Washington Post,* 14 janvier 1970.
37. *Ibid.*
38. Entretien personnel.
39. *Ibid.*
40. *Sunday Express* de Londres, 2 décembre 1962.

Chapitre 43.

1. *Sunday Express* de Londres, 2 décembre 1972.
2. *Ibid.*
3. *Evening Standard* de Londres, 30 mai 1972.
4. Entretien personnel.
5. *Ibid.*
6. *Daily Mail* de Londres, 29 mai 1972.
7. Entretien personnel
8. *Ibid.*
9. Reuter, Londres, 3 juin 1972.
10. *Sunday Express* de Londres, 4 juin 1972.
11. Entretien personnel.
12. *Ibid.*
13. *Ibid.*
14. *Daily Express* de Londres, 29 mai 1972.

Epilogue

1. Entretien personnel.
2. *Ibid.*
3. Charles Murphy, *Time Magazine* 19 novembre 1973.
4. Entretien personnel.
5. *Ibid.*
6. *Ibid.*
7. *Ibid.*

Index

Achevé d'imprimer
en février mil neuf cent quatre-vingt
sur les presses de l'Imprimerie Gagné Ltée
Louiseville - Montréal.
Imprimé au Canada

Achevé d'imprimer
en février mil neuf cent quatre-vingt
sur les presses de l'Imprimerie Gagné Ltée
Louiseville - Montréal.
Imprimé au Canada